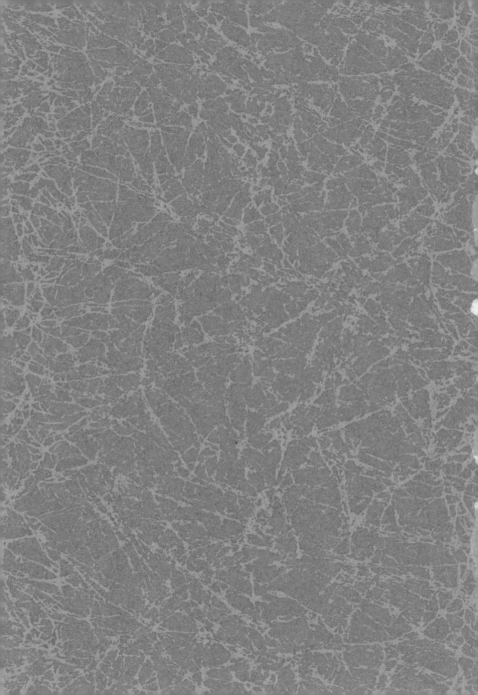

新潮社版

山崎豊子

二つの祖国

中

二つの祖国㈥・目次

装幀　司　修

二つの祖国(中)

太平洋戦争は、数多くの哀しみと愛のドラマを生んだ。この作品は、当時の歴史的事実をもとに、小説的に構成したものである。登場する作中の主人公とその家族、友人などは架空の人物である。

一章　二つの戦場

乱気流で荒れる南支那海を、日本の輸送船団がフィリピンに向って航行していた。

鉛色の空に風が咆哮《ほうこう》し、波濤《はとう》がおしよせるたびに、輸送船は木の葉のように揺れながら、空からの米軍の艦載機、海からの潜水艦の襲撃を恐れ、島陰を伝うように進んでいた。

船団はいよいよ魔のバシー海峡にさしかかった。

天羽《あもう》忠《ただし》は、兄の賢治が米軍情報部に所属し、自分たちの旭《あさひ》兵団（第二十三師団）が北満から、フィリピンへ向う大本営命令書を解読したことなど知るはずもなく、船倉にいた。

四千人余りの兵隊がいつでも退避できるように完全装備でぎっしり詰め込まれ、息を殺している。先行した船団の艦船はバシー海峡で殆《ほと》んど撃沈されているのだった。

輸送船の通信一切が封じられ、鼠《ねずみ》の走る音だけが聞える息詰るような沈黙であった。米軍の餌食《えじき》になるかもしれない恐怖が誰の眼にも滲《にじ》んでいる。

陸軍上等兵、天羽忠も身長百七十五センチの脚の長い日本人離れした体軀《たいく》を屈《かが》め、ぎょろりとした眼を瞬《また》きもさせず、神経を研《と》ぎすましていた。

極度の緊張と恐怖の中で、忠は、自分のズボンの外側が、生温いもので濡れていることに気付いた。身動きも出来ぬほどぎっしり詰め込まれている右隣りを見ると、二十一歳になったばかりの小浜《こはま》二等兵が、憐れみを乞うように顔を歪《ゆが》めている。初年兵訓練も終っていない新兵は、恐怖のあまり失禁したようであった。忠は、ふと同じ齢頃の弟の勇《いさむ》のことを思いうかべ、軽く頷《うなず》き、何事もなかったような顔をしてやった。

伝令が来、バシー海峡無事通過を報《しら》せた。船倉にほっとした吐息が流れ、緊張が解けた。忠は用便のために、船倉から甲板へ這《は》い上った。各班が交互に体操をする時と用便以外には、甲板へ出ることを禁じられていたが、忠は用便をすませたあと、すぐに船倉に戻らず、起重機の陰で長い脚を投げ出して、新鮮な空気を吸った。

船が南下するにつれ、海は鎮《しず》まり、緑したたる島々が見えると、カリフォルニアにいる両親と兄弟妹たちのことが思われた。日米交戦下のアメリカで、日系人の父たちはどのような暮しをしているのだろうか、開戦前の排日感情の強さを思うにつけ、身の上が案じられ、二十三歳の忠の胸にこみ上げて来るものがあった。

「おい、何をしているのだ！」

頭の上で声がした。仰向くと、古参軍曹の鬼頭《きとう》であった。その名の如く、兵隊たちから鬼《おに》軍曹と怖れられ、特に二世の忠に対しては、絶えず、執拗な猜疑《さいぎ》の眼を向けていた。

忠は、瞬間的にたち上り、直立不動の姿勢をとった。

「軍曹殿、天羽上等兵はトイレット……、いや、厠《かわや》にやらせて戴きました」

軍隊用語で答えた。

「トレ……？　厠へ行くというのを英語では、どう云うのかね」

いやがらせの口調で聞いた。答えずにいると、

「おい、この俺には教えられんと云うのか」

「忘れたのであります」

「なに、忘れた？　お前の頭は都合よく出来とるじゃないか」

せせら笑うように云い、

「貴様《きさま》、用便がすんだら、なぜすぐ船倉に戻らんのか、何か人に隠れて、こっそりやらねばならんことでもあるのか」

疑い深い眼つきをした。

「いえ、船酔いをし、吐きそうなので、少し風にあたっていたのであります」

「ふむ、風か、海の向うのアメリカ風にあたりたいのだろう、この野郎！　たるんどるぞオ！」

と云うなり、びんたが飛んだ。不意をくらって、忠はぐらりとよろめき、危うく海中に転落しかけた。足を踏んばり、直立すると、さらに両頰にびんたが連打され、眼から火が出た。

「解ったか、これで！」

「はい、軍曹殿、お世話になりました」

唇《くちびる》の端が切れ、ぬるりとした血が滴《したた》るのを手の甲《こう》で拭《ぬぐ》い、忠は急いで船倉へ降りて行った。

すし詰めの船倉の中で、ようやく体を横たえると、入隊以来の三年間がまざまざと思い出された。

昭和十六年二月、徴集を受けて、原籍地の鹿児島歩兵第四十五連隊に入隊し、一カ月後には、北満の地、ハイラルへ送られ、第二十三師団歩兵第七十一連隊に配属された。ハイラルは冬になると、零下五十度にまで下り、夏は四十度の暑熱で、馬も人も炎暑に喘《あえ》ぎ、十六歳まで年中、温暖なカリフォルニアに育った忠にとっては、あまりに厳しい気象条件であった。その上、軍人勅諭の読み方が悪いといっては殴られ、天皇陛下から戴いた銃の取扱いが悪いといっては蹴《け》られ、その他、理屈に合わぬ理屈で殴られる初年兵教育は、忠には惨忍なリンチに思われた。なぜこんなリンチのような行為が、初年兵教育として罷《まか》り通るのか、忠はしばしば理解に苦しんだ。だが、日本の軍隊に入ったからには、耐えるしか生きる道はないのだと覚悟を決め、びんた教育という日本軍独特のやり方の中で、忠も一人前の兵隊に鍛え上げられたのだった。

しかし、その間、忠の心を鋭く抉《えぐ》ったのは、幹部候補生試験であった。大学卒業者は、幹部候補生試験に合格すれば、少尉に任官出来るが、それには、大学の配属将校による軍事教練の全科目を終了、合格したという証明書を必要とした。忠は人一倍、軍事教練に励んだにもかかわらず、配属将校の証明書を得られず、受験が許されなかった。それが、アメリカ生れの二世であるという偏見に起因していることを知った時のショックは大きかった。

アメリカのハイスクールで、生徒会長に選ばれながら、白人の父兄たちの猛反対を受けて、ついになれず、それなら、ジャップと差別されることのない日本へ行くことを決意したのだった。その日本で、二世だからという理由で、差別を受けたのだった。その日以来、気性の激しい忠は、二世ということで差別されることに挑戦するように我武者《がむしゃ》羅《ら》に努力した。その結果、ようやく一つ星の二等兵から、三つ星の上等兵まで進級したのだった。

「天羽上等兵殿、飯《めし》あげの時間であります」

二等兵の飯あげ当番が、にぎり飯とみそ汁の昼食が出来たことを報せに来た時、対潜警報が鳴り響いた。寸秒おかず、大音響がし、激しい震動と同時に、体が宙に浮いた。その瞬間、忠は敵潜水艦の魚雷を受けたと直感した。

「全員退避せよ！」

緊急退避命令が出た。忽《たちま》ち船体が傾きはじめ、兵隊たちは争って狭い階段にひしめいた。

忠はようやく、甲板に這い上ると、兵隊たちが甲板に繋《つな》いである救命艇に殺到していた。

「慌《あわ》てるな！　慌てるな！」

鬼頭軍曹が大声で怒鳴り、銃床《じゅうしょう》で兵隊たちを押し返し、将校と一緒にいち早く、救命艇に乗り移った。兵隊たちも甲板の救命艇を下し、乗り移ろうとした時、後部船腹でまた魚雷が炸裂《さくれつ》した。積載弾薬に引火し火柱が空高く噴き上り、後部甲板にいた何十人もの人間が宙に吹き上げられ、ロープを切られた艇は海になだれ落ちた。忠は、船の傾く方向と反対側へ廻り、船腹から海に飛び込んだ。反対側に飛び込まないと、船の沈没時に、海中へ吸い込まれてしまう。

五、六十メートル、船体から離れた時、赤い船底を見せて、海中へ没して行くのが見えた。魚雷命中から五、六分であろうか。海上に黒い重油が拡がり、油層の臭気とガスの臭いがたち籠《こ》め、生きた人間、死んだ人間が入り混って、何百人となく、波間に浮かんでいる。

忠は完全武装で、救命胴衣をつけていたが、中にはバシー海峡を通過すると、船倉の蒸し暑さに装備を解き、着のみ着のままの者もいる。門司から乗船した補充兵たちは、代替品の孟宗竹《もうそうちく》をつなぎ合せた救命胴衣をつけていた。

「上等兵殿、助かるのでありましょうか」

恐怖のあまり失禁した小浜二等兵が、忠の近くで手をばたつかせながら聞いた。

「大丈夫だ、泳ごうとするな、じっと浮かんでおれば、海防艦が救助に来てくれる」

ちょうど忠の前に流れて来た船の木片を小浜の方に押しやると、数人の兵隊が奪い合った。救命胴衣をつけていない者は、つけている者に縋《すが》ろうとし、縋りつかれては自分が沈んでしまうから、

「摑《つか》まるな！　離せ！」

相手の手を叩いたり、体を蹴って逃げ、離れる。そうしながらも潮の流れで、木屑《きくず》が一処《ひとところ》に集るように、何百人もが集って、波間に漂っていると、海防艦がやって来た。舷《げん》からするすると、縄梯子《なわばしご》が三、四本、下ろされると、兵隊たちは、先を争って、しがみついた。一人が縄梯子にしがみつくと、その足に一人が縋りつき、さらに三人、四人と数珠《じゅず》つなぎにぶら下り、誰も艦へ上れない。艦上から、

「おい、時間がないぞ！　一人ずつ、早く上って来い！」

大声で怒鳴り、何度も縄梯子を引き上げにかかったが、重過ぎて上らない。忠は、縄梯子を諦《あきら》め、船腹に手がかりを探し爪をたてたが、つるつる滑るだけであった。

再び縄梯子に縋ろうとした時、ぷつんと縄が切れ、悲鳴と共に何人かが海に沈んだ。

海防艦が救助を打ちきり、動き出すと、最後の力を振り搾《しぼ》って、船に追い縋ろうとした数名がスクリューに巻き込まれ、海中に没した。

天羽忠は、救助の船に見捨てられ、煮えくり返るような憤りと絶望に襲われた。救助艦自体が、いつ敵潜水艦に襲われるかしれない危険に曝《さら》され、救助時間が僅かであるとはいえ、一人も救助出来ずにたち去るとは、あまりに非情であり過ぎる。そこここに泣き叫ぶ声や、ちくしょう！　人非人！　と罵《ののし》り呪《のろ》う声が上った。

不意に忠の近くで、げらげらと笑い出す声がし、見ると、小浜二等兵であった。海に投げ出されたショックで、遂に発狂してしまったようだ。小浜は、重油にまみれた体で木片に縋りつき、波間に浮かびながら大口を開けて、げらげらと笑っている。

「おい、しっかりしろ、他の救助艦が必ずやって来るぞお」

大声で励ますと、突然、

〽雨、雨、降れ、降れ、母さんが……

童謡を唄い出した。初年兵とはいえ、二十一歳の男が唄う歌にしては異様すぎ、「ピッチ、ピッチ、チャップ、チャップ、ランランラン」と咽喉《のど》も張り裂けんばかりに唄い狂っている。

発狂した彼の胸の中にあるのは、幼き日の母の姿であり、母を恋うる歌であることが、痛ましかった。

歌声が止んだかと思うと、

「上等兵殿！　救助艦が来とります、助けに来とっとです

よ！」

小浜は歓声を上げたが、重油がぎらぎら光る南洋の真昼の海面には、豆粒ほどの船影も見えない。

「小浜、船はまだだ、もう少し頑張れ！」

幻覚を打ち消すように云うと、

「上等兵殿、船が見えるじゃなかですか、近付いて来とります、早く行かんとまた行ってしまいますばい」

と云うなり、縋っている木片を離し、泳ぎかけた。

「止めろ！　泳いでは駄目だ、船が来るまで待つのだ！」

忠は、小浜の傍へ寄り、腕をとりかけたが、驚くほど強い力で振り解《ほど》き、水しぶきをたててみるみる五メートル、十メートルと離れて行った。忠は後を追ったが、距離は隔たるばかりであった。

突然、小浜の泳ぎが止まり、

「おっ母《か》さん！」

と叫んだかと思うと、ぼこぼこと沈んでしまった。

ついさっきまで小浜が縋りついていた木片が、忠の前に流れて来た。油で黒光りした木片には、小浜の腕のあとが残っていた。

暫《しば》し茫然《ぼうぜん》とし、波のうねりに身を任せ、浮き沈みしていたが、その間にも一人、また一人と海中に没して行き、沈んで行った人間が手放した木片だけが、波間に揺れている。

忠はその中で船の甲板に使っていたらしいしっかりした大きな木片を、ゲートルで背中にくくりつけた。腰にぶら下げていた雑嚢《ざつのう》も、銃剣も体力の消耗を防ぐために、とうに捨てていた。時々、小さな島影が見え、泳ぎに自信のある者は、その島影に向って泳ぎ出したが、忠は潮の流れの中に浮かんでいた。

夕闇が迫る頃には、忠の周りには十数人がいるだけだった。やがて日が昏《く》れると、近くに漂う人の姿は見えず、闇の中で波が次第に高くなって来た。山のような波の頂きから谷間に叩き落される時は、そのまま海底へ吸い込まれそうな恐怖を覚える。熱帯の海とはいえ、海難後七、八時間ほどたち、寒気が身に滲《し》みて五体が震えた。

長い恐怖の夜が明けると、忠の近くにはもう誰もいなかった。激しい睡魔が襲って来、体が冷えきり、放尿する時だけ、かすかな生温かさが腿《もも》に伝わる。眠っては駄目だと思いつつも、いつの間にかまどろみ、瞼《まぶた》に元気な両親や兄妹の姿が現われた。

「忠、学校に行っ前ぃブラウンさんところぃ、ワイシャツ半ダースとソックス十ペア、そいにミセスんドレス二着、配達してくれ」

父が洗濯《せんたく》ものの配達を云いつけた。

「ブラウンさんのところは忠のハイスクールから遠い、急がないなら僕が行ってもいいよ」

兄の賢治の声。

「あら、忠兄さんはフットボールの選手だから、いいトレーニングになるじゃないの」
妹の春子の生意気盛りの顔。その声にかぶさるように、
「賢治でも忠でもいいけど、ミセスんドレスのアイロンは、きれいに仕上げっあるっで、皺《しわ》いならんごっ気をつけんね」

と母が注意した。

波をかぶる度に、母の声が聞え、その声で眼が覚めた。まどろんでは覚め、覚めてはまどろみ、どれほど経った頃だろうか、飛行機の音で意識を取り戻した。眩《まぶ》しくて太陽から眼をそらせた途端、船の姿が見え、次第に近付いて来るのが解った。敵艦ならどうしようという不安が掠《かす》めたが、英語が通じるという気持のせいか、たとえ敵の船でも助け上げられたいと願った。やがて船は飛行機と発光信号で連絡を取りはじめた。どこからともなく木片に取り縋った七、八人が泳ぎ寄って来た。

やっと救助艦が来、忠の頭上近くにロープを下した。今度はそれに縋りつく者は、僅かな人数であったから、一人ずつ順序よく攫った。甲板に引上げられると、そのまますうっと、眼を閉じて眠りそうになった。

「しっかりしろ！　眠るな！」

両頰にビンタがとび、我に帰ったが、体は動かない。朦《もう》朧《ろう》とした意識の中で、二人の水兵が重油だらけの着衣を脱がせ、忠の体をドラム缶のガソリンの中へ浸《つ》けて、油を洗い落し、毛布にくるんで、熱いお茶と乾パンを手渡してくれた。その瞬間、胃が痛むような激しい空腹感を覚えたが、重油で咽喉が灼《や》け、食べられなかった。

「おい、お前、助かったんだぞ！　運がよかったな」

水兵たちが肩を叩いたが、忠は助かった喜びや感動は不思議に湧かず、漂流中のショックが大きすぎたせいか、夢遊病者のように呆然としていた。そして十日後まで黒い重油の便が出た。

＊

「ケーン、メルボルンから今、帰ったよ」

チャーリー田宮の声に、天羽《あもう》賢治《けんじ》は眼が覚めた。何の夢を見ていたのか、全身ぐっしょり汗をかき、胸苦しさが残っていた。

「なんだ、眠っていたのか、灯《あか》りがついていたので、起きていると思ったんだよ」

チャーリーは、向いの籐椅子《とういす》にどかっと坐った。

「悪い夢を見ていたようだな、何か心配事でもあるのかい？」

「いや、別に——、今、何時だい」

軍服のズボンをつけたまま上半身、裸でベッドに横になり、いつしか眠り込んでいたのだった。

「まだ九時過ぎだ、街にも出ず、こんな宿舎のベッドにば

かり寝ていては、心身ともによくないぜ」

メルボルン出張で、適当に遊んで来たらしいチャーリーは、にんまり笑ったが、賢治は、

「もしかして、弟の夢を見ていたのかもしれない、助けを求めていたから、助けに行こうとしたんだが、声ばかりで姿が見えないんだ――」

「それはイタリー戦線で、名誉の戦死をした四四二部隊のイサムことかい、それとも日本軍にいるとかいうタダシのことかい」

そう聞かれ、返答に詰った。ヘルプ・ミー、ヘルプ・ミーと闇の中から助けを求めていたのは、勇《いさむ》のようでもあり、忠《ただし》のようでもあった。黙り込んだ賢治に、チャーリーは、

「それはそうと、君はインドロピリーのATIS《アティス》（連合軍翻訳通訳部）で、日本の二十三師団の輸送船団から流出した捕獲文書を翻訳したそうだな、船団の規模まで解明したらしいが、偶然、俺もメルボルンで二十三師団、旭兵団の動きについて、興味津々《しんしん》の話を聞いたんだ、二十三師団の輸送船団が攻撃されたのは、米軍が事前にその動静を察知していたからだということだ」

と云った。

「どうしてだ、それ？」

「大本営から南方総軍司令部に向けた命令書の一部が、マニラ市内でフィリピン人の諜報《ちょうほう》部員によって盗まれたんだ」

「まさか、大本営命令書が盗まれるなど、考えられない、あまりにもお手軽すぎる話じゃないか」

「それが現実に起ったらしいぜ、つまり、大本営から南方総軍司令部に発せられた命令書は、さらに司令部の各首脳に伝達されるが、日本軍は情報の扱い方に疎《うと》いんだろうな、関係のない獣医部へまで廻るそうだ、その獣医部の某大尉が、命令書の入った軍用カバンを持って、当番兵の運転する車でマニラ市内へ行き、二人がちょっと車から離れた隙《すき》に、カバンごと盗まれ、大尉は即刻、二等兵に降等という事件があったそうだ、命令書は直ちにワシントンの国防省へ送られ、釜山《ふざん》にいる米国側の諜報員は、二十三師団がハイラルから釜山に下り、釜山からレイテへ向って出港する動きを、ぴしっとマークしていたという次第さ」

チャーリーは、情報通をひけらかすように得々と話した。

「じゃあ、二十三師団は、どこで攻撃されたんだ、全滅か」

賢治は、体が硬《こわ》ばるのを感じた。

「そこまで詳しいことは知らないよ、だが、釜山からの情報では、二十三師団は、三つの輸送船団を組み、日本の門司《もじ》経由でレイテ島に向うということだったらしいから、五島列島のあたりで、待ち伏せをくったのは想像に難くないな」

「では、あの捕獲文書は、九州沖で沈められた船団だったのか――」

賢治は、夢の中の声が、俄《にわ》かに忠《ただし》であったように思えた。

「まあ、そうシリアスに考えるな、その船でタダシが死んだとは限らない、三船団に分れておれば、全滅ということはないじゃないか、それにあのタダシは、君やイサムより、気が強くて、腕っ節《ぶし》がたつから心配ないよ、うまく助かって、今頃は日本の原隊に戻っているだろうよ」

と云うなり、さっと部屋を出かかり、

「そうだ、これ、郵便受けに入っていたよ、俺もナギコと離婚しなかったら、こうやって便りが来るのに、わびしいよ」

羨《うらやま》しそうに云い、シャワーを浴びに行った。それは、妻のエミーからの手紙だった。

私のダーリン

オーストラリアの生活はその後、いかが？　チャーリーと一緒の宿舎というのはどうも気になります。あの人は独身になったのをいいことにして、妙な遊びをあなたにすすめかねないからです。

そちらは夏ということですが、ミネアポリスは雪が一メートル近く積もり、厳しい冬に向いつつあります。アーサーがまた気管支炎で熱を出し、シグ木村がスノー・チェーンを巻いた車で深夜、ドクターのところへ運んでくれました。そんな時、ベティが幼いので、家へおいて行くことが出来ず、泣きたい気持です。幸いアーサーの熱はおさまりましたが、ミネアポリスの辺《へん》鄙《び》な郊外で、女子供だけの生活は心細い限りです。

この間のお手紙で、あなたは反対だと云われましたが、二人の子供のために、やはり実家の父のもとへ行きたいと思います。父はいち早く、マンザナール収容所を出ました。リトル・トーキョーへ戻るのはまだ危険なので、クレンショーの近くにボーディング・ハウス（長期滞在者用簡易ホテル）を買い、商売をはじめる準備をしています。昨日も手紙が来て、二歳と一歳の子供を抱えて女一人では大へんだろうから、出ておいでと云ってくれました。年を越すと、雪が深くなって動けなくなるので、今年中に暖かいカリフォルニアへ移りたいと思います。どうか早くOKして下さい。

愛をこめて、あなたのエミーより

名前のところに、紅いルージュが捺《お》されていた。

賢治は、執拗にミネアポリスを出たがっている妻の我儘《わがまま》に腹がたった。アーサーの発熱は心配であったが、キャンプ・サベージから戦地へ出ている教官は賢治だけではなく、他の教官の妻たちは、互いに助け合って、留守を守り、子供を育てているというのに、頻《しき》りにミネアポリスを出たがるのは、雪に閉ざされる退屈な生活に我慢出来ないからに違いない。夫が、戦地で何を思い、どのような日々を送っているのかなど、一顧だにせず、自分の我儘だけを一方的に押しつけて来る妻に、賢治は疎《うと》ましさを覚え、返事も書かなかった。

*

チャーリーは、シャワーを浴び、冷たいビールを空けると、庭へ出た。

メルボルンは昼間、どんなに暑くても、夜は涼しくなったが、ブリスベーンは夜も、蒸し暑さがおさまらない。テニスコートの方へ歩いて行くと、ジャカランダの花がコート一面にほの白く散り敷き、その向うに、ポインセチアが、亜熱帯の樹木らしいオレンジ色の大きな花をつけて、月の光の中に浮かび上っている。

メルボルンの出張から帰った夜は、ぐっすりと眠り込んでしまうのに、今夜はいつになく眼が冴えきっているのは、仕事で神経が磨り減り、疲れ過ぎて逆に眠れないのだろうか。夜空を見上げながら、昨年の九月、キャンプ・サベージの校長であったクラーク大佐に随《つ》いて、ブリスベーンのマッカーサー司令部のG5（宣伝）を創設するために着任して以来のことを思い返した。

今でこそ日系二世は、インドロピリーの連合軍翻訳通訳部ATIS《アティス》に五百人以上いるが、チャーリーが来た当時は、百人にも満たず、まして司令部のあるブリスベーンには、自分一人しかいなかった。クラーク大佐より一足《ひとあし》早く、船でブリスベーンの港に着いた時、

WHITE MEN'S COUNTRY

と書いた等身大のプレートが掲げられていた。

『白人のための国』とは、何と頑《かたく》なな人種差別か。チャーリーは、総毛だつ怒りで、そのプレートをくぐって、オーストラリアの地を踏んだ。街のホテルへ入っても、パブ（酒場）へ入っても、露《あか》らさまにサービスを断られ、白人将校と昵懇《じっこん》になるまでは、支那《しな》人が隠れるようにひっそりと開いている薄汚いレストランにしか入れなかった。司令部の中のトイレットでさえ、英国人将校と鉢合せしようものなら、米軍将校の衿章《えりしょう》を認めながらも、「お前の入るところではない」という侮蔑《ぶべつ》した視線を浴びせかけられた。

そんな中で宣伝ビラと謀略放送を行うG5を創ることは、並大抵《なみたいてい》のことではなく、キャンプ・サベージ卒業の語学兵を使って、宣伝ビラ制作の基礎作りをしたのだった。対日宣伝のテーマは、国務省から指示され、その路線上で、日本語の宣伝文を作るのだが、さらに印刷するとなると、一大事であった。邦字の活字を入手するために、チャーリーは、最初に、ロサンゼルスの邦字紙、加州新報にあたって貰ったところ、どこかへ運び去られて行先不明という返事であった。やむなく、当局に押収されている邦字新聞を大量に空輸して貰い、記事から一字、一字切り抜いて、それ

を写真製版して印刷したのだった。

宣伝ビラ制作の基礎が出来ると、チャーリーは、元放送局勤務の経歴を生かし、メルボルンの放送の仕事に携った。メルボルンには、オーストラリア国営放送のABC局があり、日本をはじめ、ドイツ、イタリア、枢軸国各国の海外放送を傍受する機関があった。

日本からの短波放送は、横長の円筒形をしたシリンダーの受信管に針が廻って、レコーディングされて行く。それを日本語堪能な二世と英語が堪能な二世が、二人一組になって傍受し、即刻、英訳した。

七月十八日の東条内閣総辞職のニュースをいち早く、キャッチしたのも、ここで働く二世であった。モーリス・コード班が「トージョー、トージョー」と気が狂ったようにキーを叩いているから来てくれと呼ばれ、二人の二世が駈けつけると、東条内閣総辞職のニュースであった。日本軍部の敗色が読み取れる情報で、米軍情報部がチェックの後、ABCがスクープして放送し、次いでイギリスのBBC放送が世界に向けて「メルボルンのABC放送によれば」というクレジットをつけて流し、ABC放送は一躍、名を馳《は》せたのだった。

日本への謀略放送は、受信とは別のビルディングで行なっていた。日本の軍上層部向けと、一般国民向けの二通りのプログラムに分け、軍上層部向けには、フランス解放が近いこと、ヒットラーの暗殺計画が繰り返されていること、連合国のルーズベルト、チャーチル、スターリンの三巨頭が、ドイツ降伏を前提として、近く会談を持つことなどを、一日、五、六回にわたって日本語で放送し、日本国民にはフィリピン攻略の次は、沖縄攻撃が行われるであろうと、放送した。

事実、チャーリーが、今度のメルボルン滞在中に接した情報では、ドイツの降伏はもはや時間の問題であり、ドイツが降伏すれば、ヨーロッパ戦線にある米軍の戦力がすべて太平洋戦線に投入され、日本上陸が早まる――。メルボルンではあくまで辣腕《らつわん》を振う二世将校を通しているが、ブリスベーンの宿舎に帰ると孤独だった。一人、夜空を眺めているうちに、離婚したナギコのことを思わずにはいられなかった。

*

天羽忠たちを救助した海防艦は、敵の襲撃を回避するために、バターン半島の沖合いを蛇行しながら航行していた。

その間、忠たちも敵の襲来を避けて、船倉に入っていたが、時折、甲板に出ると、陸地の方を見た。遠くにバターン半島が望まれ、コレヒドール島が間近に見えた。強固な要塞島と聞いていたが、砲撃を受けた山の地肌が褐色に剝《む》き出している。ここから逃げ出したマッカーサーが、今、巻き返しを図《はか》り、日本軍に襲いかかって来ているのだと思うと、不気味な恐怖を覚えた。

やがて海防艦は、夕闇迫るマニラ港に入って行った。港内には、米軍に撃沈された艦船の残骸が、無惨な姿を曝していた。へし折れたマストが海面に突き出たり、舳先《へさき》が空に向かって直立したり、横転した船腹を水面に曝したり、さまざまの残骸が、真っ赤な夕陽を浴びて、血に染った影絵のようであった。

埠頭《ふとう》に着くと、丸腰の兵隊たちが、ぞろぞろと降りた。小銃、背嚢《はいのう》はもとより、衣服も引き千切れ、裸足《はだし》の者もあり、兵隊というより、浮浪者の群れのようであった。兵隊たちが桟橋《さんばし》を渡りきった時、憲兵がやって来、各自の所属部隊と氏名、階級を名乗らせるや、

「よし、早く歩け！」

疲れきっている兵隊たちを一まとめにして、マニラの市内へ向わせた。

街のところどころに、爆撃の跡があったが、椰子《やし》の並木路が続き、英語の標識が眼に入り、忠はカリフォルニアを想った。白い壁と赤い屋根のスペイン風の家も、戦火の中であることを忘れさせるほど美しかったが、人の住む気配はなかった。

マニラ市の小学校や官庁の建物に、忠の属する二十三師団、七十一連隊の将兵が、屯《たむろ》していた。

裸同然の天羽上等兵の姿を見ると、戦友たちが集って来た。

「天羽、やられたとか、よう助かったね」

「俺《おい》たち第二船団だけが、奇蹟的に無傷で辿《たど》り着いたとよ」

二十三師団一万二千名の将兵は、釜山から三つの船団に別れて出航した。だが第一船団の秋津丸、吉備津《きびつ》丸、神州丸、麻耶山《まやさん》丸等十二隻のうち、秋津丸、麻耶山丸以下四隻は五島列島の沖で沈没し、神州丸のみ攻撃を受けながらも辛うじて逃げのびたこと、第二船団の日昌丸、和浦丸、鴨《おう》緑《りょく》丸に乗った七十一連隊だけが無傷で上陸したことを、はじめて知った。

「中隊長殿が心配しておいやったぞ、わが連隊の中で、釜《ふ》山《ざん》で残務要員として残った貴様たち十六名だけが、第三船団に乗い、海難に会う貧乏くじを引いたとじゃってね」

「鬼頭軍曹殿は、大丈夫でありましたか」

魚雷命中と同時に、いち早く他の連隊の将校と、救命艇に乗り移った鬼頭軍曹のことを聞くと、背後から、

「おい、天羽上等兵、遅かったではないか」

濁《だ》み声がした。鬼頭軍曹その人であった。忠は、直立不動で挙手をし、

「軍曹殿、沈没の翌朝、海防艦に救助され、先刻、マニラ湾に入港し、只今《ただいま》、原隊に復帰したのであります」

と報告した。

「生存者は、何名だ」

「遭難と同時に、ばらばらになり、小浜二等兵だけが最後

まで一緒に浮かんでおりましたが、漂流中発狂し、救助艦の幻影を見て泳ぎ出し、止《と》める間もなく、海中に没しました」

「すると、残務要員十六名中、生き残ったのは、どうやら俺と貴様だけらしいな」

「……」

「ふん、運の強い奴だ、だが、その服装ではどうにもならん、連隊本部へ行って、服の支給を受けて来い」

「はい、有難く、支給を受けます」

と応え、直ちに連隊本部へ行き、新しい軍衣袴、襦袢、袴下《こした》、靴、小銃、背嚢などの軍装一式を貰って、校舎の床に転がると、もう敵の襲撃を受ける心配がない安堵で、泥のように寝入ってしまった。

翌日、眼の眩《くら》むような炎天下で、埠頭にある連隊の糧秣、弾薬を市内の安全な場所へ移す作業が行われた。時々、米軍の空襲があり、その度に退避しながらも、休憩なしで、朝からぶっ通しの作業を続けていると、ふと、アメリカ兵の捕虜の姿が、忠の眼に入った。

ぼろぼろになったズボンをはき、上半身裸で、機帆船《きはん》の荷揚げをさせられていた。殆んど二十歳から二十四、五歳までの若い捕虜であったが、食糧状態が極度に悪いらしく、揃って痩せこけ、大きな梱包《こんぽう》をかつぎ上げては、よろよろと歩いている。

忠は、その中にハイスクール時代の友人に似た顔を見た。近付くと、別人であったが、憲兵の姿が見えないのを確かめ、

「ヘーイ！」

声をかけ、日本煙草の『ほまれ』を一箱投げると、驚いた顔で拾い、素早くポケットに入れ、

「サンキュー、君はどこの生れだ？」

梱包を運びながら聞いた。

「ロサンゼルスだ、家族はアメリカにいる」

と応えると、そのアメリカ兵は、

「ウエスト・コーストのジャップどもは、一人残らず、強制収容所へぶち込まれたぜ」

「なに？　強制収容所――、それはどこだ」

「そんなこと知るもんか、どうせ、アリゾナやネバダ砂漠のインディアンの居留地だったところだろうよ」

忠は、鼓動が止まるような強いショックを受けた。

＊

賢治は、マッカーサー司令部のG5のデスクで、新たな日本軍捕虜のリストを繰っていた。

傍《かたわ》らで、同じスタッフのポール横田が、支那の延安《えんあん》から送られて来たレポートを熱心に読んでいる。ビルマ戦線で日本軍が敗退するに従い、ビルマに配属されていた日系二世の語学兵たちは、延安に送り込まれ、毛沢東の軍隊と協

力して対日宣伝戦を展開しつつあった。その報告書が、逐次、ブリスベーンに入って来ているのだった。

賢治は捕虜リストを繰り、一枚の尋問調書に眼を止めた。大和武《やまとたけし》という偽名らしい氏名が入っているだけで、本人の供述の欄は空白になっている。捕虜になったのは、パラオ諸島、ペリリュー島第十四師団歩兵第二連隊が全滅した陣地の中で、負傷し、人事不省に陥っていたと記され、さらに赤鉛筆で『情報将校の疑いあるが、尋問に答えず、意味不明の日本文の紙片をポケットに所持していた』と、その紙片がクリップされている。文庫本の頁の一部であった。

ますらをと思へる我をかくばかり
　みつれにみつれ片思《かたも》ひをせむ

村肝《むらきも》の心砕けてかくばかり
　我《あ》が恋ふらくを知らずかあるらむ

賢治は、もう一度、読み返した。もしやこれは、日本の大学にいた時、愛誦した万葉集の大伴家持《おおとものやかもち》の相聞歌《そうもんか》ではないだろうか。前の一首は、りっぱな日本男子であると思った私であるのに、どうしてこれほどやつれ果て片想いをするのだろうかという意で、後の一首は、このように心が砕けてしまうほど私が恋うるのを、あなたはかまわずにすませられるのだろうかという恋歌で、戦場にまで万葉集を携えて来る青年将校に、ものを読み、ものを書く人の心が感じ取られた。

賢治は迷うことなく、大和武という将校を尋問することに決めた。

機密度の高い捕虜尋問は、ＡＴＩＳのトップであるナッシュ大佐のいるオフィスの一室で行われることになっていた。

大和武は、痩せ衰え、髭《ひげ》ぼうぼうの顔であったが、衿章が辛うじて彼の身分を示していた。よろよろと部屋に入って来て目の前の椅子に掛けようとすると、二人のＭＰが、

「スタンダップ！」

と命じた。右大腿部《だいたい》に巻かれた繃帯《ほうたい》は血が滲《にじ》み、左肘《ひじ》も撃たれて負傷している。

「起《た》たなくてよろしい、椅子にかけたまま、私の尋問に答えて下さい」

賢治は、つとめて丁寧に、静かな口調で、尋問をはじめた。

「君のポケットにあったのは、万葉集の大伴家持の相聞歌ですね」

さり気なく、切り出すと、少尉は驚愕《きょうがく》の色をうかべ、警戒して身構えた。

賢治は、その緊張を解きほぐすように、

「私はアメリカ生れだが、長らく日本で教育を受けたので知っているのです、人を恋うる家持の歌を最後まで持って

いるのは、故郷に君を待つ婚約者か、新妻がいるんじゃないですか」

　かすかに頬の肉が引きつれたが、またもとの動かない表情に戻った。負傷し、人事不省で捕虜になった者は、口を開かないのが常道であった。賢治は不意に、声を荒げた。

「少尉、戦陣訓その二、第八を暗誦しろ！」

「――」

　ぴくりと肩を動かしたが、頑《かたく》なに口を閉ざし、答えない。

「戦陣訓の暗誦さえ拒むのか、君が云えないのなら、私が代って誦じよう、『恥を知る者は強し。常に郷党家門の面目を思ひ愈々《いよいよ》奮励して其《そ》の期待に答ふべし。生きて虜囚《りょしゅう》の辱《はずかしめ》を受けず、死して罪禍《ざいくわ》の汚名を残すこと勿《なか》れ』、君らはこれで多くの兵隊たちを教育し、事実、何百万もの兵隊が死んで行った、君は何人の部下を殺したんだ」

　びしっと一喝した。少尉の咽喉の奥が鳴ったかと思うと、

「私が死なせた部下は、百十一名、ほぼ全滅した、すべて私の指揮の誤りだ――」

　搾《しぼ》り出すような声で云い、その眼に涙が膨《ふく》れ上った。

「君が殺した部下の数だけでも、救えるものなら、救ってやりたいと思わんか」

　少尉は、はじめて賢治の顔をまっすぐ見詰めた。涙の滲んだ眼が、どうすればよいのかと、問いかけている。

「日本が敗れるのは、もはや時間の問題だ、これ以上、無益な死を喰い止めるために、一刻も早く戦闘を中止するように君自身も努めるべきだ、君は文章で、兵隊たちに呼びかけることだ」

　と説得しかけた途端、

「それでも日本人の血が流れているのか、アメリカかぶれ奴《め》！」

　突如、激しく反撥した。

　MPが昂奮した少尉の肩を押えたが、賢治はその手を制して、言葉を継いだ。

「つい今しがたの君の涙は、一体、何だったのだ、捕虜になって完黙することだけで、死んだ者に申し開きがつくとでも思っているのか」

「貴様に、真の日本男子の気持が解ってたまるか、同じ尋問を繰り返さず、さっさと銃殺か、自決させろ」

「米軍は、捕虜を銃殺にしない、自決も許さない」

「生かしておいて、利用できるものは、利用しようというのか、その手先が、貴様ら日系二世か、両親や兄弟は、貴様がしていることを知っているのか」

　侮蔑を籠めて、云った。賢治はぶちのめしてやりたいほどの怒りがこみ上げて来たが、辛うじて抑え、MPに向って、

「散髪の用意をするように――」

　と命じると、白人の二等兵が、ハサミとバリカン、剃刀《かみそり》、石鹸入れを持って入って来た。

「何をするんだ」

「その伸びきった頭と髭を、きれいにするだけのことだ」

若いアメリカ兵は口笛を吹きながら、みるみる丸坊主にし、伸び放題の髭もきれいに剃りおとした。

「よし、次は写真撮影だ」

指図すると、少尉の顔が硬《こわ》ばった。

「写真を撮って、どうするのだ」

「百十一名の部下を死に至らしめ、自らは捕虜になった陸軍少尉の顔写真を、今なおジャングルで闘い続けている日本兵たちに見せてやるのだ、部隊名と氏名だけは、武士の情《なさけ》で書かないでやる」

二人のMPが両脇から少尉をたたせようとした。

「ま、待ってくれ」

「では、無益な戦いを強いられている日本兵たちに、投降を呼びかける作業に協力するのだな」

「――」

協力するとは云わなかったが、自力では歩行できず、MPに抱えられている少尉は、弱々しくうな垂れた。

「よし、写真撮影は中止だ、病院で手当てをすませたあと、ブリスベーンの印刷所へ連れて来てくれ」

MPに、そう命じた。

「貴様を恨むぞ」

咽喉が破れるような声で呻き、屈辱と怨念の眼で、賢治を凝視した。

賢治は、平静を装いながらも、慄然《りつぜん》とした。いかに任務とはいえ、自分の仕事は、日本人の心を八つ裂きにし、その祖国に弓を引かせる裏切り行為の強要に他ならない。米軍兵士として壮烈な戦死を遂げた勇も、日本軍にいるはずの忠も、兄である自分の任務を知ったら――、いや、誰よりも、ツールレークの強制隔離収容所に入れられている父が知ったなら、と思うと、賢治は己れの任務が耐え難かった。

＊

レノンズ・ホテルの将校クラブは、土曜日の夜になると、マッカーサー司令部や、地元オーストラリア軍の将校で賑《にぎわ》った。

室内には冷房がきいていたが、クリスマス・ツリーが飾られ、ビング・クロスビーのホワイト・クリスマスが流れる中で、ことのほか陽気に飲んでいるのは、前線から休暇で帰ってきている将校たちで、戦場の手柄話や日本軍の特攻隊のおそろしさについて話し合っている。

天羽賢治とチャーリー田宮は、G5（宣伝）のクラーク大佐に招《よ》ばれて久しぶりに将校クラブへ顔を出し、G2（情報）やG3（作戦）のスタッフに混って、飲んでいると、G2のウィロビー少将が大柄のいかつい姿を現わし、

「ジミー、クリスマス用に上物《じようもの》のシャンペンをとってあるんだ、来いよ」

クラークを愛称で呼んだ。司令部のホールや公式の場で、遠くから見かけるゲルマン系のいかめしさは、場所柄のせいか、全くない。クラークも親しみをこめた笑顔で、

「やあ、ボブ、ありがとう、ホランディアから帰って来たことは聞いていたよ、向うはますます大変だろう」

戦線が前進するにつれ、マッカーサーに随行して、ニューギニアのホランディア司令部に行くことが多くなったウィロビーを気遣うように云った。ウィロビーは、苦味《にがみ》ばしった笑いをうかべただけで、クラークの周りにいる将校たちからも気軽に挨拶をうけていたが、賢治とチャーリーの日系二世がいることに気付くと、

「ジェリー・オオモリは今、どこにいるかね」

と聞いた。プロシャ出身で、アメリカに移民後、名前もイギリス人風にウィロビーと変えたと云われているが、その英語にはやはりドイツ訛《なま》りがあった。

チャーリーは、緊張して姿勢を正し、

「彼なら、メルボルンで放送の任務についています」

と応えると、

「そうか、それならいい、彼には一九四二年、われわれがコレヒドールから脱出する際、非常な危険と苦労をかけたのだ、もう危険な任務には廻さんでやってくれよ」

と云い、クラーク大佐やG2、G3の主だったメンバーを引き連れて、奥の席へ移って行った。

「ジェリー・オオモリって誰のことだい」

人気《ひとけ》がなくなったのを機に、賢治は、チャーリーに聞いた。僅か一言とはいえ、ウィロビー少将と直接、言葉を交せたことに昂奮気味のチャーリーは、煙草に火を点け、

「彼はハワイ出身で、ハワイ大学在学中にCAAというアメリカ政府の民間パイロット養成所のトレーニングを受け、パール・ハーバー・アタックの前からフィリピンのマニラへCIC要員として送り込まれていたらしい」

声をひそめて、話した。

「開戦前から徴兵されていた二世でも、戦争勃発《ぼっぱつ》後は、銃を取り上げられて労働部隊に廻され、排斥《はいせき》されていたのに、そんな男もいたのかい」

賢治は水割りのグラスを手にして、聞き返した。

「彼の場合も、ホノルル・エアポートの訓練学校でパイロットのライセンスを取り、卒業後、空軍を志願すると、拒否されたそうだ、それでもジェリー大森の話を聞いていると、つくづく本土と違うなあと思うよ、ホノルルには昔から軍事基地があり、ハワイに駐屯《ちゅうとん》した軍人は、日系二世が、いかに合衆国に忠誠であるかをよく知っていたんだ、マニラのCICのボスも、ホノルルにいたことのある大尉で、ワシントンの国防省にハワイ二世を送ってほしいと、わざわざ注文したらしい」

「なるほど、それで彼が選ばれたのか」

「そうだ、だが、多くのハワイ二世の中で、ジェリー大森が選ばれたのは、パイロットの資格があることもさること

ながら、ＦＢＩの身元調査で、絶対大丈夫という保証があったからだ、彼の父親は一世だが、母親は二世で、一家揃ってクリスチャンで、日本の仏教会や、県人会とも関《かかわ》りを持たなかった上、ジェリー自身が、アメリカ人になりきるために、米のご飯《はん》さえ食べなかったという徹底ぶりだったらしい」

チャーリーは、珍しく熱っぽく語った。

「それで、ジェリー大森はマニラでどういうことをしてたんだい？」

「日本の領事館や、日本文化ホール、同盟通信で働いている英語の通訳、英語教師の中にシンパを使い、在留日本人の対米思想を調べる一方、親日でも親米でもなく、フィリピン独立政府を樹立しようとしていた秘密ソサエティの調査にも当っていたらしい」

「ほう、じゃあ日本軍の上陸で、マッカーサー大将やウィロビー少将が脱出した時は、ほんとうに大へんだったわけだな、よく日本軍に捕まらなかったものだね」

「ジェリーは多くを語らないが、マッカーサーの後任のウェーンライト将軍の下でも、バターンやコレヒドールのあたりを逃げ廻り、遂に食糧に窮して、木の上の猿を撃って食べたということだ、人間の子供を食べるようで、今でも思い出すと飯が食えなくなるそうだ、その後、彼はウェーンライト将軍の命令で、コレヒドールからオーストラリアへ脱出したということだ」

賢治は、自分たちのような語学兵や、弟の勇のように四四二部隊員としてヨーロッパ戦線へ行った二世のほかに、そういう二世がいることを、戦争四年目にしてはじめて知った。

「――チャーリー、俺はオーストラリアを離れたい」

賢治は、不意に、ぽつりと云った。

「急にどうしたんだ、何かあったのかい」

チャーリーはグラスを手に、驚いたように聞いた。

「戦線が熾烈をきわめて来ているのに、弾《たま》のとんで来ない司令部で、日本人捕虜に伝単《でんたん》（宣伝ビラ）を書かせている自分が厭になった」

と云い、先日の〝大和武《やまとたけし》〟との一件を話した。

「その程度のことで悩むことはないよ、大体、黙秘を通して来た捕虜に、宣伝の仕事を協力させようとすること自体、間違っている」

「だが、その捕虜は万葉集の相聞歌《そうもんか》を、最後まで持っているような男だから、あるいは役にたつと思った」

「というより、君はそういう日本人らしい日本人と話してみたかったんじゃないのか、君はジャパニーズ・カルチュアに飢えているんだ」

チャーリーは、揶揄《やゆ》するように笑い、

「そういう中途半端な精神は、戦争という状況の中では危険だぞ、さっき話した大森だって、アメリカ人になりきるために米の飯を断《た》ったんだぜ」

それはチャーリーとも共通する二世の一つの生き方であった。だが、賢治はそうまでして生きる二世に、逆に憐憫《れんびん》の情を抱いていた。

「ハーイ、チャーリー、こんばんは」

チャーリーのガールフレンドのジュディだった。少尉の軍服姿だが、少し酔っていて、かえってコケティッシュに見えた。

「じゃあ、僕は先に帰るから――」

賢治は、たち上った。

「そうかい、だがケーン、オーストラリアを離れるなんてことは考えるな、今、下手《へた》に動くと、戦場へ狩り出されるぞ」

チャーリーは、忠告するように云った。賢治はそれには応えず、テーブルを離れかけると、

「よく考えろ、君には日本軍に弟がいる、もしも弟と戦線で会うようなことがあったらどうするんだ」

「そんなことは、万に一つもないことだ」

賢治はチャーリーの言葉を振り切るように、独り将校クラブを出た。

*

天羽賢治は、刷り上った宣伝ビラを搭載《とうさい》した飛行機が、レイテ、ミンドロ島に向って飛び発《た》つのを確めてから、司令部に帰るジープに乗った。

ブリスベーン河に沿った道を走っていると、

「あら、ジェネラル・マッカーサーの夫人と坊やがいますよ」

運転しているWAC《ワック》（陸軍婦人部隊）が物見高い声を発した。その方を見ると、七年前、再婚したという若いミセス・マッカーサーが五、六歳の男の子を連れて、河沿いの公園を散歩していた。

夫人は軽やかなサンドレスを着、男の子は、ショート・パンツにTシャツの可愛い姿をし、少し離れたところにたっているのは、フィリピン人のメイドらしい。マッカーサー将軍は、このところホランディア司令部に詰め、留守勝ちであったが、夫人と子供は、ブリスベーンに残って、レノンズ・ホテルの最上階で生活していた。母と子が、樹《こ》陰《かげ》で楽しげに、ボール遊びをしている光景を見、賢治はふと、自分の家族のことを思った。今頃、ミネアポリスは雪に閉ざされているだろうが、子供たちは、元気にしているだろうか。この間来、妻のエミーは頻りに、実父がいち早く、マンザナール収容所を出て、西ロサンゼルスで、ボーディング・ハウス（長期滞在者用簡易ホテル）を開くから、自分たちもそこで暮したいと云って来ている。子供たちを年中、太陽の輝くカリフォルニアで過させたい気持は、自分とて変りないが、まだ治安が完全に回復していないロサンゼルスへ出て行こうとするエミーの無知と我儘さは許せ

なかった。

マッカーサー司令部の前で、ジープを降り、G５へ上って行くと、タイピストが、

「ケーン、ボスがお呼びよ」

クラーク大佐の部屋を眼で指した。

扉をノックして、入ると、くわえ煙草でファイルを繰っていたクラーク大佐は、

「実は、異例なことだが、ウィロビー少将から、君に特別の命令が出ているんだ」

と切り出した。

「どのような命令でしょうか」

「前線の軍団司令部付きになってもらいたいのだ、せっかく君が、日本の捕虜を使って作った宣伝ビラが効を奏しつつあるというのに……」

苦《にが》りきって云ったが、賢治は内心、ほっと救われる思いがした。できることなら、捕虜を強制して宣伝ビラを書かせる仕事からは、離れたい気持が強かった。

「出発は、いつですか」

「五日後だ――」

クラーク大佐はそう云ってから、

「私としては、ケーンのような〝金の卵〟に行かれちゃあ、お手上げだから、君の気持次第で、断ってもいいんだ、口実はいくらでもあるからね」

「いいえ、命令に服します、私はブリスベーンで、捕獲文書や捕虜尋問調書、時には直接、捕虜の尋問を行い、得た情報で、投降を呼びかけることに、限界を感じています、ヨーロッパ戦線ではドイツ兵へ三千枚の投降ビラを撒《ま》いたら、五千人の投降者があったというのに、日本軍は、ガダルカナルで四万人が死に、六百人が捕虜、ニューギニアのブナでは四万三千人が死に、捕虜は六百二十名という少なさで、この数はレイテから開始されたフィリピンの本格的な闘いにおいて重要な意味を持っています、それこそ、戦闘の修羅場《しゅらば》にたって、その時、その場で、日本軍と接し、投降を呼びかけなければ、日本兵は死ぬまで闘い、米軍の死者も増えるばかりです、行かせて下さい」

一語、一語を嚙《か》みしめるように云った。

「残念だな、流暢《りゅうちょう》に喋《しゃべ》れる語学兵も、読み書きとなると駄《だ》目なのが多い、つい昨日ATISのナッシュ大佐に聞いたばかりだが、或る部隊で、せっかく捕獲した文書の大部分を無駄にしてしまった事件があったそうだ、グアム島の日本軍の兵力配置を記した重要な地図を、ガールフレンドに、スーベニアとして贈っていたことが解り、その部隊の検閲を厳しくすると、なんと六カ月間に三千枚もの捕獲文書を無駄にしていたことが発覚した、しかも、そのうちの七五%はまだ作戦的に役だつものだったのだ、これはその部隊の語学兵に喋る力はあっても、読解力がなかったためだ、そんな折だけに君のような語学力を持つ者は、前線付きになるより、連合軍の情報機関の元締めであるオーストラリ

アで、その能力を発揮する方が、貢献度が大きいはずだ」

しかし、賢治は翻意の気配を見せなかった。

クラーク大佐は、つと、賢治の前にたちはだかった。

「日本軍は、これからますます死にもの狂いで戦うだろう、その戦場で、万一、君が日本軍に捕えられた時のことを考えたことがあるか、その時、君に加えられる拷問《ごうもん》は、筆舌に尽し難いもので、われわれ白人のアメリカ人に加えられるより、遥《はる》かに残虐なものだろう、もしかして、ナイフとピンセットで体がばらばらにされるほどの残虐な死が君を待っているかもしれん、その上、君の氏名、身もとが解った時は、日本にいる君の親類縁者にまで累《るい》が及ぶだろう」

云われるまでもなく、賢治は、自分たち日系二世が、日本軍に捕えられた時は、敵であるというより、〝反逆者〟〝非国民〟として、想像を絶する惨酷な仕打ちを受けるだろうことは、以前から覚悟していたが、こうして、クラーク大佐の口から、リアルな表現で云われると、多少、心が揺らぐ。

「どうだ、それでも行くのか」

「はい、そうした危険に、私の教え子や、友人たちは、たち向っています、同じ二世として命令が出た以上、前線へ出るのは、当然のことだと思います」

と応えると、クラーク大佐は、それ以上、何も云わなかった。

*

一九四四年十二月二十八日、天羽賢治は第六軍《ザ・シックスアーミー》第一軍団司令部付きの語学将校として、三千人の兵員とともに、フィリピンのレイテ島に向って航行していた。

グリーン・ブルーの洋上に、何隻もの輸送船が、航空母艦や巡洋艦、駆逐艦に護衛され、白い波濤を蹴たてている。一旦、レイテに集結後、ルソン島に向かうのであった。

賢治は、士官室を出ると、後部の船倉へ降りて行った。船倉内は鉄パイプにキャンバスを張った六段の寝棚《バンク》が、狭い通路を隔ててずらりと列《なら》び、蒸せかえるような暑さの中で、上半身裸でポーカーをやったり、寝そべって猥談に興じたり、眠りこんだり、誰もがやがてはじまる攻撃の不安と恐怖をまぎらわせるために、われを忘れようとしている。

賢治は、通路に乱雑に置かれているヘルメットや背嚢、靴などを避けて、奥の方の寝棚に歩いて行った。そこに自分の率いる十名の語学兵がいるからだった。

ポーカーをやっている兵たちは、毛布の上に手垢《てあか》で汚れたカードと軍票を置き、

「どうした、お前、きんたまが縮んだのか」

「俺は、倍賭けで行くぜぇ、もう明日は出来ないかもしれねぇからな」

右腕に女の入れ墨をした若い兵隊は、ばさっと賭け金を

置き、カードをきって仲間に配った。そして、賢治の姿に気付くと、

「おい、毛色の変った少尉さんのお通りだよ」

聞えよがしに云った。二世将校に対するある種の妬《ねた》みと反感であったが、賢治は素知《そし》らぬ体《てい》で通り過ぎた。

「皆、変りないな」

声をかけた。オーストラリアのATIS《アティス》（連合軍翻訳通訳部）所属だったケネス阿川をはじめとする語学兵たちは、収容所の家族宛にせっせと手紙を書いている。レイテからルソン島への上陸が始まれば、当分、お預けになるからであった。軍団司令部付きの語学兵は、一チーム十名で、捕獲文書が入ったら、その場で戦術的に役だつものをスキャニング（精査）し、短時間で翻訳しなければならないから、昼夜兼行になる時もあるハードな職務であった。それだけに語学力優秀、体力頑健な者が選ばれており、十人のうちケネス阿川、ビル金田など、半数以上がキャンプ・サベージのセクションIで教えた優秀な生徒であった。

ケネス阿川は、手紙のペンを止め、

「ルソン上陸は、いつ頃でしょうか」

と聞いた。

「そんなトップ・シークレットは、僕たちには解らない、それよりジローが見えないが、また吐いているのかい」

賢治は、船酔いしやすいジローのことを気遣った。

「あいつは、ジャングルの中では馬鹿強いのに、船にはからっきしで、ああいうのを先天性船酔い症というんですよ」

ビル金田が、云った。

「先天性船酔い症とは、面白い新語じゃないか」

賢治が笑いながら云った時、悲鳴に近い異様な声が聞えて来た。一同振り向くと、細長い通路の中ほどに、ジロー大野が真っ青な顔で震えていた。

「どうした」

賢治が歩み寄ると、ジローは寝棚の一番下の段を指した。そこには身長一九〇センチを超える赤毛の大男の曹長が、にやにや卑猥《ひわい》な笑いをうかべている。ジローは唇《くちびる》をわななかせ、

「こいつが、僕を侮辱した！　こんな侮辱はない……」

憤りのあまり、言葉が途切《とぎ》れた。

「何のことだ、そう昂奮せず、わけを話してみろ」

賢治が促すと、ジローは屈辱に歪《ゆが》んだ顔で、

「こいつが、船酔いの特効薬を持っているから取りに来いというので、ここへ来たら、眼をつむって、両手を出せというので、その通り、その通りにすると……」

「それで、どうしたというんだ、ジロー、冷静になれ」

「眼をつむって出した僕の手に、彼の……ペニスを握らせた」

「……ペニス？」

思わず、ジローの手を見た。掌《てのひら》から手首のあたりに白い

液体がべったりとついている。

　賢治はつかつかと曹長の前へ寄った。赫《あか》ら顔をふてくさらせ、ズボンのジッパーはだらしなく開いたままで、陰毛と萎《な》えたペニスが見えた。それを見た途端、怒りで、賢治の血は逆流した。

　いきなり、曹長の首を絞め上げ、ズボンのベルトをひっ摑んでずるずると寝棚からひきずり出し、通路の壁に体ごとぶっつけた。大男らしく怪力を振りしぼって、賢治の手を払おうとしたが、賢治は狂ったように何度も、その体を壁にぶっつけた。曹長は獣《けもの》のような声を上げ、押し返そうとしたが、通路が狭すぎて身動きがつかない。賢治はさらに力を加えて絞め上げ、

「よく聞け！　今後、俺の部下にこんな穢《けが》らわしいことをしたら、ただではすまさんぞ！　お前の体中の骨を粉々に砕いてやる！」

　と云いざま、最後にみぞおちに強烈なパンチを喰らわせた。日本で身につけた少林寺拳法《しょうりんじけんぽう》で、あっという間の早業であったが、黒山の人だかりになっていた。うしろの方から、

「ジャップにやられて、ひっ込んでるのか、やり返せ！」

　いきりたつ声がし、ポーカーに熱中していた入れ墨の兵隊が割り込んで来たが、壁際にのびている怪力の曹長の哀れな姿を見ると、こそこそと姿を消した。

　賢治は、まだ顔が青ざめ、震えているジローの衿がみを摑み、人垣《ひとがき》を分けて洗面所まで連れて行った。

「早く洗ってしまえ！　今後、奴らに舐められるな！」

　一言そう云い、憲兵隊長のもとへ赴いた。今の事件を報告するためであった。

　憲兵隊長は、報告を聞き終えると、

「よし、後部船倉内の下士官、兵隊を全員、集合させる」

　と云うなり、船内アナウンスをした。

「よく聞け！　MP小隊所属と二〇七分隊、三〇八分隊は全員、甲板へ集まれ、至急集合せよ！」

　命令された小隊と分隊は、七分以内で軍装を整え、甲板に整列した。真昼の太陽が甲板を照りつけ、着装してヘルメットを冠《かぶ》った兵隊たちの額や首すじに、みるみる汗が滴《したた》った。憲兵隊長は、全員に直立不動の姿勢を取らせ、鋭い眼光で一同を見渡し、口を開いた。

「今、船倉内で一つの事件があったという報告を受けた、それはハンフリー・レッド曹長が、責任を取らなければならぬ恥ずべき事件だ、私が説明するまでもなく、君らはそれを見、あるいは聞き、既に事件の内容を知っているはずだ」

　兵隊たちの間に卑猥な笑いが洩れた。

　憲兵隊長の顔が、一段と厳しくなった。

「よく聞け！　ここにいる二世の一人が、レッドに侮辱されたのだ、だからお前たちを集合させたのである、ここにいる十名の日系語学兵は、重要な兵員であることを忘れて

はならない、一人一人が、一万人の兵力に匹敵するといってよい、なぜならば、これから死にもの狂いで向って来るであろう日本軍の作戦、攻撃地点、陣地配置などの動きを探り出し、われわれの〝眼と耳〟となって働くのは、彼ら語学兵なのだ、しかも彼ら語学兵は、二つの危険に曝《さら》されている、一つはいうまでもなく日本軍に撃たれること、もう一つは味方のアメリカ軍から、日本兵と誤って、撃たれることだ、したがってお前たちの任務の一つは、語学兵をそうした危険から守ることだ」

一語、一語、明確に区切り、日系語学兵の重要性を説いた後、

「ハンフリー・レッド曹長、前へ出ろ」

と命じた。大男の曹長は、のそりと前へ出た。

「今日限りお前は二等兵だ！」

曹長から一挙に、二等兵へ降格された。その厳しさに兵隊たちは息を呑んだが、賢治は胸の中につかえていた激しい怒りが、やっと解ける思いだった。アメリカの中にある人種的偏見と正義が、一つの事件に象徴されていた。

集合が解かれ、甲板に人影がなくなっても、賢治は手摺《てす》りにもたれていた。夕凪《ゆうなぎ》になり、グリーン・ブルーの海面は、いつしかとろりと油を流したように鈍く光っている。

いよいよルソンかと、海の彼方へ視線を向けていると、黒人兵が人眼を憚《はばか》るように近付いて来た。彼らは海軍の水兵であったが、黒人ということで皿洗いや掃除などの仕事しか与えられていない。賢治の傍に寄ると、

「よう、日系の少尉さん、よくやってくれた、甘ったれの白豚奴《しろぶため》、ざまあ見ろだ！」

白い歯を見せ、胸のすくような笑いをうかべた。賢治は黙って頷き返した。

＊

マニラの空襲が日ごとに激しくなると、天羽忠《ただし》の属する二十三師団七十一連隊は、マニラ南方のバタンガス防衛のために、夜、汽車でマニラを発《た》った。

米軍のルソン島上陸は、マニラ北方のリンガエン湾と予測しつつも、万一、南ルソンのバタンガスを狙うかもしれないという懸念も持つ日本軍が、主力部隊が南にあることを陽動作戦で示そうとしたのだった。

客車と有蓋《ゆうがい》貨車を連結した列車は、灯りを消し、まるで砂糖黍殻《きびがら》を焚《た》いて走っているような頼りなさで、ゴトゴトと、南へ向って走り続けた。

「やけに心細い列車だな、敵機に狙われたら、お陀仏《だぶつ》だぜ」

忠は、皮膚の毛穴に玉の汗を噴き出して、車内を見渡した。貨車でないだけ有難いとしなければならないが、幅の狭い小さな客車の二人がけの席に、三人坐り、向い合った席の間や、通路にも兵隊が押し合うように詰め込まれてい

る。忠は運よく、窓際の席に、同じ加治木《かじき》村出身の伊佐《いさ》新吉と並んでいた。

「忠どん、マッカーサーは、二年前、バターン半島から脱出すっ時、また必らずフィリピンに戻って来ると、宣言したちゅうとは、ほんのこッか」

伊佐新吉は、農村出身のがっちりした体を押しつけるようにして、小声で聞いた。

「うん、俺もそう聞いたが、将軍にしては、おしゃべりだな、復讐《ふくしゅう》は、男らしく黙ってやるものだ」

忠は太い眉を寄せて、うそぶいた。

「おまんさあは、アメリカ帰りん二世のくせい、アメリカ嫌いじゃね、加治木中学時代からちっとも変らん」

呆れるように云った。新吉とは、加治木中学に編入学されて以来の同級生であった。

中学を卒業後、農家の三男の新吉は、村役場に勤める傍《かたわ》ら、畑仕事に精を出し、忠は早稲田高等学院から学部へ進んだが、徴集を受けて鹿児島の原隊へ入隊し、当時の駐屯地である北満のハイラルで初年兵教育を受けた。そこで、同じ班になってからは、互いに助け合って来たのだった。

夜が明け、空が白むにつれ、線路の両側の砂糖黍畑が延々と続き、ところどころに、現地人のニッパハウスがかたまっている村落が見えた。

ゴトンと、大きく汽車が揺れ、小さな田舎駅に停まると、七十一連隊第二大隊の一千余名は、全員下車した。

「忠どん、こや、何ちゅう駅や」

新吉は、眼ざとく、横文字のプレートを見つけた。

「サンパブロと書いてあるな」

忠が、そう云った時、鬼頭軍曹が寄って来た。

「なに、サンパブロだと？　確かにそうなんだな」

いつもは横文字を口にするだけでも、びんたを飛ばす鬼軍曹が、聞き返した。

「はい、軍曹殿、確かにサンパブロであります」

「ふん、七十一連隊はロスパニオスに行くと聞いていたが、分散するわけかな、こういう時、地図がないというのは、実に不便だ、うちの小隊長は、もうちいっと、しっかりして貰わんと困るなぁ」

古参の軍曹独特のいや味な云い方で、二十三歳の幹部候補生上りの少尉のことをこぼしたが、忠たちには、サンパブロにしろ、ロスパニオスにしろ、バタンガス地域のどのあたりか、見当もつかなかった。

朝靄の中で、サンパブロの町はしんと静まり返り、舗装《ほそう》された駅前の道路に、白い二階建の建物が眼についた。忠はふと、ロサンゼルスのスペイン町のアラモアを思い出したが、頭を振ってふき消し、ここで関東軍の気合いの入った兵隊として闘うのだと、自らに云いきかせた。

駅前の広場で点呼を受ける頃には、住民たちがどこからともなく出て来て、軍隊を遠巻きにした。

「ハポン、ハポン」

と声をかけ、手を振る者もいるが、大体、南部ルソンは対日感情が悪く、米軍ゲリラの活動地域だから注意しろと云われていたから、忠たちは、笑顔を見せながらも、用心を怠らなかった。

　宿舎になる小学校まで隊伍を整えて歩き、各教室に分散して、ほっと一息つく間もなく、忠たちの班は、歩哨《ほしょう》勤務を命じられた。

　小学校に近いメイン・ストリートの角々に銃を持ってたち、ゲリラの警戒にあたったが、とりたてて険悪な雰囲気《ふんいき》もなく、一見、平時《へいじ》と変らぬのどかさで、昼頃になると、男たちは、薄汚れたシャツ姿で道端にしゃがんで、サイコロの賭けごとに興じ、子供たちも戦争で学校が閉鎖されているせいか、裸足《はだし》で、ぞろぞろと徒党を組み、十二、三歳の男の子が、もう煙草を喫っている。

　忠は、歩哨の退屈さから、鹿児島の加治木の叔母のことを思い出していた。

　忠が、ロサンゼルスから日本へ帰ったのは、加治木の叔母の家であった。

　叔母は、兄の賢治が小学校から中学まで使った部屋を隅々まで掃除して迎え、兄が着ていたという紺絣《こんがすり》の着物と袴《はかま》を仕立て直して、きちんと畳んだのを、忠に着せて、床の間の前に坐らせると、

「ようこそ戻って来やした、今日からは、ここがおまんさあの家ござす、存分に文武に励み、賢治さんに劣らんりっぱな〝薩摩隼人《さつまはやと》〟に成長してたもんせ、そんために私は、今日からおまんさあのためい、きつかことも云い、仕打ちもしもすが、我慢してよう聞き分けてくいやんせ」

　畳に両手をついて挨拶した。早く夫に死別し、たった一人の男の子も三歳の時、肺炎で亡くしてしまった寡婦《かふ》であったが、兄の賢治に聞いていた通り、女丈夫《じょじょうぶ》という表現がふさわしく、眼が黒々と大きく、大柄の体から南国の黒潮の香りが匂いたつようなたっぷりとした容姿であった。

　忠はその日から〝薩摩隼人〟たらんとする強い思いに駆りたてられた。もともときかぬ気で骨っぽい性格とはいえ、アメリカ育ちの忠は、叔母から見れば、身振り手振りが大げさで、女性に対しても馴れ馴れしく、軟弱に映ったらしい。二言目には、賢治兄さんは、おまんさあのようではなかったと云い、忠がそれに反撥すると、

「忠さん、おはんな、加治木い来て何カ月にないやしたか？　健児の舎で、『チェスト行け』という言葉を習わんかったとですか」

　と厳しく、詰め寄った。チェスト行けとは、とことんまでやれ！　という薩摩隼人の合い言葉である。学校の授業を終えてから通う鹿児島独特の鍛錬《たんれん》の道場である『健児の舎』では、漢文の素読から剣道、弓道などの文武両道の激しい修業に参りかけると、先輩たちが間髪をおかず、「チェスト行け！」と檄《げき》を飛ばすのだった。

それを叔母に云われた日、忠は硯に墨《すずり》をすり、長い奉書紙に、馴れぬ筆で、チェスト行け！　と書き、部屋の壁に貼りつけて、自らを励ました。

学業は、日本語の話し言葉には不自由しなかったが、読み書きの力が不足し、担任の教師は、一年遅れた方が楽だろうと勧めた。しかし忠は、英語の授業を免除して貰い、その分、国語の勉強をしたいと申し出て、一日、四、五時間の睡眠時間で読み書きを勉強し、しかもストレスの解消策として、より剣道に励んだのだった。

チェスト行け精神で、学業の成績も上位になり、早稲田へ進んだ。

上京して学業を修める忠を、叔母は喜んで送り出したが、それから、俄《にわ》かに老いを増していったのだった。忠は大学を卒業後も、日本で生活することになれば、いっそ、自分のために身心を擦り減らすほど尽してくれた叔母の家を継いで、安心させてやりたいとも考えていたその矢先に、日米開戦となり、繰り上げ卒業で徴集されてしまったのだった。

「おい、大へんじゃ！」

突然、大声がした。我に返ると、歩哨の交代にやって来た伊佐新吉が、口角、泡《あわ》を飛ばすような勢で、

「俺《おい》たちのあとから、マニラをたった他《ほか》ん隊が、敵機の空襲を受けて、大変なことといなったらしかど」

「――それで全滅か」

忠は、乗っている輸送船が敵潜水艦にやられて、危うく命を失いかけた時のことを思った。

「うんにゃ、詳しかことは解らんが、砂糖黍畑い退避し、馬はやられたらしかが、将兵にはたいした被害がなかちゅうこっじゃ」

「そうか、よかったな」

忠は、同じ連隊の戦友たちが無事であったことにほっとし、銃を取り直して、歩哨を交代した。

結局、サンパブロに駐屯していたのは、僅か四日間だけであった。ゲリラの襲来も、米軍の攻撃も全くなく、七十一連隊は、何故か再び、マニラへ向けて出発せよとの命令を受け、夜間のみの徒歩行軍でようやく、マニラに着いた。そして、一息つく間もなく、今度は米軍の上陸に備えてリンガエン湾に向えという命令が出た。全員歩きながら眠るほど疲れきった体のまま、部隊は北に向った。

＊

ロサンゼルスのユニオン・ステーション前にバスが停まり、その中から白人のシスターに付き添われた天羽《あもう》恵美子《エミー》が、二人の子供を連れておりて来た。

合衆国北部のミネアポリスから、大陸横断列車で、ネバダ州のリノまで来、そこからグレイハウンドのバスに乗り

継いで、待望のロサンゼルスに着いたのだった。

ユニオン・ステーションの前には、紙屑や空缶《あきかん》が散らばり、黒人やメキシコ人が、浮浪者のようにたむろしている。

エミーは日系人であることを気取《けど》られぬようにスカーフを巻き、ベビーのベティと二歳のアーサーにも眼深《まぶか》に帽子を冠らせていたが、往き交う人の中には、

「ジャップじゃねぇか」

と、唾吐きかけんばかりに罵る者もあった。シスターがぴたりと付き添っているから、さすがに手を出す者はいない。

エミーは顔を硬ばらせながらも、

「ロサンゼルスは一番排斥が激しいところだから、一つ間違えば殺されかねないなんて脅かされて出て来ましたけど、それほどでもなさそうですわね」

二年半ぶりにやっと戻って来た町を、懐しげに見廻した。

「それより迎えのお父さんを、早く探しなさい」

シスターが窘《たしな》めた時、

「エミー、わしや、よう帰って来たな！」

濃いサングラスをかけた畑中万作が、駈け寄って来た。

「まあ、パパ！」

エミーは父親の顔を見るなり、自分より背の低い肥った首にかじりついた。

「道中、無事やったか、心配してたでぇ」

「シスターとずっとご一緒だったから、何もなかったわ、さあ、この子がミネアポリスで生まれたベティよ、ほら、おじいちゃまよ」

と、孫の顔を見せた。万作は眼を細めながら、

「こんなとこに長居は禁物や、シスター　サンキュー　ベリ　マッチ、落ち着きましたら、いずれ感謝の寄付をぎょうさん、さして貰いまっさ」

現金《げんきん》な礼を述べ、メキシコ人が運転するワゴン車に、エミーと二人の孫を押し込めるように乗せた。

エミーは窓を開けて、シスターに、礼を述べた。

「ご恩は一生、忘れません、どうぞお元気で」

「戦争が終るまで気を許してはなりませんよ、あなたとお子さんたちに神のご加護がありますように」

エミーの無軌道な性格を案じるように云い、去って行った。

ワゴン車は、サンタモニカ通りをフルスピードでロサンゼルス西のソーテルに向った。ソーテルは退役軍人の大きなアパートや、病院のあるソルジャーズ・ホームの地として知られていたが、移民した日本人が古くから住みついている町の一つでもあった。

一時間程で、ワゴン車は、畑中万作が経営しているボーディング・ハウスに到着した。

「へぇぇ、ここがパパのボーディング・ハウスなの」

エミーは子供たちを父に任せ、ミネアポリスで買った毛皮のコートとスーツケースを真っ先に手にして、玄関前にたった。想像していたより大きな木造二階建であった。

「早う、中へ入りい、いやがらせの投石をされるかもしれんよってな」

万作はベティを抱き、きょろきょろしているアーサーを促して、扉の内へ入れた。玄関には日本式に靴箱があり、泥まみれの靴が五、六足、脱ぎ散らされ、メキシコ人のメイドが床磨きをしていた。外見はペンキで小ぎれいだが、中はいかにも労働者相手の簡易ホテルらしく、薄汚れて侘しさが漂っている。

「エミーかい、よう無事で――」

階段の上から声がし、母親の定代がシーツを両手にかかえて、ころげるように下りて来た。マンザナール収容所の中でも、色白の細面《ほそおもて》にフォックス眼鏡をかけ、着るものにも絶えず気を配っていた母であるのに、僅かの間に窶《やつ》れ、床磨きをしているメキシコ人のメイドとさして変らぬうらぶれようであった。

「ママ、臭いわねぇ、そのシーツ」

エミーは、顔をそむけた。

「でも、今日はシーツの取り替え日だから、泊り客が働きに行っている間に洗濯機に入れておかなくちゃあ……、ちょっと待っておくれよ」

黄ばんだシーツを抱えて行った。


やがて、玄関横の形ばかりの応接間で一家は久しぶりに揃った。定代は小ざっぱりしたワンピースに着がえ、エミーには手作りのおはぎを、アーサーにはクッキーを食べさせた。

「ああ、やっぱり帰って来てよかったわ、向うじゃあ今、零下十五、六度で、これからはもっと寒くなるのよ、暖房一つにしても大へんで、あんなところに女子供だけで住むなんて、無理な話よ、アーサー、暖かくていいでしょ」

エミーは、満足気に云った。アーサーはクッキーの粉を口のまわりにつけ、窓の外に好奇心一杯の眼を向けている。

「アーサーは大きくなったわねぇ、それにベティもお前に似て、色が白くて可愛いこと！」

すやすや眠っているベティを眺め、

「で、賢治さんは、ここへ来ることを許して下さったんだね」

女親らしく、聞いた。

「それが、何度、手紙を出しても、答えはノウ、近頃は返事もくれないのだから、仕方ないわ、自分だけオーストラリアでのうのうと暮していて、私たちには我慢しろなんて虫がよすぎるわ！　薩摩隼人《さつまはやと》か何か知らないけど、あの人の男尊女卑の考えがいまだに抜けないところが、我慢出来ないのよ」

エミーは、腹だたしげに云った。

「子供の前でおよしよ、それより賢治さんには早いとこ、手紙を出して安心してお貰い、移ってしまったら、あの人だって文句は云わないだろうからね」

「わかったわ、ところでパパ、ここは部屋数がいくつあるの」

「客室は全部で十二やけど、今は一人部屋を借りるような客はないし、それでは儲《もう》からんので、一部屋二、三人ずつ入れて、常時三十人以上の客がいる」

「一人、いくらなの」

「一日三食付き、シャワーは共同で、一カ月三十五ドルや」

「へえぇ、こんなところで三十五ドルって、ちょっと吹っかけすぎじゃない」

「何云うてるんや、収容所から出て来た日系人が安心して泊まれるとこちゅうたら、同じ日系人が経営してるボーディング・ハウスしかあらへんのや、少々、高うても罰は当らんわ」

俄かに勘定高い顔で云った時、ノックの音もなく、応接間の扉が開き、よれよれのTシャツの下から晒《さらし》の腹巻きが見える三十過ぎの男が、ぬうっと顔を出した。

「マスター、コーラの買い置きがあったら分けて貰えんかね、金は払うよ」

一セントのコインを掌《てのひら》にのせ、エミーに気付くと驚いたように、会釈しながら、じろじろと見た。

「今日はあらしまへん、明日、買うて来ておきまっさ」

万作は、追いたてるように云い、扉を閉めた。エミーはおぞまし気に眉を顰《ひそ》め、

「あれ、泊り客なの」

「そや、腕のいいコックやけど、このあたりでは雇い手がのうて、ブラブラしてるのや、部屋代もそろそろ払えんようになって来たし、早よ追い出さんといかんわい」

「このあたりには、どんな仕事口があるの」

「そりゃあガーデナー（庭師）に限る、日系人は戦争前からハリウッドやビバリー・ヒルズの上客を摑《つか》んでるからな」

「白人の金持が、日系を雇うの」

「収容所を出る前に、皆、前のお顧客《とくい》に手紙を出して、お伺《うかが》いしてるのや、ガーデナーは何ちゅうても日本人の右に出るもんはないから、まずユダヤ系の金持が雇いはじめ、次いで映画スターや弁護士も、チャイニーズを馘《くび》にして、日系人に切り替えているようや」

「そうなの、じゃあ私たちがリトル・トーキョーのホテルへ帰れるのも間もなくね」

楽観的に云うと、定代は、

「エミーは、たまたまシスターと一緒で何も起らなかったから、恐《こわ》さがわからないのだよ、父さん、よく聞かせてやって下さい」

と顔を顰《しか》めた。

「ママの云う通りや、リトル・トーキョーは、黒人とメキ

シコ人に占領され、うちのホテルなど、窓ガラスは全部といっていいほど割られ、黒人が五十人以上住みついていて、どうにも手がつけられん。比較的治安のいいこのソーテルのボーディング・ハウスかて、借り受けてから黒人をたち退《の》かせるのに二カ月かかった。政府は一応、明け渡し命令は出してくれるが、おいそれと出て行く奴らやない。電気と水道を止《と》め、生活出来んようにしてやっとのことで追い出したが、それから後がまた、一苦労や。ベッドは壊され、鼠《ねずみ》や蚤《のみ》は増え放題、トイレットに至っては、三年半の糞《くそ》が便器にまっ黒にこびりついて取れず、塩酸を箸の先に巻いた綿にしみ込ませて、三日がかりで白うし、鼠や蚤は一部屋ずつ目張りして硫黄《いおう》を何時間もたいて退治したのや。そうしてようやくオープンしたら、厭がらせの投石や電話、それにアル中や麻薬中毒の白人が泊りにきて、追い出しにかかろうもんなら刃物をつきつける。さすがのわしもほんまに往生したわ。日系のガーデナーたちが泊ってくれるようになったのはつい最近のことや」

　これまでの辛酸を語ると、定代も涙を滲ませ、

「お前が心配すると思うて、手紙には書かなかったけど、そんな苦労で父さんは病気になり、生き別れになるぐらいならと、私も死ぬ覚悟で収容所を出て来たのよ。マンザナール収容所から、ロサンゼルスへ出てきた女の人は、ほんとに数えるぐらいなのよ、ましてエミーのような若いミセスはいないから気をつけておくれ、ガーデナーさんたちだって、仕事場とここを車で往復する以外、一人では絶対、歩き廻らないのだからね」

　こんこんと話して聞かせた。

「お説教はそのぐらいでいいわ、ともかく、これからは大いに働くわ、そのかわり子供たちの面倒をみてね」

　エミーは、両親の注意を右から左に聞き流した。

*

　天羽賢治たちを乗せた第六軍《ザ・シックスアーミー》第一軍団の輸送船は、レイテ島のパロに入港した。

　既に十月二十日、マッカーサー司令官が、上陸用舟艇が浅瀬に達するや、珊瑚礁《さんごしょう》の海の中を歩いて上陸し、〝アイハブ　リターンド〟（私は帰って来た）と声明して、フィリピン人の熱烈な歓迎を受けたレッド・ビーチであった。

　賢治たち第一軍団付き語学兵チームは、ルソン上陸Xデー（攻撃日）を前に、待機していた。米軍はレイテ島平野部をほぼ占領し、なおもレイテの脊梁《せきりょう》山脈と西北部海岸沿いの丘陵地帯にたて籠って抵抗する日本軍の掃討作戦を展開しており、レイテ湾には、ルソン上陸を目ざして輸送船や駆逐艦、巡洋艦が続々と集結し、黒い帯のように沖合いを埋めている。

　賢治たち語学兵チームは、司令部が設けられているタクロバンで三日間、捕獲文書のスキャニングをし、オースト

ラリアのATIS《アティス》へ送る翻訳をして、パロへ戻って来た。

その翌朝、賢治は、ビルマ戦線から来たタッド安本とコージ五島とに会った。二人とも日本で中学、大学教育を受けた帰米《きべい》二世で、ロサンゼルス時代の友人だった。

「僕らがキャンプ・サベージへ入った頃、ケーンはマンザナール収容所に頑張ってたし、卒業して、戦地へ送られてから聞いた話では、君は教官をしているということだったのに、まさか、フィリピンで会おうとは、思いもよらなかったな」

浜辺の椰子《やし》の樹陰のテントの前で、三人は再会を喜び合った。

「それにしても束の間の休養とはいえ、朝っぱらから椰子の木にもたれて、本国直送のアイスクリームにありつけるとは、夢のような話やなあ、これでフィリピン美人が傍にいたら云うことなしや」

両親が関西出身で、いまだに大阪弁のぬけないコージ五島は、海軍配給のアイスクリームをぺろりと二つ平らげ、相変らずの陽気さをふりまいていた。傍らでケネス阿川と共に、三人の話を聞いていたジロー大野が、

「じゃあ、今晩、フィリピン・ダンスを見せて貰えるように、この部落にかけ合ってみますよ」

そう云った途端、右前方の海上に黒煙と赤い火花があがり、砲声が轟《とどろ》いた。

「おい、何事だ！」

安本と五島は、反射的に椰子の樹陰に身を伏せ、賢治たちもそれに倣《なら》って、弾幕《だんまく》と砲声が鳴り渡る洋上を見た。

洋上一キロ余の軍艦から発射される対空砲火の弾幕が幾層にも拡がり、不気味な暗雲をつくり出していた。その中を、強硬に突き抜ける小さな機影があった。

「日本の特攻機だ！」

安本と五島は、異口同音に叫んだ。

「えっ、カミカゼ！」

「ほんとうか！　機種は何だ」

濛々《もうもう》たる弾幕の中を、さらにもう一機が突っきった。二機とも明らかに駆逐艦に体当りしようとしている。

「ここからではよく解らんが、零戦《ゼロせん》だろう、やれよ！」

二人が叫ぶ「やれよ」という叫びが、零戦に対してか、米駆逐艦に対してかはわからないが、賢治ははじめて眼のあたりにする特攻機に身を固くした。

機影は高角砲や機関砲の弾幕を完全に突っ切り、今まさに体当りしかけた。

「やれッ！」

賢治が無意識に叫んだ時、一機が火達磨《ひだるま》になったかと思うと、赤黒い焔《ほのお》の塊になって海へ没した。だが、後続の一機は執念を燃やすように低空から、駆逐艦目がけて体当りした。

賢治たち三人は、顔を見合わせた。

「どこから飛んで来たんだろう」

タッド安本が云った。

「近くのセブ島の基地はやられているはずだから、この午前七時から八時という時間からいって、マニラか、ルソン南端のレガスピーからじゃないか」

賢治は、司令部で耳にした地名を思いうかべた。

マニラから七百キロ、レガスピーから四百キロ、その長距離を死に向って操縦桿《そうじゅうかん》を握って来た兵士たちの心に在《あ》るのは何だろうか。僅か二、三分の戦闘であったが、死を賭した戦意に搏《う》たれながら、賢治は空しい哀しみをかみしめた。

「日本軍には、空だけでなく、地上にも特攻隊があった、僕は、もう少しで危なかったんだ」

ビルマ戦線で闘ったタッド安本が云った。

「ほう、どういうことだい？」

「今年の八月初め、北ビルマ戦線最後の戦闘、ミートキナの戦いでのことだ、日本軍は壊滅状態になり、守備隊長が、軍司令官宛に訣別《けつべつ》の電信を打った、それを傍受し、投降を勧告したが、従わず、ついに彼らは特攻隊を組んだ、そこで僕は意を決して、素っ裸に六尺褌《ふんどし》をし、日本の陸軍大尉の軍装と日本刀を頭にくくりつけて、一人河を渡って、岸に上って軍装を整え、壕《ごう》の中に頑張っている兵隊たちに『俺は山本大尉だ、今から特殊工作に入るから、ついて来い』と呼びかけた、すると、あっちこっちの壕から、よろよろと痩《や》せこけた兵隊が這い出して来た、結局、十五人を引き連れて筏《いかだ》を組み、いよいよ渡河しようとした時、一人の将校が飛び出して来て『騙《だま》されるな、そいつはアメリカの日系兵だ』と叫ぶなり、手榴弾《てりゅうだん》を投げつけて来た、間一髪で避け、騒ぎ出した兵隊たちに『見ろ、対岸から米兵がお前たちを狙《ねら》っている、手向えば皆殺しにされるが、おとなしくしていれば絶対、殺さないことを約束する』と云い、兵隊たちを生け取りにしたが、手榴弾を投げつけられた一瞬、もう駄目かと思った」

「語学兵が、なぜ、そこまで危険を冒《おか》すんです？」

ケネス阿川が聞いた。

「よくわからないが、今思うと、いわゆる忠誠心などというものでなく、日頃、われわれを馬鹿《ばか》にしている白人兵たちに、日系兵はこんなに勇敢なんだということを、認めさせたかったんだろうな」

と応《こた》えると、コージ五島は頷《うなず》いた。

「同感や、僕は最初、司令部付きで前線へ出たけど、ジャングル作戦になると、司令部付きもへいたくれもない、各小隊が円形を作って敵状偵察をやるのやが、夜間の斥候《せっこう》ほどこわいものはない、僕を護衛する白人兵二人と無線機手の四人で、真っ暗なジャングルの中を、月明りを頼りにして歩いていると、日本兵の斥候二人がやって来て『敵の斥候と会わんでよかったのう』『こんぐらいで、もう引っ返すがよかろう』と、九州訛《なま》りが聞えた、なるほど、敵も同じ思いやなと、地面に体を伏せているのに、白人兵が脅《おび》え上って『何を話してるのか』と声を出した、それで、向うからババンと撃って来て、撃ち合いになり、日本兵を殺してしもうた、あとで死体を調べたら、日本兵の内ポケットに子供の写真と奥さん宛の書きかけの手紙が入ってた……」

不意に、声がくぐもった。

「その手紙は、〝故郷《くに》を出てから四年になり、お前には苦労をかけているが、坊やは元気か、生後二カ月目に出征したから、送ってくれた写真でしか坊やの顔は解らんが、丈夫にしっかり育てて……〟で、途切れていた、ちょうど僕自身ワイフが臨月を迎えている時やったから涙が出て、止まらんかった、その翌日、師団司令部から小型飛行機が飛んで来て、リボンのついた箱を投下してくれた、何やろと思うたら『コージ五島軍曹・女児誕生』という報《しら》せとチョコレートが入ってたのや、師団司令部からわざわざ、子供の誕生を報せ、祝ってくれたのは嬉《うれ》しかったけど、前夜、子供のことを書きかけて死んだ日本兵の気持を思うと、辛《つら》かった、今でもよう忘れんよ」

と云い、眼を瞬《しばた》かせた。

賢治の瞼《まぶた》に、アーサーとベティのあどけない表情がうかんだ。フィリピンの決戦場となるルソン島へ上陸する前に、妻のエミー宛に、万一の場合のことを、書きしたためておこうと思った。

星明りだけのリンガエン湾を、天羽忠は、椰子《やし》の樹陰からじっと眺めていた。

＊

米艦隊進入に備え、忠の属する立石《たていし》小隊は、最前線のリンガエン海岸の警備を命ぜられ、二名一組の歩哨《ほしょう》をたてて、厳重に警戒していた。昭和二十年一月六日であった。

椰子林のすぐ前に、小さな飛行場があり、その一端に米軍の空爆を受けた大きな凹《くぼ》みがあるが、砂浜に寄せては返すさざ波の音は規則正しく、海もしんと静まり返っている。

「眠《ねむ》かね、こげな時間においたちを歩哨に出すなど、鬼頭《きとう》軍曹はほんのこて意地が悪《わる》か」

伊佐新吉上等兵が、半ば居眠りながら眼鏡をずり上げ、愚痴《ぐち》った。午前四時過ぎだった。

「あんな性悪《しょうわる》のことなど、口にするな」

忠は暗い海に向って、吐き捨てるように云った。その語勢の激しさに、新吉はびくっとして黙ったが、

「そいにしても忠どん、一体、どげんなっとるのじゃろか、こんくそ暑か中に、おいたちを将棋の〝歩《ふ》〟みたいに、思いつっで、あちこちい動かし、戦う前に、こげん疲れさすっとは」

飛んで来た大きな虫を、ぴしゃりと叩き落しながら、云った。マニラ上陸当初は、ルソン島南部バタンガスへ進入

する米軍を討つべしという命令のもとに、夜行列車でサンパブロに配置され、その四日後には、再びマニラへ向けて夜間行軍をし、さらにマニラから一週間がかりでリンガエン湾奥十四キロのビナロナンまで移動し、そこで、発令を待っていたのだった。そして僅かの団子と地酒《じざけ》で祝った正月気分もぬけやらぬ一月三日夕、俄かに、第二大隊の主力陣地は近くのカバルアン丘《おか》であること、忠たちの小隊の守備位置は、主力陣地の前面四カ所の警戒陣地のうち、最前方のリンガエン海岸線であることが告げられ、トラックで、海辺の椰子林の中に運ばれたのだった。

一千余名の本隊から離れ、たった三十八名で警戒する不安はあったが、警戒区域内の原住民をたち退《の》かせ、壕を掘り、飯盒飯《はんごうめし》を炊き、雑役、そして海上を監視するだけの単調な二晩目が過ぎようとしていた。

新吉は、炎天下での雑役に参ったせいか、うとうとしはじめ、忠も、薄明りの海を眺めているうちに、ロサンゼルスのハイスクール時代の同級生だったアンのことをぼんやりと思い出していた。薔薇のような頬にそばかすをうっすらとうかべたアンは、フットボールの試合によく応援に来てくれ、忠も彼女の家へ時々、遊びに行ったが、ロサンゼルス警察勤務の父親は、「日本は純血主義の国だろう? うちのアンはアイルランドとドイツの血が混っているのだよ」と、暗に娘との交際を拒み、それ以来、忠の足はアンの家から遠のいた。アンと最後に会ったのは忠が生徒会長に選ばれながら、PTAの白人父兄たちに阻止され、日本へ帰る前日だった。誰もいない教会の庭で、アンは日本のアドレスを何度も聞いたが、忠は教えなかった。心の底ではアンを抱きしめ、泣きたい気持だったのに——。鹿児島の加治木で、叔母から、「アメリカで女《おなご》ん友達は、おいやはんかったのね」と聞かれた時まで、本の間にアンの写真を秘かにしのばせていたが、「そげなもん、おりもさん」と下手《へた》な薩摩弁で答えて、焼きすてたことを、覚えている。

新吉はまだ、居眠り続けている。もう二、三十分もすれば交替時間だと、眠気醒《ざま》しに南十字星を探しかけると、眼の端《はし》にふと、黒い影が映った。何だろうと見据《みす》えていると、暫くは島影のように一つだけだったのが、二つ、三つと増《ふ》えてくる。背筋がぶるっと震えた。

「新吉、起きろ！　敵の船かもしれん」

肩を揺さぶった。

「何じゃい、夢でんみていたとじゃなかか、一昨夜《おととい》、配置について、まだ完全な陣地も出来ておらんとに、もう敵が来っなんち、あり得ん」

大きな欠伸《あくび》をし、眼鏡をかけ直して、たち上ろうとすると、

「危い！　伏せてろ！」

忠は、新吉の背中を押え、海の彼方《かなた》を凝視した。三つの黒い影は気のせいか、少し大きくなってきたようだった。

「おい、小隊長に知らせて来い！」

「よし、忠どん、一人で大丈夫や」

「OK、それより早く——」

思わず、OKと口から出てしまったが、新吉は機敏な身のこなしで、椰子の樹陰へかき消えた。

その直後、一人になった忠の眼前で、三つの黒い影は突如、帯のようにひろがり、もはや数えきれない数になっていた。じっと耳をすませると、潮騒《しおさい》に混って、大海原が低く咆《ほ》えるような気配が伝って来る。

他の場所で警戒に当っていた監視兵も気付いたらしく、狼狽《ろうばい》の声が上った。

数分後、小隊長の立石少尉と鬼頭軍曹が、腰をかがめて走って来るなり、

「やっ！」

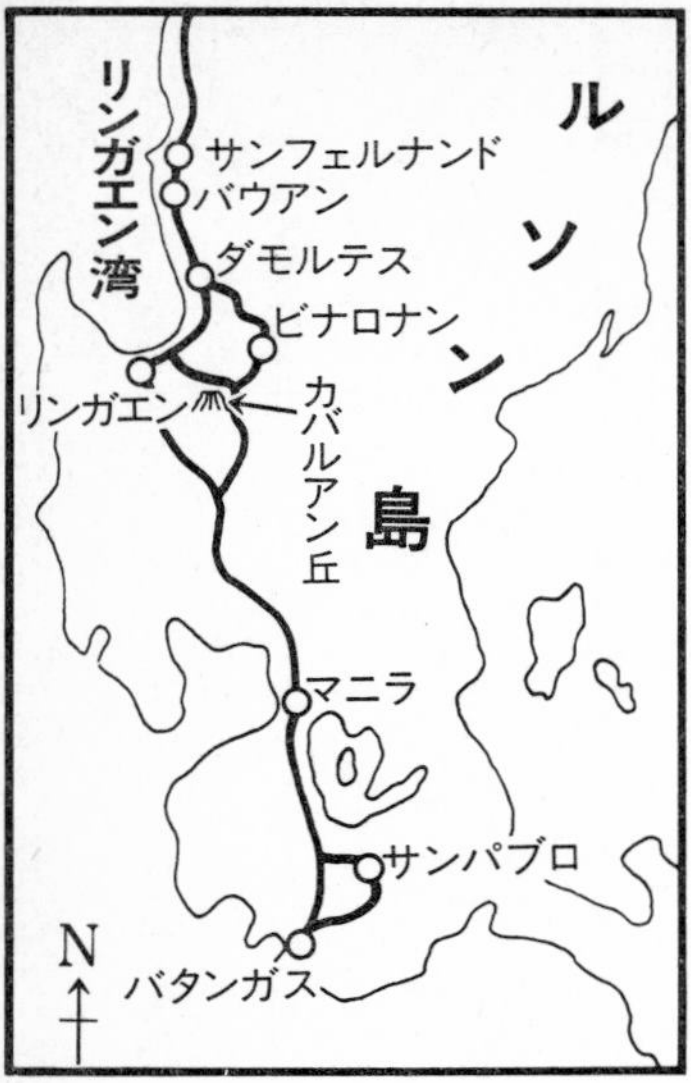

異口同音に、叫んだ。薄明りの中を、大規模な敵の艦隊が、湾岸を目指して進んで来ている。

「小隊長殿、大隊本部へすぐ連絡を！」

呆然として、大艦隊の敵影を見詰めている立石少尉を、急《せ》かせた。予備士官学校出でこれが初陣《ういじん》の立石少尉は、緊張で顔を硬ばらせ、

「そ、そうだ、通信兵を呼べ！」

忠に命じた。

「それでありましたら、既に、伊佐上等兵に、ここへ連れて来るよう命じてあります」

鬼頭は古参軍曹らしく、鼻先に薄笑いをうかべて云った。

程なく、新吉に伴われて、二名の通信兵が無線機を運んで来た。立石少尉はやや落ちつきを取り戻し、

「カバルアン丘《おか》の大山大隊長殿に至急、第一報を入れよ、『敵大艦隊リンガエン湾ニ進入ヲ開始セリ、六日午前四時四十七分』、以上だ」

と命じた。通信兵は、新吉が点《つ》けた懐中電灯の下でメモを取り、復唱した後、暗号に直すと、キイを叩きはじめた。

「小隊長殿、これからどうされるのでありますか」

鬼頭軍曹は、下手《したて》に出ながらも、立石少尉のお手並拝見、といった底意地の悪さがあった。

「あと三、四十分もすれば日の出で、敵艦隊の詳細が摑《つか》める、それを大隊本部へ知らせねばならん」

「それからは？」

「当然、本隊からの指示を待つ、下士官が心配することではない」

　立石少尉は、さすがにむっとして、鬼頭の口を封じた。

　忠は、二人のやりとりを聞きながら、眼は艦隊に向けていた。その規模は満洲から来た自分たち二十三師団の船団の比ではなく、リンガエン湾が埋めつくされてるのではないかと思われるほどで、この艦隊が一斉上陸して来る時の凄《すさ》まじさを想像すると、若い立石少尉の慄《おのの》きが解る気がした。

　夜が刻々と色を抜くように明けそめかけた時、遠く北の空に銀白色の巨大な光の幕が上った。その途端、米軍艦隊の容《すがた》がくっきり浮かび上った。

「もの凄《すご》かど――」

　五体を硬ばらせ、艦隊の進入を見守っている兵隊たちの中から声が洩れた。

　銀白色の照明弾は消え、通信灯らしい黄色や緑の光もやがて消え、大海原が咆えたてるような音だけが、大きく響いた。

「忠どん、今、弾幕を上げたとは、特攻機でも行ったとじゃろか」

「それならもっと砲声がし、火柱が見えるはずだ、海上特攻艇がぶつかって行ったんじゃないか」

　海上特攻艇は、ベニヤ板で作った粗末な船に爆薬を縛《しば》りつけ、島陰に隠れていて、敵艦めざして突撃して行く海の特攻であった。

「天羽上等兵、米艦艇が特攻艇にやられるのを、心配しとるか」

　鬼頭軍曹が傍にたち、猜疑《さいぎ》心に満ちた眼を向けていた。いつもは我慢して聞く鬼頭の言葉を、忠は聞き流せなかった。

「軍曹殿、お言葉ではありますが、天羽上等兵は、敵と戦いたい気持こそあれ、そのような考えは毫《ごう》もありませんっ」

　いいびんた覚悟で返答すると、

「ほう、今の台詞《せりふ》、よく覚えておこう、お前も決して忘れるなよ」

　鬼頭は、薄気味悪いほど忠の眼の奥を覗き込んで云った。

　夜が明け、リンガエン湾を埋めた艦隊は北東の方角に向けて艦砲射撃を開始した。狙いはサンフェルナンド、バウアン地区のように見受けられたが、ほどなく、忠たちのいる湾南岸にも砲弾を浴びせかけ、椰子林や部落から黒煙がもうもうと上った。

　その夜、忠たちの立石小隊はリンガエン湾を離れ、主力陣地のカバルアン丘へ向けて移動した。直線距離で十数キロの道をゲリラと空襲を避け、大きく迂回したため、到着したのは九日の未明だった。地名からして丘陵地帯と思っていた主力陣地は、意外にも海抜二十メートル程の叢林《そうりん》で、師団司令部から急派された工兵中隊による陣地構築がようやく始まったばかりであった。

忠は命じられた位置につき、洋上を見ていた。六日以来、艦砲射撃は間断なく続いていたが、米軍がフィリピン人向けに空から大量に撒《ま》いたビラによれば、米軍は一月九日に上陸するはずだった。だが、カバルアン丘から十数キロしか、隔《へだ》っていない米艦船に、兄の賢治が乗っているとは、忠には知る由もないことだった。

＊

一九四五年一月九日、X—DAY《デー》（攻撃日）の早暁、天羽賢治は、リンガエン湾を埋め尽している米艦隊の輸送船に乗っていた。

間もなく総攻撃を開始する、第六軍第一軍団に属していたが、軍団司令部付き語学将校であったから、上陸第一波の戦闘部隊の船団から離れた洋上で待機していた。

まだ夜は明けきっていなかったが、艦内は、既に全員が起き、ベーコンや卵の匂いをさせて、朝食を食べ終え、水兵たちは睡眠不足の眼をこすりながら、それぞれの位置についていた。

マッカーサー元帥は、参謀たちとボイシー号の船橋にたって、第六軍と、六万八千人の将兵の上陸地点を見守り、そのことが全軍の士気を昂揚させていた。

天候は薄曇りであったが、空は静かに明けて行き、低く垂れ籠めている朝靄《あさもや》の上に、ルソン島の山々が、次第に空高く、その輪郭を見せはじめた。

午前七時、湾内を埋めた戦艦、巡洋艦、駆逐艦、すべての砲門が開き、一斉に火を噴いた。日本軍のたて籠る丘陵や、樹木、建物が吹っ飛び、艦内の将兵たちも硝煙《しょうえん》で息が詰まるほどの猛攻撃であった。

この間、陸地の日本軍からは、一発の反撃もなく、不気味に静まりかえっていた。リンガエンからサンフェルナンドまで、幅十数マイル、長さ百マイルの特色もない平坦な地形の中に、いかなる作戦が隠されているのか、探知しなければならない。

天羽賢治は、通信室で、日本軍の通信傍受に神経を研ぎ澄ましていた。通信手の横に坐り、ローマ字でとる通信文を日本語に直すと同時に、英語に翻訳するためであった。タッド安本、ケネス阿川も固唾《かたず》を呑んで耳をすましていたが、全く傍受出来ない。

「おかしいな、日本軍は、数日前から『東京ローズ』の時間に〝ルソン進攻の米軍は、世界史上、最大の痛烈なる敗退を喫《きっ》するであろう〟と、あれほど繰り返し、放送していたのに、ここへ来てぴたりと通信が途絶えたのは、どういうことなんだろう」

タッド安本は、理解に苦しむように云った。

「おそらく、動静を秘匿《ひとく》するために、これまでの電波の指向度数を変更し、交信時間もある一定時間に制限しているのだろう」

賢治は、いまだに砲撃を開始しない日本軍がたて籠っている山々を遠望した。

太陽が高くなり、ついに待機していた第一波上陸部隊が、上陸用舟艇《しゅうてい》、各種水陸両用艇を連ね、海岸を目指して、白波を蹴《け》たてて進撃した。

やがて旗艦《きかん》ワサッチ号から『第一回上陸成功、敵の抵抗なし』の報せが、各艦に伝えられた。時に九時四十分であった。それを機に陸軍戦闘部隊が次々と上陸し、続いて兵器や弾薬を陸揚げした。

天羽賢治たち語学兵のチームは、タイプライター、日本語辞書、筆記道具など一セットになったボックスと共に、上陸用舟艇に乗り、タイプライターが、高い波飛沫《しぶき》に濡れそうになるのを、各々、体で防いだ。

浜辺にあがると椰子の木はすべて薙《な》ぎ倒され、焼け焦げ、燻《くす》ぶっていたが、避難していた原住民たちが姿を現わし、上陸した米兵を取り囲み、日本軍がどんな風に逃げて行ったかを、手振り、身振りで、口々に喋《しゃべ》っていた。賢治たち二世の姿に気付くと、

「ハポン！　ハポン！」

と指《ゆびさ》し、憎悪をたぎらせ、石を投げつけかけた。白人兵が慌てて、

「ノウ、彼らはアメリカ軍の将校と兵隊たちだ」

と止《と》めると、

「日本軍の捕虜か」

と云い、今度は首がちょん切られ、死刑にされる真似《まね》をした。白人兵の軍曹が銃を構え、

「ノウ、彼らはアメリカに生れ、アメリカの市民権を持つりっぱな日系アメリカ人である」

群《むらが》っている中で、英語が喋れる青年に向って話すと、青年はタガログ語で原住民に説明したが、よく呑み込めないらしく、怪訝《けげん》な顔をしながら、白人兵からチュウインガムやチョコレートを貰って、ぞろぞろと引き揚げて行った。

そのうしろ姿を見、賢治は、自分の率いる十人の語学兵たちに、

「われわれは戦場において、日本軍のみならず、味方からも日本人と間違って撃たれる二重の危険に曝《さら》されていると、注意を受けて来たが、今日からはフィリピン人からも、日本人と間違えられて殺される危険があることを肝《きも》に銘じよ」

と注意を促し、すぐテントを張る作業に取りかかった。

テントは軍団司令部の位置から、最も離れた場所だった。それは、戦線で捕《つかま》った捕虜から直ちに所属部隊の部隊名と位置、兵力を聞き出す際追い詰められた捕虜が、尋問中、どんな不測の事故を引き起さないとも限らないからだった。焼き払われ、根株《ねかぶ》だけ残った椰子の木の前にテントを張り、折り畳み式の机の上に、四台のタイプライターをセットした。

海岸では、兵隊が、汗みどろになって兵器、弾薬、食糧

などを舟艇から陸揚げし、黙々と肩から肩へ運び、海岸に堆《うずたか》く、積み上げている。二十四時間以内に荷揚げするために一人、七トンの量が割り当てられているのであった。

賢治は、望遠鏡で改めてこれからの戦闘地形を観察した。海岸沿いに帯状の平野と丘、さらに森林の深い山々が、テラス状に段々と高くなっている。丘陵と山々からは、リンガエン湾の米軍上陸地点はもちろん、東西両翼を遠く見下すことが出来るはずであった。

この天然の地の利に拠って、日本軍は、米軍を奥深く引き寄せた上で攻撃をかけ、海岸線までの平坦地を奪回しようとするつもりなのか、それとも丘陵と山々のみを堅守《けんしゅ》するつもりなのか、あるいは、賢治の眼の届かぬ遥かな山々の峡谷から奇襲を行うつもりなのか——。ほぼ無血上陸だったが、嵐の前の静けさのような不気味さだった。

＊

カバルアン丘《おか》の七十一連隊第二大隊の陣地は、工兵中隊の昼夜兼行の作業で、ようやく構築されたばかりの状態だった。

時々、上空に観測機が飛来し、機に誘導された砲弾が、丘陵の樹木や竹藪にあたって炸裂《さくれつ》する音や、爆発する地響きがした。速度の遅い観測機を撃ち落すことは、たやすかったが、撃てば、陣地の所在が解るから、敵の歩兵部隊が現われるのを待ち構えるより術《すべ》がなかった。

天羽忠上等兵も、第七中隊の壕の中にいた。俄《にわ》か造りとはいえ、椰子の丸太や、幹が空洞《くうどう》でない頑丈なフィリピン竹の丸太を並べた上に、二、三十センチの土をのせて固めた堅牢《けんろう》な壕であった。

忠は、主陣地の第一線の壕で伊佐《いさ》上等兵と並んで、ずしん、ずしんと響いて来る砲撃の音に耐えていた。

「忠どん、おいたちゃ、よほどついちゃおらんねえ、せっかっ、命からがら主陣地まで戻いついたかと思たや、こんな土龍《もぐら》生活じゃ」

「だが、米軍の歩兵が現われたら、迎え撃つ、それまでの我慢だ」

「じゃっどん、連隊本部からん援軍は来《こ》んのとじゃろか」

「解らんが、こんな攻撃の中、援軍も、やって来れんだろう、さっきも敵のグラマンが飛んでいた」

「そいなら、おいたちゃ見殺しで、消耗品のようなもんか」

小声で話し合っていると、二人の前に鬼頭《きとう》軍曹がぐいと体を屈めた。

「今頃、何をほざいとる、お前たちは一銭五厘の赤紙で召集を受けたその日から消耗品だ、天羽上等兵、お前が伊佐上等兵をそそのかしたのだろう」

と云うなり、狭い壕の中で、鬼頭軍曹は、忠の体を引き倒し、馬乗りになって、両びんたを喰《く》らわせた。新吉は声を張り上げた。

「軍曹殿！　違うのであります、消耗品と云うたのは、自分であります！」

　と弁明したが、鬼頭はびんたの手を止めなかった。新吉は、少し離れたところにいる小隊長の方へ仲裁を懇願するように顔を向けると、幹部候補生上りの少尉は、つまらぬもめごとに巻き込まれるのを避けるように、そっぽを向いた。

　その時、落野《おちの》中隊長が壕へ入って来た。陸軍士官学校出の二十四歳になったばかりの中尉であった。びんたを喰らわしている鬼頭の姿に気付くと、つかつかと歩み寄り、鬼頭の衿がみを摑んで、引き離した。

「止《や》めろ！　明日の命も解らんところで、兵をいたわりこそすれ、殴るとは何事だ、以後、わが中隊においては、びんたの制裁を禁ずる」

　厳しい語調で云うと、幹部候補生上りの少尉には横柄《おうへい》な鬼頭も、相手が陸士出の落野中尉となると、舐《な》めるわけにもゆかず、

「そうすると、万一、敵前逃亡の懸念《けねん》のある兵に対してもでありますか」

　あたかも日系二世である忠にその懸念があるかのような云い方をした。

「中隊長である俺の命令だ」

落野中尉は、一喝した。


　一月十七日、早朝、米軍ははじめて、数十台の戦車を先頭にたてて、歩兵部隊がカバルアン丘の前陣に姿を現わした。戦車の陰に隠れ、へっぴり腰で進んで来るのが、丘の樹の間から見えた。

「中隊長殿、やっと待っていたのが来ました、一丁、ぶっ放してやりますか」

　野戦の場数を踏んでいる鬼頭軍曹は、いきりたち、壕の掩蓋《えんがい》を取って、小銃を構えようとしたが、落野中尉は、

「待て！　もっと近くに引き寄せてから、一斉射撃だ」

敵の圧倒的な物量と戦法を冷静に判断して制した。

米軍の戦法は、まず砲弾で畑を耕すように敵の陣地を徹底的に叩き、それから、各戦車を盾にした歩兵が、自動小銃を撃ちながら進んで来るのだった。

　陣地に近付くにつれ、M４戦車の七六ミリ砲が、あちこちで炸裂し、焔《ほのお》と土煙が上り、頭も上げられない。地面に伏した日本兵たちは、上衣のボタンさえ胸につかえるほど地にへばりついた。三、四百メートルの近さまで来た時、射撃命令が出た。

　機関銃を据《す》えた掩体壕からは、敵戦車の展望孔《てんぼうこう》を目がけて撃ち、小銃は米兵を目がけて射《う》った。忠も、新吉も、壕に潜んでいた兵隊たちは、一斉に射ちまくった。

　敵の戦車の砲口が、七中隊の隣りの六中隊の方へ向き、真っ赤な焔を吐き出した。火炎放射器であるらしい。六中隊陣地は、火の海になって燃え上り、必死に防戦している

が、海岸線の警戒陣地で既に二個小隊を失い、百名足らずの兵力であったから、一方的に攻めたてられ、忠たちの七中隊に迫って来るのは、時間の問題であった。

落野中尉は、忠を呼び、大隊本部への伝令を命じた。

「敵は目前に迫りつつあり、野砲の射撃を開始されたし、以上だ！」

と命じた。忠は復誦し、弾丸が飛び交う中をすっ飛んだ。大隊本部に着き、大隊長に報告すると、傍で歯ぎしりしていた野砲小隊長が、

「大隊長殿！　撃たせて下さい、このままでは、六、七中隊は、むざむざとやられてしまいます」

いたたまれないように懇願したが、大隊長は、ぐっと眼を据え、

「まだ緒戦だ、今、砲を使い、潰《つぶ》すわけにはいかん！」

と却下した。忠が七中隊へ踵《きびす》を返した時、

「おいが、ぶっ潰してやるぞ！」

爆雷を抱いた兵隊が陣地から敵戦車のそばまで這い寄るなり、体ごと飛び込んだ。轟然《ごうぜん》たる音とともに、Ｍ４戦車は擱座《かくざ》し、兵隊の体は飛び散った。その一撃に、敵はカミカゼ特攻機のような恐怖を感じたのか、砲と機関銃を乱射しながら退《さが》り出した。同時に歩兵部隊も、素早く退却した。

夜になっても、砲撃の音は続いていたが、日本軍の夜襲を恐れ、遠方から機械的に撃っているせいか、砲弾が落ちる箇所は一定だから、危険が少い。兵隊たちは負傷した戦友を大隊本部の近くの壕へ運んで手当を受けさせ、戦死した八十名ほどの戦友の死体は、焼く余裕がなく、砲撃で空けられた幾つかの大きな穴の中に埋めた。

それが終ると、将兵は昼間はできない用便をすませ、明《あ》日《す》の戦闘に備えて、壊された壕を修繕し、飯盒《はんごう》のかゆをかき込んで眠った。兵隊たちの欲望は、食べることと眠ることだけであった。砲撃で神経が擦《す》り減り、疲れきっている兵隊たちは、銃を抱いて、泥《どろ》のように寝入った。

落野中隊長は、一人、壕を見廻った。まだ一面に硝煙の匂いがたち籠めていたが、今日一日は負傷せず、生きのびた兵隊たちが、泥や血の飛沫《ひまつ》を浴びたまま、眠りこけている。明日は、この兵のうち、幾十人が失われるのか――。

「よく眠れ、明日は眠れないかもしれないのだ、せめて今夜だけでも、ぐっすり眠ってくれ」

落野中尉が、一人一人の兵の寝顔に語りかけるように一わたり見廻っている姿が、壕の中で蹲《うずくま》り、体の向きを変えようとした忠の眼に映った。

その翌日、忠たちは鬼頭軍曹に率いられ、米軍戦車陣地へ斬込《きりこ》みを命じられた。

夕方、カバルアンを出、秘かに目的地のバヤンバン近くまで来た時、キャタピラーの音が聞こえて来、忠たちは竹藪の中に身を伏せた。敵Ｍ４戦車は砲を竹藪に向け、小石

をはねとばして接近して来る。

もし気付かれ、七六ミリ砲をぶち込まれたら、あの世行きだと観念していると、戦車は忠たちの僅か四、五メートル横を通過し、やがて夕陽が沈んだばかりのバナナ畑の向うへ消えて行った。

「やれやれ、危いところだったな」

斬込み隊長の鬼頭軍曹が、顔についた泥や草の葉を拭《ぬぐ》いながら、上体を起した。蚊を追うことも出来ず、地に伏していた忠たちも、ほっと吐息をついた。

蚊よけに頭から網をすっぽり冠《かぶ》っていた伊佐新吉上等兵は、六人の斬込み隊の中で一番、用心深く体を伏せていたが、やっと上体を起すと、

「鬼頭軍曹殿、敵戦車はもう心配なかでありますか」

と聞いた。

「時間的にみて、アメ公らの戦闘時間は終っているから、ああやって、のんびり帰って行ったんだろう、あの戦車でもう終りじゃ」

分隊長らしく、余裕たっぷりに応えたが、キャタピラーの音を聞きつけた時の狼狽ぶりは忠たちとさして違わなかった。

「それにしてんアメリカちゅうのは、こげな命がけん戦争の最中でも、まるでおいたちの役場勤めん時のように、朝から夕方までしか〝出勤〟せんとじゃろか、いけな神経で戦《いくさ》をしちょっとじゃろ」

村役場の出納係をしていた新吉は、不可解そうに呟いた。それは米軍とはじめて戦闘する日本軍将兵の共通した思いであった。鬼頭軍曹は、

「アメ公のことなど知るもんか、だが、天羽上等兵に聞けば、教えてくれるかもしれんな」

じろりと、底意地の悪い眼を忠に向けた。二世であることに加えて、大学卒ということまで、鬼頭には気に障《さわ》るらしい。

「申しわけないですが、天羽上等兵は、帝国陸軍の教育しか受けておらず、敵軍の慣習は伊佐上等兵同様に一切、知らないのであります」

斬込みを前に、つまらぬ云いがかりをつけられぬよう、きっぱり云った。鬼頭は鼻白《はなじろ》んだ顔でそっぽを向き、新吉たち四人は、忠の心情を汲んで、おし黙った。

やがて夜が来た。米軍の砲撃は二十四時間、殆んど絶え間なく行われているが、夜の着弾地点はほぼ決まっており、心配はない。怖ろしいのはフィリピン人のゲリラで、既に多くの将兵がゲリラの夜襲に遭って、死んでいる。忠たちは、手榴弾《てりゅうだん》を体に装着し、夜陰にまぎれてアグノ川の橋《きょう》梁《りょう》近くのバヤンバン附近まで来た。小高い雑木林から覗《うかが》うと、日本兵の夜の斬込みに備えてか、ライトをつけ、外側に戦車を並べ、その内側にテントハウスが設営されている。暗闇《くらやみ》の中で一同、緊迫した視線を交した。

「天羽、お前が先頭にたて」

鬼頭軍曹は、自らたつべき先頭を天羽上等兵におしつけ、

「待て！　軍用犬がいる」

と止めた。よく見ると、ライトの中に鎖につながれた軍用犬が、ところどころにいる。

「いざという時に、何ちゅうことだ、犬などいては斬込みは出来ん！」

米軍の徹底した警戒に、歯噛《はが》みした。

「ですが、軍曹殿、われわれは一人一台の戦車爆破の命を受けて、斬込みに来たとです、まずあん軍用犬を始末する方法を考えもそ」

伍長が、悲愴な表情で進言した。

「放し飼いでもない犬を、どうやって黙らせるとか」

「そや……」

伍長は、口ごもった。鬼頭は歯を剝き出すように、

「キャンと一声でも吠《ほ》えさせてみろ、俺たちは御陀仏《おだぶつ》だぞ」

「……しかし、一戦も交えず、このまま、おめおめと本部い戻れば、一生、卑怯者呼ばわりされかねもさん」

村の駐在所の巡査だった真面目な伍長が云うと、

「そうか、では、お前がまず犬を始末して来い、ここから見えるだけでも三匹いるぞ」

鬼頭軍曹が意地悪く云った時、突如、一匹が天に向って咆哮《ほうこう》し、同時に他の軍用犬も一斉に咆え出した。テントハウスから裸同然の米兵が、カービン銃を手に、とび出して来た。

「捜索隊が来るかもしれん、一時、退避だ！」

鬼頭はそう云うなり、足音をしのばせて、後ずさりし、一同もそれに続いた。

払暁《ふつぎょう》、忠たちはカバルアン丘の主陣地に帰り着いた。鬼頭軍曹が小隊長に、小隊長が上層部にどういう報告をしたのか、忠たちの斬込み失敗は、不問に付された。

一月二十二日、カバルアン丘は米軍の曾《かつ》てない大規模な攻撃に曝《さら》された。陣地及びその周辺の雑木林は吹っとび、地面は耕されるほどの砲弾を浴びた。第一線で応戦していた忠たち第七中隊も、後退を余儀なくされた。

歩兵に替って、出動したのは、慎重に温存されていた野砲二門、大隊砲二門、速射砲二門の計六門だったが、至近距離でなければ、M４戦車を撃破することは困難だった。三十数輛に及ぶM４戦車に対して、日本軍は六門の砲だけであった。一門が、敵戦車一輛を爆破し、二発目を発射する直前に、各砲は米戦車の集中砲撃を浴び、撃破されてしまった。

午後からは、いつものように戦車を盾《たて》にして歩兵が前進して来た。陣地の東半分だけを、第二大隊全兵力で守るよう、戦線は縮小されたが、六門の砲の撃破を見守るだけだった日本兵は、米軍憎しの一念で凄《すさま》じい射撃を開始した。

「最後まで守って来た虎の子の砲をよくも潰したな、野砲が失くなっても、俺たち関東軍の歩兵がまだいるぞ」

全兵力といっても、僅か百五、六十名しか残ってないが、忠たちは手首が熱くなるほど射ちまくった。米兵たちは一歩前進しては数歩、後退し、二、三十分の銃撃戦で、さっと退《さが》って行った。

「ないや、あん様《ざま》は——、昼から延々四時間かかって、百メートルも進めんじゃなかか」

硝煙《しょうえん》にむせびながら、新吉が笑った途端、どこからか手榴弾が投げ込まれ、壕の外で炸裂した。

「うおっ！」

新吉が顔を掩《おお》った。

「おい、どこをやられた！」

忠が云うと、血のしたたる顔を上げた。眼鏡に罅《ひび》が入っている。忠は眼をつむらせたまま、ゆっくり眼鏡をはずしてやり、

「見えるか」

新吉は、そろりと眼を開けた。

「両方とも見ゆる、助かった！」

喜ぶ間もなく、また新たな米軍歩兵部隊が、攻撃して来た。生き残った者のうち十人に一人は負傷していたが、全員で応戦し、辛うじて陣地を守った。だが、増援のない孤立した第二大隊には、射つべき弾薬が目にみえて減っていた。

「天羽上等兵は、どこにいる！」

大隊副官が、後方から叫んだ。

「ここにおります」

頭だけ少し出すと、

「通信隊へ行ってくれ、無線機に米軍の交信が入っている、急げ！」

忠は、大隊本部へ向って走った。

本部の通信隊へ入ると、連隊本部との交信の合間に、早口のスラングのまじる英語が入って来る。忠はすぐ、通信機の前に屈《かが》んだ。

「シャラップ！　弁解はもうたくさんだ、カバルアン・ヒルを三日で陥《おと》して見せると、豪語《ごうご》したのは、アーノルド連隊長、君自身であることを忘れたのか！」

無線交信といえば、暗号ばかりだと思い込んでいた忠は、驚いた。

「それがパタースン師団長、日本軍は死にもの狂いで反撃して来るので、三〇〇ヤード進むのに一日がかりで、これ以上、無理をすれば、多くの兵隊を死なせることになります」

「兵隊を死なせろとは、云っておらん！　だが、昨日、君はカバルアン・ヒルにたて籠っている日本兵など、あと一もみで、殲滅《せんめつ》すると明言したではないか、その舌の根も乾かぬうちに増援を頼んで来るとは何事だ！　おかげでわしは、スイング少将から無能呼ばわりされて、師団長の首が危いのだぞ！」

「ですから、あと一個大隊を増援してほしいとお願いして

いるのです、私も多くの戦場を経験しましたが、こんなクレージーな連中と闘ったのは、はじめてです、それはパタースン師団長にもお解りのはずですが」

「馬鹿馬鹿しい限りだが、師団長のポストを棒にふりたくないから、マナオアグから新しく一個大隊を呼び寄せる手配をする、そのかわり、今度こそ、カバルアン・ヒルを陥《おと》すのだぞ！」

無線の交信は、ぷつりときれた。

忠は、耳にした英語を、あまり巧くない日本語の字で書きあげ、大山大隊長の手に置いた。

「そうか、米軍にわが大隊の打撃を知られていないのは幸いだが、まだこの上、一個大隊を増援して来るというのか」

大山大隊長は、そう云い、唇《くちびる》を嚙むと、居合せた七中隊長の落野中尉が、

「大隊長殿、連隊本部は、われわれを見殺しにするつもりでしょうか、大隊長殿！　どうか、私に援軍要請の電信をうたせて下さい、せめて弾薬、糧秣《りようまつ》の補給だけでも——、このままでは、あまりに兵が可哀そうであります」

堪まりかねるように、申し出た。

「しかし、われわれは既に、敵に包囲されてしまっている、ことここに至っては、致し方がない」

「ですが、敵がリンガエン湾に入って来る二日前、軍司令部の参謀自ら視察に来、カバルアン丘が主陣地のように命じながら、それに相当する用意は何らなく、急派された工兵隊が、敵上陸の直前にようやく陣地構築を始めてくれた有様《ありさま》、そして、今は孤立無援」

落野中尉は、絶句した。大山大尉も暫《しば》し黙したが、

「もう、何も云うな、われわれ軍人は、泣き言を云わぬ教育を受けて来たではないか」

一言そう云い、眼にかすかな笑いをうかべた。一介の上等兵にすぎぬ忠が、はじめて指揮官たる者の苦悩の一端をかいま見た。呆然としていると、また無線が鳴り、英語が聞えて来た。

「ぐずぐずするな、ジャップの一人や二人、生け獲《ど》りに出来んのか！」

「カバルアン・ヒルでは、まだ一人の捕虜も出ていません」

荒っぽい白人の英語と、西海岸訛《なま》り、それも帰米二世の英語を感じさせるアクセントが、耳についた。

一体、なぜ、米軍陣地から、そんな英語が聞えて来るのか？　なぜだ？　忠は体が硬直した。

同じ日、米軍の天羽賢治は、第一軍団司令部から、第六歩兵師団へ司令部付きとして派遣された。

一見、たやすく進捗《しんちよく》できると考えられていたカバルアン・ヒルの日本軍の抵抗が、予想を遥かに超えた頑強さで、

米軍の進撃を阻《はば》んでいるためであった。

到着すると、すぐ師団長のテントに案内された。

師団長のパタースン少将は、副官や参謀たちと話していた。

「ケンジ・アモウ到着しました」

前線では所属と階級を名乗らないから、氏名のみを告げると、パタースン少将は、

「うん、君かね、ブリスベーンのATIS《アティス》（連合軍翻訳通訳部）で、北満にいる日本軍二十三師団が、フィリピンへの派兵を命じられたという命令書を、いち早く、解読したというのは――」

日系人にしては長身で、眉と眼が濃く、彫りの深い天羽賢治の顔を興味深げに直視し、

「ちょうど今、膠着状態の戦況打開について話し終ったところだ、入ってよい」

副官や参謀、G２（情報）の将校たちのいるテーブルへ呼び入れた。いずれも佐官クラスの高級将校ばかりで、少尉は天羽賢治ただ一人であった。パタースン少将は、一同に、

「たかだか、一〇〇フィートの、それも椰子林と竹藪《たけやぶ》が茂っているだけの地点だ、そこにいる日本軍は、戦闘序列《オーダー・オブ・バトル》セクションの調べでは、二十三師団七十一連隊第二大隊、約千名前後の兵力であると解っている、その程度の小集団だから、わが六師団の二十連隊が攻撃すれば、三日で片付くと連隊長自身は判断し、私も同じ考えでいたが、十三日以来、九日経っても、まだ陥ちない、通常の戦闘では考えられないことだ」

憮然《ぶぜん》とした面持で云うと、参謀長は、

「日本軍との戦いでは、通常の戦闘基準では役にたたない、熱狂的というか、彼らの狂信的な抵抗は、既にガダルカナルをはじめ、各地で立証されているところですよ」

「しかし、あんなちっぽけな丘、戦略的にも、殆んど何の価値も認められない丘を、あれほど死守する目的は何だろう、せいぜい、われわれの進攻を何日か遅らせるだけのことじゃないか」

パタースン師団長は、忌々《いまいま》しげに云い、

「そこで、ケーン、君の派遣を求めたのは、われわれの敵が、鹿児島県の七十一連隊だからだ、君は曾て、国防省で、ドイツ駐在の日本大使館と、日本外務省との間の難解な鹿児島弁の暗号電話を解読したということだな、今回も、その伝《でん》で、このちっぽけな丘をなぜ死守するのか、そして七十一連隊の連隊本部は、どこにどのような陣地を構築しているのか、この二点について、捕虜、あるいは捕獲文書の紙片一つからでも探《さぐ》ってくれ、そのためにここから四キロ先の連隊本部へ行き、連隊長に随いて一刻も早く行動を開始してくれ」

やや苛《いら》だち気味に命じた。

賢治は、第二十連隊長のアーノルド大佐のジープのうし

ろに続いて、前線へ向った。六師団付きの語学兵として先遣されていた三人の語学兵と、護衛のための五人の白人兵と一緒であった。三人とも、賢治が前線へ出てしまってからのキャンプ・サベージの卒業生であった。レイテ戦を経て来た若い三人は、語学兵というより、戦闘部隊員のように陽灼けし、鍛えられた体つきであった。

「前線へは、はじめてなんですか」

賢治に向って、聞いた。

「うむ、オーストラリアのマッカーサー司令部からレイテへ寄港して、こちらに来たんだ」

「じゃあ、大事なアドバイスを一つ、語学兵といっても、連隊本部に随いて前線へ出る以上、いつ弾《たま》が飛んで来て、ぶっ殺されるか解らない、油断は禁物です、この間もレイテで二人、死にました」

と云った。砲弾の音が近付くにつれ、賢治の四肢《しし》は硬ばり、唇が乾いて来た。

連隊は戦車を先にたてて、カバルアン・ヒルに進み、一定の地点まで行くと、停止した。A20の爆撃を待つためであった。士気を昂《たか》めるために、アーノルド連隊長自ら、炎天下、前線にたっていた。賢治も、叢《くさむら》の陰ではじめて体験する激しい神経の消耗を覚えていた。

やがてA20の機影が見えたと思うと、日本軍陣地を目がけて爆弾を投下し、それに呼応して砲兵の集中攻撃がはじまった。

航空隊と砲兵の集中攻撃で、日本軍陣地は破壊され、殆んどの日本兵は生き延びることが出来なかったであろうと思われるほどの猛攻撃の後、待機していた戦車と歩兵との共同攻撃がはじまった。それでも人命の損傷を少くするため、探りを入れるように徐々に前進し、丘の裾《すそ》まで迫った。

その時、突然、叢林から、猛然と火が噴き出した。

ヒュルヒュル、ダアン！　ダッダッダッ！

擲弾筒《てきだんとう》と機関銃の猛射を受けた。米兵たちは、近くの窪みに飛び込んだ。賢治もうしろの窪みに待避した。鼓膜を裂くような凄じい弾丸炸裂の音がし、賢治自身体が吹き飛ばされるのではないかと身震いした。頭から砂が降り落ちて来る。近くで、恐怖のあまり、狂ったように泣き喚《わめ》く兵隊の声が聞えた。

日本軍の反撃は、熾烈《しれつ》を極めた。先頭のE中隊は退《さが》りはじめ、C中隊、F中隊は、地面に突っ伏したまま、釘付けになっている。戦車も擱坐《かくざ》し、将兵の恐怖の叫びが谺《こだま》した。アーノルド連隊長は、やむなく退却を命じた。

その夜、忠たちは、戦死した十一名の遺体を一カ所に埋葬し、負傷者の看護をしながら、まどろんだ。死闘という言葉がそのままあてはまる米兵との命の奪い合いであった。

忠は、腹部に弾を受けて悶え苦しんでいた二等兵が、ようやく眠りにおちたのを見届けると、額の手拭いを冷たくしてやるため、水を汲みにたった。百メートルほど後方に、井戸がある。

穴を塞いだ鉄兜《てつかぶと》を二つ持ち、井戸の方へ歩いて行くと、人影があった。忠の足音に気付き、くるりと振り返った。

「天羽上等兵か、どうした?」

思いもかけない大隊長の大山大尉であった。忠は慌てて挙手の礼をし、負傷兵の水を汲みに来たことを告げた。

「助かりそうか」

「はいっ、素人療法《しろうと》でありますが、弾を出し、ガーゼを詰めましたので、何とか、一命は——」

「そうか、ところで今日は敵軍の通信傍受、ご苦労だった、天羽上等兵は、二世だそうだな」

昼間、通信隊に呼ばれて、日本軍の頑強《がんきょう》な抵抗に慌てている米軍師団長と第一線歩兵連隊長との聞きとりにくい交信を傍受し、解読したことを犒《ねぎら》われた。

「家族はどこだ?」

「アメリカにおります」

「すると、天羽上等兵の国籍は……」

「入隊とともに米国籍は抹消されましたから、日本国民そのものであります」

淋しさをおし隠し、強いて明快に答えた。忠の心情を大山大尉がどう思ったか、その表情は星明りの中ではわからなかったが、ややあって、

「三・五キロ先には米軍野営地がある、心に迷うことはないか」

と問うた。そこには鬼頭軍曹のように絶えず、猜疑の眼を光らせている下士官とは全く異る慮《おもんぱか》りがあった。わざわざ敵軍の野営地点を口にしたのは、今さら迷いを持ってはならないと、戒めているかのようであった。

返答の言葉が思い当らず、直立したままでいると、

「負傷兵が待っているのだったな、早く水を汲んで行ってやれ」

大尉はそう云い、たち去った。

鉄兜二杯分の水を、手に下げ、負傷兵のもとへ帰って来ると、手拭いをしぼり直し、額に当ててやった。熱はまだ相当、高いが、心なしか気持よさそうな寝顔になった。

忠はごろりと仰向けに寝転がり、空を見上げた。思いがけず、大山大尉と話したせいか、昼間聞いた米語が懐しく甦った。あんなばりばりの米語を聞いたのは、アメリカをあとにして八年間、初めてであった。至近距離で米兵と向い合っても、撃つか撃たれるかの戦《いくさ》で、曾ての同胞と戦っている意識などまるでなかったが、今、こうしていると、心の奥底を揺さぶる懐しさが湧いて来る。それは鹿児島の加治木を偲《しの》ぶ気持とはまた別の、もっとぬくもりのある母なる国への望郷のような思いであった。大山大尉に、日系二世、それも帰米二世特有の英語が聞えて来たことを報告しそびれたのも、そうした思いと繋《つな》がっているのだろうか。

忠はいつしか眠りにおちた。

戦闘はそれからさらに五日間続いた。

一月二十七日、不気味な落下傘爆弾が大量に投下された。焼け野原と化した陣地上空に数えきれないほどの小さなパラシュートがふわふわ舞い、地上で炸裂した後、縮小した陣地内に、遂に戦車が侵入し、散兵壕の中へ一つずつ、七六ミリ砲を撃ち込んだ。今日まで生き残った大山大隊百二十名は、最後の弾薬を寄せ集め、徹底抗戦したが、弾薬の尽きるのは、もはや時間の問題となっていた。

後方の高地にある連隊本部から、この激戦は望見出来るはずなのに、援軍も来ず、さりとて撤退命令も出ないのは、最後の一兵まで陣地を死守せよということか――。

忠は、屈めば頭まで隠れる深さにタコ壺を掘り、さらに横穴を掘って、上から弾を撃ち込まれても、体がかわせるように工夫し、戦車の後に随いてくる米兵を狙い撃ちした。

何度目かのキャタピラーの音が響き、掩蓋《えんがい》の木の枝と土砂が落ちて来たかと思うと、壕の中が真っ暗になった。戦車が砲を撃ち込めないタコ壺の上は、ローラをかけ、人間もろとも押し潰す戦法らしい。

重い土砂が、忠の下半身を圧迫した。

生埋めの苦しさに朦朧としかけたが、こんな土龍《もぐら》のような殺され方をしてなるものかと、渾身《こんしん》の力を振り搾《しぼ》り、銃剣とシャベルで無我夢中で土砂を取り除いた。

かろうじて地上へ這い出ると、目前に米兵がうしろ向きでたっていた。周囲は黒煙に包まれている。忠は帯革《たいかく》に結びつけていた手榴弾を投げつけた。爆発の轟音が上がり、米兵は「わっ！」と声を上げて倒れた。すかさず、忠は別のタコ壺へ走ったが、戦車のローラがきかない地形にあるタコ壺は片っ端から火焔放射器で焼かれはじめた。紅蓮《ぐれん》の強烈な炎が発射される度に、ぎゃあ！　と断末魔の悲鳴が上り、米兵の笑い声が続いた。

やがて日没とともに、米兵はいつものようにトラックで引き上げて行き、生き残った将兵が、大山大隊長の周りに集った。新吉は手を負傷していたが、生きていた。鬼頭軍曹もいた。生存者は百三人だが、忠のように無傷の者は稀《まれ》であった。

「今日、一日で十七名が死亡、大隊長殿、連隊本部からは、いまだに何の連絡もないのですか」

第七中隊長の落野中尉が、思い詰めたようににじり寄った。

「ない、というより無線機は、三日前に破壊され、もはや連隊本部との交信は不能になっている」

「え！　では、われわれは名実ともに孤立無援なのですか！」

「そういうことだ、お前たちに動揺を与えないため、あえて云わずにいた」

「大隊長殿、われわれには、明日から撃つ弾薬がありません、攻撃がはじまれば数時間で全滅です、坐して死を待つより、今晩、全員で斬込み敢行し、玉砕する方がましであります！」

別の中隊長が、体をわななかせて迫った。

「玉砕なら、既に、わが第二大隊は玉砕している」

「それは一体、どういうことでありますか」

一同、茫然として云った。

「二十三日の段階で、もはや戦況は決していた、したがって無線機が破壊され、交信不能になってからでは遅いと考え、師団長と連隊長宛、訣別の電報を打っておいた」

大山大尉はそう云い、電文の内容を告げた。

任務ヲ全ウシ得ザリシヲオ詫ビス　皇国ノ最後ノ勝利ヲ祈リツツ　大隊長以下全員斬込ミヲ敢行ス

一同、暫し、おし黙ったあと、

「それならば、なおのこと、斬込みを敢行し、玉砕すべきであります！」

若い将校たちは、口々に叫んだ。

「自分もそう決意したればこそ、訣別の電文を打った、だが、それから四日間、われわれは、多くの将兵を失いながらも果敢に戦い、米軍の進攻を阻《はば》み続けて、任務を果した、この上、軽率な〝万歳突撃〟は許さん、これより撤退を命じる」

大山大尉が、厳しい口調で云うと、

「お言葉ではありますが、撤退命令なくして、無断で撤退することは、敵前逃亡と見なされます」

落野中尉は、軍律を慮るように進言した。大山大尉は、静かに頷《うなず》いた。

「解っている、連隊本部の命令を待たずして、無断で撤退する責任は、私が取る、全員は直ちに、小人数に分れて、今夜、米軍に気付かれぬようここを脱出し、四八八高地の連隊本部へ復帰し、本隊と合流せよ」

「しかし、大隊長殿、われわれは連隊本部の所在地については、リンガエン東方の高地としか教えられておりません、しかも地図はなく、行く先々には、ゲリラが待ち伏せ、米軍にも遭遇するでありましょう、それなら大隊長殿の指揮下で、共に行動させて戴きたく思います」

一人の曹長が進み出て、下士官以下の意見を代表するように云った。

「わかった、しかし全員が連隊本部に辿り着くためには、目だたぬよう小人数に分れて行動することだ、四八八高地へ行くまでには危険な国道三号線があり、山岳地帯もある、くれぐれも軽率な行動は慎しみ、負傷者をいたわって、とも、連隊本部へ復帰してくれ」

「しかし……、今となっては、大隊長と生死を共に、致したいと思います」

多くの将兵が頷いた。

「何を云うか、ここは命を惜しんで、捲土重来を期すことだ、そのためには、米軍に気付かれぬように今夜中に撤退し、明日もここを攻撃し続けている間に、われわれは少しでも遠くへ行き着くのだ、これが大隊長の命令だ、では、全員の無事を祈る」

大山大尉は、一人一人に別れを告げるように云った。


日本軍の脱出に気付かぬ米軍は、翌日も午前八時から猛攻撃を開始した。昨日を上廻る圧倒的な物量を投入した攻撃の前には、一人の日本兵も生きのびられるはずがなかった。米軍は、完全にカバルアン・ヒルを制圧した。

午後四時、六師団第二十連隊長、アーノルド大佐は、カバルアン・ヒルの戦闘終了を告げた。

天羽賢治は、砲弾の音が鳴り止んだ丘に向って、三人の若い語学兵と、五人の白人護衛兵と共に登って行った。

まだ一面に硝煙がたち籠め、焼け爛《ただ》れた戦車の残骸や砲弾の破片、薙《な》ぎ倒された樹々の間に、日本兵の死体が散乱していた。

「日本兵《ジャップ》は、全滅だ！」

「おう、奴らのくさい臭いがするぞ！」

米兵たちは、日本軍が二週間にわたって死守し、今は戦車に押し潰された塹壕や機関銃座、日本軍将兵の死体に昂奮し、ぎらついた眼を向けた。

戦車に踏み潰され、ぐにゃぐにゃの肉片になって地面に埋め込まれている死体、腹部から内臓が飛び出している体、胴体から離れて、柘榴《ざくろ》のように砕けている頭、それらは既に真っ黒に蠅がたかり、腐臭を発している。

賢治は、その凄惨さに思わず、眼をそむけたが、何日も命がけで戦った歩兵たちは、汗と泥に塗《まみ》れた顔で、

「ジャップの糞《くそ》ったれ！　俺の戦友を何人も殺しやがって！」

「おーい、何か戦勝記念のスーベニアは見つからねぇか、日の丸スカーフを二、三枚、欲しいんだ」

「俺は、サムライ刀だ！」

早くも陽気な戦利品探しがはじまった。

『祈　武運長久』と記した日の丸や、将校の軍刀は人気の的だった。

しかし、語学兵の任務はこれからだった。二十三師団七十一連隊第二大隊がここを死守した理由と、師団司令部及び連隊本部の所在を明確に知る情報を入手するために、文書を漁《あさ》らねばならない。場数を踏んだ三人の語学兵は、散らばっている屍の中で、比較的形をとどめている死体の上衣のポケットやズボンをまさぐり、手紙や日記などを馴れた手つきで捕獲して行った。

賢治は、かなり躊躇《ためら》った後、ようやく、将校の死体に手をかけ、上衣のポケットから、命令書の控えをつまみ出し

たが、血に染み、引き千切れて、容易に判読出来ない。

重要文書の入手は遅々として進まなかった。賢治は、屍を改める度に、頻りに弟の忠のことを思い、知らず知らず、その消息を求めていた。

夕風が吹きはじめると、白い硝煙は薄らいだが、死臭が鼻を衝《つ》いた。台地の端の焼け残った灌木のところまで来ると、そこにも一かたまりの死体の山があり、呻き声が聞えて来た。

急いで駈け寄ると、その一かたまりの死体は、歩行不能の負傷者が、手榴弾で自決したらしく、互いに体を寄せ合い、重なり合うように死んでいる。賢治は呻き声がするあたりの死体をかき分けると、顎《あご》が砕け、上半身を血に染めながらも、まだ生きて呻いている兵隊がいた。肩を摑んで、ひっ張り出すと、はだけた胸もとに、『祈　武運長久』の日の丸の旗を巻き、そこに鹿児島県姶良《あいら》郡蒲生《かもう》と墨書されている。姶良郡は、加治木の郡であった。

賢治は、虫の息で呻いている兵隊の耳に口をあてた。

「加治木出身の兵隊も、ここにいたのか！」

兵隊は、もはや答える力もなく、薄眼を開けた。

「天羽忠という兵隊を、知っているか」

耳に口を寄せて聞くと、かすかに頷いたようだった。

「どこだ、どこにいるのだ！」

賢治は、負傷兵の体を抱き起して聞いたが、薄眼を開けたまま、言葉は出ない。

「全滅か、何人かは脱出したのか、連隊本部の場所はどこだ！」

眼を閉じかける負傷兵の体を揺さぶると、

「あ……も……う……」

かすかな声が洩れた。

「あもう、天羽が、どうしたんだ、答えてくれ！　脱出したのか！」

賢治は、気も狂わんばかりに叫んだ。だが、その兵隊は、そのまま、がくりと首を落して息絶えてしまった。

二章　兄　と　弟

　カリフォルニア州の北端、ツールレーク隔離収容所は、連日、氷点下の寒さで、バラックの軒下には、太い氷柱《つらら》が下っている。

　天羽乙七は、黙々とストーヴに石炭をくべ、テルは縫いものに精を出していた。春子の背丈がまた伸び、裾出《すそだ》しだけではきかなくなっていた。

　玄関の扉のあたりに乱暴な人の気配がし、テルが振り返った。扉の隙間にビラがはさまれていた。テルは縫いものの手を止め、取りにたった。

　日本軍の勝利を祈り、来る天長節には全世帯必ず出席のこと

祖国奉仕団

　思った通りのビラであった。針箱の下にしまいかけると、乙七が気づいて手を伸ばしたが、一読すると、ストーヴの中へ放り込んだ。

　ツールレークの日の丸組の跋扈《ばっこ》ぶりは、目にあまるものがあった。合衆国に対する忠誠登録でノウノウと答え、ツールレークの隔離収容所送りになった人々でさえ、辟易《へきえき》し、他の収容所へ転出願いを出す者さえ少なくなかった。眉を顰《ひそ》めながらも耐えているのは、第三次交換船を待っている日本帰国組と、他の収容所へ出ても、生活して行く自信のない者が大半だった。ツールレークを除く合衆国の七州九カ所の収容所では、既に日系人の外部転出を認め、積極的な人減らし政策を打ち出しはじめていた。

　乙七がツールレークから動かないのは、交換船を待つからでもなく、外部での生活の自信がないからでもなかった。乙七にしてみれば、勝手に日系人を敵性外国人として収容所に放り込んでおいて、今度は収容所の維持費が膨大《ぼうだい》すぎるから外へ出すというのでは、理が通らなさ過ぎる。そしていまだに、収容所の周囲には有刺鉄線があり、四隅には監視塔があり、サーチライトすら取りはずそうとしないのも、許せなかった。自分たちを出すなら、まずそうした一切のものを取り払ってからにすべきである。何よりも乙七の胸には、ヨーロッパ戦線で戦死した四四二部隊の息子の表彰と勲章の授与式が、鉄条網の中で行われたことに対する怒りと屈辱が消えていなかった。

「父さん、春子んことですが」

　テルが縫いものを続けながら、話しかけた。

「春子がいけんした」

「ここん日本語の高校が厭でたまらんと、この頃、碌《ろく》に勉強をせんようにないもした、父さんには何か考えがあっか

もしれもさんが、万作さんも親切に云うて来てくいやるし、そろそろ出っことを考えてみやはんか」

ロサンゼルス郊外のソーテルで、ボーディング・ハウス(長期滞在者用簡易ホテル)を営んでいる畑中万作からは、近くでクリーニング屋を再開したらと、しつこいほど、何度も手紙が来ているのだった。

「悪か男じゃなかが、万作さんとは気が合わん、嫁のエミーにしてん、賢治ん留守を守っどこいか、女子供にゃ治安が悪かといわれておっところい勝手に帰る気儘者《きままもん》じゃ」

不機嫌に云った時、郵便配達係が軍事郵便のVメールを届けてくれた。

「父さん、賢治からですよ」

テルが云うと、乙七の眼が和《なご》んだ。戦場で書いた手紙は、マイクロ・フィルムに縮小され、米本土に送られてから焼き付け、引き伸ばされるから、乙七やテルには読みづらかったが、唯一の楽しみだった。

お元気でお過しのことと思います。今日は非常に驚かれ、同時に悲しまれるお知らせをしなければなりません。というのは忠が召集され、私と同じ太平洋戦線にいるらしいのです。場所は書き記すことが出来ませんが、鹿児島出身者の連隊が闘っていた戦場へ、偶然、私が派遣され、日本軍の重傷者に、天羽という兵隊がいたかと尋ねたところ、かすかに頷《うなず》きました。激しい戦闘があり、日本軍は敗走しましたが、忠が生きていることを祈っています。父上がもしやと懸念《けねん》され、私自身も内心、恐れていたことが実際に起ってしまったようです。この上は二人が再び相い遭《あ》うことがないよう願うのみですが、万一の場合、私なりの覚悟は出来ておりますから、ご心配なさらぬよう願います。

乙七の肩が震え、手が震えた。忠の齢からして徴兵されていることは覚悟していたものの、広い太平洋の戦場で、兄弟相まみえるなど、まさかあるまいと怖れていた事態が、仮借《かしやく》なく一家に起ろうとは。乙七の眼から涙が滴《したた》った。賢治のいう「私なりの覚悟」というのは、何を意味するのか、よもや、不幸にして賢治と忠が戦場で銃を向け合った場合……、乙七は、もうその先を考えまいと顔を掩《おお》った。出来るものなら、この身を二つに裂いて、双方の立場にいる息子に分けてやりたかった。

乙七は、震えの止まらぬ手で、賢治のVメールをテルに手渡した。

夫の手から渡された手紙を読み終えたテルは、暫し、放心したような顔をし、やがて声を上げて泣いた。

「テル、泣っとじゃなか、神仏が賢治と忠を遠くに割《さ》いちょって下さる、そげなむごかことなど、あっわけがなか！　泣っとじゃなかど」

窘《たしな》めながらも、乙七の眼からなおも涙が滴った。明治三十一年、十九歳で単身、アメリカへ渡ってから今日まで、五十年近い歳月。その間には、自分の子供にも話したくないような辛酸《しんさん》を舐《な》めたが、今、二人の息子の生死を気遣う思いに比べたら、何ほどのことでもなかった。

外の通りから騒がしい人声が聞えて来た。収容所当局と対立して、またデモをはじめたのか、あるいはアメリカ市民権を持つ同胞に、市民権放棄を説き、従わないものを〝イヌ〟呼ばわりして、制裁を加えようとしているのか。

「あげな風に割《わ》いきれる境遇の人間な、まだしも幸せじゃねぇ」

乙七は、呟くように云った。

扉をノックし、乙七を呼ぶ声がした。同じブロックにいる大野保《たもつ》であった。

乙七とテルは急いで涙を拭って、ストーヴの傍《そば》へ招いた。大野は毛糸の帽子をぬぎ、いつになく改った表情で、椅子に腰を下すと、

「この間からいろいろ考えて来ましたが、わが家もこの辺で、ツールレークから出ようと決めましたよ、これから転住願いを出しに行くのですが、乙七さんがたはいかがです？」

と聞いた。乙七は黙していた。

「万作さんからこの間、手紙が来て、リトル・トーキョー随一の中華料理店加州楼も、今や黒人の巣窟《そうくつ》と化して、昔《せき》日《じつ》の俤《おもかげ》なしと聞いた途端、いたたまれなくなったのですよ、ここからは、一旦、一般の収容所へ戻って、移住手続をしてからでなければ、出られませんが、こんな明け暮れでは、今や忠誠、不忠誠にこだわっていられないし、将来とも、アメリカしか暮すところがなければ、一日も早いうちに出るべきだと思いましてね、よかったら一緒に行きませんか」

熱心に誘った。乙七一家を残して出ることを按《あん》じるようであった。そうした大野の好意は身に沁《し》みたが、二人の息子が、敵味方に分れて同じ戦場にいることで胸を引き裂かれる思いをしている乙七には、大野の誘いを考えてみる気持の余裕はまだなかった。

＊

どしゃぶりの雨の中、天羽忠《ただし》たちは、アグノ川の流れに足を取られないように、そろそろと渡っていた。カバルアン丘《おか》を脱出して七日経ち、二月三日になっていた。川幅は五、六十メートルで水嵩《みずかさ》を増したといっても膝上ぐらいの深さだったが、七日間に二度、現住民のゲリラと米軍の攻撃を受けて逃げ惑い、体力の消耗が激しかったので、ともすれば、早い流れに足を掬《すく》われそうになった。

「そこの弥次喜多《やじきた》、とろとろせんと、早く渡らんか！」

既に対岸に着いた鬼頭軍曹が、天羽上等兵と、伊佐新吉上等兵に向って、怒鳴った。伊佐新吉は眼鏡を失い、その

上、足を負傷していたから、忠に手を取られて岩の多い急流を慎重に一歩、一歩、渡っていたが、怒鳴られた途端、川底の石に足を滑らせて、水しぶきをたてた。

「慌てるな、しっかり俺に摑っておればいいのだ」

忠は、新吉を励ました。

「すまんねぇ、せめて足さえやられておらんじゃったらなぁ、あげな鬼瓦《おにがわら》に、弥次喜多呼ばわりなどされんにねぇ」

機敏が自慢だった新吉が、口惜しそうに云った時、突如、対岸から、ダダダダッ――、機関銃が鳴った。一列になって川を渡っていた兵隊たちのうち、七、八名は岸に上り五、六名は川の中で身を伏せた。

篠《しの》つく雨でよく見えないが、土手の上にゲリラらしい人影と、発砲の火が見えた。土手に這い上っている鬼頭軍曹ら七、八名が応戦しはじめたが、機関銃は、渡河途中で身動きのつかぬ忠たちを狙って来た。一人が、濁流を血に染めながら、押し流されて行く。

銃撃は十数分で終り、人影が去って行くと、忠は新吉を背負って、急いで川を渡りきった。彼らがゲリラなら、米軍に通報され、包囲攻撃される危険性が高いからだった。忠たちは、走るように土手を越え、砂糖黍畑《さとうきび》の中へもぐり込んで、時間の経つのを祈るように待った。ようやく、米軍が一日の戦闘を終えて、引き上げる午後五時を過ぎると、

「助かった――」

誰もが喜びの表情を見せたが、点呼をとってみると、ここでまた四名の戦友を失ってしまったことが解った。カバルアン丘を脱出する時、大山大隊長組として三十六名いた将兵は、二日後の米軍やゲリラとの銃撃戦で二手に分れて以来、はぐれてしまい、これで落野《おちの》中尉に率いられた忠たち十七名は、十名になってしまった。

「今のは痛手だったな、この雨で大丈夫と踏んだのが軽率だったかもしれん」

落野中尉が、沈鬱《ちんうつ》な声で云うと、

「いや、日が昏《く》れるまでに渡らなければ、川の手前で、貴重な一晩を無駄にすることになるのだから、落野中尉の判断は適切だったと思う、それより、ここまで来てもいまだに一人の友軍にも出会わぬというのは、一体、どういうことだろう、われわれは確かに四八八高地へ向っているのだろうな」

大隊長副官の今里中尉は、やや心もとなげに云うと、

「四八八高地の連隊本部に復帰する経路は、直線でなく、カバルアンのずっと後方を大廻りして行くことになっているから、各隊でいろいろ道を辿《たど》っているのだろう、とにかく皆、腹が減っているだろうが、安全な場所へ出るまで、炊飯は禁止する、飯を炊く匂いをゲリラにかがれたら、また襲われるからだ」

落野中尉は、厳しく命じた。飯といっても、カバルアンを脱出する時、一人当り、軍足《ぐんそく》一足分の米と鰯《いわし》の缶詰一個、塩一袋、乾パン少量の配給を受け、それがすべてであった。

一行はそれを夜行軍の前後だけ、粥汁《かゆじる》のように薄めて食いのばしていたが、皆、げっそり痩せ、弾傷《たまきず》に苦しむ者の他に、下痢やマラリアにとりつかれる者が出はじめていた。

乾パンを二個食べ、出発という段階になると、新吉が、

「忠どん、もうおいは動けんど」

弱々しい声で云った。

「これしきのことで何をいうちょる！　俺《おい》が面倒みてやるから、安心していろ」

「いや、おはんにこい以上、迷惑かけて死ん巻き添えにでんしたや、遠かアメリカで、おはんのことを心配しておいやる親御さんに顔向けがでけん、もう庇《かば》うてくるっな」

「何を云うちょる、同じ村のお前を置き去りにして行けると、思ってるのか、それ、早く」

新吉の腕を摑んでたたせた時、二人の前に、鬼頭軍曹がたちはだかり、いきなりビンタが飛んだ。

「何事だ、出発の時に」

落野中尉が見咎《みとが》めると、

「こやつら、こともあろうに、天羽上等兵のアメリカにいる家族のことを話しておったんです、断じて許せん！」

鬼瓦のような顔に憎悪が漲《みなぎ》った。落野中尉は、苦々しい表情で忠と新吉を見たが、

「ともかく、出発だ」

自ら先頭にたって、砂糖黍畑の中を腰を屈《かが》めて進み、道路へ出ると、一同に大丈夫だという合図を送った。

雨は上り、十名のうち、新吉と肩をかしている忠と、マラリア熱で、身震いしている二等兵だけが、やや遅れ、用心深く歩きはじめた。

カバルアン丘を陥《おと》してからの米軍は、俄かに進軍の速度が早くなり、奥地へ前進するための兵站《へいたん》基地造りなのか、幹線道路の方から、軍用トラックが往き来する音が、一晩中、聞えて来る。

昼は砂糖黍畑や叢《くさむら》に潜み、夜だけ行軍する日が何日か続き、やっと、現地人の小さい部落を見つけた。様子を偵察すると、男たちの姿はなく、女子供しか残っていない。一軒のニッパハウスに入ると、老母と十七、八歳の娘と幼児がおり、娘はスペイン人との混血らしく、一同の眼がはっと釘付けになるほどの美人であった。日本兵の姿を見ると、幼児の手をひいて逃げかけたが、落野中尉が石鹼を出して食糧を求めると、鶏三羽を出してきた。

早速、つぶし、唐辛子《とうがらし》で味つけし、久しぶりにご馳走にありついたあと、日が暮れるまでごろ寝して、夜行軍に備えた。ならんでごろ寝している忠と新吉は、妙な声で目をさました。

「コイビト、マニラ、コイビト、マニラ」

娘のたどたどしい日本語は、明らかに怯《おび》えきっている。

「よし、よし、今日はわしが恋人の代りになってやろう、わしも暫く、やれんかったからな」

鬼頭軍曹の声であった。

「ノウ、ノウ」

怯えきった娘の声は、英語になった。忠は聞き捨てならなくなった。

体を起し、声のする方を見ると、下が三十センチほど開いている扉越しに、ココア色のしなやかな娘の足と、扁平《へんぺい》足《そく》の鬼頭の大きな足が見えた。忠たちと一緒に寝ている何人かも鬼頭の卑猥《ひわい》な振舞いに気付いたが、あとの祟《たた》りを怖れたのと、興味も手伝ってだろうか、素知らぬ振りをしている。落野中尉と今里中尉は、別の部屋にいた。

忠は、ますます許し難い思いに駆られた。新吉は、そんな忠の気配を察して、肘を突ついて止めたが、忠は振り払ってたち上るなり、扉を開いた。

鬼頭軍曹の眼が、忠の眼と合うと、一瞬、ぎくっとしたが、すぐ憎悪の色を漲らせた。

「き、きさま、何用だ！」

「さっきから聞いておりますと、この娘は、英語でそのような行為は困る、止《や》めてくれと、云っております、この他、何か特にご用があるのでしたら、天羽上等兵が通訳させて戴きます」

睨みつけるように云った。

「なにぃ、英語だとぉ！　わしがノウという英語も知らんと云うのか！」

大声で喰ってかかった。

「いえ、そういうわけではありませんが、私でお役にたつことならと、思っただけであります」

娘はその間に脱兎《だつと》の如く、家から飛び出して行った。

鬼頭軍曹と忠との間に、ただごとではすまない感情が、深まった。

忠が、再び新吉の横にごろ寝しようとすると、新吉の足の傷口に白く動くものが見えた。眼を凝《こ》らすと、傷口が腐って蛆《うじ》が湧《わ》いている。

「新吉――」

蛆のことを口にしかけると、

「忠どん、娘をよこそ助けてやったね、そういうとが、いつか聞いたアメリカの教育なんじゃな、忠どんは、銃を持って戦《いくさ》すっ時は日本人、平時はアメリカ人に舞い戻っとじゃね」

小さな声で云った。忠は、蛆のことが云えなくなった。

それから三日後、忠たちは峻険《しゅんけん》なバレテ峠の山道を喘ぎ、喘ぎ、登って行った。米軍の気配は全くなくなり、昼夜兼行の行軍を続けていると、運よくこの地区を行動している部隊のトラックに拾われ、アリタオという地点に着いた。

アリタオは、平野のような山間の盆地で、多くの友軍もいたが、カバルアン丘の死闘の中で別れた顔には、誰一人として行き会わなかった。トラックの兵隊に聞いた通り、雑木林の中に、警備部隊本部らしきバラックがあった。

落野中尉の引率で、出頭した。

「旭《あさひ》一一二五、歩兵七十一連隊第二大隊第七中隊、落野中

尉以下十名、四八八高地の連隊本部に復帰中、負傷者二名」と報告し、

「途中、米軍とゲリラに襲われ、道に迷い、ようやくバレテ峠を登りつつあったところを、トラックに便乗させて貰い、助かりました、ここから四八八高地に向うには、どの道を行けばよいか教えて戴きたくあります」

と云うと、応対の大尉の態度が、がらりと変った。

「旭兵団の七十一連隊第二大隊は、全員、玉砕したはずではないか、奇怪千万、隊長殿の前できちんと理由《わけ》を報告しろ」

声を荒げ、雑木林《ぞうきばやし》の奥にあるバラックへ伴った。

そこで一同を引見《いんけん》したのは、食糧不足の時勢にもかかわらず肥った中佐であった。落野中尉と今里中尉が一歩、前に進み出て所属部隊、階級、氏名を名乗り、

「われわれ第二大隊は、一月九日よりカバルアン丘で米軍と激戦を交え、千五名中、九百二名が死亡、弾薬、食糧つき、やむなく、一月二十七日夜半、大山大隊長の命令により、小人数に分れてカバルアンを脱出、以後、米軍、フィリピン・ゲリラと遊撃戦を行いつつ、七十一連隊本部へ復帰の途中、道に迷い、本日、ここに辿りついた次第であります、健兵八名、傷病兵二名、爾後《じご》のご指示をお願いします」

陣地脱出から今日までの経緯を報告し、指示を仰いだ。部隊長は、

「第二大隊長の大山大尉はどうした」

副官と名乗った今里中尉に、問うた。元中学校教諭で真面目一筋の今里中尉は、指の先までまっすぐ伸ばした姿勢で、

「カバルアン脱出時、全将兵を見届けた後、大隊長とともに陣地より後退しましたが、三日目の米軍との戦闘ではぐれ、その後、連絡がつきません、自分らは山中に迷い込みましたが、大隊長は十数名の将兵とともに四八八高地の七十一連隊本部へ、無事、復帰しておられるか、どうか確認したいのですが、ここより連隊本部との交信は、可能でありましょうか」

副官でありながら大隊長とはぐれたことを、恥じ入りながら聞いた。肥った部隊長は、そんな今里中尉をじろりと見返し、

「ほう、大山大尉は生きて、カバルアンの陣地を脱出したのか」

意外そうに云った。

「それはどのような意味でありますか」

今里中尉に代って、落野中尉が聞き返すと、

「師団司令部から廻された通達によれば、旭兵団七十一連隊第二大隊は、一月二十三日、全員斬込みの訣別電報を打ち、玉砕したと聞いている、にもかかわらず、中隊長以下十名もの将兵が、わが方の地域に迷い込んで来、且つ大隊長の大山大尉までも脱出したとは不可解千万だ、そんなこ

とがわが帝国陸軍において起り得るはずがない、貴様らは、撤退命令もなしに、戦線を離脱した逃亡将兵ではないのか」

険《けわ》しく、詰問した。今里中尉は額に汗を滲《にじ》ませ、

「その玉砕電報につきましては、戦闘があまりに激甚を極め、いつ無線機が破壊され、本部との連絡が杜絶《とぜつ》するかもしれない状況でありましたので、斬込み玉砕の前に、発信した次第であります、事実、翌日、通信機は破壊されました、しかし、その電報の責任は、すべて副官である自分にあります、と申しますのは」

苦渋《くじゅう》に満ちた表情で、当時の実情を説明しかけると、

「弁解無用！　副官風情が、大隊の最重要事項について、責任を云々《うんぬん》するなど僭越《せんえつ》極まる、言語を慎め！」

一喝《いっかつ》した。今里中尉は顔面をひき吊《つ》らせたが、陸士出の落野中尉は背後に居並ぶ兵卒の手前を慮《おもんぱか》り、

「自分らは断じて敵前逃亡の将兵ではありません、委細《いさい》についてご疑念があれば改めて出頭し、報告致しますので、とりあえず、負傷兵の収容をお願いしたくあります」

と願い出た。部隊長は、落野中尉の意を汲んだらしく、

「よかろう、だが脱走の疑念が解けるまで、厳重に監視させるから、そのつもりで言動を慎め」

と云うなり、出て行った。

〝戦線離脱将兵〟の噂がぱっと広まり、下士官まで、落野中尉以下、忠たちを冷たく見、水一杯さえ与えようとはしなかった。

「これが大隊の九割方《がた》も死に絶えるまで、米軍進攻を阻止した自分らに対する仕打ちか」

一人が口惜《い》しそうに唇を嚙むと、鬼頭軍曹が、

「全くわりの合わないことこの上なしだ、命がけで戦《いくさ》をしている最中、玉砕電報を打たれていたとはねぇ、皆が逃亡兵扱いするのも、無理からんことだ」

今里中尉に、聞えよがしに云った。一同も、今となっては、脱出する四日も以前に、何故、そのような電報が打たれたのか、恨めしく思った。そんな電報さえなければ、無線機が破壊された後もなお、孤立無援で戦った将兵に対して、こんな冷遇を与えることはないはずであった。

水も、食事も与えられず、傷病兵だけが落野中尉の再三の催促で、ようやく兵站《へいたん》病院へ収容されることになった。マラリアの再発で高熱にうかされている一名は担架で運び、足の傷口に蛆《うじ》がわいている伊佐新吉は、忠が背負って、指示された病院へ連れて行った。

病院とは名ばかりで原住民のニッパハウスを使用し、病人を寝かせておく程度らしく、仕切りのない大部屋に、三十数人の傷病兵が寝ころがり、消毒薬の匂いより、血膿《ちうみ》の饐《す》えたような悪臭の方が強い。寝ている傷病兵を左右に押しのけて、やっと体一つ横たえられる場所に新吉を寝かせ、衛生兵に、

「この者は重傷で、一刻も早く軍医殿に診《み》て戴きたいので

ありますが」

と頼み込んだ。

「このアリタオは、ルソンの海岸線防備に当っていた海軍や、マニラ防衛の各部隊が、バギオへ撤退する途中の通過地点に当り、傷病兵は収容しきれんほど一杯いるのに、薬は底をついて、軍医殿も、どうすることも出来んのだ、ま、諦めることだな」

負傷している新吉には聞えぬように小声で囁き、悪臭に辟易《へきえき》するように、そそくさと出て行った。

新吉の両側、前後の病人が物問いたげに、頭を擡《もた》げたが、その眼はどれも死んでいる。

「忠どん、病院というてん、こいじゃまるで姥捨《うばすて》山じゃ、こげなとこなら、おはんらの傍にいたほうがよか」

本能的に、置き去りの恐怖を感じたらしく、新吉は異様な力で忠に縋《すが》って来た。

「まあ、待て、その傷を消毒して貰うことが先決だ」

と宥《なだ》め、奥の方で患者の面倒をみている衛生兵らしいうしろ姿に声をかけると、振り返ったのは、看護婦であった。

こんな山中の兵站病院に女性が……と、心は痛んだが、新吉の傷口の手当てを頼むと、白衣を草汁《くさじる》で染めた服を着た二十そこそこの看護婦は、病人並みに窶《やつ》れていたが、傍に来てくれた。

「機関銃にやられた傷口が化膿し、蛆がわいているのです、大丈夫でしょうか」

と聞くと、

「蛆がたかっているうちは、組織がまだ生きている証拠です、壊疽《えそ》がはじまると、蛆だって寄って来ませんよ」

九州訛りの口調で云い、熱でもありそうな気怠《けだ》るさをおし隠すように、ピンセットで一匹ずつ蛆を取った。

「消毒はして貰えますね」

「ええ、後は軍医殿と相談して治療しますから、あなたは病室を出て下さい」

と云った。

「忠どん、行かじ、居ってくれ」

「傍にいてやりたいが、今日のところは看護婦さんに任せなければ――、それに遅くなると、あの鬼瓦《おにがわら》がうるさくて、次に来れないからな」

「そいじゃ明日も、来てくるっね」

「来るとも！　何か食べるものがあったら持って来てやるから、お前も早く癒《なお》すよう心がけるんだぞ、そうしないと、後で一番辛い思いをするのは、お前自身だ」

淋しげな新吉の視線を振り切るように、外へ出た。

だが、他《よそ》の部隊に居候になる辛さは、想像以上だった。忠たちが預けられた隊では、ただでさえ乏しい食糧を、喰い取られる腹だたしさから、下士官、兵隊たちもあからさまな厭味を云った。

「この間、迷い込んで来た海軍さんは厄介になる御礼のしるしといって、軍足《ぐんそく》の米を供出し、自分らの喰いぶちがなくなると、食糧調達に出かけたなぁ、陸に上ったかっぱ同然の海軍といえども、軍人の礼儀はわきまえておるな」

「ま、それが普通の神経やろな、今度はえらい災難や」

関西弁の、災難や、という言葉が、忠たちの耳に屈辱的に響いた。

「ちぇっ、碌に戦いもせんで、しこたま食糧を抱え込んだ海軍と、わしらを同列に考えるとは失敬な連中だ」

鬼頭軍曹は、黄色い歯を剝き出して口惜しがったが、それも小声で愚痴るほかない。

翌日から忠たちは苛酷な使役に駆り出された。弾運びであった。

この師団の作戦は、リンガエン湾から上陸し、サンホセを経て南から進攻して来る米軍をバレテ峠で迎え撃つことと、同時にマニラ方面から運ばれて来る弾薬、糧秣を、北部ルソンの穀倉地帯であり、日本軍が最後にたて籠るはずのカガヤンに一刻も早く輸送することであった。

険しいバレテ峠を越えて来た弾薬を次なる中継地点へ運ぶために、忠たちは、瘦《や》せ細った体で、一箱三十キロの荷を背負い、坂道を黙々と運んだ。

そんな日が続いたある日、忠たちは、落野中尉に、秘かに呼び集められた。

「今朝、警備部隊本部で聞いたが、旭兵団七十一連隊の連隊本部が、四八八高地からバギオ方面に向って移動を開始したそうだ、居候の辛さが骨身にしみているわれわれだ、ここを出て、連隊本部に追いつこうではないか」

一同は、顔を輝やかせた。

「異議ありません、このところ米軍偵察機が飛んで来るようになり、カガヤン・バレーに続くこの補給路への爆撃は、時間の問題と思われます、どうせ、死ぬなら、本隊とともに戦って死にたくあります」

伍長が膝を乗り出し、これまでの隠忍《いんにん》を歯ぎしりした。

「自分も賛成ですが、今度は間違いなく、本隊と合流できるのでありましょうな」

鬼頭軍曹が、念を押した。

「うむ、連隊長から詳しい地図を見せられ、説明を受けたから、今度は方角を間違うことはない」

「それで、大山大隊長殿の消息は、何か得られましたでしょうか」

もう一人の下士官が聞いた。

「いや、まだ何もない」

「いまだに消息が摑めないということは、もしかして」

「馬鹿を云うな！　大隊長殿もどこかで連隊本部の所在を知られ、必ず出会うことが出来る、そのためにも自分らは早く連隊本部を目指したい」

落野中尉は、きっぱりと云い、今里中尉も頷いた。

「傷病兵をどうしますか、伊佐上等兵は、あと数日の治療が必要です」

伊佐新吉の他に、マラリア患者がいたのだった。

「天羽上等兵、お前が残れ」

鬼頭軍曹が、当然の如く云った。

「いや、伊佐上等兵らを置いて行くのは忍びないが、回復するまでこの兵站病院へ預けておく、天羽上等兵を残して行くわけにはいかん」

落野中尉が首を振った。

「どうしてでありますか、天羽上等兵は、伊佐上等兵とは、無二《むに》の親友であります」

鬼頭は、依怙地《いこじ》に云い張った。

「天羽上等兵は、英語をよく解する、米軍との戦闘が激しくなればなるほど、天羽上等兵は、必要である」

落野中尉は、今後の戦況を見通して、退けた。

「そうや、忠どんは行ってしまうとや」

その夜、ニッパハウスの病室で、新吉は、暫《しば》しの別れを告げに来た忠に、心細げに呟《つぶや》いた。

「俺も、新吉どんをおいて行くのは辛いが、落野中尉殿の命令なんだ」

枕もとに坐って、経緯を話すと、

「英語と云われたら、おはんしかおらんとじゃっで、仕方がなかねぇ」

新吉は、自らを納得させるように云った時、すっかり顔馴染みになった若い看護婦が入って来た。

「どうしたんですの、二人ともそんな顔して」

「実は、われわれの連隊本部の居所が判《わか》って、バギオへ出発することになったので、こいつを残していかねばならんのです」

「そう、それは辛いことでしょうね」

と云い、激しく咳込んだ。

「大丈夫ですか、顔も少し熱っぽい感じですよ」

忠は、衰弱の著しい看護婦の体を気遣った。

「ええ、少し胸をやられているのです、看護婦が、結核じゃ笑うに笑えませんわね」

力なく笑った。

忠は、新吉を見舞いに来ている間に、このアリタオの兵站病院に、赤十字病院から五人の看護婦が来ていることを知った。彼女らは一旦、日本への帰還命令を受けてマニラに集結したが、あとの補充がつかないという理由で、命令が取り消され、爾後《じご》、軍とともに山岳地帯にまた来たことを知った。

「女の身で、大へんですね」

「私だけではありませんわ、お国のためにと、自ら志願して従軍看護婦になったのですもの、心構えでは、兵隊さんたちと変りません」

健気《けなげ》に云い、病んだ体を鞭打《むちう》つように他の患者の方へ行った。

新吉も、忠も、若い看護婦の姿に搏《う》たれ、黙り込んだが、

新吉は、強いて明るい声で、

「忠どん、アメリカん話を聞かせっくれ、向うじゃ普通の庶民でん自動車を持っちょるちゅうとは、ほんのこっか」

アメリカの話をせがんだ。

「うん、土地が広いから、ちょっと隣りの町へ行くにも歩いてはいけないからな」

「おはん家《げ》にも、あったとか」

「クリーニング屋だから、集配用のワゴン車が一台と、兄貴のが一台あったよ」

「そいと何ちいうたかね、箒《ほうき》ではかんでん、掃除が出来る機械……」

「ああ、電気クリーナーか、それに電気冷蔵庫、これはちょうど、俺の背丈ぐらいの高さがあったな」

「そいに栓《せん》をひねっだけで、湯が出て来るというじゃなかか、あや、何ちゅうとや」

「シャワーだ、ああ、熱いシャワーを思いっきり浴びたいなあ、それにビフテキとアイスクリームを腹一杯、食べられたらなあ」

曾ての生活を偲《しの》んで、溜息をついた。

「そげんいえば、今日新入りん二等兵の話じゃ、ニューギニアん戦争で、アメリカ軍の服を着た日本人そっくいの兵隊を見たというこっじゃ、何でん毛唐の兵隊に守られるようにして、日本語で投降を呼びかけておったというこっじゃ」

「ほんとか、それ――」

忠は、ぎくりとした。カバルアンで、米軍の無線を傍受した時、西海岸の帰米二世特有の訛《なま》りを持った英語が聞えて来た時の不審が、再び首をもたげたのだった。

「もっとも、そん日本語の発音がおかしちゅうて、支那人かもしれんというこっじゃったが、投降勧告ビラの日本語ん字はうまかもんで、日本の正月ん羽つきの絵まで描《か》いてあったというこっじゃ」

新吉は話しながらも、急に押し黙った忠の様子に気付いた。

「いけんした」

「いや、何でもない、その他に何か話していなかったか」

「うんにゃ、皆で奴《やっこ》さんの話を聞いておっただけじゃっで、何《なに》か知りたければ、また聞いておいてやっで」

「いや、いいよ、そいつには、俺が二世だということは云わないでくれ」

「解った、あいつが、もし鬼瓦んようにいけ好かん奴だったや、ろくなことにならんでね」

心得顔《こころえがお》に頷き、

「まさか、おはん……」

のぞき込むように、忠の顔を見た。

「おはんの兄の賢治さんや、勇《いさむ》とかいう弟が、米軍としてフィリピンに来ちょっのではと、心配しておっとじゃなかろうね」

声を殺すように聞いた。

「何を云う！　そんな馬鹿なことがあるものか、去年の十二月、マニラ港で米軍捕虜から聞いた話では、アメリカにいる日系人は、全部、強制収容所へぶち込まれているということだから、そんなことあり得るはずがないじゃないか」

忠は内心、動揺を覚えながらも、自分自身に強く云いふくめた。

*

天羽賢治は、師団司令部の将校テントの近くにある野営シャワーを使い、下着を取り替え、数日間の汗と埃《ほこり》から解放された。

三角形の野営地に、将校と兵隊のテントが大小三十余りずらりと列び、その他に食堂、炊事、便所用のテントも設営され、百人ほどの将兵が野営している。

兵隊用のテントでは、一日の戦いを終えた兵隊たちが、殆んどパンツ一枚の裸身で、カットベッドに寝そべったり、博打《ばくち》に夢中になったりしている。中には有刺鉄線の囲いごしに、チョコレートや石鹼を、フィリピン娘に与えて、ふざけている姿も見受けられる。

一カ月半前、リンガエン湾に上陸した時には見られなかった光景である。日本軍は局部的に玉砕したり、撤退《てったい》しながらも、なお頑強に抵抗し、米軍のバギオ進攻を阻んでいた。

賢治は、旭《あさひ》兵団の前進陣地のカバルアン・ヒルで、瀕死《ひんし》の日本兵に忠らしい兵隊がいたことを聞いたその時から、ますます、弟のことを思わぬ日はなく、マニラへの進駐の話があっても、リンガエン平野からバギオに進攻する第三十三歩兵師団付きにとどまり、捕虜が捕まったと聞けば、もしや弟ではないかと、落着かなかった。

夕陽が落ち、遠くのバナナ林が薄紫色に昏《く》れなずむのを、ぼんやり眺めていると、G2（情報）から呼び出しがかかった。急いで軍装を整え、司令官のテントの横にある作戦テントへ向った。燈火管制がしかれ、自家発電のモーター音が、かすかに聞えている。

作戦テントは、灯りが外へ洩れないような二重テントで、G2とG3（作戦）が一緒に入り、折り畳み式の簡易テーブル、椅子、電話、通信機、タイプライターが設置され、二十四時間三交替の記録班が、何時何分、どのような情報が入り、又どのような師団命令が出たかを記録している。

賢治が入っていくと、G2のトップのダグラス中佐自身が、

「今、前線の百三十連隊から、将校一名、兵隊二名の捕虜が入った、と報《しら》せて来た」

ブラウンの眼を輝やかせるように云った。

「百三十連隊からですか、すると例の特殊部隊が捕えたわけですね」

賢治は、あまりいい気持がせず、呟いた。

マッカーサー元帥が、マニラ奪還を急ぐあまり、リンガエン湾上陸の第六軍《ザ・シックスアーミー》の兵力を、次々とマニラ方面へ引き抜き、バギオ攻略兵力は手薄になっていた。勢い、攻撃は慎重になり、戦闘で捕虜が出るのを待たずして、日本軍の兵力配置を探知するために、G2とG3の協議で、捕虜獲得のみを任務とする特殊部隊が、秘かに作られていたのだった。

ダグラス中佐は、黙している賢治に肩をすくめ、

「不快なら、マッカーサー元帥を恨みに思い給え、われわれだって、彼の功名心のおかげで、戦力を取られ、とんだとばっちりを受けているんだ」

マッカーサー嫌いを隠そうともせずに、云った。

「三名は、どこで捕まったのですか」

賢治が聞くと、ダグラス中佐は、壁面の大きな地図の前に立った。地図の上に透明のセロファン・カバーがかかり、その上に現時点における米軍、日本軍の兵力配置が、赤、青のカラー・ペンシルで記されている。戦況が変れば、それまでの兵力配置は消され、新たにまた書き換えられて行く仕組みになっている。

ダグラス中佐は、リンガエン湾のダモルテスから東へ七、八マイルほどのロサリオに指揮棒を当て、

「ロサリオとトボとの間の山中らしい、すでに百三十連隊のMPがここまで連れて来ているが、銃撃戦で兵隊二名のうち、一名は重傷、将校も負傷している様子だ、君は将校の尋問をしてくれ」

と云い、G3の幕僚二名を地図の前に呼び寄せ、賢治が、捕虜の将校に尋《き》き出すべきポイントを話し合った。

すっかり暗くなった頃、野営地の一角にあるテントの前に、捕虜が連行されて来た。二十四、五歳の陸軍中尉と、二十一、二歳の一等兵で、重傷を負った一名は連行中、死亡したとのことであった。

うしろ手に縛られた中尉は、前線の野戦病院で応急手当てを受けたらしく、右足に添木《そえぎ》を当てられ、一等兵も額に繃帯《ほうたい》をしている。

賢治は、二人の首にぶら下げられている捕虜番号と、何時何分、どこで捕まったかが記された荷札のようなカードをはずしてやり、まず軍医の手当てを受けさせた。そして彼らの気持が静まるのを待ってから、一等兵の方はケネス阿川に担当させ、自分は、別のテントで中尉の尋問に当った。

「氏名と、所属部隊は?」

尋問をはじめるなり、

「貴様こそ、名乗れ! 米軍に協力するなど、何たる恥知らずだ!」

大腿部貫通銃創、骨折の激痛に耐え、面罵《めんば》した。米軍に

協力している日本軍捕虜と思い込んでいるらしい。

「私は日本兵ではない」

賢治はそう云い、相当、口の硬そうな中尉をもう暫く、一人にしておくことにして、ケネス阿川の取り調べている テントへ入った。一見して農村青年と思われる朴訥《ぼくとつ》な顔つきの一等兵は、椅子代りの箱にも腰かけず、地面にきちんと正座し、縄をとかれた両手を膝《ひざ》の上に揃《そろ》えて、怯えきっている。その前で、ケネス阿川と白人語学兵のトッド中尉がしゃがみ込み、しきりに話しかけているが、

「おら、それ以上は知らね、ほんとだつうの」

ひどく昂奮しているのか、東北弁丸出しで繃帯姿の頭を振った。

「どうだ、うまく行ってるか」

二人に声をかけると、ケネス阿川は、

「何しろ、すごいズーズー弁で、さっぱり解らないので、トッドに応援して貰いました」

と云うと、宣教師の父の赴任先の秋田県で育ったトッド中尉は、

「キャンプ・サベージの日本語学校でさんざん笑いものにされた東北弁ですが、役だって嬉《うれ》しいです」

白人ゆえに、賢治より階級は上だが、曾《かつ》ての教師に対する言葉遣いで云い、達筆な尋問調書を示した。

氏名は谷川喜八、陸軍一等兵、独立混成第五十八旅団（盟《めい》兵団）金井大隊第二中隊――、賢治は作戦テントに貼ってあった地図上の盟兵団の配置を思いうかべ、次の項目を読んだ。

〈行動〉

二月十三日に旅団長の命令を受領した松田良雄中尉の護衛として、山下上等兵（死亡）とともに旅団司令部より、南西方向にある第一線大隊陣地に向う。昼は叢に隠れ、夜間行動で、二日目の午後、萱《かや》の中に隠れているところを米軍に発見され、狙撃を受け、捕虜となる
〈任務〉

松田中尉の護衛、中尉の任務の内容は、兵卒には詳しく解らないが、兵団の撤退命令の下達及びその徹底のための連絡と思われる
「トッド、有難う、将校は頑として口を割らないので、助かったよ」

賢治はそう云い、一等兵に向い、

「松田中尉は、旅団司令部付きの連絡将校だね」

重要な一点を聞いた。

「そうです、中尉殿の傷はどうなんだべ」

「腕のいい外科の軍医がいるから心配はない、君もほかに悪いところがあったら、申し出なさい」

と安心させ、元のテントへ戻った。松田中尉は、負傷の

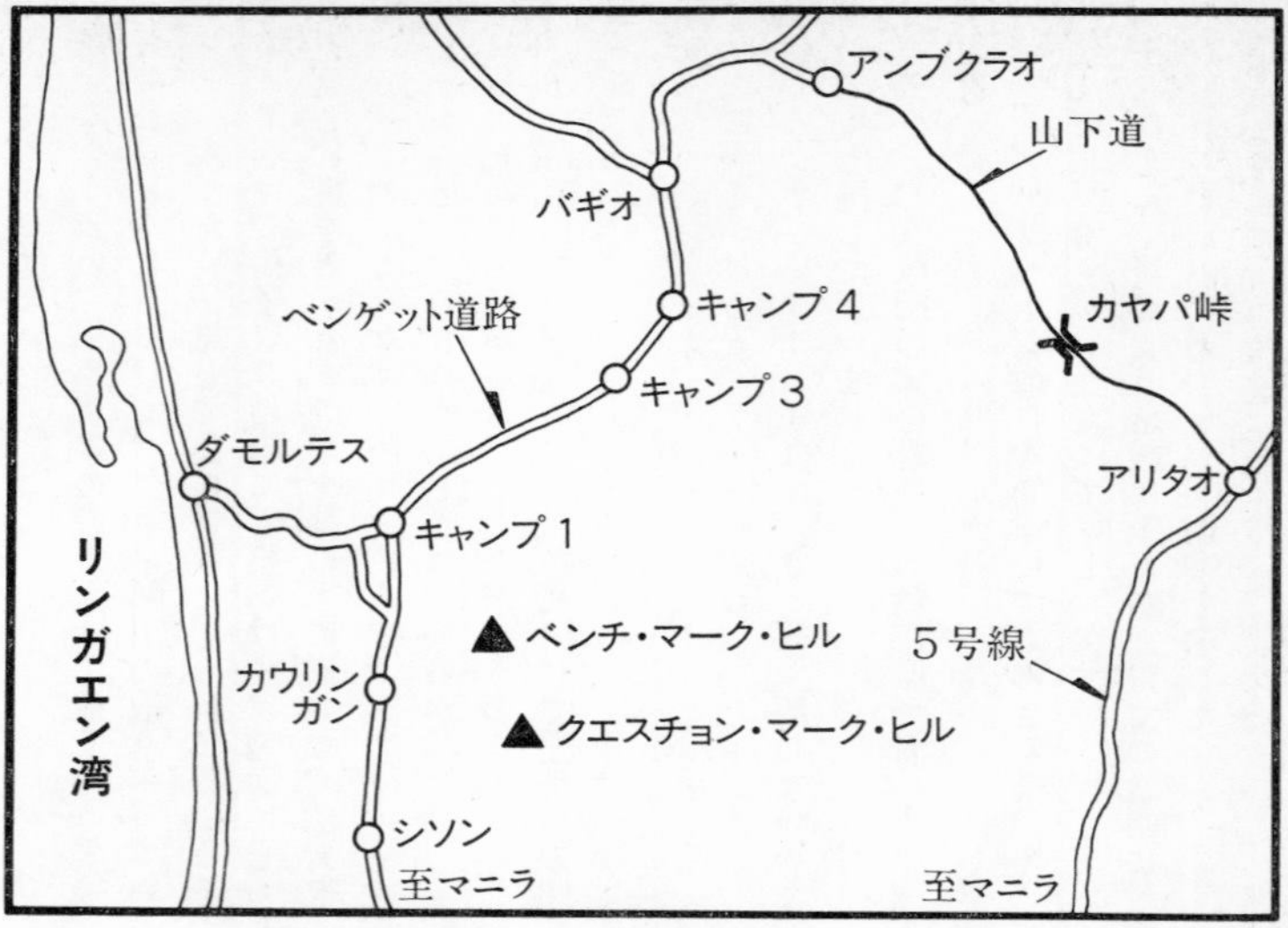

痛みに呻《うめ》いていたが、賢治の姿を見ると、声を噛み殺した。

「答えなくても、こちらの情報網でほぼ解った、君は盟兵団司令部付きの連絡将校で、撤退を確認中だったらしいな」

「兵隊に喋らせたのか」

「いや、あくまでこちらの情報網で解ったことだ、将校の捕虜は、中尉のほかにも、既に数人いる」

惻隠《そくいん》の情を持って云うと、松田中尉の表情が、かすかにうごいた。

「盟兵団の現在の兵力及び砲陣地について答えて貰いたい」

と畳みかけたが、唇を固く結んだままだった。

賢治は、捕獲している将校用の図嚢《ずのう》を机の上に置き、そこから配備要図を取り出して拡げた。

「君が所持していたこの配備要図の説明なら出来るだろう」

「――」

完黙した。賢治はさっき作戦テントで頭に畳みこんだ彼我の勢力配置を念頭に置き、米軍が空中撮影したリンガエン湾岸からバギオに至る航空写真を四枚つなぎ、日本軍の配備要図とつき合せた。

「答えないのなら、私が解読してみよう、この配備要図によると、山下奉文《ともゆき》軍司令官がたて籠っているバギオへ通じる国道は南からのベンゲット道路と、北からのナギリアン道路の二本で、平野部から撤退した兵力が新しい陣を布いている、そしてこの二本の国道の間に、さらに二つの間道《かんどう》があり、一本はアゴからプゴで、山越えでバギオに通じ、もう一本はアリンガイ、ガリアノからバギオだ、ここにも布陣の印があるが、日本軍は、この四本の道のどの道に、重点を置いて布陣するのだ」

賢治はさっき、作戦参謀から指示された質問をした。

「――」

松田は答えなかったが、解読された無念の色がありありと顔に滲《にじ》み出ている。賢治は松田の心の乱れが静まるのを待つように、しばし、時をおき、

「旅団司令部付き連絡将校の任にある君が、知らぬはずはない、君からその情報を得れば、米軍はむろん攻撃をかけるが、事前に投降を呼びかけたいのだ、双方の兵の損傷を最少限に喰い止めるために、それが必要なのだ」

「そんなものは日本軍には何の役にもたたない」

「じゃあ君は、この戦争に、日本が勝つと思っているのか」

「――アメリカの圧倒的な物量の前では、大和魂《やまとだましい》だけでは勝てないことはよく解っている」

幹部候補生出身らしい冷静さで、云った。

「そこまで思慮があって、なお君たちはむざむざと犬死するのか、しかも日本の同盟国、ドイツの降伏は、もはや時間の問題だ」

松田は愕然《がくぜん》とし、瞬時、沈思したが、観念したように口を開いた。

「ナギリアン道路は盟《めい》、ベンゲット道路は旭《あさひ》の両兵団が連繋《れんけい》して、防衛し、その間の二筋の間道については、盟と旭とで兵を出し合って、固守することになっている」

「旭兵団はベンゲット道を……、そうだったのか」

賢治は愕然とした。もしかして、自分の書く投降勧告文を、忠が手にすることがあるかもしれないからだった。

賢治は、その夜、妻のエミー宛てに書くはずの手紙も手につかず、一晩中、まんじりとも出来なかった。

＊

カリフォルニアは、二月下旬になると、真っ青な空がぬけるように輝き、眩《まばゆ》いような春の陽が燦《きら》めいた。

雪に閉されたミネソタから解放され、父の畑中万作が経営しているロサンゼルス郊外のボーディング・ハウスに二人の子供を連れて帰って来ているエミーは、浮かれるように上機嫌であった。

曾てリトル・トーキョーで経営していたホテルとは比ぶべくもないが、まだ多くの日系人が収容所から出て来ていない時、いち早く、元《もと》のホテル業をはじめ、繁昌させている父の才覚が、エミーを上機嫌にしているのだった。

「さすが、パパね、一日三食付きとはいえ、シャワー共同

で一ヵ月三十五ドルという安くない値段で、この頃は一室に四人も押し込んでいるなんて」

「人聞きの悪い云い方をするものやない、収容所から働き手の男だけが出て来て、ガーデナー（庭師）やコックの仕事にありついても、安心して泊まれるところは、うちみたいな日系人経営のホテルや、皆に喜ばれ、満員やと断わっても、何人部屋でもええからと頼み込まれるのであって、わしが荒稼《あらかせ》ぎしてるのやない」

「解ってるわよ、パパ、私が云いたいのは、こんなに繁昌して、忙しいのだから、私も帳場《フロント》にたったり、食事の材料の買い付けぐらい手伝うと云ってるのよ」

　家の中で、家事や育児にいそしむことなど、エミーの性《しょう》に合わなかった。万作は飛び上らんばかりに驚き、

「何を云うのや、まだまだ治安が悪いから、女が帳場にたったり、外へ出かけたりしたら、どんな目に遭《あ》うかもしれん、それよりアーサーやベティの面倒をよう見て、たまには、まだツールレークにいなさる天羽のお舅《とう》さんやお姑《かあ》さんにも、便りを書かんといかん」

　万作は、エミーを窘《たしな》め、自分は外出の用意にかかった。

「で、パパはどこへ出かけるの」

「リトル・トーキョーのうちのホテルを見に行くのや、例によって黒人が住みついて、政府に明け渡し命令を出して貰《もろ》うても、たち退かんから、電気と水道を止め、あの手、この手を打ったんやが……、どれぐらい出たか、ちょっと見て来る」

　万作は忌々しげに舌打ちし、見送りに出た妻の定代に、

「いつものように用心してや、できるだけ早ように帰って来るからな」

　と云い、危険を避けるために、メキシコ人の使用人にワゴン車を運転させて、出かけて行った。

　エミーは、父の車が見えなくなると、

「ママ、私、ちょっとスーパーマーケットまで、今夜の買い出しに行って来るわ」

「まあ、なんてこと云うの、パパからあんなに喧《やか》ましく云われたばかりじゃないの、それにミセスといっても、エミーのように若い女性は一人歩きするものじゃないよ」

　定代は、顔色を変えて止めた。

「大丈夫よ、こんな昼間のことだし、それにメイドを連れて行くわ」

「駄目、駄目だよ、そんな出かける暇があるのなら、ベッドメイキングでも手伝っておくれ」

　と云っていると、アーサーが、

「ママ、僕《ぼく》も一緒に行く」

　エミーの裾に、まつわりついた。

「いいこと、ママは用事で出かけるのだから、留守番していて、おじいちゃまが帰って来たら、一緒に遊びましょうね」

　エミーは、何が何でも、父の留守中に自由に外へ出かけ

たかった。ルージュを濃く塗り、ピンクのワンピースに着替え、年寄りのメキシコ人のメイドを連れて、八百メートルほど先のスーパーマーケットへ出かけた。

昼下りの舗道《ほどう》は、人影が疎《まば》らで、妙にしんとしている。埃っぽい舗道のところどころに、仕事にあぶれた白人や黒人の男が、だらしなく蹲《うずくま》っているだけであった。顔だちも服装も派手なエミーが通ると、男たちは、野卑な眼を向けたが、勝気なエミーは、平気で男たちの前を通り過ぎて、スーパーマーケットへ向った。

白人経営の小さな店だが、ボーディング・ハウスの大量の買い付けと解っているから、マスターの愛想もいい。ワゴン一杯の買いものの支払いをすますと、

「あのあぶれ者の連中、気をつけなさいよ」

と注意してくれた。

「サンキュー、大丈夫よ、私は――」

と云い、メイドに両手一杯の買物袋を持たせ、エミーも紙袋を抱えて戻りかけると、蹲っている白人の男たちの中から、

「ヘイ、ナイスジャパニーズ！」

頬のこけた陰険な顔をした男が声をかけた。エミーは、むかっとしたが、相手にしてはいけないと我慢し、目もくれずに行き過ぎかけると、その男は、エミーの横に随《つ》いて歩き出した。エミーが小走りになると、男も足を早め、ゆっくり歩くと、男もゆっくり歩き、ぎらぎらと異様に光る眼を、エミーの横顔に吸いつけている。メイドも、気味悪げに白人の男を見ていたが、年寄りの上、大きな買物袋を両手に抱えていたから、次第に足が遅れ、距離があいて来た。エミーは不安を覚えた。その先から立入禁止の老朽化した建物が並び、人影がなかった。二つ目のブロックの角で足を止め、メイドが追いついてくるのを待とうとした途端、不意に男の手が伸び、空家のガレージの中へひきずり込まれた。

大声を上げ、買い物袋をぶつけて逃れようとすると、ハンカチーフのような布を口の中へ押し込み、片手でシャッターのような戸を下ろした。

暗がりの中で、男は、エミーの体を仰向けに押し倒し、背中のジッパーをぐいと引き下げた。エミーは、男の髪をひっ摑み、両足をばたつかせて、激しく抗《あらが》った。

「おとなしくしな、白人の男が、ジャップの女を可愛がってやろうってんだよ、お前、白人に抱かれたことはねえだろう」

弄《もてあそ》ぶように云い、ブラジャーを引き千切り、乳房を吸い上げながら、ワンピースの裾へ手を入れ、パンティをひき下ろした。エミーは、必死にもがき、口の中の布切れを吐き出し、助けを求めようとした。外から、

「ミセス！　ミセス！」

メイドの声が聞えたが、布切れを押し込まれた口からは、声が出ない。男はズボンのベルトでエミーを叩きつけると、

剝《む》き出しになったエミーの下半身に手を這わせ、まさぐった。

「ケーン、助けて！　ケーン！　ケーン！」

遠く戦場にいる夫の名を呼び、助けを求めたが、それは声にならなかった。吐気を催すような体臭を持った男の体が、乗りかかって来た。エミーは、地面を転がり、抗ったが、男は、エミーの両肢《りようあし》の間に体を割り込ませ、金色の胸毛をこすりつけ、獣のように呻いた。

やがて男はズボンを上げ、ベルトをすると、素早く、シャッターを少し開いて、走り去った。

僅か数分の出来事であったが、女にとって、これほど、おぞましく、取り返しのつかないことはなかった。突然、襲って来た、錯乱しそうな白昼の暴行であった。

エミーは、局部にべっとりと残った附着物を拭い、千切れたブラジャーと、引き裂かれたパンティを握って、ふらふらとたち上った。

それから、エミーの酒量が俄かに増えていった。

今日もエミーは、朝から安もののバーボンを一本、あけている。もともと飲める体質《たち》で、ミネアポリスのキャンプ・サベージでも、パーティがあれば酔っぱらうほど飲み、賢治によく窘《たしな》められたが、このところ酒量の増え方は異常であった。人一倍、見栄っ張りで、身だしなみにも気を遣っていたが、ルージュ一つつけず、髪のウェーヴの手入れもせず、ボトルの底の一滴まであけている。

いくら飲んでも、あの白昼のおぞましい一刻《ひととき》を思い出すと、体中が総毛《そうけ》だち、気が狂いそうであった。警察に訴えても所詮、相手にされないことは解りきっている。第一、両親や世間に自分が暴行されたことが解ってしまうことの方が怖しかった。今でも、あのプアー・ホワイトが、「白人が、ジャップの女を可愛がってやるんだ、有難く思え」と淫《みだ》らに嘲笑した言葉を思い返すと、屈辱で震えた。

子供たちの小さな足音がし、アーサーとベティが部屋に入って来た。虚弱体質で、よく医者通いをしていたアーサーは、

「マミー、頭が痛いの？　ドクターのところへ行かなくていいの？」

心配そうに顔を覗《のぞ》き込んだ。よちよち歩きのベティは、

「マミー、抱っこ――」

母親の膝に甘えて来た。その途端、エミーは、あの薄汚い白人男が、自分の膝に割って入った忌しい感触を思い出し、ベティを抱こうとした手をひっ込め、突っ放した。ベティは床に転び、大声をあげて泣き出した。エミーは抱きおこすでもなく、ぼんやりとしていると、下宿人たちの部屋を掃除していた定代がモップを手にしたまま入って来、驚いてベティを抱き上げた。

「エミー、今日は仕事口にあぶれた宿泊者が、五人も苛々《いらいら》

して寝転がっているんだから、子供を泣かさないでおくれ」

ベティを腕の中であやしながら叱り、やっと泣きやむと、アーサーに連れて行かせてから、傍に寄り、

「このごろのお前は普通じゃないよ、理由《わけ》を話してごらん」

女親らしい気遣いで、聞いた。

「理由《わけ》などないわ、べたべたと妙な云い方しないで、出て行って！」

ヒステリックに、扉を指した。

「だってエミー、お前の急な変り方には、父さんだって心配していなさるんだよ」

「うるさいわね！　一人にしておいて」

空になったバーボンのボトルを床に叩きつけた。定代は、涙ぐんで部屋から出て行った。

万作は、五日前、エミーが年寄りのメキシコ人のメイドを連れて、スーパーマーケットへ出かけた同じ時刻と道順を歩いていた。

娘のあまりに急な変りように、メイドに何があったのか、しつこいほど聞いても、一向に要領を得ない。一緒に買物に行き、帰りはミセスは少し遅れて帰って来ただけで、そのほかのことは何も知らない、と繰り返すのみだが、視線をそらすのが気になった。妻なら、女親の勘で何か気づいているのではないかと聞いてみたが、長い間、ハズバンドと別れていて淋しいのでしょうと云いながら、何かを怖れるように表情を硬ばらせた。もしや……、万作は、当のエミーに、根掘り葉掘り聞けない不吉なものを、感じ取っていた。

昼下りのロサンゼルス郊外の場末の舗道は人影も疎《まば》らで、森閑とし、埃《ほこり》っぽい道の端に、失業中の白人や黒人がだらしなく蹲《うずくま》っていた。万作の姿を見ると、ジャップ奴《め》！　と罵《のの》しりながらも、心なしか、にやにや卑猥な笑い方をしている。万作は相手にせず、ぽつんと一人、離れたところに寝転んでいる黒人の浮浪者に一ドル紙幣を摑ませ、眼くばせすると、随いて来た。通りを曲り、ガラス窓がやぶれた倉庫のような建物の陰まで来ると、万作はくるりと振り向き、もう一枚、紙幣をちらつかせ、

「四、五日前にこの辺りで何か変ったことがなかったかい」

ブロークンな英語で聞くと、

「それを先に渡しな」

足もとを見るように顎《あご》をしゃくった。万作が渡すと、黒人はピンク色の掌《てのひら》で素早く受け取り、

「噂じゃ、ジャップの女が強姦《レイプ》されたらしいぜ、あんたの知り合いかい？」

歯を剝き出して、笑った。万作は鼓動が停まり、ぐらりと体が浮くような衝撃を覚えた。

「やったのは誰だ！」

黒人の首を絞めつけた。

「俺じゃねぇ、白豚どもの一人だ」

「奴はどこにいる！」

「働き口を探しに他へ移動して行ったグループの一人だ、もういないようだぜ」

そこまで聞くと、万作は足が萎《な》え、その場にしゃがみ込みそうになった。開戦後、間もなく強制収容所へ放り込まれ、三十数年間、汗と脂《あぶら》で築いた財産を取り上げられた上、今また娘の体まで奪われたとは――。相手が白人であるだけに、無念であり、娘が不憫《ふびん》であった。万作はボーディング・ハウスに辿りつくと、エミーの部屋の扉を蹴破るように押し入った。

エミーは酔いつぶれ、ベッドの横の丸テーブルにうっ伏していた。

「エミー、起きぃ！　起きてわしの言葉に答えるんや！」

肩を摑んで、引き起した。エミーは、とろんとした眼で、父の顔を見上げた。

「エミー、お前、わしがあれほど外に出るなと注意してたのに……」

万作は、わなわなと体を震わせた。

「何よ、パパ、私、眠いの、ベッドメイキングの手伝いなら、あとでするわよ」

「胡麻化《ごまか》すな！　今、聞いて来たぞぉ、この阿呆が、ど阿呆が！」

娘の頰を両手でひっぱたきながら、万作もいつしか口惜《くや》し泣きした。頑《かたく》なに黙していたエミーも、父に打たれながら、涙を流し、

「パパ、私、死にたい、口惜しい！」

父の胸に顔を埋めて、号泣した。

「大きな声を出すな、可哀そうな奴っちゃ、可哀そうな……」

声をつまらせた。

「私、あの汚らしい奴を八つ裂きにしてやりたい、でも、警察に云えないし、飲んでる間だけしか忘れられない」

「ほんなら飲め、忘れるまで飲んだらええ、だいたい、まだ治安の悪いここへお前を呼んだわしが、悪かったんや」

「パパ、あいつら皆、知ってるの？」

「いや、口止めして来たし、忌しい白豚は他《よそ》の土地へ行ったそうや、お前独《ひと》りで秘密を守るのは辛いやろうが、わしも一緒なら、ちょっとは気ぃが楽やろ」

万作は、傷つき汚れた娘をいたわった。

「それから賢治さんには、どんなことがあっても絶対、云うてはならん、賢治さんのような性格の人は、たとえアクシデントであっても、頭では理解出来ても、心では絶対、許さん人や」

「でも、もし解ったら――」

「解ったらおしまいやと思え、そやから絶対、云うたらあ

かん、ええな」

念押しするよう云った時、メイドが扉の外から、郵便ですよと云い、隙間からさし入れた。万作もエミーも、ぶるっと体を震わせた。賢治からのVメール（軍事郵便）であった。

「お前さえ黙ってたら、賢治さんはこうやって戦地からでも便《たよ》りをくれはるのや、元気出しぃ」

万作は部屋を出て行った。エミーは夫からのVメールを恐る恐る開封した。

「愛するエミーへ
暫く手紙を書けなかったが、エミー、元気かい、そしてアーサー、ベティ、お舅《とう》さん、お姑《かあ》さんも変りないですか。キャンプ・サベージと異り、そちらは日系人に対する排斥意識が強いから、ご両親と一緒とはいえ、心配している。くれぐれも気をつけておくれ。

戦場ではテント暮しなので、心和《なご》む唯一のものは、エミーと子供たちの写真だ。われわれ語学兵は、他の将校のように多勢の交替要員がないから、戦争が終るまで本国へ帰れないかもしれないが、子供たちのことを宜《よろ》しく頼む。淋しいかもしれないが、アメリカ市民として、合衆国に忠誠を尽すことが、現在の僕たち二世の為すべきことであり、それが結局、お前たち家族、収容所の両親のためであると思っている。体に充分気をつけるように。

賢治より」

読み終るなり、エミーは嗚咽《おえつ》した。アメリカ市民として、合衆国に忠誠を尽すこと——、その夫の言葉が胸を抉《えぐ》った。合衆国のために戦っている将兵の妻を、ジャップの女と見《み》縊《くび》って、白人の男が暴行を加えたのだった。

エミーは、涙を滴らせ、ベッドの下に隠していた新しいバーボンのボトルの栓を開け、あおった。

＊

「ハロー、ケーン、こちらチャーリーだ」

チャーリー田宮は、マニラ湾岸の通信テントから、バギオ攻略作戦の三十三師団付きになっている賢治を呼び出した。十日前、オーストラリアのブリスベーンから、前線語学将校として、フィリピンの首都マニラへ出動して来ていたのだった。

突然で驚き、とっさの応答が出来ずにいる賢治に、チャーリーは声を弾《はず》ませた。

「第十四軍団三十七歩兵師団のG2（情報）付きとして来たんだ、他の語学兵？　ここにはマニラ一番乗りをした第一騎兵師団、第十一空挺《くうてい》師団もいて、各師団に一チームぐらいの語学兵が来ている、パラシュート部隊と一緒に南部のバタンガスに降下し、マニラへ北上して来たハワイ出身の語学兵三名とも出会った」

「マニラの市街戦は、激烈だと聞いているが、大丈夫かい——」

やっと、賢治の応答が聞こえた。

「硝煙の中を捕虜狩りに出され、いつ、射ち殺されるか解らないような危険に曝《さら》されている、日本のマニラ海軍陸戦隊は、まさに気狂い集団だ、米軍に包囲され、官庁、ホテル、病院など、市街の殆んどのビルが破壊されて、もはや、勝敗は決しているのに、焼け残ったビルの中にたて籠って、死にもの狂いで抵抗を続けている」

チャーリーは、危険に曝されながらも、昂奮した声で云った。

「そちらの戦況はここへも、伝わって来ているが、指揮官の岩淵《いわぶち》少将は、まだ農商務省ビルにたて籠っているのか」

賢治が聞いた。マニラ防衛にあたっているマニラ海軍陸戦隊の指揮官、岩淵少将は、ガダルカナル島決戦で撃沈された戦艦『霧島』の艦長であった。艦と運命をともにすべき立場でありながら、生き残ったという思いからか、もはや、一縷《いちる》の望みもない状況の中でも抗戦し続けていた。

「今、ケーンを呼び出したのは、そのイワブチのことなんだ、彼は依然として、壊れかかった農商務省ビルにたて籠っているが、先刻、そのビルの通信室からバギオの日本軍第十四方面軍司令官の山下奉文宛てに、『ヤヨイ　ヤヨイ　ヤヨイ』というモールス信号が、繰り返し、打ち出された

んだ、そう、こっちの通信班が、キャッチしたんだが、その意味が解らないんだ、それで君ならと思って……、どうだい、解るかい」

「ただ、ヤヨイが三度繰り返されたのか」

「そうだ」

「カタカナでヤヨイ、漢字の彌生《やよい》、彌生と云えば桜、桜と云えば散る——、つまり玉砕するという意味だと思う」

「では、徹底抗戦するのかな」

「そうだと思うが、そっちの情況をもう少し、詳しく説明してくれ」

「米軍は、昨日から日本の陸軍がたて籠っているイントラムロス（スペイン統治時代の旧城内）の攻撃を開始し、海軍陸戦隊がたて籠っている農商務省ビルに対しても、今までの砲撃だけではなく、歩兵部隊が接近して、銃弾を浴びせはじめた、僕はこれから、また投降勧告に行くことになって……」

威勢よくまくしたてていると、突然、ドドドーン！　と轟音がし、テントに瓦礫《がれき》が落ちて来た。チャーリーは、すぐ机の下にもぐった。近くの建物に、手榴弾が投げ込まれたらしい。伏せていた通信兵たちが元《もと》の位置に戻るのを見すましてから、チャーリーも這い出し、通信機を握り、

「ハロー　ケーン」

と呼んだ。

「どうした！　やられたのか」

「いや、ここじゃないが、もう出かける、ケーン、サンキュー」

チャーリーは倉皇《そうこう》と交信を終え、パシグ河に近いグレート・イースタン・ホテルへ向った。


三十七師団砲兵観測所があるグレート・イースタン・ホテルの最上階に上ると、チャーリーはサングラスをかけてマニラ市街を見下した。市の中央を流れるパシグ河、破壊されたサンタクルス橋、対岸沿いの中央郵便局、製氷工場、メトロポリタン劇場、市庁舎の時計台が見えるが、さらにその先になると、燃え続けているビルや家々から上る黒煙で、はっきり望見《ぼうけん》出来ない。

「大尉、私が投降勧告に行くのは、どのビルなんです？」

チャーリーは、師団Ｇ２（情報）の大尉に聞いた。

「望遠鏡で見給え、市庁舎の向うに広場がある、あれがルネタ公園で、公園に沿って三つのビルが残っているだろう」

チャーリーは、大尉から手渡された望遠鏡をおし当て、眼を凝らした。黒煙が邪魔になるが、時計台の向うに、コリント風の大円柱を持つ四階建の国会議事堂、大蔵省、農商務省ビルが、砲弾の跡も生々しく見てとれた。

「農商務省が解るか、三つの大きな建物の一番向うだ」

「見えます、すると、私は――」

チャーリーは望遠鏡をはずし、大尉へ顔を向けた。

「そうだ、マニラ市街戦の総指揮官であるイワブチ海軍少将が司令部を構えて、たて籠っているあのビルに投降勧告するのだ」

チャーリーとほぼ同い齢の大尉は、鋭いコバルト・ブルーの眼で頷いた。

「しかしどうやって？　あのビルには、岩淵《いわぶち》少将以下三百から四百名の将兵がおり、わが軍の歩兵でさえ、まだ中へ入っていないはずですが」

「むろん、あそこには入れないが、手前の大蔵省ビルは上半分の三、四階を第一騎兵師団が占拠しているから、そこから農商務省に向ってマイクで呼びかけ、ラウド・スピーカーで流すのだ、君の安全は保証する」

「それは是非、お願いしたいですが、第一騎兵師団Ｇ２付き語学兵は、投降呼びかけに加わらないのですか」

マニラ一番乗りをした第一騎兵師団には、偵察の特殊訓練を受けた語学兵が、一チーム付けられているはずであった。

「あそこには、君ほど度胸のある二世がいない、チャーリー、これは君にとって大きなチャンスだぞ」

「もちろん、全力でトライします」

分厚い唇の端に自信をのぞかせて、引き受けた。

ルネタ公園に到着すると、公園は、戦車と歩兵で埋め尽された、道路一筋隔てた国会議事堂、大蔵省、農商務省ビルに容赦のない砲撃が浴びせられている。

砲撃が一段落するまで、チャーリーたちは、大きなマンゴーの樹の下に仮設されたテント張りの指揮所で待機した。

マニラ防衛の日本軍は、乗艦が沈没して行きどころを失った海軍将兵一万四千と、現地召集された在留邦人中心の四千余の混成部隊で、陸戦経験が皆無に等しい上、武器、弾薬も乏《とぼ》しいという情報が入っている。それにもかかわらず、二月三日、米軍がマニラを奇襲して以来、市街が廃墟《はいきょ》になるほど叩いても、日本兵はビルを要塞にたて籠り、崩れた外壁から米軍が一歩でも進入しようものなら、死にもの狂いの反撃を加えて来る。米軍に包囲され、電気も水も断たれたビルの中で、何週間も戦い続ける日本人が、チャーリーには不可解であり、内心、怖しかった。

「チャーリー、行くぞ！　護衛兵から離れるな」

G2の大尉がたち上った。

ルネタ公園から瓦礫《がれき》が散乱する通りを横切り、大蔵省ビルへ至る僅か七、八十メートルの距離をチャーリーは息を詰めて一歩、一歩、歩いた。ほぼ制圧しているとはいえ、どんなところから日本兵が攻撃して来るかもしれない。護衛兵が何人ついていようと、戦闘になれば、放り出されることをチャーリーは、他の語学兵からいやというほど聞かされていた。

地雷原の上を行くような思いで、大蔵省ビルの中に入り込み、ほっとして、階段を上りかけた途端、ババーンと銃声がした。階段付近を守っていた歩兵が応戦し、チャーリーたちは、四階の米軍占拠のフロアへかけ上った。

そこには五、六十の将兵がおり、通信機材も備わっていた。G2の大尉は、中隊長に、チャーリーを引き合わせた。

「用意はすべて整っている、これ以上の米兵の損傷を防ぎたいから、しっかり頼むぞ！」

いかにも野戦の強者《つわもの》といったタイプの中隊長は、がっしりした手でチャーリーの手を握った。G2の大尉は、指揮所との交信を終えると、

「チャーリー、二時半に呼びかけ開始だ、原稿にもう一度、目を通しておけ」

「大丈夫です、放送には慣れていますから」

チャーリーはすぐ、通信員と音量、音質の打ち合せをした。

一階の射ち合いは既に止み、ビルの外も投降勧告の放送に備え、砲撃を止め、キャタピラーの音もなく、しんと静まりかえった。

「よし、開始しろ！」

G2の大尉は、コバルト・ブルーの眼で、合図した。チャーリーは大きく息を吸い、マイクロフォンに向った。

「マニラ海軍陸戦隊の諸君、米軍はこれより三十分間、攻撃を中止する、マニラ海軍陸戦隊の諸君――」

チャーリーは冒頭、そう二回繰り返した。チャーリーの

標準語に近い日本語が、戦車、装甲車にくくりつけられたラウド・スピーカーを通して流れ、語尾が割れて四方、八方にこだまして行く。

「マニラ海軍陸戦隊の諸君、われわれ米軍は諸君らを完全に包囲している、これ以上、無駄な抵抗は止め、これより三十分以内に白旗もしくは両手を頭に上げ、投降し給え、米軍は投降した将兵を国際条約により、保護する、くり返す、三十分以内に全員、出て来給え！」

だが、何の反応もない。

「チャーリー、君の日本語は、ちゃんと日本兵に伝わっているんだろうな」

日本語を全く解さないG2の大尉は、苛だたしげに云った。チャーリーはむっとしたが、

「私の日本語はパーフェクトで、クラーク大佐からも評価されています」

マッカーサー総司令部G5（宣伝）のクラーク大佐の名前を持ち出し、その辺の小僧《こぞう》っ子語学兵でないことを誇示すると、

「では何故、彼等は投降勧告に応じて、出て来ないのだ？　将校でなくても、下士官、いや、兵卒でもいい、この三十分間に一人でも投降者が出るように呼び続けろ！」

G2の大尉は、声を荒げた。

再度、投降勧告をくり返し、三十分間の攻撃中止を、さらに十五分延長しても、農商務省ビルからは一人の投降者も出て来なかった。

その後も、米軍は投降勧告を行なった。チャーリーは、今度こそはという思いで、マイクに向った。

「マニラ海軍陸戦隊の諸君！　これが君たちに対する最後の勧告だ、今や陸軍の指揮官らは脱出し、残るは君たちだけだ、食糧なく、弾薬なく、水なく、土龍《もぐら》のように地下室にもぐったまま、死を待つより、われわれの勧告に従って生きのびる道を考え給え、なぜ君たちだけが、無駄死にしなければならないのか、せめて戦うことの出来ない傷病兵だけでも出してやり給え、傷病兵諸君！　米軍は君たちを救出すべく、ここに衛生兵、担架の用意をして待ち受けている、さあ、生きるために、一歩踏み出して来給え」

それでもやはり、壊滅寸前のビルの中は、しんと静まりかえったままであった。チャーリーは敢えてもう繰り返さなかった。不気味な沈黙が流れた時、瓦礫の中から小銃の先に白い布ぎれをつけ、銃を杖にしてよろよろと出て来る傷病兵の姿が見えた。

「大尉、出て来ましたよ！」

チャーリーは、指《ゆび》さした。兵隊はよろめき、躓《つまず》きながら、幽鬼のように歩いて来る。

やっと米軍まで辿《たど》り着くと、すぐ衛生兵が担架に横たわらせ、応急手当をした。チャーリーはG2の大尉と用心深く大蔵省の建物を出、捕虜の担架の傍に駈けつけ尋問した。

傷病兵は嗄《しわが》れた声で所属部隊、階級、氏名を告げた。

「司令官の岩淵少将は、まだあの農商務省ビルにいて、今も指揮しているのか」

「少将閣下は……残存の将兵に脱出命令を出された後、自決された……ということです」

「じ……自決！　それはほんとうか」

「伝聞で……ありますが、いやしくも司令官自決の噂は、事実でなければ流れません……」

声をふり搾《しぼ》るように、応えた。チャーリーは顔色を変え、G2の大尉に、すぐ伝えると、

「なに、自殺したのか！」

驚愕し、連隊長と連絡を取るために急いで通信機の方へ行った。チャーリーは、担架の上の捕虜に、

「岩淵少将の背丈、容貌を知っているか」

と聞いた。

「はい、せ、背丈は五尺三寸ぐらい……ほっそりとして、口髭《くちひげ》をたくわえて……」

「では、農商務省のビルから手榴弾《てりゅうだん》を投げているのは、どういうことだ」

「一歩……外へ出れば、夜でも米軍の照明弾に照らされ、四方八方から……う、撃たれるので、出る勇気もなく、といって捕虜になるのも怖しく……ただ運を天に任せて潜んでいるのです」

「よし、解った、収容しろ」


チャーリーは、衛生兵に捕虜の護送を命じた。

それから一時間後、岩淵少将の遺体確認のための部隊が組まれた。工兵隊がダイナマイトで地下の司令官室に通じる道を大きくあけ、トラクターで、コンクリートの瓦礫の山を取り除くと、歩兵が、地下の司令官室以外にガソリンをかけて焼いた。

「イワブチの死体のある周《まわ》りは、大丈夫だろうな」

連隊長が、工兵の将校に念を押した。

「イエス、司令官室には、絶対、火が廻らないようにしてあります」

「よろしい――、それにしても臭いバーベキューの臭《にお》いだな」

連隊長は嘔吐《おうと》を催すように云い、G2の大尉もたまりかねて鼻をつまんだ。米軍に包囲され、建物から一歩も出られない日本軍将兵は、糞尿《ふんにょう》も室内でし、戦死した兵隊を外へ運び出して埋葬することも出来なかったから、糞尿の臭いと腐爛《ふらん》した屍臭《ししゅう》が、建物に充満しているのだった。

煙がまだ白くたちのぼっている中を、チャーリーは、連隊長とG2の大尉に随《つ》いて、地下の司令官室に向った。

延焼を防いだ司令官室の方へ近付くと、一同は、万一、まだ潜んでいるかもしれぬ日本兵のことを考え、身構えて進んだ。地下の廊下にも、扉が吹っ飛んだ部屋にも、かっと眼を見開き、あるいは背中が割れてうつ伏せになり、あるいは頭と胴体が引き千切れ、焼け焦げた死体もあった。

目印の防火板を取り除き、司令官室へ入った。地下の室内も、連日の砲撃で天井と壁面から落ちた砂やコンクリートの破片が散乱していたが、司令官が使っていたと思われる机の上は、すべての書類が焼却されたらしく、きれいに片付けられ、灯りをとっていた蠟燭《ろうそく》の燃え尽きたあとだけが残っていた。しかし、岩淵少将の死体は、そこに見当らない。

「チャーリー、どうしたんだ、捕虜から聞いた話と違うではないか」

G2の大尉は、激昂した。チャーリーは、薄暗い室内をぐるりと見渡した。机から少し離れたところに一人の将校が、死んでいる。副官らしく、ピストルで顳顬《こめかみ》をぶち抜いて自決していた。その将校の頭上の方向を辿ると、部屋の一隅が、破壊されたコンクリートの瓦礫によって仕切られている。歩み寄ると、砂やコンクリートの破片の下に毛布に包まれた死体が置いてあった。おそらく、岩淵少将自決のあと、副官が、敵に遺体を曝《さら》したくない一念で、葬ったものらしい。

チャーリーは、その砂とコンクリートの破片を除き、毛布を取った。自決後、二日目という岩淵少将の死体は、強い屍臭を発し、容貌の判別は難かしかったが、海軍少将の衿章をつけた軍服を着、傍《そば》に見事な刀が置かれ、いかにも武人らしい姿であった。

「おう！　それがイワブチか」

連隊長はじめ、一同が昂奮した顔で近寄って来、

「確かに、イワブチだと証明するものを探し出せ」

と命じた。チャーリーは、死体を検索する時に用いるゴム手袋をはめて、探った。そのことを予期した上のことか、少将の死体からは、一片の紙片も見い出せなかったが、上衣の裏を返すと、『岩淵』というネームが縫い取られていた。

「岩淵少将に間違いありません、ピストルで頸動脈を撃ち抜いております」

チャーリーが報告すると、

「マニラ陥落！　日本軍をやっつけたぞ！」

連隊長が大声で、叫んだ。G2の大尉も、歩兵の将校、兵隊たちも、うわっと歓声を上げ、肩を叩き、抱き合って、狂喜した。命がけで投降を呼びかけ、岩淵少将の死体を確認した瞬間、チャーリーの存在など忘れたような喜び方だった。

チャーリーは疎外感を覚え、独り、司令官が座していた机の前にたった。燃え尽きた蠟燭たての近くに、妻か、娘か、しかと解らないが、着物を着た女性の写真の一片が、セピア色になって燃え残っていた。つい先刻まで、功名心を滾《たぎ》らせ、ぎらぎらとした思いで行動していたものの、武人らしい最期を遂げた岩淵少将と、その遺体をコンクリートの破片で掩い、敵の眼に曝させまいとした副官の心遣いに、胸搏《う》たれるものがあった。

チャーリーは、一人先に、地下室を出た。出口はMPたちが厳重な警備にあたり、

「どうだった、イワブチは見つかったか」

憲兵隊長が聞いた。チャーリーは、Vサインだけ出すと、サングラスをかけ、大股《おおまた》に農商務省ビルから離れた。

三十分もすれば、マニラ陥落のニュースは、街中に広がり、米軍の「ブラボー！」と、フィリピン人の「マグハイ！」の声で埋め尽されるだろう。チャーリーは、この日、一際《ひときわ》明るく輝き、きらめいている太陽を無感動に見上げた。


マニラ陥落の報せは、天羽賢治の属する三十三歩兵師団の司令部にも、伝えられた。

兵隊たちは大声を上げて喜び合った。それを境に、米国に一時帰還する兵隊の数が急激に増え、ジロー大野をはじめとする若い語学兵たちは、白人兵に〝日の丸スカーフ〟をスーベニアとして求められ、その調達に苦心する有様だった。

戦場で捕獲して来るだけでは足らず、ジローたちはわざわざ作った。米軍のパラシュートの布を旗の大きさに切り、日本軍陣地で捕獲した味噌樽《みそだる》をぽんとその上において、円形を取り、縁に蠟を流して、赤インクで塗りつぶすと、日の丸がにじまず、きれいに仕上る。それに『祈　武運長久』の代りに、『馬鹿野郎』と書いて渡してやっても、白人兵たちはサンキュー、サンキューと大喜びし、輸送隊の黒人兵などは、ウイスキーまで持って来る。それがジローたちには面白くてたまらなかった。

そんなマニラ陥落の陽気な騒ぎの中で、司令部のG3（作戦）とG2（情報）の将校は、いよいよ日本軍第十四方面軍司令官、山下奉文《ともゆき》のいるバギオ攻略の本格的な準備にとりかかっていた。

天羽賢治は、司令部のテントハウスで、コンバット・シチュエーション・レポート（戦闘詳報）を読んでいた。それはG2とG3の特定の将校のみが読むことを許されており、米軍の戦況が詳細に記されたレポートで、G2はそれによって今後の情報収集の計画をたて、G3は作戦をたてることに役だてている。

賢治は、二月中旬からの戦況レポートに眼を通し、特に弟の忠が所属しているらしい二十三師団七十一連隊の本部があったクエスチョン・マーク高地《ヒル》、日本軍呼称、四八八高地の戦闘の部分を丹念《たんねん》に読んだ。

二月十九日　わが三十三師団、百三十歩兵連隊が、クエスチョン・マーク高地で行なっている闘いは、一戦区における勝利への踏石に過ぎないが、最悪の地上戦となりつつある。
G2の報告によると、そこにいる日本軍は、元関東軍であったベテランの二十三師団七十一連隊であった。

地形的には、クエスチョン・マーク高地は、カラバリヨ山脈の南に聳《そび》える二五〇〇フィートの山で、斜め前方に、一五〇〇フィートのベンチ・マーク高地があり、この二つの高地の頂上からは、一望のもとに周辺の監視が可能である。そして米軍はこの二つの高地の間にある谷間《たにあい》を登らなければならない。日本軍にとっては天然の有利な地形であり、わが軍にとっては極めて不利な地形であった。

だが、わが百三十歩兵連隊は、黒鷹《ブラック・ホーク》連隊と呼ばれるソロモン群島のジャングル戦を戦った歴戦の強者《つわもの》の集団である。連隊長ミラー中佐は、I中隊長のケント大尉に「クエスチョン・マーク高地をノックアウトしない限り、バギオへ進むことは出来ない、攻略を早めよ」と命じた。

ケント大尉は、各小隊に弾薬とレーションを充分に携帯させたが、水は水筒一本で、しかも、三分の一の量に減らした。何故なら、地図によればクエスチョン・マーク高地の近くに、川が流れていることが記されており、炎天下の行軍をできるだけ軽装備にするためであった。

ところが、あとになってこの水についての楽観が、攻撃を失敗へと運命づけることになった。『川』に到着してみると、水は枯渇《こかつ》して、川床に石がごろごろしているだけであった。

I中隊はクエスチョン・マークの頂上から七五〇ヤード以内に迫った。日本兵は正面斜め、両翼の位置から容赦なく撃ち込んで来た。I中隊は敵の圧倒的優位の前に屈していた。ケント大尉がこの情況を無線で連絡すると、ミラー中佐は、水と弾薬が届く翌朝まで、防禦《ぼうぎょ》しながら頑張れと命じた。

ケント大尉は、その夜、いくつかの危険に直面した。負傷兵は安全な撤退路がないため、一人も後退出来なかった。さらに最もひどい問題は、水の欠乏であった。どの壕の中も、水の欠乏で苦しむ兵隊が横たわり、ある者は痛む咽喉《のど》を和《やわら》げるために大きく息を吸い込み、ある者はDレーションのチョコレートが焦げた咽喉につまり、ゲエッと吐き出した。負傷兵のうめき声も高まった。そしてケント自身の舌も腫《は》れ、ひび割れていた。

ケント大尉は、腫れ上った唇で連隊本部を呼び、明け方までに水が届かなければ中隊は全滅する、と報告した。

二月二十一日　〇八・二五、C47輸送機が見えた。双発の輸送機の胴体が開き、多くの箱が投下された。半狂乱の兵隊たちは、日本軍の銃火の危険をおかして飛び出し、数名が射殺されながらも貴重な補給品を手に入れた。だが、それを開くと、一斉に悲しみの声が上った。一滴の水もなく、食糧と医薬品のみであった。ケント大尉は、怒り狂い、大隊指揮所に連絡し、再度の投下を要求した。

少したつと、C47の爆音が響いた。再び輸送機は斜面を低空で飛んで、補給品を落した。確かに水だった。五ガロンの緑色の缶がパラシュートの先で揺れながら落ちて来る。兵隊たちは舌と唇を舐めながら待ったが、風向きですべての缶は日本軍の陣地へ落ちた。兵隊たちは、大声を上げて、泣いた。じりじり照りつける炎暑の中で、水の欠乏は死を意味していた。敵弾にあたる前に、水の欠乏による死が迫っていた。ケント大尉は、兵隊たちに、A中隊の担送隊が間もなく、陸路で水を運んで来ることを保証した。

一七・〇〇、A中隊は、遂にI中隊に到着した。そこで、数名の兵が水のない三十六時間のため錯乱状態となり、素っ裸になって体をかきむしり、意識を失って倒れている光景を見た。担送隊は運んで来た水を飲みたいだけ飲ませた。この事実はわれわれに、地形地誌に河川が記されていても、観測機によって、必ずチェックすることの必要性を再確認させ、熱帯の戦場における水の欠乏の怖しさをいかんなく示した教訓となった。

二月二十二日　〇六・五〇、クエスチョン・マーク高地に対する最終の総攻撃を開始した。機関銃、二十四門の迫撃砲が火蓋《ひぶた》を切った。十分間、敵高地は焔《ほのお》と埃と煙の中に埋め尽され、地獄となった。仮借《かしゃく》のない高性能爆薬は強力で、クエスチョン・マーク高地の頂上は吹き飛び崩壊した赤土と弾痕の穴と化した。

〇七・〇〇、わが軍の発煙弾が、クエスチョン・マーク高地の中央に落ちた。これを合図に、歩兵たちが進撃をはじめ、山腹を登った。手榴弾とM1小銃が、高地の日本兵を射ち殺し、火焔放射器は日本軍の洞窟を溶鉱炉に変えた。一人の日本兵も生きてクエスチョン・マーク高地を脱出できたとは考えられなかった。そして一名の捕虜もなかった。この高地の戦闘で殺された日本兵四百六十名に対し、米軍は戦死三十三、行方不明二、負傷八十二名であった。

読み終った賢治は、戦いの激しさを如実に知り、もしこの高地に弟がいたとしたら、今度こそ戦死したのではないかと、胸がしめつけられた。

忠！　死ぬな、生きているなら一日も早く米軍に投降してくれ——、賢治は祈った。

*

落野中尉に率いられた天羽忠《ただし》たち八名は、四八八高地陣地崩壊により七十一連隊本部が、バギオ山中へ撤退しつつあると聞き、居候していた鉄兵団を出て、バギオを目ざして出発した。

一同は、荷車一台がやっと通れそうな山下道《やましたどう》を歩きながら、久しぶりに闊達《かったつ》な表情を取り戻していた。

「食糧事情の悪い他《よそ》の部隊に迷い込み、居候になるのは金《こん》輪際《りんざい》ご免だ、下痢して何回も便所へ行くのも、盗み喰いしているから糞《くそ》が出るのだと、嫌味を云われ、その上、弾丸《たま》運びや穴掘りの雑役ばかりにこき使われた、今日からは天下晴れて、七十一連隊第二大隊に戻れるぞ」

鬼頭軍曹も、鬼瓦《おにがわら》のような顔に、珍しく笑いをうかべ、喋《しゃべ》りまくった。

「おい、伏せろ！」

浮きたった一同に、先頭の落野中尉の命令が飛んだ。忠たちは左右の茂みに伏せた。ゲリラの襲撃かと思ったが、銃声はなく、叢《くさむら》の中で、耳をすましていると、上空に飛行機のかすかな爆音がした。伏せたまま、空を見上げると、星のマークをつけた米軍観測機が一機、かなり上空をゆっくり飛んでいる。そして、大きく旋回し、やがて白い雲の彼方《かなた》へ消えて行った。

「この辺りにも、米軍がやって来るのでは——」

今里中尉が緊張して云うと、

「うむ、マニラが陥ちたのかもしれない」

落野中尉は、敵機に発見されないよう、日没まで叢に隠れ、夜間行軍することにきめた。

山下道《やましたどう》は、山下奉文大将が、方面軍司令部をマニラからバギオへ移した際、糧秣《りょうまつ》補給路として、アリタオ—バギオ間に細々と通っていた土人道《どじんみち》を急遽、工兵隊に命じて、道幅を拡張し、ところどころ不通の箇所を継ぎ合せて貫通させつつある山道であった。アリタオからバギオまでの道は百キロを越え、途中、険阻な処が三箇所ある。今は所属部隊から落伍し、行先も定まらぬ撤退部隊の兵たちが時折、通過して行く。

五日目、峻険なカヤパ峠を越え、松林の中に潜んでいた時、再び米軍機が見えた。

「またアブか」

一同が眼を凝らしていると、いつもの観測機ではなく、双胴のロッキードP38戦闘機であった。

「北東にダクランとかいう飛行場があると聞いている、この辺りを飛ぶところを見ると、その飛行場から飛び発《た》って来たのかもしれませんね」

今里中尉が、落野中尉に聞いた。

「いや、ダクラン飛行場というのは、原っぱに滑走路があるだけの飛行場らしいから、戦闘機の離発着は出来ない」

と首を振った時、飛行機から白いパラシュートが投下された。しかとは解らないが、パラシュートに木箱のようなものが吊されている。

「あんな山の中へ落すのは、何だろうか」

「もしかしたら、米軍に協力するゲリラに渡す弾薬か、武器の箱ではないでしょうか」

忠が云うと、鬼頭軍曹が、ぐいと顔をねじ向けた。

「ほう、貴様に、なぜ、そんなことが解るのだ」

「いえ、もしやと思っただけです」

「貴様、無線か何か聞いて、アメ公らの情報を知っているのではないか、隠しだてすると、ただではおかんぞ」

声を荒げた。一同はまた、鬼頭の〝忠いびり〟が始まったかと、顔をそらせたが、落野中尉は、

「鬼頭軍曹、声が高いぞ」

と窘《たしな》めた。

ゲリラを警戒しながら、僅かな米粒と山の中の藷《いも》を掘って空腹を満たし、アリタオ出発以来、十二日目にやっとバギオに辿りついた。

海抜千五百メートルの避暑地で、大統領の夏の官邸があるバギオは、まだ戦火を受けず、青や赤の屋根瓦に白い壁の瀟洒《しょうしゃ》な別荘が、松林の中に見え隠れし、大きな病院や教会もあった。

落野中尉と今里中尉が、第十四方面軍司令部へ原隊復帰のための指示を受けに行っている間、忠たちは、大統領の夏の官邸が見える山の斜面で待機していた。

忠は、野生の唐辛子《とうがらし》で味付けした重湯《おもゆ》を最後の一滴まで舐《な》めるように飲み干すと、スペイン統治時代の面影が残っている美しい町並を眺めた。バギオには、忠が生れ育ったロサンゼルスと異るヨーロッパの雰囲気が漂っていた。

落野中尉と今里中尉が戻って来、七十一連隊本部は、ベンゲット道路途中、キャンプ3《スリー》と呼称されている地点の山中に布陣していると教えられたから、司令部のトラックに便乗して、直ちに向うと云った。

バギオからブエト川の渓谷沿いに造られた嶮しいベンゲット道路を、トラックに揺られて、キャンプ3に向って下った。リンガエン平野に至るベンゲット道路は、明治末期、日本人の出稼ぎ労務者の手によって完成した幹線道路で、平野部から山上まで要所、要所にキャンプ1から8まである呼称は、当時の飯場があったところから、生れたものだった。

キャンプ3《スリー》の地点で、トラックを降りて、そこから磁石を頼りに険しい山中を歩き、小さな沢に出ると、木の茂みの中に天幕《テント》が見えた。近付くと、九州訛りの兵隊の声が聞えた。

やっと辿りついた喜びで、落野中尉、今里中尉以下、忠たちはぼろぼろになった服の衿を正し、原隊復帰の申告をした。

連隊長が、天幕の中から出て来た。骨太のがっしりした体軀が一廻り小さくなり、顔に憔悴《しょうすい》の色が滲《にじ》み出ていたが、

「おお、よう帰った!」

落野中尉以下、忠たち兵卒に至るまで一人一人の顔を見て、喜んだ。

「カバルアン丘の戦いは、四八八高地から望見していても、激甚《げきじん》さがよく解った、他の隊からは、増援や弾薬、食糧補給の要請があったが、大山大隊からは、『激戦、われ損害あるも将兵の士気旺盛なり』という電信ばかりであった、一言も泣き言を云わないその力強い通信で、つい撤退命令を出すのが遅くなるうち、玉砕電報が来てしまった」

連隊長はそこで、言葉を切ると、瞬時、黙してから、

「玉砕電報後も、砲爆撃の焔と煙がたち上り、なお米軍と戦っている様子が窺《うかが》えた、結果論だが、大山大尉は、なぜ、あの時点で玉砕電報を打ったのか」

と問うた。落野中尉と共に直立不動の姿勢をしていた大隊長副官の今里中尉は、わなわなと肩を震わせ、

「申し訳ありません、大山大尉は、もはや全滅以外にないと判断した時点から、撤退具申《ぐしん》か、玉砕か、日夜、苦悩しておられました、しかし、敵戦車が陣内に侵入し、通信機さえも爆破の危険に瀕《ひん》する激戦となり、玉砕斬込みすと打電すれば、何らかの配慮が得られるのではないかと思い、惻隠《そくいん》の情に縋《すが》るつもりで、私が案文しました」

元中学校教諭らしい生真面目《きまじめ》さで、報告した。連隊長は黙って頷いたが、傍らの師団参謀は、

「では、その電報で、撤退命令を期待したというのか」

詰問すると、今里中尉は、おし黙った。

「その上、大隊長の大山大尉の消息も、今もって杳《よう》として解らぬではないか、おそらく、玉砕電報を打ちながら、無断で撤退したことを恥じて、敵陣に斬込み、自決したのだろう、それが軍人というものだ」

よくもおめおめと生きのびて来たなと、云わんばかりに別の参謀が詰《なじ》った。落野中尉は、きっとした眼ざしで口を開いた。

「われわれ第二大隊は、カバルアン丘で死力を尽して戦いました、犬死を避け、他日を期して戦えという大隊長命令によって脱出したのです」

「何を云うか、貴様らは大隊長を見捨て、この上、弁解するのか！」

よってたかって罵倒《ばとう》した。

「もうよい、われわれとて四八八高地で撤退命令を受けた時は、時既に遅く、残置《ざんち》隊の犠牲によって脱出できたのだ、要は脱出前に、撤退命令が届いていたか、いなかったかの差ではないか、ともかく、今日はゆっくり休め、また激戦が間近《まぢか》に迫っているのだ」

連隊長が云った。

やがて、その日が来た。

満天に星がきらめく山岳のジャングルに、キキキッ、キキーッと野猿《やえん》の不気味な声がし、忠たちはその度に苛だった。

今里中尉に率いられた忠たちの隊は、午前零時を期して

米軍陣地へ斬込みをかけるために、目標二キロ前のジャングルに、身を潜めていた。午後十時――、海抜千メートルの山岳は、夜になると急激に冷え、雨外被《あまがっぱ》を重ねていても、斬込み前の恐怖とあいまって体が震えた。

今里中尉以下忠たち十六名中、落野中尉は連隊本部付になり、残り八名がカバルアン丘の生残りで、あとの七名は所属部隊が全滅してわずかに生き残った兵たちの寄せ集めだった。

――こんなことなら、本部へ戻らねばよかった、玉砕電報を打った大隊副官の自分さえいなければ、生きて帰って来たことを咎《とが》めだてられることもなく、死ねよがしの危険な斬込みを命ぜられることもない、お前らにはすまん、と今里中尉はキャンプ3《スリー》の陣地を発つ時、忠たち八名に詫《わ》び、あとは思い詰めた陰鬱《いんうつ》な表情を、ジャングルの暗闇に向けていた。

「ちぇっ、陰気くさい、あれじゃまるで死神だぜ」

忠の傍らで鬼頭軍曹は舌打ちしたが、忠は聞えぬ振りをし、星空を見上げていた。玉砕の訣別電報を打ちながら、生きて帰ったことは確かに聞えのいいものではないが、せっかく生きて帰って来た将兵を、なぜ有効な兵力として今後に使うことを考えないのか、二世の忠には、師団や連隊本部の上級将校たちの気持が解《げ》せなかった。

いつしか野猿の鳴き声がやみ、遠くで砲撃の音がするだけだった。米軍はバギオ攻略目ざして、バギオへ通じるベンゲット道の入口であるキャンプ1《ワン》から2《ツウ》、そして3《スリー》へとじりじりと迫りながら、キャンプ3で停滞《ていたい》している。

「出発用意――」

今里中尉の声がし、一同、茂みからそっとたち上り、カムフラージュ用の木の枝を鉄帽や雨外被にくくりつけた姿で闇の中を歩き出した。その気配にまた野猿が木々の枝をバサッ、バサッと飛び移って行く。

予め斥候が見つけておいた土人道とも獣道《けものみち》ともつかぬ細く険しい斜面の小道を、ずるずるころげ落ちそうになりながら下り、小一時間程で沢に出た。今里中尉は、地図と磁石で方向を見定め、

「ここから先、三百メートルの地点に敵陣地がある、但しそこには二重の鉄条網が張りめぐらしてあるらしいので、切断しなければならない、鬼頭軍曹、お前が誰か一名をつれて、切断して来い」

と命じた。

「えっ、じ、自分が？」

「そうだ、軍曹は常々、戦場の場数を踏んでいるといっているではないか」

「しかし、自分はマラリアにやられ……」

「マラリアなら、私をはじめ、殆んどの者が罹《かか》っている」

「ところが、今夜は異常に熱が高く、……」

今里中尉を死神呼ばわりして、口ぎたなく罵っていた時とは全く別人の弱々しさで、不適任を申したてた。

鬼頭軍曹の性格を知り抜いている今里中尉は、

「命令だ、行け！」

断固とした声で、鉄条鋏《てつじょうきょう》を渡した。鬼頭は、俄かに顔を歪《ゆが》め、

「では、天羽上等兵を連れて行きます」

鬼頭は、忠をひき連れた。

沢を渡り、星明りをたよりに東の方向目ざして、木々の枝やつる草を摑んでよじ登り、台地の端らしき萱《かや》の叢《くさむら》に出た。鬼頭はやや遅れて登って来、

「毛唐《けとう》は、この台地から砲を撃って来てたのか、おい、陣地の鉄条網は見えるか」

「いえ、暗くて何も」

「だが、今里の奴があると云ったのだからあるのだろう、銃は音がしないようにちゃんと布を巻き、軍靴《ぐんか》は地下足袋《たび》に履《は》きかえているな、さあ、行って来い」

古手《ふるて》下士官らしく再点検したが、自分は行こうとしない。

「軍曹殿は行かないのですか、切断している間の見張りを願いたくあります」

「図体《ずうたい》の大きい割には臆病な奴だ、援護してやるから、進め！」

はっぱをかけた。苦手な地下足袋を履き、忠は暗闇の中を、そろり、そろりと這いのぼると、遠くからカラーン、カラーンと金属音が聞えて来た。

萱の丈がやや低くなったところに、鉄条網をめぐらせ、ところどころに空缶《あきかん》をぶら下げている。これが鳴子《なるこ》というものかと、戦友たちから聞いていた話を思い出した。米軍は日本軍の夜襲を恐れ、陣地周囲に鉄条網をめぐらせるだけでなく、一定距離ごとに空缶をぶら下げ、どこか一箇所の鉄条網に触れると、それが連鎖的に鳴るようにしていると聞いていた。

忠は鳴子が鳴らぬよう、用心して鉄条網を切断した。第一の関門を無事、突破し、五十メートルほど這い進んで行くと、再び鉄条網が見えた。第二の関門は、さっきよりはるかに手早く切断出来、陣地内を這って行くと、こちらを向いている砲と、テント・ハウスの黒い影が、無数に見えた。その途端、忠は恐怖でへなへなと腰が抜けそうになったが、発見されれば最後だ――。夢中で、突破した二重の鉄条網の間を通り抜け、台地の端まで這い戻ると、

「こっちだ、こっち」

鬼頭軍曹のおし殺した声がした。忠は助かった！と安堵《あんど》する一方、かっと怒りを覚え、返答せず、沢の端で待機している今里中尉たちの方へ、転げるように斜面を下ったが、どういうわけか、沢に辿り着いた時は鬼頭軍曹の方が一歩、早かった。

「おう、無事で戻って来たか」

今里中尉が二人を迎え、一同も二人の無事帰還を喜んだ。

「二重の鉄条網を、敵軍に察知されることなく切断して参

りました、敵兵はぐっすり眠り込み、夜襲には絶好です」

鬼頭は自らが切断したように報告した。

「よし、斬込み出発だ！」

今里中尉がすっくとたち上ると、十五名の兵もたち上った。


夜が更けるとともに、星は壮麗な輝きを増していた。

忠を先頭に一同が、切り裂かれた第一、第二の関門を注意深く抜け、萱の中に横隊に伏せ、じりっ、じりっと敵キャンプへ迫った。今里中尉は小声で、

「鬼頭軍曹の班は攻撃、小島伍長の班は食糧捕獲だ、斬込みの合図は、俺の軍刀の柄《つか》に巻いたこの白布を前後に振る、奴らは斬込みには弱いから、素早くやって、すんだら、さっき出発した下の沢に集まれ」

と命令し、先頭にたって鉄条網を切断した陣地へ一歩、足を踏み入れるなり、白布を巻いた軍刀の柄を大きく振った。地面に伏せていた兵たちは一斉にたち上り、手榴弾を投げながら、テント目ざして突っ走った。

夜襲を受けた米軍は、蜂の巣をつついたような騒ぎで、殆んどが半裸体に毛布を巻きつけた格好で、右往左往し、忠たちの撃つ弾で、三人、五人と倒れたが、それは束の間のことだった。

数分すると、米軍は反撃に転じ、自動小銃が十六名の将兵の前後にミシンをかけるように撃ちまくられて、あっという間に半数が倒れた。単発式の九九式小銃と手榴弾しか持たぬ忠たちには所詮、太刀《たち》打ち出来ない敵であった。

「中尉殿、撤退しましょう、戦利品は充分です」

銃声の中で、鬼頭軍曹は、撤退を迫った。

「よし、お前らは退れ、俺は行く！」

「無謀です、中尉殿！」

阻止しかけると、

「兵たちを退らせろ！」

一言、そう命じ、今里中尉はピストルを乱射しながら、敵中へ突入して行った。それは明らかに汚名をそそぐための自決行為であった。瞬《また》く間に、今里中尉の体は血にまり、肉片となって八方に飛び散った。

＊

バギオ総攻撃を前にして、天羽賢治は、師団司令部のテントの中で、捕虜名簿に眼を通していた。

「ケーン、鹿児島の連隊の捕虜が入りましたよ」

ケネス阿川が、新しい捕虜名簿を持って入って来た。ケネス阿川は、賢治が少年期を鹿児島で過したことや、その弟が、日本にいて、日本の軍隊に入っているのではないかと懸念しているのを知っていた。

賢治は、急いで新しい捕虜名簿を繰った。

捕虜ナンバー　一九一四　伊佐新吉　旭兵団七十一連隊第二大隊所属　陸軍上等兵　鹿児島県姶良《あいら》郡加治木《かじき》村　一九四五年一月九日にカバルアン・ヒルで米軍と戦闘開始、一月二十七日夜、大隊長の命令で撤退、一行十七名と四八八高地の連隊本部へ向う。その途中、米軍の襲撃を受け、右足を負傷、約十日後、アリタオの他兵団に辿り着き、負傷した本人とマラリア罹病《りびょう》の二等兵は、兵站《へいたん》病院に入院。（無傷の一行は、さらに連隊本部を追って出発した）。傷の手当を受け、四日後、二等兵と共に、連隊本部を追ってバギオに向け、山中を彷徨《ほうこう》中、ゲリラに遭遇、同行の二等兵は逃げのびたが、本人はまだ足の負傷の回復が完全でないため、叢に隠れているところを、深く潜入したゲリラに捕まり、百三十六連隊の偵察隊に引き渡された。

価値ある情報なし。

前線の語学兵が書いた簡単な記入事項であったが、賢治の眼は、鹿児島県加治木の文字に、釘付けにされた。自分と弟とが、それぞれの時期を過した村である。急いで他の捕虜の氏名、所属部隊に眼を通したが、旭兵団の捕虜は、伊佐新吉ただ一人であった。

「どうです、この一九一四を連れてきましょうか」

「うん、すぐ連れて来てくれ」

躊躇《ためら》わず、答えた。

野営地の一番端にある捕虜尋問用のテントに入って行くと、一九一四の番号札をつけた捕虜が、ぽつんと椅子代りの木箱に腰をかけている。眼鏡のつるがとれて、紐《ひも》で耳にくくりつけていた。賢治の姿を見ると、怯《おび》えるように体を硬ばらせたが、賢治はその前の椅子に腰をかけ、観察した。加治木には伊佐姓が多く、顔見知りも五、六軒あるが、見知らぬ顔であった。

「右足をやられているそうだが、軍医の手当は受けたか」

「はい、ちゃんとして貰いもした」

「じゃあ、傷の方は大丈夫だ、少し君に聞きたいことがあるのだ」

相手の気持を落ちつかせるために、柔《やわら》かい語調で云った。

「君の出生地及び現住所は、鹿児島県姶良郡加治木村と記されているが、偽りはないかね」

「はい、そん通りです」

「では、軍隊へ入る前の職業は？」

「加治木の村役場ん出納係をしていもした」

賢治の胸に小さな村役場のたたずまいが、懐しく思いうかんだ。

「君の中隊で、加治木出身の者は何人生き残っている」

「自分と、もう一人《ひとい》だけです」

「その兵隊は、何という名前だね」

「――」

伊佐新吉は、戦況と直接、関係のない質問に怪訝《けげん》そうにちらっと眼を上げた。すぐ伏せたが、また上眼遣いに賢治を見て、はっとしたように、眼を瞬《しばた》いた。

「あのう……もしかして……、あんたはアメリカへ移住しなさった天羽乙七さんとこの賢治さんではなかとですか」

賢治は、相手が自分を知っていることに動転した。顔色の変るのを抑え、

「ノウ！」

強く否定したが、捕虜はますます喰いいるような眼《まな》ざしで、

「じゃっどん、ほんのこてよう似ちょる、眼もとも、口もとも似ちょっし、よう聞いちょれば、どこか鹿児島の訛りが残っとりもす」

「ノウ、人違いだ」

賢治は、しらをきり続けた。米軍にとって、語学兵の存在は機密事項であった。

「こいだけ聞いてん、他人の空似ち云いやすか、自分が加治木で聞いちょった天羽賢治さんという人は、二世じゃが、なまじの日本人よりりっぱな日本精神を持った薩摩隼人《さつまはやと》と聞いちょったから、日本軍の捕虜ん尋問などしているはずがなか」

捕虜は昂奮のあまり、体を震わせ、

「あんたは、ふっくらして栄養ん足りた顔して、髪にポマードまでてかてか光らせっ、米軍のよか軍服を着ちょっが、忠どんは今、どげなきつか目をしちょっか、ちっとでんそいを思いやったことはあっとですか」

詰め寄るように云った。

「では、弟のことを……」

思わず、言葉が衝いて出た。

「ようよう認めなさったか、自分と忠どんな、忠どんがアメリカん学校から、加治木中学い編入されっ来た時からん友達じゃ、自分が負傷した時は背負うてくれ、アリタオん兵站病院へ入った時も、毎晩、様子を見に来てくれ、負傷兵残して、上官たちと出発する前の晩は、自分が淋しゅうて、アメリカの話をしてくれと云うたや、各家庭に車や電気冷蔵庫があっことや、アイスクリームがおいしいことなど話してくれた」

捕虜の話を、賢治は夢ではないかと聞いていた。

「だが、アメリカ育ちの二世ということで、軍隊の中で、随分、いじめられているのではないか」

「うんにゃ、忠どんは優秀な上等兵じゃっで、二世じゃからち云うて、区別されとらん、一人《ひとい》だけ、鬼頭ちゅう鬼軍曹が、カバルアン丘におった時、ここから米軍陣地までは間近だ、どうだ、懐かしいだろうといや味を云うたや、忠どんは、自分は帝国陸軍の教育を受けておりますと、云い返したとじゃ」

鹿児島の、それも加治木の言葉で語られる一語、一語によって、七年間別れたままの弟の姿が、賢治の瞼にまざまざと迫って来た。

「アメリカにいる家族のことは、話さなかったのか」

「一言も話さんやったが、マニラい上陸当初、港ん荷揚げ作業い行った時、アメリカの捕虜から、アメリカにいる日本人たちゃ、強制収容所へ入れられていると聞いて、さすがん忠どんも、そん二、三日はまこといガックイしたあんばいじゃった」

「じゃあ、二世の兄が、アメリカ軍の将校としてここに来ていることは、全く知らないのだな」

「もちろんじゃ、家族は収容所へ入れられておるもんと思い込んでる、じゃっどん、知らん方がよか、知ったら、忠どんはどげん苦しんじゃろう……」

捕虜の言葉は、そこで途絶えた。

伊佐新吉上等兵が尋問用のテントから出て行くなり、賢治は机の上に、がくりと手をついた。

弟は、生きていた――、だが、弟は、米軍のバギオ攻撃を正面から浴びる旭兵団にいるのだった。賢治は、他師団へ転属したいと思う反面、万一、弟が、米軍に撃たれたら、この手で介抱し救ってやりたい、そして捕虜になれば、自分自身が尋問の任にあたり、安全な場所へ誘《いざな》ってやりたいと思った。

その夜、賢治は、印刷機の発達であまり使用しなくなった鉄筆を自ら握り、投降勧告文を書いた。

日本軍の皆さん、今日は何を食べましたか、マラリアを癒《いや》すキニーネをのみましたか、米軍は、飢え、病み、傷ついている皆さんを救うために、充分な食糧と医薬品を準備しています。

もはや、戦いの勝敗は明らかです。このままでいけば、皆さんは敵と戦うことなく、異郷の山野に飢え死にし、その屍《しかばね》を曝《さら》すのみであることが目に見えています。

薩摩隼人の合言葉に『チェスト行け！』（とことんまでやれ）という言葉がありますが、これは犬死にのためではなく、大義のためにチェスト行け！　という精神だと思います。無駄死にせず、生きて、祖国日本の再建に尽すことこそ、大義に生きる道です。

どうか今すぐ銃を捨て、このビラの白地の方を掲《かか》げて、近くの米兵に示して下さい。階級は問わず、飢えた者には食糧を、負傷兵には手当をして、安全な後方へ送ります。犬死にする前に、故郷の親兄弟、妻子のことを思い出し、生きる道を選んで下さい。

賢治の書く投降勧告文は、いくら感情を抑制しても弟の忠に呼びかけるような筆の運びになった。

＊

今里中尉が自決同様の死に方をした後、生き残った忠たちは、落野中尉の指揮下に編成変えされ、払暁、工兵隊爆破班がベンゲット道路のキャンプ3の仮橋《かりばし》を爆破する援護に狩り出された。ふらふらになって陣地に帰って来た時には夜が明け、やがて朝食の薄い粥作りにかかった。

「おい、グラマンだぞ」

　あちこちで声がし、退避しかけると、グラマンではなく、観測機のような小さな飛行機が低空旋回して、白い紙片を大量にばら撒《ま》いて行った。

「なんだ、また、降伏ビラか」

　一同はほっとして、上空を仰いだ。米軍の降伏勧告ビラは、既に数回撒かれ、日本兵には馴染《なじ》みになっていた。

　白い紙片が、澄んだ朝の空に舞い、やがてひらひらと地上に落下して来た。木の枝にひっかかった一枚が、忠の足もとにも、ひらひらと落ちて来た。

「火種いちょうどよかが、沢山《ずんばい》取っとけ」

「俺《おい》や煙草ん巻紙と便所紙い困っちょったで、好《よ》か都合じゃ」

　米軍が撒く投降勧告ビラを頭から馬鹿にしながらも、兵も将校も、風に吹かれて頭上を飛んで行く紙片を摑もうと、痩せ細った体を伸ばし、両手を泳がせた。遠く祖国を離れて、ルソンの山の中でじりじり追い詰められている将兵にとって、何であれ、日本語で書いてあるものを読みたい、知りたいというのが、本心であった。

　兵隊たちは、我さきに摑んだビラを、声を上げて読みはじめた。

「ほう、ほう、〝皆さん、今日は何を食べましたか、キニーネをのみましたか〟だと？　よけいなお節介じゃ」

「〝投降すれば食糧、医薬品は充分あります〟とは、また何《ない》か、こげな見えすいた甘言に誰《だい》が乗んもんか」

　一時《いっとき》、空腹と砲撃の恐怖を忘れ、各自の壕の中で読み耽《ふけ》った。

　忠も、足もとに落ちたビラを手にしたが、二世である忠には本文より、広告の方に先に眼が行った。ウィークリー・マガジン大のビラの下の広告欄に、郷愁をそそるためか、日本のキッコーマン醤油、グリコ、清酒・正宗などの広告に混って、サンキストの干し葡萄、フィラデルフィア・クリーム・チーズの懐かしい広告が出ている。忠は、生唾《なまつば》が出て来た。

　見飽きるまで、サンキストとフィラデルフィア・クリーム・チーズの広告に見入ってから、忠は投降勧告ビラへ視線を転じた。樹の間からさし込む朝陽が眩《まぶ》しかったが、いつになく読みやすい手紙文のような文章を読み進んで行くにつれ、おやっと思った。たっぷりとした男らしい鉄筆書きの文字に、見覚えがあった。

　薩摩隼人の合言葉に、『チェスト行け！』（とことんまでやれ）という言葉がありますが、これは犬死にのためではなく、大義のために……

「賢治兄……」

紛れもなく兄が書いたビラだ！　チェスト行け――、それは加治木の健児の舎で、自分たち兄弟が学んだ精神であり、ロサンゼルスからの手紙で兄がよく使い、自分を励まし続けた言葉であった。兄が米軍にいて、この投降勧告ビラを書いている！　忠は、眼が眩《くら》みそうな衝撃を覚えた。

「おい、天羽上等兵、どうした」

鬼頭軍曹が、探るような眼を向けていた。

「いえ、どうもしておりません」

「顔がまっ青じゃないか、まさかそのビラの裏の白紙を掲げて、出て行こうと考えていたんじゃないだろうな」

「毎日、ばたばた死んで行く戦友、上官を見て、そんなことを考えるはずがありませんッ」

忠は動揺をおし隠し、きっぱりした口調で云った。

「そうだろうな、だが、もし妙な気を起してみろ、俺はお前の直接の上官の分隊長だ、軍法会議なんぞの手間暇《てまひま》かけず、即刻、処分することを忘れるなよ」

鬼頭は、脅すつもりか、地を這っている大きな赤蟻を、ぐしゃりとひねり潰《つぶ》しながら云い、ビラで騒《ざわ》めいている兵隊たちの眼を盗むように、ポケットから小さく畳んだ紙片を取り出した。

「開いてみろ」

促されるままに開くと、それはやはり投降勧告ビラであった。日本軍の捕虜が食堂らしいテント・ハウスの大きなテーブルにずらりと並び、食事をしている写真が掲《の》せられている。誰であるか、顔が解らないよう、目のあたりだけ白く抜いてあるが、丸々と太り、口もとに笑いさえうかんでいる。投降すれば充分な食糧を与えるというのは、単なる宣伝文句ではなく、事実のようであった。

「その捕虜たちの中で、見覚えのある奴はいないか」

鬼頭が、小声で聞いた。

「……いえ、誰も」

「そんなはずはない、もう一度、よく見直せ」

忠は仕方なく、ビラの折り皺をのばし、一人一人の顔を仔細《しさい》に見て行き、中央左寄りで眼を止めた。

「やっぱりいただろう、そいつは貴様と御神酒徳利《おみきどっくり》だった伊佐新吉だ」

忠は、息を呑んだ。確かに伊佐新吉であった。

「奴は、われわれがアリタオの鉄兵団から本隊のあとを追って移動する時、足の傷で動けず、兵站《へいたん》病院に残っていたから、捕虜になり、こんな豚みたいに肥《ふと》りやがったのだ、だがな、お前は捕虜になっても、こういう扱いは受けられんぞ、何しろ二世だからな」

鬼頭は、陰険な笑いをにじませ、たち去った。

周囲の壕の兵隊は、ビラ談議に一区切りつけると、一人一日、マッチ箱一箱にも満たぬ米を薄い重湯のようにのばし、パパイヤの茎や木の芽を入れ、啜《すす》りはじめたが、忠はすぐに円陣に加わることが出来なかった。

兄の書いた投降勧告ビラ、伊佐新吉の捕虜の写真——、米軍の兄と、捕虜になった新吉との間には何らかの接触があったのだろうか。二人が相い会った場合、新吉は自分のことを黙っているはずがない。とすると、あの手紙文のような投降勧告ビラは、自分に対する呼びかけなのだろうか。

兄さん——、心がふっと兄に傾き、救いを求めるような気になりかけ、忠は頭を振った。日本人の血を持つ日系二世が、兄弟、親戚がいるかもしれない日本軍に銃を向け、謀略戦に加担するなど、許せない。万一、兄とどこかの戦場で対峙《たいじ》することがあっても、自分は日本兵として兄を許してはならない、戦わねばならないのだと自らに云い聞かせた。

*

それから一カ月後、忠はバギオ市西北端、ナギリアン道路の頂上付近の岩山の陰で、三十センチ四方の対戦車肉迫攻撃用の布団《ふとん》爆雷を胸に吊し、小指ほどの生《なま》の薩摩芋をかじりながら、ぼんやり空を眺《なが》めていた。

上空には双胴のロッキードP38が、不気味な音をたてて飛来し、凄じい銃撃を繰り返している。

極度の食糧不足で骨と皮の体に変り果て、恐怖も、もはや感じない虚脱状態に陥っていた。ベンゲット道路のキャンプ3、4を死守、バギオ攻略を阻んでいた七十一連隊は、三日前、師団命令により、ベンゲット道路進攻の米軍に気付かれぬよう、夜、トラックでバギオへピストン輸送され、米軍の空襲で廃墟と化しているバギオ市内をかいくぐって、ナギリアン道路頂上付近の防禦《ぼうぎょ》に配備されたのだった。

米軍は、ベンゲット道路の地形が日本軍に圧倒的に有利なため、その突破が困難と見ると、距離は長いが、スカイラインのように山腹をうねってバギオへ至る北のナギリアン道路からの攻撃に作戦変更し、日本軍の予想をはるかに上廻《うわまわ》る速さで、今日にも戦車部隊がバギオに突入して来る様子だった。

山下奉文大将と第十四方面軍司令部は既に山下道を経てバンバン方面へ撤退していたが、首都マニラに次いでバギオが陥落することは、米軍の完全勝利を意味した。少しでも長くバギオを死守せよ、という命令のもとに、生き残った兵隊は、ナギリアン道路頂上付近の小川の橋の下、下水口、道の傍らに潜み、戦車体当りの機会を狙っていた。

忠は生芋をかじり終り、いつ現われるともしれぬ戦車部隊を待ち続けるうちに、幻想に襲われた。母と、鹿児島の加治木の叔母、ハイスクール時代のガールフレンドのアンたちが、どこかの墓地で十字をきりながら泣いている。と思うと、その傍らで弟の勇と妹の春子がジョークを云い合い、笑い転げている——。皺の寄った母の泣き顔、春子ら弟妹の明るい笑い声は妙に鮮明に見え、聞えて来るのに、そこには兄の賢治はいない。

P38は依然として飛び交い、銃撃をあびせている。忠は布団爆雷を吊った下のポケットをそっとまさぐった。そこには、兄が書いたビラが入っている。祖国を裏切るような兄を絶対に許すまいと思い続けながら、捨てきれず、胸ポケットにしのばせていたのだった。

どうせ今度という今度は死ぬのだ、こんな投降勧告ビラなど胸にしまって死ぬより、一言、兄に書き残し、米軍に目だつところに結びつけておいてやろうか。

『卑怯者《ひきよう》の賢治兄へ、僕はこの一カ月間、米粒一つ食べていない、しかし日本を守るため、死ぬまで戦う、それがチェスト行け！　の精神だ……』

だが思うだけで、文字を書く気力はない。そのまま気を失うように眠りかけた時、敵戦車迫るの報がもたらされた。

対戦車特攻の兵は、要所要所に十二名いた。忠は胸の布団爆雷をもう一度、確かめ、息を詰めて、キャタピラーの音に全神経をたてた。

やがて忠の潜《ひそ》んでいる岩かげから、夥《おびただ》しい戦車が、スカイラインのような見晴らしのきくナギリアン道路頂上目ざして列をなし、攻め上って来るのが望見出来た。連日、あれだけ空から徹底的に叩いておきながら、戦車の動きは慎重を極めている。偵察機が上空から誘導の信号を出しているようだった。

いよいよ近付いて来たらしく、キャタピラーの音が重味を増してはっきり響いて来る。

ドカーン！　ドドーッ！　轟音《ごうおん》がし、黒煙が上った。下水口に隠れていた兵隊が飛び込み、最初の特攻は見事に成功したらしい。暫くして後続の戦車が進んで来た。迷彩用の木の枝をつけ、長い砲身を用心深げに伸ばし、小川の橋をまさに渡ろうとした時、下から二名の兵が飛び出し、体当りしたが、戦車は爆破されなかった。一人は体当り直前に射殺され、もう一人は自ら抱いた布団爆雷が暴発し、肉片と化して片足が忠の目の前まで吹っとんで来た。

いよいよ自分の番だ――、忠は信管をチェックし、獲物《えもの》を待つように神経を張り詰めた。

だが、戦車の列は小橋の直前で停止したまま全く動かなくなった。偵察機が何機も飛来し、低空で旋回した挙句、戦車隊はUターンし、上って来た時の用心深さと打って変ったスピードでナギリアン道路を引っ返しはじめた。その信じられない光景を、忠は放心状態で見詰めた。

奇蹟に近い死から生への運命は、なお重なった。翌日、連隊本部から、元通信隊の少尉を指揮官とした忠、そしてまたも鬼頭軍曹を含む計五名が、米軍突進地域のナギリアン道路方向への斥候を命じられた。

戦車隊に後続しておし寄せて来るであろう歩兵部隊の進《しん》捗《ちよく》状況を偵察するためであった。

山中、丸《まる》一日がかりで段々畑のある部落へ入って、元十四方面軍司令部の補給廠《しよう》で働いていたという中国系フィリピン人の若い娘二人から、情況を聞き出した。さらに山岳部を分け入ると、空缶の鳴子をつけた鉄条網を張りめぐらせた米軍陣地が確認された。

往復二日で斥候から連隊本部へひっ返して来ると、既に七十一連隊は、バギオを撤退した後だった。米軍戦車部隊が突入し、ナギリアン道路の頂上入口寄りの山腹をくり抜いた連隊本部の洞窟《どうくつ》も、その近くの忠たちの多くの壕も、すべて砲撃を受けたらしく、死屍累々《ししるいるい》で、生きていても動けなくなった将兵が、断末魔の呻《うめ》き声を上げている。

「どうしたんだ、一体――」

少尉も、鬼頭も、忠も、まだ息のある重傷者の体を揺って聞いた。

「バギオは……陥落した……戦車隊が来た……壕は皆《みな》……火焔《えん》放射器でやられ……み、みずをくれ……」

「連隊本部は、どっちへ撤退したのだ」

「アンブクラオだ……」

バギオ市の北東を指した。

「少尉殿、撤退の集合地点は知っておられますか」

「うむ――」

通信隊の少尉が頷くと、

「では一刻も早く、あとを追いましょう、ぐずぐずしていると、自分たちもやられますよ」

鬼頭はせかした。すぐ近くに砲弾が落ち、松林がぱっと燃え、火の粉が散った。

「連れて行ってくれ……ここから下してくれ……」

声のする方を見上げると、高い樹の枝に骸骨のようになった三、四名の将兵が、銃を構えた格好のまま、縛りつけられている。負傷し、動けぬ体になっても、樹に括《くく》りつけられて、なお敵を撃てというのか――。忠は顔をそむけた。

少し行くと、叢《くさむら》にも傷病兵が呻吟し、

「杖《つえ》代りに、木の枝一本を切ってくれ」

「連れて行ってくれ……」

必死に縋《すが》って来たが、そのまま見捨て、間近に迫る敵から逃れ、近くのバギオ墓地へ身を潜めた。

＊

米軍三十三歩兵師団付き天羽賢治は、バギオ陥落と同時に、ジープと徒歩でベンゲット道路を進み、バギオに到着した。師団の仮司令部が設けられているゴルフ場のカントリー・ハウスに入ると、

「ヘーイ　ケーン」

背後からぽんと肩を叩かれた。チャーリー田宮であった。

「やあ、いつ、ここへ?」

「ケーンより六時間ぐらい早かったよ、報道班と一緒に観測機で到着したんだ」

三十七歩兵師団付き語学将校であるチャーリーは、マニラ陥落後、リンガエン湾の北サンフェルナンドにある第六軍《ザ・シックスアーミー》司令部で暫し、捕虜尋問や捕獲文書の翻訳に携わり、

三十七師団がナギリアン道路からバギオを攻めることになると、再び前線の語学将校として、活躍したことを得々と話した。

「それにしても、ケーンはベンゲット道路を、僕はナギリアン道路を、共にバギオに向って攻め登っていたとは偶然だなあ」

「日本軍の捕虜は相当数、いるのかい」

賢治は、七十一連隊にいる弟のことが気懸《きがか》りで、聞いた。

「沢山いるが、皆、置き去りにされた病人や歩行不能の負傷兵だ、これという目星《めぼ》しい奴は、自決か、薬殺されている」

「そうか、しかし、まだ完全に掃討したわけではないのだろう」

「さっきから歩兵がやっている、北方へ撤退したとはいえ、逃げ遅れた日本兵が脱出の機を窺《うかが》っているらしい」

「チャーリー、頼みがある」

「何だ、突然――」

賢治の容易ならぬ表情に、チャーリーは、嚙んでいたガムを吐き出し、各師団のG2や連合軍の報道班が騒めいている傍から少し離れた処で話そうと、促した。

「チャーリー、弟が旭兵団、つまり二十三師団七十一連隊に所属し、この戦場へ来ているんだ」

「なんだって！　ナギリアン道路を最後まで死守し、バギオに入りかけた米軍戦車部隊に肉迫特攻をしかけて来たのは、その七十一連隊だぜ、そのためにバギオ陥落が、三日間延びたのだ」

「すると、もしや弟は……」

「戦車に体当りしかけて来た奴は、全部、死んだが、今までのリストにはアモウという名前は、なかったぜ」

「ほんとか」

「だが、どこも、かしこも、死体の山だ、君の弟が生きていると思う方が、無理かもしれんよ」

「覚悟している、しかし、一縷《いちる》の望みを托《たく》して、これから三十三師団の先遣《せんけん》隊に加わり、掃討に出かける、君の方でも、もしアモウ・タダシというのが、リスト・アップされたら、すぐ報《しら》せてくれ」

「OK、だが、気をつけて行けよ、日本軍にいるタダシの方は、君がこの戦域にいることを知らないのだろう、向うからぶっ放されて、殺されないようにしろよ」

「うむ……」

賢治は重苦しく頷き、三十三師団の先遣隊と共に行動を開始した。

日本軍の敗残兵が脱出を試み、集って来るのは北のアンブクラオ方面へ通じるナギリアン道路頂上付近と考えられた。その少し下に、地図の上では大きな墓地がある。

「相当、広そうだな、墓石と樹木が多いと、敗残兵が隠れやすい、当然、こちらも狙撃されやすいが、行ってみるか」

「そこまでは、どのくらいの距離があるのですか」

「約五十キロぐらいだろう」

「五十キロ――」

四人は、絶句した。そして夜になるのをひたすら待った。

忠たちが潜んでいる処は、バギオ墓地の中の一角にある日本人墓地で、日本名の墓碑がずらりと列んでいる。二週間前まで忠たちが死守していたベンゲット道路を建設するため、遠く明治に出稼ぎに来た日本人労務者たちの墓であった。彼らの多くは、熱病や事故で死んで行ったが、その後、当地に残って成功した農園経営者や商人がこの墓を建てたのであった。

がやがやと人の気配がした。延び放題になった雑草の間から様子を窺《うかが》うと、米兵が十数人、墓地をおりて来る。少尉以下、忠たちは、日本人墓地から東へ広がる西洋墓地の方へ足音をしのばせて移動した。

日本人の簡素な墓石と異り、西洋墓地は、巨大な石の寝《ね》棺《かん》や、白ペンキ塗の墓家、花や鳥を刻んだ装飾的な墓などが、並んでいる。

息を殺すようにして大きな墓石に体を張りつけたが、十分が一時間の長さに思えた。米兵は、五、六人一団になって、次第にこちらへ歩いて来、生きた心地がしなくなった。

相手方の動きに応じて、そろりと移動をして、一息ついた時、一際《ひときわ》大きな墓石の反対側で突然、英語の話声が聞えた。

「オハイオ州出身の歴戦の勇士である先遣隊長が云った。

*

バギオ墓地に逃げ込んだ通信隊少尉が指揮する忠たち五人は、連隊本部のあとを追う退路を話し合った。間近《まぢか》の松林が砲撃を受けて、山火事のように燃え上り、忠たちが潜《ひそ》んでいる墓地まで火の粉が飛んで来た。

「少尉殿、戦車隊のみならず、米軍の歩兵部隊まで跋扈《ばっこ》しているこのバギオ市内を北へ抜けて、ほんとうに連隊本部に追いつけるのでありますか」

二等兵が不安げに聞くと、二十三歳の少尉は、

「まだバギオ市内には、われわれのように取り残された日本軍将兵が随所にいて、戦闘は続いている、米軍も夜は警戒して行動しないだろうから、夜陰にまぎれて脱出すれば、七十一連隊が撤退の殿《しんがり》を勤めていることだし、追いつけるだろう」

幾分、心もとなげに応えた。

「脱出路は、どこを選ばれるつもりなんです」

鬼頭軍曹は、用心深く聞いた。

「われわれが敵潜入地域の斥候に出る時、指示された撤退路は、バギオからアンタモックに出、アグノ川の峡谷に入り、峡谷沿いに上流のアンブクラオに向えということだった」

「疲れたな、パトロールの終る時間まで、ここに隠れて一休みしようじゃないか」

「それがいい、ジャップを探し出すのは、ジャップの語学兵に任せておけばいいんだ、あいつらは、くそ真面目でよく働くからな」

「ジャップが、ジャップ狩りするとは、軍のおえら方もよく考えたものだ、おい、煙草あるか」

中西部の訛《なま》りがあった。

煙草の煙が流れて来て、忠はむせそうになるのを我慢した。ジャップがジャップ狩りするというのは、日系二世が日本語を駆使して、日本軍将兵を捕虜にする意味なのだろうかと、強いショックを受けた。

少尉の目配せで、墓石の向う側に位置している敵から遠ざかりかけると、ババーンと思わぬ方向から、銃声が轟いた。

「おい、見つかった、逃げろ」

少尉が云い、忠たちは墓石と雑草の間を縫《ぬ》って、逃げた。忠と鬼頭軍曹は、少尉たちにはぐれた。追撃して来る銃声は、三方、四方から迫って来るようだった。

忠は、鬼頭軍曹の後に随いて墓石を盾《たて》にして逃げ、西洋墓地の端まで来た時、墓石越しに、四人の米兵が銃を構えているのが眼に入った。僅か十メートルほどの間隔であったが、米兵たちは別の方向に銃口を向け、忠たちには気付かなかった。右旋か、左旋か、とっさの判断に迷っていると、右から二番目の色の浅黒い将校だけが気付き、視線が合った。その瞬間、危く声が出そうになった。向うも濃い眉の下の眼に驚愕の色が奔《はし》り、唇が動くのがはっきり見えた。それは、兄の賢治であった。

——Really　you?

忠は驚きのあまり、とっさに英語が口をついて出そうになった。二秒、三秒——、兄弟は墓石を隔てて、互いの顔を喰い入るように見詰めた。

賢治は、墓石越しに向い合った弟の痩せさらばえた顔に、凝然とした。予《あらかじ》め、忠の戦友である捕虜の伊佐新吉から話を聞いていなければ、すぐには見分けがつかないほど変り果てていた。

弟は明らかに、助けを求める眼ざしを向けている。弟の横にいる人相の悪い軍曹さえいなければという思いで、弟から眼を離さず、そっと前へ進みかけると、パトロール隊長が、賢治の気配に気付き、くるりと向きを変え、身動き出来ずにいる忠と軍曹を発見すると、昂奮して銃口を向け、他の白人兵も引金に手をかけた。

「ホールド・アップ！　両手を上げて投降しろ！」

賢治は、米兵たちの発砲を制し、弟に向って投降を呼びかけた。日本軍の軍曹は一瞬、躊躇《ためら》う気配を見せたが、歯を剝き出し安全装置をはずした。

「忠、こっちへ来い」

思わず弟の名を呼んだ途端、賢治を目がけて、ババーンと軍曹の銃口が火を噴き、墓石の角が、ばしっ、ばしっと砕けた。それを機に米兵のライフルが唸った。

「忠、投降しろ！　殺されるぞ！」

賢治は地面を這い、もう一つ前の墓石まで進んだ。

「ケーン、進むな、危い！」

中尉が怒鳴った。

「弟だ、俺の弟なんだ！　銃撃戦を止めてくれ！」

賢治は、中尉に向って必死に頼んだ。中尉は、直ちに発砲を停止させた。忠と軍曹は、その間に弾をこめつつ、じりじりと後退した。

「弟だって？　銃を向けているではないか」

「傍《そば》に上官がいるからだ、頼む、俺の弟を撃たないでくれ！」

賢治は、気も狂わんばかりに米兵に叫び、中尉の制止を振り切って、じりじりと前進した。ビュン！　弾が、賢治のヘルメットを掠《かす》めた。だが、怯《ひる》まず、墓石伝いに、一歩、また一歩と賢治は弟に近付いて行った。

「ノウ　ノウ！」

忠は顔をひき吊らせ、頭を激しく振りながら後退《あとずさ》りしたが、銃口は賢治に向けられている。万一、不幸にして戦場で弟に出会ったなら、たとえ弟が発砲して来ても、自分は弟を撃てない、弟になら撃たれてやろうと、かねて覚悟を決めていたが、自分に銃口を向け、次第に追い詰められている弟の異様な表情は不気味であった。

「忠、投降しろ！　もう逃げられないんだ、逃げると、殺されるぞ！」

忠の傍にいる軍曹にも解るように、日本語で云うと、いきなり、軍曹が、忠の背中に銃口を押し当てた。

「近寄るな！　これ以上、近寄ると、こいつをぶっ殺すぞ！」

恐怖にひき吊った声で、叫んだ。賢治の足は、釘付《くぎづ》けになった。それにつけ込むように軍曹は、賢治を目がけて発砲したが、弾がきれ、空しい音が鳴った。その瞬間、忠は、軍曹の傍から脱兎《だっと》の如く走り出した。だが、米軍に向ってではなく、日本軍の撤退路になっている下り坂の叢《くさむら》の方向だった。軍曹も、手榴弾を米兵に投げつけるや、忠と同じ方向に走った。手榴弾は、小さな墓石を真っ二つにしただけで、米兵たちは、すかさず二人を追って、銃撃を開始した。

下の谷から、バギオ特有の厚い霧が湧《わ》き上り、行く手の視界を遮《さえぎ》るように流れ出した。

賢治は、語学将校であることを忘れ、歩兵たちとともに走った。

賢治は何としても自分の手で弟を救いたかった。日本軍が退却して行く方向に逃げて行けば、途中で米兵やゲリラに撃ち殺されるか、飢え死にするか、どちらかしかない。それだけに視界のきかない霧の中を這ってでも弟を摑えたかった。背丈ほどの萱の茂みに分け入った時、七、八メートル先の茂みに、軍曹が素早くしゃがみ込むのを見た。賢治は息を殺し、霧を払うようにそろりと進むと、目算より近い距離の茂みの根もとにゲートルを巻いた足が、守宮《やもり》のように地面に貼《は》りついているのが見えた。弟の背に銃口を突きつけた卑怯な軍曹の足を目がけて賢治は、発砲した。生れてはじめて引金をひいたのだった。

「うおっ！」

悲鳴が上り、たち上ろうとしたが、もんどりうって、倒れた。駆け寄り、その顔を見た途端、賢治は、あっと息を呑んだ。それは弟の忠だった。

「忠！　忠！」

全身の血が逆流し、体の平衡《へいこう》を失いながら、弟の体を抱き起した。

「……な……なぜ……」

下半身、血に染った忠は、定まらぬ眼で、賢治を見上げた。

バギオのゴルフ場に仮設された米軍野戦病院は、捕虜になった日本軍負傷者で一杯だった。

墓地で負傷し、捕虜になった忠は、昨日来、腕と臀部《でんぶ》に何本もの注射をうたれ、左大腿部盲管《もうかん》銃創による高熱と激痛は、ややおさまりつつあった。

軍医が白いペニシリンの粉末を蒸留水で溶かし、忠の臀部に四本目の注射をして、テントから出て行くと、

「どうだ、タダシ、大分、楽になっただろう、昨日は出血多量で意識朦朧としていたから解《わか》らなかったろうが、ケーンがつきっきりだったんだぜ」

チャーリーは、傷病者用テントの中もかまわず、煙草をふかし、その顔を窺《うかが》ったが、忠は瞼《まぶた》を閉じたまま、応《こた》えなかった。

「おい、タダシ、傷はそんなに重くないようだぜ、それに二世という君の特殊な立場を考慮して、一人用テントにしてやった、だから気兼ねすることもない、もう、そろそろこちらの質問に答えてもいいだろう」

「——」

「君の所属する旭兵団七十一連隊の連隊本部は、どこに行ったんだ、君らはどのルートでバギオから連隊の集結地へ辿《たど》り着くつもりだったんだ、さあ、答えろ、そしたら、あとは眠り放題、喰い放題にさせてやるよ」

「——」

「なぜ、答えない！　撃たれたショックはわかるが、何度も繰り返したように、ケーンは誤って撃ったんだ、それだけはわかってやれ」

チャーリーは苛だたしげに、煙草の煙を吐いた。

「しかし……相手が僕でなくても、あの、あの兄が……日本兵に向って銃を撃つなど、信じられない、ロサンゼルス

にいる時、兄が云っていたことや、加州新報に書いていたことと、違いすぎる」

忠は、怒りをぶっつけた。

「そう怒るな、ここは戦場なんだぜ、今度の場合、たまたまケーンが発砲したが、君が誤って、米軍の服を着たケーンを撃つ場合だってあったかもしれんのだ、冷静に考えてみろ、君は今まで何人の米兵を撃ち殺したんだ」

「——」

「都合が悪くなると、だんまりか、まあそんなことはどうでもいい、俺がタダシから聞きたいのは、七十一連隊の撤退ルートだ、早く答えろよ、忙しくてそうそう君の尋問にばかり、かかずらわっていられないんだ」

「……では、尋問調書は空白にしておいて下さい」

「冗談じゃない、大体、俺は日本の上等兵程度の尋問などしない、ケーンが非常なショックを受けているから、上官の指示で、ケーンに代って、俺が受け持っただけなんだ、他の語学兵に任せないのは、特別扱いなんだぜ」

つけ上るな、と云わんばかりに怒鳴りつけた。

「あなたが米軍でどれほど偉いか知らないが、特別扱いなど……して貰いたくない、連隊本部の集結地は答えない」

「ふーん、ケーンにしろ、君にしろ、天羽の頑固《がんこ》親爺《おやじ》の血は諍《あらそ》えないな、ま、適当に書き込んでおいてやるよ、君一人、黙秘を通しても、七十一連隊がどこへ撤退したか、どうせ他の捕虜尋問と捕獲文書で解明できるんだ」

「その……術《て》には乗らない」

忠が、大腿部の痛みに耐え、撥《は》ねつけると、チャーリーは分厚い唇をにやりとさせた。

「痛くて話せないなら、無理しなくていいぜ、連隊の集結地点は北方の山脈の最高峰であるプログ山麓のアンブクラオだろう、撤退ルートは第一がバギオからトリニダッドに出て、ボントック道を経て、二十一キロ地点から山下道《やましたどう》を南下する、第二はバギオからアンタモックに出、アグノ川峡谷に入り、上流のアンブクラオへ、第三はベンゲット道路からイトゴンに出、やはりアグノ川峡谷へ、ということらしい、君はどのルートを撤退することになっていたのだ」

忠は、激痛に脂汗をかきながらも、驚愕《きようがく》した。上等兵の自分はもとより、なまじの将校さえ知らないような日本軍の情報を、米軍の方が知っているのだ。しかもそれは日本語を解する日系二世の将兵によって——。

「チャーリー、どんなに追及されようと、僕は答えない」

「では、兄貴にだったら話すか、希望とあればそうしよう」

「いや、会いたくない」

「なら、勝手にしろ、これ以上はお前さんの相手になっておれないんだ」

チャーリーは、そう云うなり、慌しくたち去った。

賢治は、軍医から弟のその後の経過を聞き終ると、

「そうですか、まだ弾は摘出できないのですか」

一睡もしない憔悴《しょうすい》しきった顔で呻いた。

「うむ、大腿部四頭筋《しとうきん》に変形弾が留まって、傷が深く破傷風の感染を起しやすいから、衛生設備が整っていないここより、摘出手術はマニラの病院でやる方がいい」

「弟が完全に癒るまでに、どのくらいかかりますか」

「口径四五の弾だから、スムーズに行って一カ月ぐらいだ」

「跛《びっこ》とか、神経が痛む後遺症は残るのでしょうか」

「そんなに心配することはないだろう、戦争では、あの程度の負傷は大した部類には入らない」

ぶっきら棒に応えたが、深刻な賢治の顔に気付き、

「そう思い詰めるな、トランキライザーでも出そうか」

「結構です、それより弟を出来るだけ早くマニラの病院へ移すよう、お願いします」

「君の弟より重傷で、早くマニラへ送らねばならない捕虜が多くいる、だが君たちの場合は、あまりにも悲惨な出来事だ、まさか、兄弟同士でこんなことが起るとは……、一人の捕虜だけ特別扱いは出来ないんだが」

軍医は、賢治の胸中を慮《おもんぱか》るように、マニラへの移送をそれとなく引き受けた。

賢治は、G２（情報）のテントを覗《のぞ》いて見たが、チャーリーの姿は見当らない。雨上りのゴルフ・コースを見渡すと、ところどころ、爆撃の大きな穴があいているが、伸びた芝生の先がきらきらと光っている。誤りとはいえ、弟を撃ってしまった賢治には、あまりにも和やかで、静かすぎる光景であった。不意に涙があふれ、慟哭《どうこく》しそうになるのを辛うじて抑え、忠が収容されている捕虜テントへ向った。

日本軍の捕虜の大半は、傷病兵だが、現地人の民家に潜んでいるところを見つかって、米軍につき出された卑怯な将校、下士官もいた。

「ケーン、髭も剃らずに忙しそうだな」

顔見知りのMPが、声をかけたが、賢治は頷《うなず》いただけで、弟のテントへ入った。

忠は、眠っていた。毛布で掩《おお》ってあったから、大腿部の包帯は見えないが、土色にひからび、痩せた弟の顔を見ていると、まるで遺体に対面しているようだった。

この弟の足に、自分の発射した弾丸が喰い込んでいるのかと思うと、再び涙が噴き上げてきた。すまない——、それは忠に対する思いと同時に、両親に対する謝罪でもあった。

ふと、忠が寝返りをうち、苦しげな声を上げて、眼を覚ました。

「忠、大丈夫か」

賢治が覗き込むと、忠は暫し、痛みに耐えるような眼で賢治を見詰めたが、すぐ視線をそらした。

「俺だ、賢治だよ、解るか」

忠は、応《こた》えなかった。

「痛いか、医者を呼ぼうか」

「要らない」

取りつきようのない素《そ》っ気《け》なさで、拒んだ。

「忠、お前の背中に銃を突きつけた軍曹を撃つつもりで発砲したのが、こんなことになってしまった……」

賢治は、体を乗り出し、弟の視線を捉えるように詫びた。

「——軍曹は、どうしたのです」

「誤射した時の騒ぎにまぎれて、逃亡してしまった」

その途端《とたん》、忠は歪んだ笑いをうかべた。

「今、軍医に、できるだけ早く設備の整ったマニラの病院へ送り、完璧な治療が受けられるよう頼んでおいた、それまで我慢してくれ」

と云うと、忠はそっぽを向いたまま、

「キャンプ3《スリー》で、あんたが書いたらしい投降勧告ビラを読んだよ」

冷やかに云った。

「そうか、俺も日本軍の二十三師団七十一連隊にお前がいるらしいと知り、もしやという気持で書いたのだ」

「まさかあんたが米軍でそういう仕事に携っているとは……、勇はどうしている？」

「……勇は、死んだよ」

「え、どうして！　まさか日本軍に……」

忠の顔に、はじめて肉親の反応が甦った。

「そうではない、勇はヨーロッパ戦線へ行くことを志願し、昨年、ドイツ軍に包囲されたテキサス部隊を救出する戦闘で戦死した、その時、俺はまだミネアポリスのキャンプ・サベージにいたから、父さんたちがいるツールレークの収容所へ行って、勇の認識票と殊勲十字章を受け取った」

「あの勇が……まだ十九歳の勇が……」

忠の眼に涙が膨《ふく》れ上った。賢治はもはや継ぐべき言葉もなく、弟の手を握りしめた。だが、忠はその手を払った。

「どうせ撃つのなら、殺してくれた方が、よかったのだ……」

「馬鹿なことを云うな！　戦争はもうすぐ終る、父さんは、一人だけ日本に残ったお前のことを、どれほど心配しているか——」

賢治が言葉を途切らせた時、衛生兵が担架を持って、入って来た。

「ナンバー七一三八、タダシ・アモウだな、マニラへ送る」

捕虜番号を確かめ、担架に移すと、赤十字マークのついた移送車に運んだ。

中には五、六人の重症者が、呻き苦しんでいた。忠は後部の扉近くの空間に横たえられた。

「忠、バギオの戦闘が終ったら、いずれマニラへ行くから、必ず訪ねて行く、何か困ったことがあったら、俺を呼び出せ、第一軍団司令部付き語学少尉の天羽賢治と云えば、いつでも連絡がとれるようにしておく、いいな」

離れ難い思いを籠めて、云った。忠も一瞬、不安そうな眼ざしをしたが、遂に返事はしなかった。

扉がばたんと閉められた。賢治はその移送車がゴルフ場の道を曲り、見えなくなるまで見送っていた。

＊

八月のマニラは、肺の中まで蒸《む》せ上るほどの蒸し暑さであった。

賢治は、マニラ市内にあるビリビット捕虜収容所にいる弟の忠を訪ね、左大腿部の変形弾が巧く摘出され、何の後遺症もなく、一般作業に加わっている姿を確かめ、ほっと救われた思いで、ATIS（連合軍翻訳通訳部）のオフィスへ戻って来た。

バギオ陥落後、軍団命令によって、賢治はマニラのATISに転勤を命じられたのだった。

マニラのATISは、二千人以上の人間が、その日から仕事が始められることという条件のもとに、マニラ郊外のサンタアナ競馬場の観覧席《スタンド》を支えているコンクリートの建物が選ばれたのだった。

そこには太平洋戦線で集まった膨大な捕獲文書を翻訳するトランスレーション・セクション、捕虜を尋問するインテロゲーション・セクション、日本軍の戦闘序列や将校名簿を調査するオーダー・オブ・バトル・セクションの三部門があり、さらに日本上陸作戦のための特別チームが組まれていた。

既に沖縄も陥ち、いよいよ、日本本土上陸を前にして、日系語学兵も戦闘部隊に編成されていた。それは、一般市民に恐怖と被害を与えぬように、まず日本語で呼びかけ、行動するためであった。だが、太平洋地区の三千人の語学兵のうちAクラスと認められる翻訳、通訳官は僅か百名余りで、若い語学兵に至っては、日常会話すら満足にできない者もいたから、ケネス阿川やジロー大野クラスが、教官になって、日本語の特訓を行っていた。

Aクラスの賢治や、チャーリーら十七名は、ATISの一角にある扉を閉ざした部屋で、生ゴムで立体的に作られた日本の主要都道府県の大きな模型を囲んで、師団の所在地、兵力、軍事施設、軍需工場の場所を確認する任務にあたっていた。特に米軍の上陸地点として予定されている宮崎、藤沢、鹿児島の三箇所は、詳細に調査するように命じられた。

賢治にとって、鹿児島の地形地誌は、一つ一つ手に取る如く解り、少年の頃、遊んだ山や川、青年期に廻った名所旧蹟は鮮明に瞼にうかび、こみ上げて来るものがあった。

「ケーン、忙しいんだぜ、妙な感傷になど浸っている時じゃないよ」

チャーリーらしい云い方で、賢治の肘《ひじ》をつついた時、白人で、日本語の達者なトッド中尉が、扉を蹴るようにして入って来た。

「おい、ビッグ・ニュースだ、G2のウィロビー少将から、ここにいる日本上陸の特別チームにのみ報せるようにということで、重大な極秘情報を伝える」

トッド中尉の緊張した顔に、異様な気配を感じた。

「昨日、日本時間、八月六日午前八時十五分、米空軍機は、日本の広島に新型爆弾を投下した、ワシントンの発表によれば、史上最強のグランドスラム爆弾の二千倍以上の威力を持つアトミック・ボン（原子爆弾）である、それはただ一発の投下で、一つの都市を壊滅する力を持つ、米軍は、戦争の終結を早めるために使用した、これによって日本軍部は間もなく降伏するだろう――、以上が、極秘情報の内容だ」

と伝えると、一同は、総だちになった。

「たった一発で、一つの都市を壊滅するアトミック・ボンというのは、どんなものか、詳しく説明しろ！」

「広島は無くなったのか！」

口々に険しく迫った。トッド中尉は顔を硬ばらせ、

「ウィロビー少将は、アトミック・ボンの内容については、詳細に解らないが、日本軍の降伏が確実になったとだけ云われた」

「勝ちさえすればいいというのか、俺たち二世の両親は広島出身が一番、多いんだぞ」

「そうだ、僕の母親と妹、それにワイフだったナギコも、皆、広島にいる――」

チャーリーも云った。賢治は、トッドの前にたった。

「もし、このことが、捕虜収容所にいる日本軍将兵の耳に入ると、大へんなことになる、彼らに無駄死をせず、日本の故郷の両親や妻子のことを思って銃を捨てろと、投降を勧《すす》めておきながら、その日本の家族が殺されたとあっては、捕虜収容所内で不穏な動きが起るかもしれないぞ」

と云いながら、賢治は、このことを聞き知った時の弟のショックを気遣った。

その日の夕方、賢治は、マニラ市内からジープで十五、六分のところにあるラスピニアス教会へ向った。

原子爆弾の投下を知り、一発で広島を焦土に化し、多くの市民が殺傷されたと聞いて、いいようのない恐怖に襲われたのだった。

夕方に近かったが、教会の門は開《あ》いていた。スペイン統治時代に建てられたバロック風の古い石造りの建物で、人影はなく、荒れ果てていたが、ステンドグラスが強烈な夕陽《ゆうひ》を受けて燦《きら》めいていた。祭壇と反対側の中二階から、柔らかなパイプオルガンの音が響《ひび》いて来た。その方を仰ぐと、三メートルほどの長さの竹を何本も使って作られたバンブー・オルガンで、素朴で静かな音を奏《かな》でていた。弾いている人の姿は見えないが、死者を弔い、神の救いを求めるような曲が奏でられている。

賢治は祭壇に近付き、跪《ひざまず》いた。賢治の脳裡に、昨年十月、ワシントンの国防省に呼ばれて、日本の外務省と駐独日本大使館との間で交された難解な鹿児島弁の暗号電話を解明したことが、生々しく思い出された。

その暗号電話は、日本の外務省から、駐独日本大使館に向って、「巨大なものの話は、こちらで早く知りたいと焦っている」と催促する言葉から始り、

――巨大なものは、驚くほどの力を持っているが、作男たちが姿を消した。

――その作男たちは、どこへ行ったか解らないか。

――作男たちは、スウェーデンからイギリスへ出た様子だから、米英側で生れる可能性が大である。

という応答であった。そうだ、あの時の巨大なものというのが、あるいは日本の広島に投下された巨大な力を持つ原子爆弾のことではなかったろうか――。もし、そうだとして、あの暗号電話の解読が、米国における原子爆弾製造を早め、広島へ投下することに、何らかの役割を果したのであれば……。賢治は、日系二世としての自分の行為の怖しさに慄《おのの》き、神に救いを求めるように、ひたすら祈った。

チャーリーは、アメリカ本国からマニラに着いたばかりのワシントン・ポストを手に、賢治を探していた。

「ケーンなら、さっき出かけたよ」

サンタアナ競馬場のＡＴＩＳで、すれちがった同僚が云った。

「どこへ行った？」

「さあ……、フィリピン・ヘラルド社の方かもしれませんね」

それはマニラの新聞社で、そこに対日戦線向けの『落下傘ニュース』や日本本土に投下する投降勧告ビラ、空襲警告ビラを作成するＯＳＳ所属の機関があった。

「ヘラルド社には電話したが、行ってなかった」

「では、見当がつきませんね」

語学兵は、忙しげに通り抜けて行った。

チャーリーは外へ出た。荒れ放題の観覧席《スタンド》まで足を伸ばし、グラウンドを見廻したが、ぎらぎら照りつける太陽の下に人影はない。

チャーリーは、爆撃で屋根が半壊した日陰にあるベンチに蹲《うずくま》るように坐った。

ナギコは、死んだかもしれない――、ワシントン・ポストに載っている不気味なキノコ雲を見て、チャーリーは頭を抱え込んだ。今まで広島に空襲が殆んどないのは、アメリカへの移民者が多く、日系語学兵にも広島出身者が多いため、米上層部に何らかの配慮があるのだと、ＡＴＩＳではもっともらしく噂されていたが、とんだお笑い草であった。無傷同然に温存しておいたのは、原子爆弾《アトミック・ボン》の威力を計るための配慮がなされていたからにすぎなかった。

ニュー・タイプの爆弾が広島に投下されたと聞いた時は、その威力まで解らなかったが、ワシントン・ポストで原子爆弾なるものの写真と、想像を絶する破壊力を知った途端、顔からさっと血の気がひき、膝頭《ひざがしら》ががくがく震えた。

八月六日、午前二時四十五分、南太平洋マリアナ諸島テニアンから出撃したB29は、午前八時十五分、広島市中心部上空約三万フィートで一個の原子爆弾を投下した。四十三秒後には強力な閃光が地上を突き刺し、すべてのものを一瞬のうちに焼き尽すとともに、凄じい爆風が巨大なキノコ型の雲となって空に突きたち、数時間にわたって赤、緑、黄、青の閃光を放ちながら、爆発を繰り返し、やがて雷を伴う豪雨となって、広島の市街に降り注いだという。

ナギコは死んだのか、再婚した母と妹は、その閃光を浴びたのだろうか。ロサンゼルス郊外で手広く胡椒《こしょう》畑を経営していた父がホールド・アップに遭《あ》って射殺された後、まだ小学生の自分と妹を連れて広島へ帰ったものの、一年を経ずして貧困に負け、一介の県服行商人のもとへ、子連れで再婚した母。それを許せず、十四歳で一人、アメリカへ飛び出した後は、彼女らの生死にも無関心のはずだったが、奇怪な雲の写真を見、記事を読み、目眩《めまい》が起りそうなショックに襲われた。

畜生！　白人奴《め》、何てことをしやがる！　チャーリーは新聞をひき裂き、ベンチに爪をたてて泣いた。それは日頃の白人志向の強い男の姿ではなく、まさに日本人、広島県人の姿だった。

「――チャーリー」

肩に手が触れた。賢治であった。

「オフィスへ戻ったら、僕を探していたとか――」

スタンドの下に落ちている新聞を見、賢治は、チャーリーの心情を汲むように、云った。

「ケーン、ナギコは死んだんじゃあないだろうか……」

「大丈夫だよ、彼女の郷里は市内ではなく、田舎の方なんだろう、いくら原子爆弾の威力が凄いといっても、田舎まで被害は及ばないはずだよ」

「気休めはやめてくれ！　戦時中とはいえ、ナギコが親爺さんたちと一緒に百姓仕事などしているはずがないじゃないか」

チャーリーは、眼を充血させていた。

「だが、彼女のことだ、きっと難を免れているよ、それより君のお母さんや妹さんは、どうなんだ、広島市内ではなかったと思うが」

「行商人風情に養って貰っている奴らのことなど、知るもんか」

「強がりを云っている場合じゃないだろう、住いはどこなんだ」

「尾道《おのみち》とか聞いていたが、広島市へ出ているかもしれん、何しろ行商だからな」

吐き捨てるように云いながら、チャーリーは激して来る感情を抑えられず、咽喉を鳴らした。賢治は慰める言葉もなく、黙って傍に坐っていた。

チャーリーの気持が鎮まるのを見届けると、賢治は一人、オフィスへ戻った。妙に騒然とした気配が漂っている。

「何かあったのか」

ケネス阿川に聞くと、ATISのヘッドであるナッシュ大佐が、口髭をたくわえた顔に昂奮の色をうかべて近付いて来、

「日本が手を上げるそうだ、エンペラー・ヒロヒト自ら敗戦を告げるメッセージを全国民に向けて放送することになったらしい、日本語のよく出来る者を集めて、いつでも天皇の放送内容を聴き取ることが出来るよう、シモノフ、デビッド加藤とも相談してチームを組んでくれ」

唖然《あぜん》としている賢治に、ロシア系アメリカ人のシモノフ翻訳課長と二世の係長の名をあげて、命じた。

「しかしナッシュ大佐、天皇が直々《じきじき》に国民に話すことなど考えられません、何かの間違いでは」

「ところが事実なんだ、マッカーサー元帥周辺の情報では、無条件降伏を告げる天皇の放送は、既に録音され、レコードが日本銀行の地下金庫に保管されていて、なお戦争続行を主張する陸軍さえ説得すれば、いつでも放送はOKらしい」

無条件降伏――、賢治の脳裡に原子爆弾の奇怪なキノコ雲がよぎった。


「ケーン、エンペラーの言葉は、普通の日本語でもなく、軍部の用語でもなく、非常に特殊で難解な言葉らしいな」

「多分、そうでしょう」

「エンペラー・ヒロヒトが、無条件降伏することを、天皇のために死んで行った多くの将兵や国民にどう告げるのか、興味津々だよ」

ナッシュ大佐は、神秘なものを一刻も早く聴きたげな表情で云った。

「天皇の放送は、いつ頃ですか」

「明日か、明後日《あさって》かそれは解《わか》らん、しかし抜かりなく頼むぞ」

と念を押し、慌しく出て行った。

「ケーン、天皇の言葉って、例えば神主の唱える祝詞《のりと》のようなものですか？」

一人の語学兵が、真剣な顔で聞いた。

「え？　ノリトだって！　そんなの活字でならともかく、放送だったら、何が何だか解らない、僕ははずして下さい」

「僕もメンバーに入れられたら、ノイローゼになってしまうだろうな、天皇は自分のことを、マロというのでしょう？」

「マロは京都の公卿《くげ》言葉だ、天皇はチンと云うんだ」

「チン？　あの犬のチンか、男のチンチンのチン」

日本語には自信のある語学兵たちも、口々に大真面目に

云い、尻込みした。

やがて、原爆投下から九日目の八月十五日、マニラ時間午前十一時、短波ラジオから天皇の玉音放送が流れた。

朕《チン》深ク世界ノ大勢ト帝国ノ現状トニ鑑《カンガ》ミ非常ノ措置ヲ以《モッ》テ時局ヲ収拾セムト欲シ茲《ココ》ニ忠良ナル爾《ナンジ》臣民ニ告ク
朕ハ帝国政府ヲシテ米英支蘇四国ニ対シ其ノ共同宣言ヲ受諾スル旨通告セシメタリ
……敵ハ新《アラタ》ニ残虐ナル爆弾ヲ使用シテ頻《シキリ》ニ無辜《ムコ》ヲ殺傷シ惨害ノ及フ所真ニ測ルヘカラス而《シカ》モ尚《ナオ》交戦ヲ継続セムカ終《ツイ》ニ我民族ノ滅亡ヲ招来スルノミナラス延《ヒイ》テ人類ノ文明ヲモ破却スヘシ……朕何ヲ以テ億兆ノ赤子ヲ保シ皇祖皇宗ノ神霊ニ謝セムヤ是レ朕カ帝国政府ヲシテ共同宣言ニ応セシムルニ至レル所以《ユエン》ナリ……

日本の敗戦——、それがはっきり解った瞬間、語学兵も白人兵も総だちになり、広いオフィスに、天井を貫くような歓声が湧き上り、狂気のように抱き合った。
そんな中で多感な青少年期を日本で過した帰米二世はおし黙り、賢治も米軍捕虜収容所にいる弟の忠、日の丸組としていまだに強制収容所に隔離されている父母、妹のことを思い、自分の立場の苛酷さに、拳《こぶし》を握りしめて耐えた。

＊

八月三十日、マニラから日本占領に向けて飛びたつマッカーサー元帥の一行に、チャーリー田宮もいた。

マニラの宿舎を出る時、ホールまで見送りに来た賢治に、チャーリーは、

「君が第一陣の通訳団に加わらないのはおかしい、どうしてそう頑《かたく》なに拒むんだ」

残念そうに云った。連合国の報道班の通訳がチャーリーの当面の仕事だった。

「僕には捕虜の弟がいる、忠がどうなるか見極めがつくまではここにいて、残務整理に携わるよ」

「そうか、僕は日本の占領行政でまた一働きするつもりだ」

この間、原子爆弾の新聞記事を見て、一人、競馬場のスタンドで男泣きに泣いたことなど、けろりと忘れたように生き生きした表情だった。

「気をつけろよ、米軍の本土上陸に備えて日本軍の砲台は横浜、九十九里浜に万全の布陣をしている、航空写真で見ただろう」

「先遣隊が東京に入り、大丈夫とサインを送って来たんだ、危険などないよ、航空写真といえば、楽しみにしていた芸者ガールの町、ヨシワラが焼失していたのはがっかりだよ」

「ともかく元気でな」
「サンキュー、ケーンもタダシのことが気懸りなのは解るが、一人前の男だ、自分で解決するよ、べたべたするな」
「――」
「ともかく早く日本へ来い、早く来ないといいポストがなくなるぜ」
「さあ、急がないと遅れるんじゃないか」
「そうだな、じゃ、日本で、いや東京で会おう」
「うむ、椰子や君の家族が無事なら知らせてくれ」
「OK、彼女のことは着いたらすぐ調べる」
チャーリーは精悍《せいかん》な笑いを残し、空港行きのジープに乗り込んだ。

＊

天羽忠は、マニラから南四十八キロのカンルーバン捕虜収容所第一キャンプに収容され、近くのWAC《ワック》（陸軍婦人部隊）のキャンプへ使役に出されていた。左大腿部の盲管銃創は、マニラの米軍病院で摘出手術を受け、直径、二センチほどの窪みを残して治癒していたのだった。

八月十五日の天皇の詔勅《しょうちょく》以来、一カ月たち、敗戦前に捕虜となった者の大半は、北部ルソンの山岳地帯から投降して来る戦友たちのテントの設営に従事していたが、英語の出来る者の一部が、米軍看護婦のキャンプに狩り出され、草むしりや炊事、洗濯などの雑役を課せられた。

「ジャップ！　カモン」

非番でキャンプにいる看護婦が、草むしりをしている忠に、声をかけた。近付くと、二十三、四の看護婦が、セパレートの水着姿で、カットベッドに長々と寝そべっている。忠は屈辱を覚えた。婦人部隊のキャンプで胸や背中にPWとべたべた印された作業服を着せられ、草むしりを強制されているだけでも我慢ならないのに、サングラスをかけ、裸同然の姿で寝転がっている白人看護婦に顎《あご》で用事を云いつけられるなど、ぶん殴ってやりたい衝動に駆られた。

「背中をマッサージしてよ、二晩、徹夜で、十三ものオペレーションのヘルプをして、体が棒のようなの、後で煙草あげるわ」

有無《うむ》を云わさぬように云い、うつ伏せになった。女の肩を揉《も》むなど、いかに敗戦国の捕虜とはいえ、屈辱に過ぎる。

「ジュネーヴ協定によれば、捕虜を私用に使ってはならないと、書いてあるそうです」

英語で、慇懃《いんぎん》無礼に云うと、看護婦は険しい表情で、

「口だけは達者ね、アメリカ生れのジャップかい」

唾を吐きかけるように云った。

「もう一度、云ってみろ！」

あまりの侮辱に思わず、声を荒げると、看護婦はけたたましい悲鳴を上げ、MPが飛んで来た。

「どうしました？　エリザベス少尉」

「このジャップが、暴力を振おうとしたの、こんな不良PWは金輪際《こんりんざい》、キャンプに入れないで！」

看護婦は、くびれた腰に両手を当て、ヒステリックに叫んだ。MPは即座に忠を別室に連行して尋問したが、忠は惨めさのあまり、弁解すらしなかった。

捕虜収容所へ帰るトラックの中で、仲間の捕虜たちが、

「おい、気にするなよ、俺たちだって女のキャンプで飯炊きや洗濯などさせられ、いい加減、頭に来てたが、お前のように白人社会で暮した経験がないので、唯々諾々《いいだくだく》としていただけだ」

「そうとも、こんな使役をしていることなど、恥ずかしくて他人には話せんよ」

口々に慰めたが、慰められるほどに、惨めさが募り、一言も口をきかぬため、可愛い気のない奴だと、仲間からも次第に疎《うと》まれた。

その翌日からは、WACのキャンプ行きの班からはずされ、新たに投降して来る戦友を迎えるテントの設営に廻された。

米軍は、山下奉文《ともゆき》率いる第十四方面軍の残存兵力を約一万と推定していたが、調査が進むにつれ、二万、三万と訂正され、砂糖黍畑が収容所用にさらにつぶされた。

砂糖黍の切株は意外に固く、米軍の食糧で回復した体力でも、へたばりそうで、しばしば手に血がにじんだ。

「おい天羽、いやに殊勝《しゆしよう》に働くじゃないか、こんな作業は、フィリピン式にゆっくりやればいいんだよ」

まるまると肥《ふと》った伍長が、投げやりな口調で云った。

「ですが、最後まで闘い、病み衰えた戦友が、長い道中を徒歩と無蓋車《むがいしや》を乗り継いで下りて来るのでしょう、せめて雨露をしのげるテントだけでも張っておいてやらなくては――」

忠は、額の汗を払い、ぶっきら棒に応え、また切株を掘り起した。

「ニセイさん、そんなに無理して、足の怪我は大丈夫なの」

女形《おやま》の声色《こわいろ》を使うことの上手な捕虜が、わざとふやけた調子で云うと、伍長はにやにや笑い、

「おい、お嬢、あんまりほんとのことを云っちゃ、可哀そうだぞ、俺も直接、聞いた話じゃないが、天羽上等兵は、バギオで米軍側にいる二世の兄と出遭ったのを幸い、急所をはずれた太腿を撃って貰って捕虜になり、マニラの米軍病院で特別扱いの治療を受けて、跛《ちんば》にもならずにすんだらしいぜ、今さらばらすなよ」

とまぜっ返した。お嬢と呼ばれる女形役の捕虜は、体をくねらせ、

「あら、羨しい、あたしたちは、砲弾の破片が体にめり込んだままなのよ」

「その通り！　俺も天羽のように米軍に兄貴がいて、劇的な再会をしていたらなあ」

「そうよ、そうしたら天羽さんのように八百長が出来たってわけ、それにしても出来すぎてるわね、二世の兄は米軍、弟は日本軍にいて、戦場でばったり遭遇し……」

女の声色が終らぬうちに、忠の泥まみれの拳《こぶし》が、びしっと鳴った。

「やったな！」

それを契機に、捕虜たちは作業の手を休め、喧嘩に加わりかけたが、瞬時にして警備兵とMPに鎮められ、忠はまた別室で取り調べを受けた。

忠は、やはり一言の弁明もしなかった。MPは完黙している忠の弱味をつくように、

「なんだ、またお前か、二世のくせに、日本軍に入って戦って、合衆国の反逆者じゃないか」

MPは、侮蔑するように云った。

作業場に戻って来た忠に、相棒の仲間は、

「天羽、どうしてさっきの伍長と女形を徹底的にやっつけないのだ、奴らは同じ捕虜でも人間の屑《くず》じゃないか」

歯ぎしりしたが、

「一人にしてくれないか」

忠は、相棒の言葉を振り切り、遠くに離れた。

八月十五日以後、捕虜たちの態度は明らかに変っていた。まだ戦友たちが飢えながら闘っている時は、たらふく喰っているといううしろめたさがあったが、天皇の終戦の詔勅以来、死んだ奴は運が悪かった、自分たちは運がよかった、あとは帰国の日までせいぜい要領よくたち廻り、達者で帰るだけさという、怠惰で不道徳な利己心が目だってきた。そんな捕虜に限って、負傷し、あるいはマラリアで人事不省中、捕まったと口を揃えて云うが、実際は戦線から逃亡して一人、または集団で投降した者が多かった。

「兄さん、どうして俺を捕虜にしたんだ――」

忠の頬に、無念の涙が滴った。

＊

九月十四日、天羽賢治は、プログ山麓から武装解除が行われるボントック道、五十二キロ地点に向って歩行して来る日本軍の列を見、凝然《ぎょうぜん》とした。それは骸骨が杖をつき、一歩、一歩、歩いて来るのと同然であった。

「あのようにまでなって……」

語学兵の一人が、呟いた。北部ルソン、ボントック道の尚武《しょうぶ》集団の武装解除にたち合う語学兵チームとして、マニラから着任したばかりの賢治たちには、想像を絶する光景であった。プログ山麓から武装解除地点までは険しい山々を幾つも登り下りしなければならず、骸骨のように衰えた日本軍には苛酷な投降への路であった。体力ではなく、生き抜こうとする気力だけが、兵の歩みを辛うじて支えているようだった。

それに対する米軍も、山下奉文指揮下の集団投降とあっ

て、ものものしく警戒し、取り決《き》めに従って五十二キロ地点から一キロほど手前の地点に、フィリピン軍を混えた三百の兵力を配置して、日本軍将兵のすべての弾薬、銃器、軍刀を没収し、語学兵が捕虜名簿を徹底的にチェックしていた。

「盟兵団第五十八旅団の現在員、旅団長以下百三名、他に入院患者三十九名――」

旅団長も、副官も受付けテントで、最後の力を振り搾《しぼ》って威儀を正し、そう申告するのが、やっとの様子だった。

「旭兵団七十一連隊連隊本部第一班、杉崎中尉以下二十二名、他に七十一連隊の者は到着していますか」

中尉の衿章をつけた将校が、賢治に向って聞いた。旭兵団七十一連隊、それは弟の忠が所属していた連隊であった。

「いや、七十一連隊は、あなた達が最初だ」

名簿を見るまでもなく、賢治は応えた。

「そうですか、では連隊長以下、各大隊の集合時刻、午後二時まで待たせて戴きたい」

連隊の先発隊らしい若い将校は、炎暑を避けた道端の萱《かや》の茂みに、引率した部下たちを休ませると、山から降りて来る将兵に眼を配った。

賢治は持場を離れ、その方へ歩み寄った。

「重病人はいませんか」

と聞くと、杉崎と名乗った中尉は、

「あなたは、二世の米軍将校ですか」

と確かめた。頷くと、

「ここにはいません、しかしわが連隊のみならず、五十二キロ地点に辿り着くまでの山中に、今日まで生き長らえながら、投降の徒歩行軍で力尽きた傷病兵をやむなく残して来ています、降伏した以上、たとえ一兵卒といえども保護し、必ず所属部隊に合流出来るよう、各地域の米比軍の末端に重ねて指示して戴きたい」

疲労で体をふらつかせながらも、きちんと頭を下げた。

「了解、だが、八月十五日、天皇の詔勅が下ってから、投降まで何故、一カ月近くもかかったのか、終戦のビラは投下されたはずです」

「八月十六日早朝から、数日にわたり、投下されました、これはその一枚です」

杉崎中尉はよれよれになったビラをポケットから出した。

皇軍将兵ニ告グ。日本帝国ハ天皇陛下ノ命ニヨリ連合国ト講和スルニ至ツタ。直チニ部下兵士ヲ集メ、白旗ヲ掲ゲタ将校ヲ米軍戦線ヘ送レ。サウスレバ部下兵士ヲ秩序正シク誘導スルタメノ必要ナ条件ヲ示ス。

稚拙《ちせつ》な文章であったが、日本の降伏が事実であることは、理解出来るビラだった。

「で、軍使はいつ送ったのですか」

「そのあたりの経緯は、われわれ如き若輩には正確に知り得ません、連隊長一行の到着を待って、お尋ね戴きたい」

「しかし連隊本部付きなら、大体のことは解っているはずでしょう」

「あとから聞いたことですが、八月十六日、英語堪能な軍医を通訳とし、本部付き将校三名が軍使として山を下り、米軍最前線の小学校へ行ったそうです、その後は軍使が持ち帰った降伏条件をもとに、師団司令部、各連隊長クラスで計三度ほどの会合がもたれたようです」

「では、各大隊、あるいは中隊に降伏の指示が出されたのはいつ頃ですか」

「八月二十四日、各大隊、中隊ごとに生存者、戦死者の名簿作成が命じられたので、おおよそ皆、気付いたでしょう、そして九月十一日、師団司令部より各連隊に最後の処置が命じられました」

「というと？」

「軍旗及び秘密書類の焼却です」

杉崎中尉は、唇をひき搾り、こみ上げるものに耐えていた。

「その時点で、七十一連隊の生存者は何人ぐらいでしたか」

「満洲からの動員と現地配属の計五千五百人中、六百十名だったと記憶しています」

「ということは、約九割が戦死……」

思わず、暗澹《あんたん》としていると、

「ハポン、パタイ！　パタイ！（日本人、死ね、死ね）」

どこから入って来たのか、現地人たちが、丸腰になった日本兵に唾を吐きかけ罵った。子供たちもそれを真似、首切りの手真似をしたり、バナナの皮を投げつけた。丸腰の日本兵たちは黙って耐えている。

「——武装解除後、われわれはバギオで将校、下士官、兵に分けられるそうですが、それからはどうなるのです？」

杉崎中尉が、聞いた。

「リンガエン湾の北サンフェルナンドへトラック移送し、そこからは貨車でマニラ郊外の収容所へ送られる、ところで中尉、私は四月末、バギオで七十一連隊所属の兵隊の捕虜尋問に当ったが、負傷、マラリアなどで、やむなく捕虜になったにもかかわらず、非常に恥じていたのが印象に残っている、バギオ以降の七十一連隊の情況を話してほしい」

弟の忠《ただし》のことを思いうかべて聞くと、杉崎中尉は暗い表情で、ぽつり、ぽつりと話しはじめた。


バギオから撤退した七十一連隊は、アンブクラオからさらに北のブキヤス台に防禦陣地を布陣しました。防禦陣地といっても、三個中隊ぐらいの兵力で、機関銃も僅かな状態でした。米軍偵察機が時折、飛来しましたが、追撃はなく、ゲリラを主体とするフィリピン軍との交戦がたまにある程度で、戦闘より食糧探しが深刻でした。

飢餓《きが》地獄——、われわれは食べられそうなものは木の根から草、カタツムリに至るまで食べ、最後は戦友の死体さえ食べたくなるほど飢えていた。「俺が死んだら、俺の肉を喰ってくれ」というのが、死に行く将兵の合言葉のようになりました。誰かが生きのびて、わが隊の戦闘と最期《さいご》を伝えてくれなければ、死んでも死にきれぬ心情でした。

むろん、戦友の肉など食べられるはずがなく、次々に飢え死にして行く。その死に様《ざま》は、骸骨同然に痩せさらばえても、腹《はら》だけは上衣のボタンがひき千切れるほどぱんぱんに張り、やがて瞼や唇など、柔かい部分から一センチ位の黒い虫が群がり、二、三日で食い尽される。あとに残るのはゲートルや軍靴で掩《おお》われている部分で、白骨になるのに一週間とかかりません。そんな無惨なことになる前に埋葬してやりたいが、残った者も、葬ってやるだけの体力がないのです……。私自身も、あまりのひもじさに、敵占領地に近い部落まで下り、民家へ忍び入ったことがありますが、そこで見たのは、稲の穂でも、カモテ（芋）でもなく、日本兵の白骨死体でした。炉を中心にして、二、三十の白骨死体が放射線状になって列んでいたのです。この時ほど飢餓の怖しさ、敗け戦《いくさ》の惨めさを思い知らされたことはありません——。


賢治は、中尉の話に、慄然とした。バギオ陥落の時点で降伏していれば、これほど悲惨な犠牲はなかったはずである。

忠よ、捕虜になったことを恥じることはない、私が、お前を誤射したことは終生、負い目になるが、お前を、そのような飢餓地獄へ追い込み、白骨死体にしなかったことが、せめてもの救いと思う。

賢治は、遥かカンルーバンの捕虜収容所にいる忠に向って、心の中で語りかけた。


天羽賢治は、プログ山麓の武装解除を終えてマニラへ帰って来ると、カンルーバン収容所へ向ってジープを走らせた。

延々と続く砂糖黍畑の中を行くと、PWの作業衣をつけた捕虜たちが、砂糖黍を切り払った跡地に、野菜作りをさせられている。

収容所の入口にたっているMPに、忠の捕虜番号を告げ、米軍事務所で待っていると、姿を現わした。

「暫くぶりだな、少し痩せたようだが、山から沢山の捕虜が入って来て、何かと大へんだろう」

賢治は、弟の心の動きを按じるように云ったが、忠はいつものように殆んど口をきかず、賢治の渡す煙草だけを受け取って、黙って喫った。

「今日は、ツールレークにいる父さんから手紙が来た、二人で読もうと思って、封を切らずに持って来たよ」

と云うと、ふてくされるように、そっぽ向いていた忠は、父からの手紙を手にして、封を切った。

　日本が敗けたことを、八月十四日、このツールレーク強制収容所の中で知った。サイレンが鳴り、管理事務所の白人たちは、勝利の歓声を上げて喜んだが、わしらは声もなかった。

　アメリカ合衆国の忠誠登録にノウノウと答え、日本の勝利を祈っていた多くの人々の心の灯が消え、悲しみに包まれたが、わしのような思いを舐めた人はあるまい。勇は合衆国のために戦死し、賢治と忠は、米軍と日本軍に別れて戦い、忠は米軍の捕虜――、こんな息子を持った世の親が、他にいるだろうか。

　だが、悲しんでばかりもおれん、これから収容所を出て、自力で食べて行かねばならん。幸い、以前のお顧《とく》客《い》さんだったスミスさんが、ハリウッド通りの一隅でランドリーを始めるようにという手紙を下さったので、そこでもう一度、裸一貫からやり直すことにする。母さんや春子、そして実家《さと》へ行っているエミーと孫たちも元気だが、わしは、賢治と忠に会える日を何より心待ちしている。

父より

　忠は読み終えると、黙って手紙を返した。

「忠、日本兵の本国送還は、おそらく、今年の末頃からになりそうだ、講和条約が結ばれ、お前もアメリカへ帰れるようになったら、二人で父さんのもとへ帰ろうじゃないか」

　賢治が優しい顔を向けると、忠はじろりと一瞥《いちべつ》した。

「父さんにどんな都合のいいことを云っているんだ、あんたが、俺を撃ったということは、云ってないんだろう」

「なぜ、父さんをこれ以上、苦しめるようなことを云う必要があるのだ、話さねばならぬ時期が来た時に、話せばいい」

「なるほど、あんたらしい云い方だ、あんたのおかげで、俺は日本兵からは八百長捕虜とさげすまれ、米兵からは、反逆者だと唾かけられ、いいお笑い草だ」

「そんな云い方はよせ、戦争は終ったんだ、それに武装解除にたち合った時、偶然出会った七十一連隊の将校の話では、お前が捕虜になって以後の日本軍は、プログ山麓の防禦陣地で生きるだけが精一杯で、一度も米軍と戦わずじまいだったということだ」

　忠の負い目を少しでも軽くするように話すと、

「ふふん、また都合のいい弁解かい」

　くるりと背中を向けた。そんな弟の姿を見、賢治は、自分たち兄弟の二つの戦場は終ったが、心の中で、何か大切

なものが死に、失われかけているのを感じ取った。だが、口には出さず、

「また来るよ、近頃マラリアの薬が不足しているそうだから持って来る、元気でいろ」

と云い、弟と別れて、一人、ジープに乗った。優しくすればするほど、荒《すさ》む弟の心が哀しかった。父からの手紙を読めば少しは心を開くかと思ったが、それすらも空《むな》しかった。

マニラへ戻ると、G2（情報）から緊急の呼び出しがかかっていた。急いで出頭すると、クラーク大佐が待っていた。

「ケーン、君に日本占領軍への配属を命じる」

「日本占領軍に――」

「そうだ、明朝、七時二十分発の軍用機に乗れ、軍命令だ」

躊躇《ためら》う気配を見せる賢治に、強い語調で命じた。

翌朝、賢治は、弟の忠に心を残し、日本で与えられる仕事が何であるかという不安を抱きながら、マニラを発った。

敗戦した日本へ戦勝国側として進駐する――、そこには戦場以上に、アメリカと日本の間《はざま》にあって魂の葛藤を強《し》いられる運命が待ち受けているように思えた。

三章　ニッポン

天羽賢治の眼下に、死の世界が拡っていた。

米国戦略爆撃調査団（U.S. Strategic Bombing Survey）の一員として、原子爆弾投下後二カ月目の広島へ派遣され、今、市街を一望のもとに見渡せる比治山《ひじやま》の中腹にたっていた。

透《す》きとおるような秋の陽の下に、灰色の焼跡が延々と続き、果てしない空間に残っているのは、僅かなビルの残骸と、枝のない黒こげの樹のみだった。

東京を出発する際、予備知識として被爆写真を見せられ、記録も読んでいたが、眼のあたりにした光景は、それを遥《はる》かに超えていた。

そこには、人間の音が聞えて来なかった。日常生活の中のさまざまな音――、扉《とびら》を開く音、咳払い、食器の触れ合う音がない。死屍累々《ししるいるい》のルソンの戦場にあっても、砲撃の音がどこかで響き、兵士の動く気配がしていた。そしてアメリカの砂漠の真ん中の強制収容所にあっても、遠くでかすかな汽笛が聞え、自動車が動き、人間が生きている音があった。だが、眼前の広島には、今なお、何の音も聞えない。

二カ月前のこの時刻であれば、おそらく母親たちが夕餉《ゆうげ》の支度にとりかかり、七輪《しちりん》で鰯《いわし》をやく匂い、子供たちが家路へ向って飛んで帰る下駄の音、一日の仕事から解放された夫が、風呂に入る湯音がしていたであろう。

賢治の手の甲に、熱いものが落ちた。米軍機の投下したった一個の原子爆弾が、四十万人の人間が生きている都市を破壊し、二十万人の生命を奪い、二カ月経た今も原子爆弾投下の影響で人々が死んで行っている。

この世のこととは思えぬ殺戮《さつりく》――、言語に絶する非道がこの広島で行われたのだ。日系アメリカ人として、否、一人の人間として、この事実をどう把握したらよいのか……。灰燼《かいじん》に帰した市街が涙でかすんだ。茫然としている賢治の脳裡に、原爆を搭載したB29・エノラ・ゲイ号が、再び飛来するような幻覚を覚えた。

東京を出発する前、GHQ（連合軍最高司令官総司令部）で、メモをしてはならないという制約のもとに読むことが許されたエノラ・ゲイ号の記録が生々《なまなま》しく甦《よみがえ》ったからだった。

一九四五年八月六日午前二時四十五分、原爆投下の作戦暗号名シルバー・プレート（銀の皿）作戦開始、砲弾型ウラン爆弾を搭載したエノラ・ゲイ号は、ミスターB29　チベッツ大佐を機長としてテニアン島を発進。機首にペンキで記された ENOLA GAY は、大佐の母の名前だった。細長く見ばえのしない爆弾は約四トンでリトル・ボーイと呼ばれ、青銅でできた胴体には〝エンペラーを葬れ！〟と落書きされていた。

テニアンを出発したエノラ・ゲイ号は、硫黄島で僚機二機と合流した。その二機には科学的な記録をおさめるための科学者たちが搭乗していた。

午前六時、太陽は既に上りはじめ、良好な気象状況の中、エノラ・ゲイ号は日本本土まで一直線の〝ヒロヒト・ハイウェイ〟を飛び、広島上空で三万一千六百フィートまで上昇した。投下一分前から単調な無線音が発信され、その音が停止した時が、原爆投下の時刻であった。十秒、五秒、三、二、一――、その瞬間、エノラ・ゲイ号の機体はふわりと浮き上り、フル・スピードで右へ急旋回して、爆風から逃げ出した。チベッツ大佐は防眩鏡《ぼうげんきょう》をかけて、コクピットの計器類を見て驚いた。まっ暗で何も見えない。尾翼が揺れ、体に急激な重力がかかる。やっと切り抜け、水平飛行に移った途端、コクピットに突然、見たこともない強烈な閃光が走った。エノラ・ゲイ号からテニアン基地へ、そしてトルーマン大統領へ『爆発良好』の報せが送られた時、大統領はポツダム会談を終え、大西洋上をワシントンへ向う飛行機で昼食をとっているところだった。

賢治のたっている比治山の木々は風にそよいだが、眼下の市街に動くものは何一つない。

背後でジープのクラクションが鳴った。賢治と一緒に来た同じ調査団の大尉が、下山する時間だと促した。賢治は、ジープに戻った。

「アモウ少尉の出身は、広島か」

「ノウ」

「しかし、泣いていたな」

賢治は、黙って応《こた》えなかった。

心理学者の大尉は、冷静な面持《おももち》で、

「広島で死んだのは日本人ばかりではない、原爆投下時、市内の憲兵隊司令部の営倉には米兵捕虜が二、三十人収容されていたというし、生き残った捕虜の何人かは、怒り狂った市民によってなぶり殺しにされたという確かな情報もある」

「いや、捕虜だけでなく、広島には祖国から忘れられたアメリカ人が、その百倍ぐらいはいただろう、合衆国がそれを知らなかったとは云わせない」

賢治は、唇《くちびる》を震わせた。ジープは比治山の坂道を下りきり、市電の線路沿いの凸凹《でこぼこ》道へ出た。

大尉は、大きく揺ぶられる体を窓枠で支え、

「捕虜以外に、アメリカ人が、その百倍、二千人以上もいたって？　それは、誰のことだ」

「アメリカ生れの日系二世たちだ」

賢治はそれ以上、話すことが出来なかった。その多くは多分、日系二世であることを隠し、日本へ忠誠を示すこと

で生きる保証を得ていたに違いない。その中には、あの井本椰子《なぎこ》もいるはずだ。

椰子は、今、どこにいるだろうか。八月末、マニラから一番乗りとして東京に進駐したチャーリー田宮は、東京のGHQ勤務でありながら、椰子の消息をいまだに摑んでいなかった。GHQは原爆調査団という特別任務に関与する以外の一切の軍人、連合国報道陣の広島入りをシャットアウトし、日本の新聞記事の掲載さえ禁じていた。

チャーリーの話では、椰子の実家は広島市に隣接する五日市《いつかいち》という半農半漁の田舎町であるという。爆心地からかなり離れ、災害が及ばなかったことは既に解っていたが、原爆投下の日に、椰子が広島市内にいなかったという証拠はない。

どうか、あの死の世界の中に埋もれていないでほしい。賢治は視界を遮ぎるものもない灰燼《かいじん》の市街を正視出来ず、ひたすら椰子の無事を祈った。


十年間、一木一草も生《は》えないだろうと云われた地にも、生き残った人々の営みはあった。

井本椰子は、病院に入りきれない被爆者たちを収容した焼け残りの国民学校の臨時救護所で、父の虎造を看病していた。

八月六日のあの朝、椰子は父母とともに五日市の田舎から広島市へ出たところだった。戦争中、交換船で帰還し、身内にいい顔をされない椰子一家に、特に親切にしてくれた親戚が、市内の赤十字病院で危篤《きとく》になり、その運命の時刻、広島駅に降りたったのだった。

椰子だけは、一足先にフォームの階段を降り、地下道にいて、奇蹟的に助かったが、フォームにいた母のせきは閃光をまともに受け、全身火傷でその夜半、死亡し、父もまた重傷で、いつ死ぬかもしれない日が続いていた。原因不明の嘔吐、下痢が続き、医師は、火傷《やけど》の塗り薬を少量、くれるだけだった。

半分、焼け残った段原《だんばら》の第一国民学校の教室で、あの日、何人が死んだろうか。人が死に、場所が空《あ》くと、次の人が入り込んで来て、また、死んで行く。床にも、壁にも、人間が焦げ、腐爛《ふらん》し、死んで行った臭いが、しみついていた。

父の虎造も、同室の被爆者七人も、消防団や救護班差し入れの布団を床に敷き、枕もとに風呂敷包み、焼け跡から拾って来た薬缶《やかん》や茶碗、飯盒《はんごう》を並べていた。そして一度、鼻や口から出血すると止まらず、排尿にもたてず、髪を梳《す》くと、ばさりと脱毛して不可解な様子で死んで行くから、被爆者たちは恐怖に慄《おのの》いていた。

「ナギコ、あの……お米、少しだけでいいから分けてくれない？」

斜め向いで臥《ふせ》っている椰子より三、四歳若いマギー岩本が、そっと寄って来た。右半分、顔から上半身ひどいケロイドで、頭髪は脱け落ち、男女の区別もつかぬほどで、風呂敷をスカーフがわりに巻いていた。

「いいわ、ちょっと待って——」

椰子は、眠っている父を起さぬように枕もとの包みをそっと動かし、配給米の残り三合を渡した。

「まあ、こんなに……なんてお礼を云っていいか、有難う」

シアトル生れのマギー岩本は、四歳の時、両親の生家のある広島の祖父母のもとへ送られたが、どうした事情からか、日本国籍を持たないため、米穀通帳がなく、配給米を受けることすら出来ないのだった。二人は二世同士で、会えば口をきく程度の仲だったが、こんなところで一緒になろうとは思わなかった。

「私たち二世なのに、アメリカ合衆国の落した原爆にやられて、こんなむごいことになるなんて、私はアメリカが憎い！」

米袋を握りしめ、マギーは、体を震わせた。

「マギー、早く布団に戻って」

といたわると、眼に涙を光らせ、

「あなたは、どこも被爆していないから、私の気持など解らないのよ、戦争中は二世であることを知られまいとして、できるだけ人とつき合わず、私にとって空襲より、特高警察の方が何層倍もこわかったわ、でも、その私が、今度はアメリカの落した原爆で、女として生きる生命を奪われてしまった、私は頭髪だけでなく、陰毛もないのよ、そして月のものも……」

「やめて！」

椰子は、耳を塞いだ。マギーは、布団にくるまって、嗚《お》咽《えつ》した。

「椰子——」

虎造が、かすれ声で呼んだ。

「パパ、ここよ、お小水《しょうすい》なの？」

かすかに頷いた。皮膚がむけて、赤くしぼんだ父のお尻に便器をあてがいながら、被爆当初は便器代りの洗面器をさし入れただけでも、つるりと皮膚がめくれたことを思い出した。父は白い半袖の開襟シャツを着ていた以外のところは、正視出来ないほどの火傷を負い、手の爪も溶けてなくなっている。小水を捨てて戻って来ると、

「お前は無傷でよかった、きっと母さんが、身代りになってくれたんじゃろう」

「パパ、そんな話はやめましょう」

「椰子、わしはもう長《なご》うない、生きているうちに云うておきたいことがある、み、みず……」

小さな薬缶から、唇を湿す程度の少量の水を飲ますと、虎造は、一口だけ吸い、

「せきの骨は、どこかいのう」

干《ひ》からびた声で云った。椰子はたった一枚だけ残ったハンケチにくるんだ母の骨を父の手に渡すと、爪の溶けた両

手でまさぐった。

「母さんとお前をこんな目に遭《あ》わせてすまん、天羽乙七さんらのようにアメリカの収容所にいたら、こがいなむごい目には遭わなんだ」

「パパのせいじゃないわ、私たち日系人を砂漠の奥の強制収容所へ入れたアメリカの人種差別のせいよ」

「いや、わしが短気じゃった……、アメリカの忠誠テストに腹をたてて、日本へ帰って来たのが間違いじゃった……けど、椰子、何の罪もない市民に、こんなひどいことをするアメリカの忠誠テストには、日本人としてやっぱり、ノウノウと、答えてよかったと思うとる」

「解《わか》ってるわ、パパ、今日は熱が出ているようだから、もう眠って」

「いいや、わしの話を最後まで聞いてくれ、お前はアメリカに生れ、向うの教育を受けた日系アメリカ人じゃ、年寄りのわしと母さんだけを日本へ帰らせるのは心もとない思うて、一緒に帰ってくれたのじゃろう、椰子自身の本心でアメリカを出たのではないことは、よう解ってる」

「そうじゃないわ、私はチャーリーと離婚して、もう一度、人生を出直したかったからよ、そんなことより、向うに一人残っているヒロコの顔を見るまで頑張って！」

「広子……、ミネソタ大学の看護学科は、三年じゃったの」

「そうよ、来年、卒業するから、日本へ来るように連絡するわ、いい薬を持って来てくれるし、アメリカ系の設備のいい病院へ入れるように手配してくれるわ」

虎造はケロイドの首を振り、

「残念じゃが、わしはもう助からん、椰子、わしが死んだら、お前は一刻も早ように広島を去って、アメリカへ帰り、今度こそ、りっぱな男と結婚して添い遂げてくれ、お前さえ黙っておれば、原爆が落ちた日、広島市内にいたことは解らずにすむ、広島におったら、実の弟さえも、被爆者いうことで、おぞましげな眼で見るんじゃけんの」

熱にうかされたように一気に話し終ると、爪のない手で椰子の手を握りしめ、やがて、ほっとしたように寝入った。

椰子は吹っ飛んだガラスがわりに、窓に打ちつけた筵《むしろ》をおろして、廊下の外に出た。

そこには家を焼かれ、頼るべき親戚もない被爆者たちが、茣蓙《ござ》を敷き、浮浪者さながら体をまるめて寝ていたり、七輪《しちりん》に火をおこしたりしていた。

母の骸《なきがら》を父と二人で焼いたのも、この校庭である。椰子は生涯、忘れ得ぬだろうあの生き地獄の日のことを思い返した。

八月六日のあの日、椰子は広島駅で両親より一足先に地下道へ下りた時、青い光が上の方からさして来たような気がした途端、人のかたまりが雪崩《なだれ》のように落ちて来、阿鼻《あび》叫喚《きょうかん》の様相を呈した。椰子は、両親を探そうと階段を上りかけたが、人の群に押し返され、危うく、将棋《しょうぎ》倒しの下敷きになるところだった。父母の名を呼んだが、逃げる人波に押され、どうすることも出来ない。

ようやく母を背負った父と出会ったが、母はモンペが焼け、全身、火傷を負い、椰子が声をかけても、答えられなかった。

三人は、再びあるかもしれない空襲を怖れて、多くの人たちと同じように山の方へ逃げた。市の中心部から来る人たちは、一様に両手を胸もとまで上げ、皮膚がべろりとむけていた。衣類はひき千切れ、黒こげになり、裸に近い姿もあり、その中で女性たちは、警官や消防団員に出会う度に、火傷の両手で露《あら》わになった陰部を掩《おお》い隠し、男たちが行き過ぎると、また痛みに耐えかねるように両手を上げた。

どこをどう歩いたのか、結局、椰子たちは、一群の人たちと第一国民学校に入り、そこで重傷の母を教室の床に寝かせた。母の体が真っ赤に火膨《ひぶく》れになり、唇も三倍にも膨《ふく》れ上り、一言も話すことも出来ずに、息をひき取ったのだった。

椰子は、皆がするのと同じように、スコップを借りて浅い穴を掘り、校舎の傍らにあった廃材を敷いて、母の遺体をのせ、トタン板で掩って五時間かかって焼いたのだった。

真っ赤なおきを取り除き、母の骨をバケツに入れ、一旦《いったん》、五日市へ帰ったが、虎造の火傷が膿《う》み、嘔吐と下痢が激しく、高熱に浮かされはじめると、叔父一家は赤痢ではないかと気味悪がり、広島市内の病院か、救護所で治療を受けるように強く勧《すす》めた。

椰子は再び父を伴って、広島市内へ出たが、病院はどこも満員で入れず、再び同じ第一国民学校の救護所へ収容されたのだったが、治療らしいことは、殆んど受けられなかった。

原因不明——、それが医者たちの一致した意見であった。こんなことがあっていいのか、椰子は憤りに涙したが、椰子が二世であることを知った者の中には「あんたらは、自業自得《じごうじとく》だよ」と、まるで自分の国の爆弾にあたったのだから仕方がないだろうと云わんばかりに、白い眼で見る人もいた。

父は、被爆を隠し、早く広島を去れと云った。しかし、椰子には、今以外のことは、何一つとして考えられなかった。

椰子は、父が寝ている傍へ戻って来た。

「パパ、おかゆでも少し食べてみる?」

声をかけたが、返事がない。父は死んでいた。

椰子は広島市の東北、大内峠の火葬場で父の虎造の骨を骨壺に納めると、叔父夫婦とともに五日市へ戻った。

父の遺骨は、頭蓋骨を除いて上体、下肢《かし》ともほとんど見分けがつかないほど、ぼろぼろで、被爆者特有の仏といわれたが、母を焼いた時と同様、一滴の涙もこぼれなかった。虚脱とも、痴呆《ちほう》ともつかぬ状態で、叔父たちに促されて電車に乗り、両親と三人で住んでいた離れに辿り着き、机の上に、シーツを切った白布をかけて両親の骨壺を並べた。

「これから、どうなさるん」

叔母が、上眼遣《うわめづか》いに聞いた。

「先のことなど、まだ……」

二つの粗末な骨壺を茫然として見詰めると、血の繫《つなが》る叔父はさすがにうしろめたさを覚えたらしく、

「両親を次々に亡くして、椰子もこたえたじゃろう、物騒な世の中じゃし、先のことは当分、ここにおって考えたらええ」

と言葉を添えた。

「そりゃ、そうじゃが、椰子さんみたいな賢い人が、いつまでもこんな田舎にくすぶってもおられんじゃろう」

叔母はそう云い、叔父を急《せ》かして、そそくさと、母屋《おもや》の方へたち去った。

翌日、村の僧侶が短かいお経を上げに来てくれた。白木の位牌《いはい》に戒名を貰えただけでも有難いと思いながら、はじめて涙が溢れた。何の礼らしいことも出来ず、僧侶の温情に甘えてしまったが、両親の墓もたててやれない自分が悲しかった。交換船でアメリカから持ち帰ったシンガー・ミシン、ポラロイド・カメラなどは、苦しい生活でまたたく間に消え、部屋に残っているのは、一家の写真と、最後まで手放さなかった小型タイプライターだけだった。

しかし、父母の供養をしながら、暫くここで暮すためには、明日にも、まずタイプライターを何らかの手づるで売らねばならない。原爆のショック、父母の悲惨な死、生活の不安——、今日から女一人の人生を歩み出さねばならないのだと、自らに云いきかせた。

その日、椰子は母屋の縁側にあった中国新聞の朝刊を見、そこに、米軍の原爆調査団が広島市に来ていて、市民を対象に原爆に関する調査を開始したという記事を見た。簡単な記事だが、市民はこれに協力すること、直接の調査官は、日系アメリカ人で、日本語が話せるから安心するようにと書いてある。椰子は繰り返し読んだ。日系二世が米軍調査団として日本に来るなど、戦前のアメリカ社会と、戦中の収容所生活しか知らない椰子には想像も出来なかったが、彼らに会えば、もしかしてチャーリー田宮や天羽賢治、そして妹の広子のことが解るのではないかという希望を抱いた。

タイプライターの売り先、就職口のことも含め、広島市へ出て見ようと思った時、村道を米軍のジープが走って来、すぐ下手《しもて》の農家の前に停まった。田畑で働いている大人《おとな》も、子供も、畦《あぜ》道から背伸びし、好奇心と警戒心の入り混った顔で見守った。椰子も複雑な感慨をもって、家の坂を降り、人垣に混った。

「のけ、のけ、こちらは進駐軍の将校さんと、県庁の方じ

やけん」

自転車で駆けつけた村の駐在所の巡査が、もの見高い村人を叱《しか》りつけ、ジープの方にペコリとお辞儀《じぎ》をして、家の中へ入って行った。

やがてよそ行きの着物に着替えたその家の娘が出て来た。その娘も、椰子同様、原爆投下の日、広島市内に出かけていたと聞いている。怯《おび》えるような娘に、県庁の役人が二言、三言、声をかけ、白人の若い将校が手をとらんばかりにして、ジープに乗せた。

「あの、帰りは、何時頃になりますかのお」

父親は、県庁の役人に聞いたが、解らんの一言が返って来ただけで、白人将校の方は、微笑をうかべながらも、遠巻きにした村人たちから一刻も早く逃れたそうな気配が、椰子には解った。

ジープが走り去ってしまってから、椰子は駐在所の巡査の話で、白人将校が原爆調査団の一員であり、連れて行かれた娘は、調査のための応答者であることを知った。

*

扇形状の広島市を流れる六つの川の東寄り、京橋川の近くの半壊の中学校に、米国戦略爆撃調査団の一チームが来ていた。

調査団は、原子爆弾投下の軍事的、科学的、心理的影響という三部門についての調査であった。日本語堪能な日系二世は心理的影響面を担当し、被爆者たちに直接インタビューしていた。調査団は県庁、警察に予《あらかじ》め応答者の人選を依頼し、そのリストの中から、被爆地点、性別、年齢など、なるべく重複しない千人を抽出し、尻込みする人々の気持をほぐすため、また、交通の便の配慮から、ジープで送り迎えした。

天羽賢治は、朝から五人目の被爆者と、机を隔てて向い合っていた。気兼ねなく話せるように、教室では一対一になり、言葉遣《づか》いと態度も出来るだけ丁寧にして、真実の声を引き出そうと努めていた。白人将校の出入りも控えて貰うよう、予めチーフの心理学者に申し入れてある。

「遠いところをよく来て下さいました、この頃の皆さんの生活は、少し落ち着きましたか」

賢治は手もとの調査表に、年齢二十五歳、女性（主婦）、被爆地点・爆心地より二キロの三篠《みささ》町横川と記入されている事項に目を通し、間接的な質問からきり出した。

主婦は、首筋のケロイドが目だたないように、着物の衿を深く合せ、固い表情で坐っていたが、やさしい賢治の言葉遣いに安堵《あんど》したように、口を開いた。

「生活はまだ充分とはいえませんが、米軍の放出物資のおかげで、戦争中より食糧状態はよくなりました」

「日本が敗戦したら、あなた方はどうなると思っていましたか」

「女は妾《めかけ》、男は皆殺しか、捕虜にされて外国で働かされると聞いていました」

「では、戦争中に絶えずそのようなことが伝えられていたのですか」

「はい、アメリカ人は惨酷で、戦地の捕虜を虐殺し、赤十字のしるしをつけた病院まで無差別爆撃すると聞いていました」

「空襲予告や、戦争を早くやめようという米軍のビラを、見たことがありますか」

「いいえ、見ていません、警察や憲兵隊のお達しで、もしそういうものが落ちて来ても絶対、読んではならない、拾った者はすぐに届け出るよう、回覧板に注意書きがありました」

「あなたは、天皇陛下のことを、どのように思っておられますか」

その途端、主婦は動転するように賢治の顔を見、口もとをハンカチで掩った。

「も、もったいない……天皇陛下様のことを口にするなど……、毎朝、家族揃って御真影《ごしんえい》を拝んで参りました尊いお方であらせられます」

「敗戦した今も、そう思っていますか」

「もちろんでございます、陛下様のご命令で戦争は終ったのです」

「ところで、あなたは八月六日の爆撃の時、横川の自宅付近にいたそうですね、その時、どういう衝撃を受けましたか」

賢治はつとめてさり気なく、聞いた。主婦は蒼《あお》ざめ、その日の恐怖を語り出した。

「あれはちょうど、朝食をすませ、米の配給所へ行っておりました、頭の上でぴかっと眼が眩むような光が走り、ちょっとしてドーンと地面が揺ぐような音がしたかと思うと、熱い熱《ねつ》が来て、前かけもモンペも焼け切れていました、そんなことに気付いたのはあとからで、人が倒れ、家が倒れるので、私はとっさに近くの防空壕へ飛び込みかけましたが、家に姑《しゅうとめ》と赤ん坊がいるのを思い、走って帰ると、傾いた家から火の手が上っていました、姑は庭にいて無事でしたが、赤ん坊は寝かせていたので、夢中で飛び込みましたが、見つかりません、あの時のことを思うと……、火の勢いは強くなるし、私も一緒に死のうと思いましたが、どうしてそうなったのか、子供は押し入れから飛んで来た布団の中で泣いていたのです」

主婦はそこまで云うと、嗚咽《おえつ》した。

「今、原子爆弾について、どのような気持を持っておられますか」

主婦は、答えなかった。

「遠慮なく話して下さい、それが将来に役だつのですから」

「戦争とはいえ、なぜこんなひどい爆弾を使ったか……、最初に人間の住まない島へでも落してからにすべきです」

涙をうかべながらも、はっきり云った。

次は五十四歳の軍需工場の技師で、頭の髪が脱け落ちていた。

「戦時中、新聞やラジオの報道を信じていましたか」

「最初は信じていましたが、各都市への空襲が激しくなり、出張先で爆撃後の焼野原を見て、軍部の発表はあてにならないと思いはじめました」

「戦時中、日本の一番の強味は、何であったと思いますか」

「天皇陛下に対する忠義の念に他ならない、特に戦争末期において、陛下に対する滅私奉公の心が強ければこそ、若い学徒たちが進んで特攻隊に入り、お国のために死んで行ったのです」

賢治の瞼に、フィリピンの山中で、弾薬、食糧尽きても、なお且つ天皇陛下のためにと云って戦い、死んで行った幾多の日本兵の姿が思いうかんだ。

「戦時中、日本の一番の弱点は、何であったと思いますか」

「物資の不足、人物の貧困、特に指導者にりっぱな人がおらず、軍部が天皇陛下のお名前を利用して独断専行したことです、しかも、軍人も、政府役人も自分たちさえよければと、国民の困窮を顧りみなかったことが、弱点だと思います」

「ところで、あなたは、原子爆弾が投下された時、どこにおられましたか」

「私の会社は広島市中心部から五キロの海田町《かいた》にありますが、あの日、早朝出勤して仕事をしていると、突然、窓ガラスにマグネシウムをたいたような光が走り、同時に大きな音がして、ガラスが全部、割れました、少したって、外を見ると、市の中心部が真紅の火焔に包まれており、市内に家がある者は、すぐ見に行ってもよいという許可が出ました、ところが、市内に向うにつれ、茹《ゆ》でた蝦《えび》のように体中、真っ赤に火傷した人がやって来たのです、中には両指がとろけ、唇も裂けて、肉のかたまりのようになり、鼻の形だけがようやく残っている今まで見たこともない異様な焼け爛《ただ》れ方を見て、もしや、これは、〝マッチ箱の特殊爆弾〟かもしれないと思いました」

「その〝マッチ箱の特殊爆弾〟というのは、どういう意味なのですか」

「日本においても、二年ほど前からマッチ箱ぐらいの大きさの特殊爆弾一発で、敵を殲滅《せんめつ》する新兵器が生れるという噂《うわさ》が出ていました、それは、貴族院本会議で、物理学の田《た》中館愛橘《なかだてあいきつ》博士の演説に端を発したと思います、博士は、『今日の物理学の進歩は、原子力を利用するまでに発達し、マッチ箱大ぐらいの原子力爆弾が、実に巨大な爆発を行い、戦艦一隻を沈め得るほどの威力を持っている』と語って、日本の政府及び軍部に、強く原子力問題の重要性を訴え、日本の陸海軍も、その研究、開発に取り組んでいると聞いていました」

「では、あなたは原子爆弾をどのように考えておられますか」

「人間の想像を絶する破壊力を持った武器だということが解りました、それだけに何故《なぜ》、投下側は、予めその破壊力を立証するものを相手側に見せて、事前警告を行わなかったのか、しかも、戦場の兵士に対してではなく、非戦闘員の婦女子、老人のいる都市に対して、投下したのか、人間として許されないことだと思う」

憤りを抑えた硬い表情で云った。

次は十六歳の観音中学校の生徒であった。学生服から出ている首、手の甲《こう》は、ケロイドになっており、いやいや出て来たらしく、ふて腐れた顔で、机の前に坐った。賢治は、少年の気持を解きほぐすように、

「君にとって思い出すのもいやなことだろうけど、あの原爆が落ちた日のことを話して貰いたいんだよ」

優しさをこめて、聞いた。

「僕らは、いっつもなら呉《くれ》の三菱重工、記号八四〇工場で勤労奉仕しとるんじゃが、あの日は休みじゃったけえ、家におると、空襲警報が鳴り出した、空襲警報の時は、休日でも救護活動のために登校することになっとったから、学校に集合すると、すぐ警報解除になり、帰りかけた時、雷が落ちたような光がさし、ドカン！　いう音がして、地面に体を叩きつけられ、気がつくと、ひどい火傷をしていた、校舎も燃えとった、先生が食用油の缶を持って来て、互いに体に塗るように云うたが、暫くすると、みんながばたばた死んでしもうて、生き残ったのは、僕の組五十人中、九人だけじゃった」

「君の家は、どうだったの」

「家はまる焼けじゃが、父は出征中、小学生の弟と妹は田舎へ疎開しとって、おふくろだけがおったんじゃが、助かった」

「ところで、君はさっき呉の三菱重工、八四〇工場で勤労奉仕していたと云ったね、いつごろから、どんな仕事をしていたの」

「今年の一月から、ロケット弾の鍛造《たんぞう》部品を造らされとった」

「じゃあ、今年の七月の初め、あの工場の近くで、米軍機が撃ち落されたのを見なかったかい」

さり気ない聞き方をしたが、それは今、米軍憲兵隊で、呉のパイロット虐殺事件として、関係者を虱《しらみ》つぶしに調査している事件だった。ふて腐れていた少年が一瞬、ぎくりとするのを賢治は見逃さなかった。

「空からパイロットが落ちて来るところなど、戦争に行っていた僕でも見たことないんだ、どんな様子だった？」

「でも、僕は、何もしなかった」

「うむ、君は何もしなかったけど、見ていたのだろう、話

してくれよ」

と促した。

「あの日、仕事をしとったら、爆撃機が来たぞ！　いう友達の声で、空を見上げると、岬《みさき》の上空を東から西へもの凄《すご》い低空飛行でB24がやって来たんじゃが、工場には高射砲もロケット砲もあるけん、こわごわ見とると、忽《たちま》ち一機の尾翼に砲弾があたって火を噴《ふ》き、ハッチが開《あ》いて、米兵が二人、落下傘《さん》で飛び下り、続いてまた一人、岬から沖合、三、四百メートルほどの海に落ちたんよね」

「それからどうした？」

「監視船いうても、あの辺の漁師の船じゃけえ、それが行って、海に浮かんどる米兵を拾うて、砂浜に引き上げると、三人とも死んだようにぐったりしとったが、多勢の人が集り、漁師のおじさんが、水を吐かせるんじゃ云うて、パイロットの腹の上にあがり、やれ！　やれ！　と、代る代るに腹を踏みつけ、僕らにも、お前らの先輩の特攻隊の仇《あだ》を討てとけしかけた、それで一斉にパイロットの体を踏みつけ、腕をへし折り、顔を踏みつぶし……」

「それから――」

さらに促すと、少年の顔が蒼白になった。

「誰かが、パイロットの指に、イニシアル入りの金の指輪をはめとるのを見つけ、それを抜き取ろうとしたが、水にふやけて膨れ上った指からなかなか抜けけん、それで遂に、ナイフで指を切って指輪を抜いた、僕はその時、指輪よりパイロットの着とった真っ白い純毛のセーターの方が欲しかった――」

「よし、そこまででいい」

賢治は、話を打ちきった。この生徒を憲兵隊に報告するのは、しのびないからだった。

さらに五人にインタビューし、午前中の仕事を終えた賢治は、やりきれない思いで教室を出た。灰色の焦土を見渡し、これほど悲惨な目にあいながら、なぜもっと憎悪と憤怒の声を浴びせかけようとしないのか、まだ敗戦の虚脱状態から抜け出せないのか、それとも占領軍に対するへつらいと怯えだろうか――と、賢治は質問表に書き込んだ回答が、真実と隔たったものであることに苛だっていた。

踵《きびす》を返し、門の方へ足を向けた途端、わが眼を疑った。門のところで、洗練されたスーツ姿の女性が、MPと話している。井本椰子その人であった。賢治は、駈け寄った。

「椰子！　どうしてここへ――」

あとは言葉にならなかった。椰子も呆然とした。

「――私、中国新聞で戦略爆撃調査団の記事を読んで、県庁へ行ってインタビューの場所を聞き、日系二世の誰か一人にでも会って、アメリカの消息を知りたいと思って来たの、まさか、ケーン、あなたに会えるなんて……」

みるみる眼に涙が滲《にじ》んだ。

「心配していた、無事でよかった――」

賢治も、それ以上、言葉が継げず、椰子の肩に両手を置くと、その肩は思いがけぬほど痩せ細っていた。

ランチタイムでもあり、二人は市内の比治山《ひじやま》公園へ登った。焼け野原の広島で二人が静かに話せるところといえば、緑の樹が残っているそこしかなかった。

中腹でジープを降り、さらに上へ登って行った。

「僕が広島に来て、最初に眺めたここからの光景は、おそらく終生、瞼に灼きついて離れないだろう、それにしても、その死の街の中に椰子がいようとは――、両親の不幸はショックだろうが、三人一緒に広島駅にいて、君だけ助かったのは、何かのめぐり合せとしかいいようがない」

井本虎造とせきの酷《ひど》い死に方を聞き、慰める言葉もなかったが、静かな山道を歩きながら賢治は、はじめて椰子が生きていたことの喜びを覚えた。

「私だって、まさかケーンに会えるなど、今でも、まだ信じられないわ、パパの初七日もすんでないけど、思いきって出かけて来てよかった、一人になった私を、パパが不憫《ふびん》に思って、あなたに会わせてくれたようね」

椰子は、まじまじと賢治を見上げた。もともと華奢《きゃしゃ》な体がさらに痩せ細り、顔色もよくなかったが、睫毛《まつげ》の濃い黒々とした眼だけは変っていなかった。

「虎造さんは、日本へ帰って、かえって苦労されたんじゃないかい」

「そりゃあ、一旦、家督を譲った弟夫婦のところへ、戻って来たんですもの」

「そして、椰子も……」

「ええ、アメリカ帰りの二世というだけでもマークされているのに、謀略放送の東京ローズのメンバーに入るよう強《し》いられたのを断り続けたものだから――、せっかく勤めていた海軍監督官事務所を解雇され、その後は五日市の両親のところへ帰って、畑仕事の手伝いと疎開児童の世話係りをしていたの」

「椰子が、畑仕事――」

「辛かったけど、私もケーンと同様、カリフォルニアのあのインペリアル・バレーの畑のテント・ハウスで生まれたのだもの、畑仕事より特高警察の執拗な二世いじめの方がよほど辛かったわ」

椰子の声が、潤んだ。

「そうか、オーストラリアでも、フィリピンでも、〝東京ローズ〟の声が流れて来ると、チャーリーと二人で、椰子は大丈夫だろうかと心配していたんだ、もちろん、椰子に限ってと思いながらも、日本の特高のひどいやり方を、捕虜から聞いていたからね、あのチャーリーが、君のこととなるとおろおろし通しで、マニラで広島に新型爆弾が投下されたと知るなり、ナギコは死んだかもしれないと泣き出すんだよ、彼は、マニラからマッカーサー元帥一行に随いて、僕より早く日本へ飛び発つ時も、真っ先に君を探すと云っていたが、GHQの仕事が忙しくて、消息が摑《つか》めないとこぼしていた」

「マッカーサーの一行に加わり、日本へ進駐して来るなんて、彼らしいわね、俺《おれ》は白人社会で偉くなってやるんだと、いつも云っていた言葉通りを実行しているわけなのね」

「日本へ来ている二世の中では、彼は最も評価されているうちの一人なんだ、実は、僕の広島行きがきまると、調査団の仕事がどんなに忙しかろうと、必ず探し出し、食糧や毛布をナギコに届けてほしいと、ことづかって来ている」

「解るわ、そんな時のチャーリーの行動力は――」

「行動力だけじゃない、彼は、君を愛しているよ、鼻っ柱が強いから口には出さないが、離婚したことを後悔している様子だ」

「そう……、そんな簡単なものかしら、でも、特高につきまとわれ、脅迫と野卑な質問から解放されたあと、心の中で救いを求めたのは、ケーンにだったわ、戦争が終ったら、ロサンゼルスへ帰り、またあなたと一緒に加州新報の仕事が出来るという希望が、私を支えて来たのよ」

一途な思いを籠めた眼ざしを向けた。賢治もそんな梛子の視線を受け止め、

「僕も戦場で、時折、そのことを思い出し、早く戦争が終ればと思っていた、だが、この広島の惨状を見た瞬間、僕の心の奥底で、何かが変った、明確には解らないが、このあまりに惨めな敗れ方をした日本を見てしまった以上、日本のために何かしなければならない、それが、たとえ僕の人生を変えてしまうようなことであっても、しなければならないという、そんな気持がしているんだ」

胸の中にあるものを、たぐり出すように話した。

「私は原爆を落された日から今日まで、無我夢中で生きて来、ケーンの心の深いところまで、まだ解らないわ、でも、あまり深刻に考え詰めると、個人として生きられない極限に追い込まれてしまう場合があるわ」

賢治の性格を知っているだけに、梛子は懸念するように云い、

「ご家族は、皆さん、お元気？」

明るい口調で、話題を変えた。

「父は収容所を出てから、昔のお顧客《とくい》さんの力添えで、ハリウッド通りの一隅でまたランドリーをはじめた」

「リトル・トーキョーへは、まだ戻れないのね」

「ここ一、二年は無理かもしれない、しかし強制立退きの日、長年の汗と脂《あぶら》で築いたものをぶっ潰《つぶ》し、閉店の看板を出して以来、生きることを捨てたも同然だった父が、やっとやり直しの生活をはじめてくれたのだから、何よりも嬉《うれ》しいよ」

「じゃあ、エミーも、アーサー、ベティたちも、一緒なのね」

「いや、エミーは実家《さと》の仕事の方が性《しょう》に合うといって、そちらを手伝っているらしい、子供たちのことを考えると、父のボーディング・ハウスの廊下やロビーで遊ぶより、父のラランドリーの裏庭の方がまだしもだから、父の方へ戻るよう

に手紙で云っているんだが、我儘は相変らずさ」

「ケーンも、エミーにはかなわないようね、仕事が一段落したら、帰れるんでしょう」

「うん、太平洋戦線から日本へ進駐した将兵は、十一月末のサンクスギビング・デー、それが駄目なら、せめてクリスマスまでに本国へ帰って、家族と一緒に過せることになっている、しかし日本語の出来るわれわれ二世は、実際問題として休暇など取れるどころか――、それより梛子も東京へ出て来ないか、就職口を探しているんだろう」

「でも、私の場合は両親が合衆国の忠誠テストにノウ、ノウと答え、戦時中にわざわざ交換船で帰って来たのよ、米軍はそういう人間を採用するかしら」

「軍関係の仕事となると、ちょっと難しいかもしれないな、だが、軍関係以外ならば、君のような女性《ひと》は、どこでも必要とされる、チャーリーとも相談して、いい口を見つけるから、早く来いよ」

「有難う、やっと希望がわいて来たわ」

「そうか、よかった」

互いの眼を見詰め合い、肩を触れ合せた。

観音中学校で、賢治は最後のインタビューをした。手元の調査表には、年齢四十八歳、男、被爆地は爆心地より二・二キロの牛田《うしだ》町、職業は酒店経営、他に観音町消防団副団長と記入してある。

「戦争はすみましたが、これからのあなたの家族はどんな暮しになると思われますか」

賢治は、時折、応答者の心を悲惨な爆撃から逸《そら》すような質問を挿入した。

原爆投下時、商用で牛田町へ出向き、直接、閃光は浴びなかったが、ガラスの破片で全身に怪我をしたという大林酒店の主《あるじ》の首筋や手足などには、傷痕《きずあと》が残っていた。

「これからの暮しいうてものぉ、さあ、解らんですわい、食糧の見通しがはっきりせんし、衣類だって、国産の綿も毛もなかじゃけん困るじゃろ」

ぶすっとした表情で、応えた。

「あなたの考えでは、日本はどう変らなければならないと思われますか」

「そうよのぉ、ようわからんけど、軍や一部の金持だけがええ目をするいうんじゃのうて、われわれ庶民の暮しがようなるようにして貰いたいものじゃ」

「なるほど、ところで天皇陛下をどう思われますか」

「そりゃ、日本の国の最も尊い方です」

「どういうわけで、尊い方だと？」

「わけ？　お国の一番の中心であらせられ、神に通じる現《あら》人神《ひとがみ》ですからのぉ」

敗戦の悲惨さと、天皇の問題とは、この店主の場合も全く別であった。

「今度の広島の爆弾について、どう思いましたか」

「惨めじゃねえ」

「もう少し、詳しく話して下さい」

「あげなものを使われたら、日本の民族は皆、滅んでしまうけえ」

「それから？」

「あんな武器を考えたアメリカの力は、大したもんじゃと思うた」

「そして？」

「それだけじゃ、これ以上、まだ何かありますかい」

唇をぎゅっと嚙みしめ、太い声で押し返した。

「あなたが、牛田町でガラスの破片を浴びた時、どんな爆弾だと思われましたか」

賢治が云った途端《とたん》、感情を押えに押えていたらしい店主は、いきなりたち上り、

「ええ加減にせい！」

眦《まなじり》をつり上げた。

「同じ日本人の顔してても、勝ったあんたには、わしらの気持は解らんじゃろ、わしがこんな調査に協力するつもりで来た思うたら、大間違いじゃ、役所や警察の偉いさんから、アメリカさんの機嫌を損わんよう、うまいこと答えてくれえと、三拝九拝され、町内の人身御供《ひとみごくう》じゃ思うて、しぶしぶ、ここへ出て来たが、さっきからの質問は何じゃ、今度の爆弾についてどう思う？　とは一体、何じゃい、わしは、あの日の朝七時、空襲警報で町内の見廻りをしたが、すぐ解除になったんで、商売に出かけて行き、倉庫の中におったから、閃光は浴びなんだが、家族の者は——」

唾《つば》をとばし、まくしたてたが、急に黙り、やがて頰を痙攣《けいれん》させ、言葉を継いだ。

「朝食の後片付けをしていた家内は、すぐ庭へ飛び出したが、娘が家の中におることに気が付いた、あの頃、日曜日には空襲があるけえ、学校も商店も、月曜を休日にしていて、疎開中の小学校の娘が母恋しい一心で、前の晩から自転車で帰って来とったんじゃ、その娘は天井の梁《はり》と仏壇との間に挟まれて、近所の人に、梁を鋸《のこぎり》で切って貰うたが、火が廻ってどうしようもなかったそうじゃ、ほいじゃが家内は半狂乱になって、火の中へ飛び込んで行こうとし、近所の人に押さえられて、近くの川べりへ避難させられた、おかげで家内の命は助かったが、完全に気が狂うてしもうた、原爆についてどう思うかだと？　ふざけるな！　お前らに殺されたんじゃ」

商店主は扉を蹴破るようにして、出て行った。

インタビューが終り、調査団のメンバーたちは、軍用バスで呉《くれ》の米軍本部へ戻って行った。完膚《かんぷ》なきまで爆撃を受けた呉海軍工廠《こうしょう》の焼け跡が、秋の夕陽に紅く照らし出されている。

かろうじて焼け残っている元《もと》海軍下士官集会所の鉄骨コ

ンクリート建の三階の部屋へ入ると、このところ、ずっと長崎へ行っていた副団長格のテリー大尉が、大声で電話している。

「なに？　英軍からも調査団が来る？　そんなの誰がOKした、え？　GHQだって？　われわれは、直属の上官から何も聞いてないよ、ジョンブル野郎の応援など、ご免だね！」

がちゃりと電話をきり、賢治の方を向いた。

「どうだった、インタビューはスムーズに運んでいるかね」

「最初のうちは、警戒されて、なかなか、本音が聞けませんでしたが、総じて協力的でしたよ」

「フィリピンや沖縄で日本軍の苛烈《かれつ》な戦いぶりを体験したわれわれには解らないな、ひょっとしたら、君たちに、手榴弾でも投げて来るんじゃないかと、ずっと、心配していたんだ」

傍らの若い少尉も、

「僕は、米国から直接、広島へ派遣されたグループだが、本国で聞かされた日本国民とは全く違うので、ほっとすると同時に、拍子抜けしたよ、日本人はどうしてこうもおとなしいのだろう、男はどんな無理でも、曖昧《あいまい》な笑いをうかべてきくし、女もすぐモノになる、まるで小羊の如き従順な国民だな」

侮蔑した云い方をした。

「それは違う、今、広島の人たちは、想像を絶する悲惨な目に遭《あ》い、まだ虚脱状態から脱け出していないのだ、そんな状況に陥《おとしい》れたのは、あのたった一個の原子爆弾、リトル・ボーイなんだ、そこを理解しないと、広島のこの世のものとも思えぬ死の世界は、見えて来ない」

賢治が険しい語調で云うと、白人将校たちは、言葉に詰まり、早々に米軍相手のバーのある町へ出かけて行った。

外が真っ暗になった頃、部屋の中は、賢治一人になっていた。インタビューの書類を整理し、タイプライターを早い速度で打って行く。広島へ来て三週間目になるが、白人将校たちの関心は、原爆投下による人命殺傷度や、建物の破壊度の統計であり、下士官以下は、これまで戦って来た戦場の延長線上の一点としてしか、広島を見ていなかった。

原子爆弾の投下は、許すことの出来ない戦争犯罪だと考え、悔ゆる言葉が、一言も聞えて来ないのは、行きつくところ、人種差別なのか！　被爆者たちは、もうそろそろショックから醒《さ》め、声を大にして抗議してほしい！　賢治は、心の中から噴き上げて来る怒りを叩きつけるように、タイプライターを叩いた。

「そんな打ち方をするな、タイプライターが幾つあっても足りないよ」

背後で声がし、振り向くと、金髪の背のひょろ高い大尉がたっている。

「君、ここのテリー大尉を知らないかい」

「彼なら、もう帰りましたよ」

と応えながら、賢治はどこかで見た顔だと思った。

「あなたは、もしや……、一九四三年に、ロサンゼルス郡立病院の小児科病棟におられたドクター・ピーターソンではありませんか」

「そうだが、君は？」

審《いぶか》しげな顔をした。

「マンザナールの日系人収容所から、肺炎で死にかけたベビーを救急車で運び込んだ時、貴重なペニシリンをうって、命を救ったことを覚えておられますか」

「ああ、あの時の——、そういえば、ペニシリンは軍用優先で、民間には限られた量しか割り当てられていないと、婦長が大へんな剣幕《けんまく》だったね」

「そうです、婦長が、収容所に入っている敵性外国人には、軍配給の医薬品は使えないと云ったのを、ドクターは、敵性外国人の子供だからこそ、死なせてはならないと、アーサーに注射をうって下さり、おかげですっかり元気に育っています」

「それはよかった、しかし、こんなところで会うとは、奇遇だね」

ドクター・ピーターソンは、握手し、互いの戦歴を語り合った。彼は、軍医としてヨーロッパ戦線へ派遣され、ドイツ降伏と同時に一旦、米本土へ帰り、再度、ヒロシマへ来たという。賢治は、日系語学兵の行動がまだ、軍の機密事項になっていたから、戦闘部隊としてオーストラリアからフィリピンへと、太平洋戦線を闘って、日本へ来たとだけ説明した。

「お互いに戦場にいたわけか、合衆国政府も、日系人を強制収容したことの誤りにやっと気付いて、すべての収容所から解放したよ」

賢治が頷《うなず》くと、

「ヒロシマの惨状は、ひどい、今日はじめて広島大学の附属病院と日赤病院へ行き、被爆者を診たが、大きなショックを受けた、治療の方法が解らないし、今後、どういう影響が出て来るものか、見当もつかない」

「今後、出てくる影響？　それはどういうことです」

「放射線を直接、浴びた被爆者、直接でなくても、被爆直後、家族を探し廻ったり、看護をしたりしていて、残存放射能を受けた第二次被爆者、さらに被爆した人々の体質が次の世代に遺伝するかどうかという可能性の問題だ」

「では、被爆地にいて奇蹟的に傷一つ負わず、現在、異常がなくても、後に障害が出て来る可能性もあるわけですか」

賢治の脳裡に、梛子のことがあった。

「被爆当時、かすり傷程度の被爆者が六週間たって、突然、大量出血し、それがとまらぬまま死亡したケースが既にあり、原爆症状に関する限り、すべてが謎だ、それだけに医者としては、空怖しいという一語に尽きる」

賢治は、背筋の凍る思いがした。

＊

チャーリー田宮は、連合国軍最高司令官ダグラス・マッカーサー元帥の下級副官《セカンド・エイド》として、GHQに勤務していた。

午前八時に出勤すると、すぐ日本政府筋からかかって来る電話を取り、手紙や陳情書を開封し、英文に翻訳して、タイプを叩いて行く。チャーリーの隣りには、日本語の出来る白人の准尉《じゅんい》、向いには中国系の少尉がいたが、中尉であるチャーリーの仕事ぶりは際《きわ》だっていた。

六本目の電話がかかって来た。幣原《しではら》首相の秘書官からであった。

「はい、チャーリー田宮です、その件でしたら、ここ当分は無理と思います、何といっても元帥は、大へんな忙しさですから、ホイットニー民政局長に話されてはいかがです、え？　どうしても元帥直々《じきじき》に――、非常に難かしいですが、承っておきましょう、失礼」

慇懃《いんぎん》無礼《れい》に電話をきり、すぐまたタイプにかかった。打ち終ると、眼の底が少し疼《うず》いた。チャーリーは煙草をくわえ、くるりと椅子ごと体を窓の外へ向けた。

副官室からは濠《ほり》を挟んで皇居の森が見下ろせ、常盤樹《ときわぎ》の濃密な緑の中に、紅葉しかけた樹々が美しい文様を描いている。視線を左へ転じると、焼野が原の向うに、雪を冠《かぶ》った富士山が、くっきり望まれる。

三カ月前、カミカゼ特攻隊のホームグラウンドであった厚木飛行場へ着陸し、通信、交通機関が破壊された廃墟の中を横浜へ、そして東京へと進駐して来た時の不安と苦労は、今は消え失せた。日本占領行政がようやく軌道に乗り、絶対的な力を持って、はじまりつつあるのだった。眼下の皇居奥深くに住んでいる天皇が、今後、どう処遇されるのか、チャーリーには窺《うかが》い知れなかったが、下級副官とはいえ、五百名以上進駐した日系二世の中から唯一人選ばれ、日本政府の高官と直接、顔を合わせるなどとは、考えもしないことであった。

ふと時計を見ると、またたく間に十時を過ぎている。チャーリーは外務省、内務省、大審院、日本銀行などから来ている文書とその翻訳文を抱え、マッカーサー元帥の高級《ファースト》副官《エイド》室へ入って行った。

そこにはヒラー准将とバーンズ大佐の二人がいたが、実質的な副官事務はバーンズ大佐が、任に当っていた。

体はずんぐりしていたが、眼が碧《あお》く澄んだバーンズ大佐は、ハーバード大学卒業、ケンブリッジ大学留学、というマッカーサー好みの経歴を持つインテリ独身軍人で、元帥の出勤に備え、自室と、マッカーサー元帥の執務室をせわしく往き来していた。

「今朝までの翻訳を持って来ました」

チャーリーが報告すると、

「入っていい、こっちへ持って来てくれ」

バーンズの声がした。下級副官であるチャーリーは、許しがなければ元帥の執務室には入れなかった。

広い執務室は、ウォールナットのパネルに囲まれた重厚な雰囲気だが、簡素そのものだった。壁に掲《かか》っているのは、ワシントンとリンカーンの肖像画《しょうぞうが》と、接収前からあった小さなヨットの水彩画が二枚。その他、装飾らしいものといえば、暖炉の上のグリーンの大理石の置時計と、元帥の趣味であるパイプのコレクションで、五十本近く並べたテーブルが目立つ程度だった。

グリーンの羅紗《らしゃ》のカバーがかかった執務机の上には、整頓好きな元帥らしくペンスタンドと便箋入れのバスケット以外何もなく、午前と午後の執務前のみ、バーンズ大佐が整理したワシントンからの電報、公文書、個人的な手紙が整然と並び、極秘文書以外はすぐ読めるように半分、鋏《はさみ》が入れられている。

バーンズ大佐は、チャーリーがさし出した日本政府筋の文書の翻訳にさっと眼を通し、机の一番端に置くと、さらに細心の注意を払って室内を見廻した。大半の仕事を文書ですませる元帥の執務室には電話がなく、副官室に繋がるブザーがあるだけだった。

したがって、各セクションの長である将官クラスといえども、電話で話すことは出来ない上に、部屋の出入りも、アポイントメント（予約）なしには不可能だった。それだけに、副官室は、絶えず、面会者の調整に忙殺《ぼうさつ》されていた。

チャーリーが副官室へ戻ると、

「ヒー　イズ　ノット　ヒア」

素っ気ない電話の返事を返していた中国系の副官が、すぐ受話器を手渡した。

「ハロー　ジス　イズ　タミヤ　スピーキング　パードン？　あなたの英語はよく聞き取れませんが」

かけて来たのは、顔見知りの外務省の役人だったが、英語で話すと、相手はよけいに緊張した気配で、

「あのう、日本語で、お話し戴けませんでしょうか」

もぞもぞと、云った。

「結構ですとも、え？　マニラにおける軍事裁判の結審の見通しについて？　どうしてそんなことを聞かれるのです」

「実は、私はマニラ法廷の戦犯第一号の山下奉文の遠縁にあたる者で……」

「では、個人的なご用件ですか」

「いえ、そうともいえないのですが」

「マニラの軍事裁判に関しては一切、申し上げられません、だいいち、ここは部署が違います、法務局《リーガル・セクション》へ問い合せて下さい」

電話をきりかけると、相手はせき込むように、

「それが、先にそちらへかけましたが、明確な答えが得られず、結局、マッカーサー元帥の副官をしておられ、その

上、マニラのことにもお詳しいチャーリー田宮中尉なら、何かとご承知だろうと思ってお伺いしている次第で——」

藁《わら》をも摑む思いで聞いているのは、よく解ったが、

「何とおっしゃっても、ここは部署が違いますから、これで」

にべもなく、がちゃんと電話をきった。山下奉文大将の公判は、十月八日からマニラ総督官邸で開廷され、合法化された復讐と、囁やかれていることは、チャーリーも知っていたが、格別の関心はなかった。

また電話のベルが鳴り、十時三十分にマッカーサー元帥が、私邸としているアメリカ大使館を出発したことを告げた。副官室が、さっと緊張した。

赤坂の大使館から、五つ星《ファイブ・スター》の元帥のプレートをつけた一九四一年型黒塗りのキャデラックが出発すると、虎ノ門、霞が関、桜田門と、各交叉点にたっている日本の警察官が次々に、連絡をとって、信号を青にし、五分三、四十秒で日比谷の第一生命ビルの正面玄関に到着する。

午前十時三十七分、マッカーサー元帥は、専用エレベーターで六階に上り、廊下に姿を現わすと、出迎えの副官に僅かに頷き、執務室へ入って行く。六十五歳でありながらその引き締った筋肉と血色のよい皮膚は、五十代の若さで生気に満ち、人を容易に近づけない威厳を備えている。

元帥は、毎日きまったように午後二時頃まで、文書関係を中心とした緊急の仕事をすませてから、二、三人の幕僚、もしくは日本政府の要人と会う。そして二時過ぎに一旦、大使館に帰って、昼食を摂《と》り、マニラ時代からの習慣である昼寝をしてから、再び四時頃、オフィスへ現われ、夜の八時から九時頃まで執務するのが、一日のサイクルであった。

チャーリーは、日本政府との連絡事項のことで、高級副官室へ入りかけ、足を止めた。同じフロアにある民政局《ガバメント・セクション》長のホイットニー准将が、苛《いら》だった様子で話していた。

「バーンズ大佐、一時までに元帥の時間を十五分ばかりあけてくれ、CIEのダイク准将や、G2のウィロビー少将には、日本の非軍事化、民主化の何たるかの基本認識が解ってないから、わが民政局に見当違いの邪魔ばかりを入れる、ともかく、急ぎの用だ!」

戦前、マニラで弁護士をし、マッカーサー家の財産管理をした関係で、総司令部の幕僚入りを果したホイットニー准将は、いつも側近ナンバーワンの自負心をたぎらせていた。

「ゼネラル、どうか、お静かに、元帥は只今、トルーマン大統領宛の手紙を書いておられるのです、十五分といえども、無理です」

高血圧気味のバーンズ大佐は、顔を赤くして、説明した。

「そこを何とか計り給え、君はダイクやウィロビー一味か」

「ゼネラル、私はいつの場合も忠実なる元帥の副官であり

ます」

「じゃあ、メモを書いて置くから、出来るだけ早く、元帥の目に入れてくれ」

「解りました」

バーンズ大佐は、不承不承に応《こた》えた。

ホイットニー准将は、手早くメモを走らせると、せかせかと出て行った。

GHQは発足して間もないが、中枢をなすGS（民政局）、G2（情報）、CIE（民間情報教育局）、ESS（経済科学局）などの重要ポストは、〝バターン・ボーイズ〟と呼ばれるフィリピンのバターン半島以来、マッカーサーと生死を共にして来た側近で占められていた。そして元帥の寵《ちょう》を得るために競い合っていたが、優れた人材は、そうした主流より、むしろ傍系にいた。それはマッカーサー自身に能力と自信があり、一流の人材を側近に必要としなかったからだった。チャーリーは、ブリスベーンやマニラにいた時は、遠くからしか見ることが出来なかったマッカーサー元帥に仕え、元帥の輪郭《りんかく》が解って来るにつれ、畏敬《いけい》の念を強くした。その下級副官として働く自分は、二世の出世頭《がしら》であり、ラッキーボーイだと、改めて心を昂《たか》ぶらせた。

ATIS（連合軍翻訳通訳部）のオフィスがあるNYKビル（日本郵船ビル）の五階の将校用バーは、五時になると、オープンする。

東京駅丸の内に近い赤煉瓦《れんが》のビルの四階までがオフィスで、五階から上が宿舎になっており、一日の仕事から解放された将校たちが、待ちかねたように入って来る。ATISに勤務する者のほか、GHQの各セクション、憲兵隊など、他のオフィスに勤めていても、ここに集って来る。

バーボンやスコッチ、ウオツカなどが安く飲め、スモークトサーモンやキャビアなどの珍しい食べものも、ふんだんにあった。特にウオツカとキャビアは、戦時中、アメリカがソビエトへ送った兵器の見返り品として、どんどん送られて来ているのだった。

「ウオツカに、キャビア、最高だな」

准尉に昇進したケネス阿川とジロー大野が、陽気な声でグラスを高々と上げた。バーにはWAC《ワック》（陸軍婦人部隊）の白人女性や、将校たちが招待した日本の有名な女優の美しいキモノ姿も見られ、瓦礫《がれき》の焼野が原からは想像できない別世界であった。

そんな中で、賢治と、チャーリーは、騒々しい連中から離れた窓際に席を占めて、飲んでいた。

「どうして、広島から帰って、すぐに連絡してくれないんだ、俺は、ナギコの消息を待ってたんだぜ、頼み甲斐《がい》のない奴だ」

チャーリーは、椰子《なぎこ》の無事を知った安堵感を混えて、怒るように云ったが、広島の惨状がまだケロイドのように灼

きついている賢治は、

「調査団のレポートのまとめに追われて、つい――、だが、椰子は、広島駅にいながら奇蹟的に助かっていたんだ、全く奇蹟的に」

話したばかりの言葉をまた繰り返すと、チャーリーは、ぐいとグラスを空《あ》け、

「よりにもよって、原爆投下の日に、五日市の田舎から広島市へ出かけるとは――、どうせまた、あの頑固なナニワ節親爺《おやじ》が、云い出したことなんだろう、戦時交換船で日本へ帰ることを決めたり、ろくでもない親爺だ」

吐き捨てるように云った。

「そんな云い方は止《よ》せよ、仏になっている人のことだ」

「それにしても、ナギコが、傷一つ負わなかったとは、嬉しいよ、彼女、戦争中はどんな風に過していたんだい、二世というので、何かといじめられたんじゃないか」

チャーリーは、次々に質問し、賢治の答えを聞くと、

「ふうん、特高警察に対米放送の仕事を断わって、馘《くび》になり百姓をしていたって？　あの華奢《きゃしゃ》な体ときれいな手で？　それで、食糧と毛布はちゃんと届けてくれたかい」

「うむ、東京へ帰る日の朝、ジープを飛ばして届けて来た、とても喜んでいたよ、チャーリーらしい気の遣い方だと云って」

「それだけかい？　俺が今何をしているとか、再婚したかとか、俺の身辺について、細かなことを聞かなかったかい」

「君がマッカーサー元帥の副官をしていると云ったら、チャーリーらしい出世だと、感心していたよ」

「そんなことじゃないんだ、つまり、彼女は、離婚したことを後悔しているような様子がなかったかい」

「そこまで解らないよ、第一、そんなことは、君自身が会った時に聞くことだろう」

「よし、俺も何とか休暇をとって、彼女に会いに行く、そして東京へ連れて来て、いい働き口を見つけてやろう、カリフォルニア大学出身で、日本語が出来るのだから、GHQかATISのセクレタリー、新聞検閲係も、彼女の経験を生かせる仕事だ」

「そりゃあいいけど、彼女は戦争中、交換船で日本へ帰って来ているから、米軍関係のオフィスで働くことは難しいと思うな」

「といって、野良犬みたいな飢えた日本人がほっつき歩いているこの東京で、どんな仕事があるというんだ、軍関係が駄目なら、PXや米軍が接収したホテルの仕事など、智恵を搾《しぼ》れば、彼女にふさわしい仕事が見つけられるはずだ、まず宿舎がついていて、体が楽で、給料《ペイ》のいいところ、そんな口を必ず見つけ出すよ、俺は、それぐらいのコネは持っているさ」

したたか酔いの廻った顔で、自信ありげに云った。

「しかし、そんな時間があるのかい、GHQでは将官クラ

スでさえ、朝から夜の八時、九時まで、ぶっ続けの忙しさということじゃないか」

「そこは要領というもんだ、いい職を見つけてやり、俺も早くナギコの無事な姿を見たい、彼女は独《ひと》りっきりになっているんだ、それに、母と妹の消息も気に懸《かか》っているのだ」

「お母さんと妹さんの居所は、はっきり解っているのかい」

「いや……、何といっても二十年前のことだ、再婚する母を罵り、母子の縁を切って一人、アメリカへ帰って以来、音信不通なんだが、多分、広島にいるはずだ」

　いつも、俺は天涯孤独だと、云いきっていたチャーリーだが、その心の奥底には、母と妹への絶ち切れぬ肉親の情があるのだった。マッカーサー元帥の下級副官として、肩で風を切って歩くチャーリーだが、その心の中は、孤独で淋しい男であった。それだけにまた、梛子に対する心の傾斜の深さも思い測《はか》られた。

*

　GHQのある第一生命ビル地下の理髪店で、チャーリー田宮は、最後の仕上げのマニキュアをさせていた。店内には計十四の椅子がセットされ、鏡台にはシャンプー液だけでも二十数種類の瓶《びん》が並んでいる。

　終戦まで帝国ホテル専属だった五十過ぎの日本人理髪師が、チャーリーの前に屈《かが》むようにして、念入りに甘皮を取り、鹿皮でみがいて、エナメル液を塗っている間、チャーリーはえもいわれぬ快感を覚え、鏡の中の自分を満足げに眺め入った。多忙過ぎて、整髪する暇もなかったが、今日は、マッカーサー元帥と幣原《しではら》首相の会見の場に陪席《ばいせき》するため、時間をやりくりしたのだった。

　東京には、ホテル以外、外人専用理髪店はないから、第一生命ビルの地下の理髪店は常時、満員で、ブラウン、グレイ、金髪、黒、色とりどりの髪の軍人たちを、腕のいい理髪師がせっせと調髪し、耳掃除から顔のマッサージまで、注文通り器用にこなしている。

　チャーリーの指の爪を、ぴかぴかにマニキュアし終ると、

「はい、お待ちどおさまでした」

　理髪師は最後に、スプレーでオーデコロンを吹きつけてくれた。チャーリーは二十セントの整髪代に五セントのチップをはずんで、次いで裏の靴磨《くつみが》き屋に行って、靴を磨かせた。

「失礼ですが、二世の方ですか」

　白人が圧倒的に多い第一生命ビルの中で、珍しかったのか、年期の入った靴磨きが、親しみをこめて聞いてきたが、チャーリーはせっかくいい気分になっているのを害され、答えなかった。日本へ来て一番、癇《かん》に障《さわ》るのは、日本人が、慣れ慣れしく自分に日本語で話しかけ、二世さんでしょう、

お郷里《くに》はどちらですかと尋ねることだった。

六階へ戻ると、下級副官室《セカンド・エイド》に、もう幣原首相の秘書官が来ていた。

「おや、予定より大分、お早いですね」

オーデコロンの匂いをぷんぷんさせ、ややぞんざいに云うと、外務省出向の秘書官は、

「遅れましてはと、つい――、首相は、バーンズ大佐と話しておられます」

高級副官室の方へ眼を遣った。

「そうですか、首相にしろ、あなたにしろ外交官で、海外駐在の経験がおありなんですから、一々、私など陪席せずとも、直《じか》にお話しになってはいかがです？」

「とんでもない、私たちの英語はどこまでも日本人の英語ですから、あなたにご同席戴かなくては、とてもこちらの意図する微妙なニュアンスまで元帥にお伝え出来ませんよ、それはそうと、近々、ゴルフのお伴をさせて下さいませんか、伊東あたりなら温暖で、気持よくプレイして戴けます、首相からも是非、お誘いするようにと申しつかっているのです」

チャーリーの機嫌を取り結ぶように囁《ささや》き、手帳を取り出した。

「せっかくですが、そんな時間はありませんね、そろそろ時間ですから、参りましょうか」

チャーリーは、にべもなく断り、バーンズ大佐の部屋へ入って行くと、幣原首相は七十三歳の小柄な体を心もち屈め、

「今日も、お世話になりますよ」

と、たち上った。

二時十五分きっかり、チャーリーは元帥の部屋の扉をノックした。

応答はなかったが、静かに扉を開けると、マッカーサー元帥は窓を背に、机の前に坐って、書類を読んでいた。執務室にいる時も、衿元に五つ星《ファイブ・スター》をつけた軍服の姿勢はきちんとし、部屋の空気もぴんと張りつめている。

「失礼します、閣下、幣原首相がお見えになりました」

チャーリーが直立の姿勢で告げると、マッカーサー元帥は老眼鏡をはずして、幣原首相の方へ歩み寄り、手をさしのべた。日本人の中でも小柄な幣原首相は、爪先だつように、

「元帥閣下、ご多忙の中、会見をご快諾下さり、光栄に存じます」

まず、古めかしいキングス・イングリッシュで挨拶し、

「この間は、ペニシリンをおことづけ賜り、感謝に堪えません、おかげさまで、こじらせていた風邪がすっかりよくなりました、齢《とし》が齢ですので、肺炎になりかねないところでした」

よほどペニシリンが有難かったのか、鄭重《ていちょう》に礼を繰り返した。秘書官も深くお辞儀をし、謝意を表した。

マッカーサーは、幣原首相に革張りのソファーを勧め、自分もその向いに坐った。GHQの治安維持法撤廃、政治犯釈放等の人権指令が原因で倒れた東久邇《ひがしくに》内閣に次いで、戦後二代目の首相になった幣原は、親米派の元外交官で、戦前、四度外相をつとめた経験を買われ、GHQに名ざしされたと噂されていたが、マッカーサーは幣原が人選にのぼった時、開口一番「随分、年寄りだな、英語は話せるのか」と云ったという。むろん、本人を目の前にしてマッカーサーは、そんな素振りは噯《おくび》にも出さない。

チャーリーと秘書官は、直立のままだった。

「本日、ご面会をお願いしたのは、首相就任の翌々日、ご挨拶に伺いました折、元帥から、憲法改正が急務であるというご指摘を受けましたので、早速、憲法問題調査委員会を設置し、松本烝治《じょうじ》博士を中心として、改正案の起草に取りかからせつつありますが、この起草に先だち、GHQの忌憚《きたん》なき基本理念をお伺いしたいと思った次第です」

憲法改正案、起草――、次々に日常会話にない用語が出て来、チャーリーは神経を研《と》ぎすました。元帥は、秘書官の通訳を聞き終ると、

「お話をもう少し具体的にして下さい、首相がおっしゃらんとするポイントは何ですか」

パイプをくわえ、静かな口調で聞いた。幣原をあくまで一国の首相として扱いながら、頭をソファーの背に軽くもたせかけ、高い鼻で相手を見下すそのたたずまいは、無言のうちに相手を圧倒する不思議な力を持っている。こんな時でなければ、マッカーサーと直《じか》に接する機会のないチャーリーは、それが計算された演技か、天性なのか測りかねたが、チャーリー自身も、知らず知らず、金縛《かなしば》りになるような重圧感を覚えた。

マッカーサーの質問を、チャーリーが通訳するまでもなく、幣原首相は意味を解し、やがて硬ばった口を開いた。

「つまり、端的に申せば、天皇制の問題をGHQは、いかが考えておられるかであります、ポツダム宣言の条項を今一度、専門家に検討させたところ、天皇制の条項はなく、存続を黙認して戴いたと諒解していますが、米国世論は〈天皇を戦犯にすべし〉という声が強く、それを反映して先頃の上院合同決議では〈天皇を戦犯裁判にかけることを米国の方針とする〉と取り決めた旨、もれ聞きました、もしそのようなことが現実になれば、新憲法の基本理念は全く変って参ります」

「日本国憲法改正に、米国の一般世論を気にされることはありません」

マッカーサーの顔に、かすかな苛だちがよぎった。

「ということは、GHQは、憲法改正草案の起草にあたって天皇制存続を前提としていいと――」

幣原首相は、喰い下るように云った。

「天皇制の問題は、ワシントンの調整委員会で、一九四四年後半から検討されていますが、それほど簡単なものでは

ない、いずれにしろ、日本国憲法については、連合国側が押しつけたという形はとりたくない、強制的な憲法になれば、占領が終った後、いや、日本の将来にわたって、長い寿命が保証されないからです、天皇の問題も含め、考えるのは、あなた方、日本国家であり、国民です」

マッカーサーは、抑揚のない声で云い、それ以上の質問を受けつけぬ態度を示した。幣原首相は明らかに見くびられていた。

会見は予定通りの時間で終了し、幣原首相は老体をよろめかせるようにして、辞去した。

チャーリーはエレベーターまで見送ると、会見内容をすぐタイプし、バーンズ大佐のもとへ提出した。

「プライム・ミニスター・シデハラは、さぞ元帥を苛だたせただろうな、これでは一体、何の申し入れかよく解らない」

バーンズは一読し終えると肩をすくめ、

「ところで、もうすぐ、キーナン検察団一行が来ることは知っているだろう、これから忙しくなる一方で、クリスマス休暇はないと思ってくれ」

「大佐、私はマニラ以来、休暇を取っていません」

「私だって同じだ、元帥に合せて、四六時中、勤務している、独身なればこそ続くのだろうな、君も我慢しろ」

四十三歳で独身のバーンズの説得には、抗し難かったが、勇をこし、

「では、たとえ数日でも、今のうちに取らせて下さい、広島へ行きたいのです」

「ヒロシマ？　そういえば君の父親の出身地だったな」

「現在、母と妹がいるはずです」

「では、週末から五日間だけにしてくれ」

チャーリーの心は躍った。これでやっと、梛子と会うことが出来るのだった。

フル・スピードで仕事を片付け、三階のG2（情報）へ書類を持って行った帰り、廊下に長身で、身装《みなり》のいい初老の日本人の姿が見えた。帝国ホテルの花丸《はなまる》支配人であった。

帝国ホテルは、米軍に接収され、高級将校の宿舎にあてられ、G4（兵站《へいたん》・補給関係）の管轄下にあった。米本国からVIPの訪日を報せて来ると、参謀部秘書官が査定し、相応の重要人物と認めた場合、ホテルへ部屋の確保を命じる仕組になっていたから、支配人である花丸は、始終、GHQに出入りしているのだった。

よほどの考えごとがあるのか、チャーリーとすれ違いかけ、やっと気付いて、たち止まった。

「おや、中尉、これは失礼、いつも何かとお計らいを戴いております」

花丸は、マッカーサー元帥の身近に仕えている下級副官のチャーリー田宮に、丁寧にお辞儀した。

「こちらこそ、いつも不意のVIPの宿泊や接待に無理を云っています、それにこの間は、元帥の夫人のためにパー

ティを開いて下さってどうも——、見事な金屏風《きんびょうぶ》の前に、日本の陶器の壺や漆器が飾りつけられ、料理も、食前酒《アペリチフ》からはじまるフランス料理のフルコースで、とても素敵だったと喜んでおられましたよ」

　警護上、私邸として使っているアメリカ大使館から自由に出歩けないマッカーサー夫人のために、花丸支配人が趣向を凝らしたパーティを催したのだった。

「それにしても、どうなすったんです？　今日は、妙に冴《さ》えない様子じゃないですか」

　チャーリーが云うと、花丸は、

「そうなんですよ、実は、先日、発表された軍事裁判のキーナン首席検事をはじめとする検察団のご到着は、十二月九日ということなんですが、今、G4からその受入方を万《ばん》遺漏《いろう》なくやるようにと厳命されたんです、何しろ、戦争中は荒れ放題だったもんですから、天井や壁の漆喰《しっくい》にはひびが入り、冷暖房の配管もまだ完全に修理が出来ず、暖房がきかなかったり、冷房の時は水がぽたぽた洩るところもあるんですよ」

「そんなことはG4に云えば、直ちに資材が配給され、修繕も優先されるじゃないですか」

「ですが、すぐ補給のつかないものがありましてねぇ、つまり経験のある従業員たちはまだ復員していないか、焼け出されて地方へ疎開してしまい、今いる殆《ほと》んどは、GI連中から聞きかじりのひどい英語で、とてもお客様の前に出せません、サービスについての九〇%は、この言葉の問題ですからね、日英両語がきちんと出来、教養のある女性が要るんですよ、おそらく、京都や奈良への観光についても、いろいろアドバイスしなくてはなりませんからね」

　吐息をついた。咄嗟《とっさ》にチャーリーの頭に、椰子のことが浮かんだ。

「ミスター・ハナマル、それなら一人、優秀な心当りがありますよ、カリフォルニア大学出身の二世で、日本語が出来、日本の文化についても素養のある女性です、詳細はあとで、ご連絡しますよ、ともかく、僕に任せて下さい」

　チャーリーは、押しつけるように云った。

*

　呉《くれ》の米軍ジープで広島市内に向いながら、チャーリー田宮は十三歳の時に、一年間だけいた日本に、はじめて戻って来たような実感が湧いた。あれからほぼ二十年——、凸《でこ》凹《ぼこ》の地道の両側に見える深い藁葺《わらぶ》きの田舎家、赤く熟した柿の実、すみずみまで耕された畑、雌鶏《めんどり》のけたたましい鳴き声——、日本へ進駐して四カ月になるが、東京の日比谷界隈《かいわい》では全く知ることの出来ない日本、そして自分の思考方法がどうあれ、自分が日本人の血を持つ人間であることが、いまいましいほど強く思い知らされる。

　激しく揺れるジープを強引なハンドル捌《さば》きで突っ走らせ、

やがて広島市内に入って、チャーリーは愕然として車を停めた。

広島の惨状は、賢治から聞いてはいたが、駅から遥かな山まで何の遮蔽物《しゃへい》もなく、灰色の焦土は、殺人砂漠のようであった。灰色の砂漠にドーム型の鉄骨が骸骨のように焼け残り、その向うに石の鳥居だけがぽつんと倒れずに建っているのが、妙に不気味だった。

爆心地である市の中心部には僅かにドッグ・ハウスのような掘立《ほったて》小屋が建っているのみで、市内の病院では、今も火傷《やけど》した体を腐らせ、鼻と口から血を流して死んで行く者があとを絶たないという。

GHQが、連合国のマスコミ関係者の広島入りを禁止し、厳重な報道管制をしいたのが、なるほどと頷かれた。

原子爆弾はユダヤ系のオッペンハイマー博士をはじめ、ナチス・ドイツから亡命したノーベル賞学者たちが、ニュー・メキシコ州ロス・アラモスの砂漠のど真ん中の原子力研究所に集められ、外界との一切の連絡が絶たれた〝ノーベル賞学者の強制収容所〟と云われるほどの厳しい監視下で、作り出されたと聞いている。クレージーな抵抗を続ける日本をギブ・アップさせるには、仕方のない兵器だが、よりによって、何故、広島に投下したのだ！

チャーリーにとって、広島は、何一つ温かい思い出はない。アメリカで父を失い、母に連れられて妹と共に、この広島駅に着いた時の侘しさ、それから一年後には、母の再婚と親類縁者の冷たい眼に反撥して、一人アメリカへ帰るために、駅のベンチで一夜を明かし、これから先の心細さに耐えかねて、不衛生で臭い公衆便所で声を殺して泣いた。

他の二世たちのように、父祖《ふそ》の国、日本へ来ても、自分には何一つ、家族的なしみじみとした懐しさを覚えるものがない。むしろ、思い出したくないことばかりだった。

それにもかかわらず、救いようのない憤りがこみ上げて来る。チャーリーは、矛盾する複雑な気持に、我ながら戸惑った。

市内を走り抜け、瀬戸内海のおだやかな内海《うちうみ》に浮かぶ牡《か》蠣《き》の養殖筏《いかだ》を目にしながら、椰子のいる五日市に向けてジープを走らせた。

ようやく、椰子の叔父の家を探しあてジープを乗りつけるなり、椰子の元《もと》ハズバンドだと名乗った。

「まあ、あんたさんが、椰子のご主人だった方ですかいな、これはまあ」

叔父夫婦はびっくりし、それ以上はどう挨拶したものか、まごついた。

「ナギコのルーム、どこ？」

GHQの副官室では流暢な日本語を使いながら、ことさら外人ぶった口調と身振りをしていると、椰子がモンペ姿で現れ、

「まあ、チャーリー！」

驚きのあまり、手に抱えているこもを落した。

「ナギコ！　よかった」

チャーリーは、人眼も憚《はばか》らず、抱きしめた。

「いつ、こちらへ」

「今日、着いたばかりだ、ケーンから、ナギコのことを聞いて、矢も楯《たて》もたまらなくなってね、食糧もたくさん、持って来たよ」

「有難う、叔父や子供たちが喜ぶわ」

自分たちの様子をずっと窺《うかが》うように見ている叔父たちの手前もあり、体を離すと、

「他人《ひと》のためじゃない、ナギコのために持って来たんだよ、キャンディ、チョコレート、缶詰、それに石鹼、薬、毛布、持てるだけのものを持って来た」

ジープから次々と包みを下ろした。

叔父たちは眼を見張り、小さな子供たちも寄って来た。チャーリーは、そうした子供たちには、ポケットのキャンディを与え、

「ともかく寒いな、ナギコのルームへ入らせてくれよ」

つかつかと離れの梛子の部屋へ入った。以前は納屋だったのを人が住めるように改造し、台所も便所もついていたが、荒壁《あらかべ》の粗末な住いであった。それは、チャーリーが亡き父の郷里に帰った時、与えられた雨もりのする侘しい小屋とそっくりだった。これが日本の田舎の奴らのすることだと舌打ちしたが、机の上の位牌《いはい》に気付くと、

「可哀そうに、せっかく日本へ帰って、こんな風になったのか」

神妙に坐って、合掌した。

「有難う」

梛子は涙ぐみ、青白い頰に一筋、滴った涙を払った。

「苦労しただろう、ケーンからいろいろ聞いたよ、両親の四十九日も終ったのに、どうして、僕らを頼って、東京へ出て来ないのだ」

「東京の生活といっても、まず住いを見つけなければならないでしょう、そのめどがつかなくては行けないわ」

「ナギコの仕事だけど、軍関係のオフィスに勤めることは難しいから、ホテルでどうだい」

「ホテル？　東京のこれというホテルはすべて米軍が接収していると聞いているけど、どんな仕事があるの」

「ナギコの口は、帝国ホテルだ、連合国関係のＶＩＰが宿泊するから、日英両国語が話せて、教養のある、且つ日光や京都の観光地についても、事情に通じている者が必要だが、それがなくて困っている、それでそういう方面の仕事をこなしてほしいのだ、住いの心配もない」

「そんないい仕事があるなんて、思いがけないわ」

黒い瞳を輝やかせた。

「うむ、帝国ホテルの日本人支配人とは、昵懇《じっこん》なんだ、ナギコの経歴、日本語及び日本的教養も抜群、僕の元のワイフだから保証すると、頼み込んで、ＯＫして貰ったよ」

「変な保証の仕方ね、何も、そんなプライベートなことま

で云わなくてもいいでしょう」

「ナギコ、今、仕事がいるんだろう、いろいろ探したあげく見つけたいい口なんだ、頼み方など、どうだっていいじゃないか、それにナギコと僕とは、また元通りになれるかもしれないじゃないか」

「そんな――」

「ナギコ、あの時は、ゆっくり話し合う時間がなかった、僕は自分の将来のことを考え、オーストラリアの司令部付きになることだけで頭が一杯だったんだ、つまり、時間切れの喧嘩別れみたいなものなんだ、だが、オーストラリアへ行ったことが運のつき始めだ、とうとう、GHQのマッカーサー元帥の副官にまでなれたんだ、もう、ナギコを苛だたせたり、怒らせたりするようなことは何もなくなったよ」

「ナギコ……」

　チャーリーは熱っぽく話し、
と云うなり、腕をのばした。梛子は反射的に体を退《すさ》らせた。

「俺のこと、もう愛していないのかい」

「私たちは、正式に別れたはずよ」

「それはペーパーの上のことで、心は別だ、別れてからもずっと、ナギコのことばかり考え、忘れたことはなかった」

　そう云い、強引に梛子を抱きすくめ、唇を捺《お》しつけた。

「――やめて、私はあなたのように、時間切れや便宜的に、離婚したんじゃないわ、私たちは、もう他人なのよ」

　梛子は、はっきりと云った。チャーリーはぎらぎらと眼を燃えたぎらせ、

「ナギコ、君はあんまり苦労が多すぎて、神経が参っているんだよ、新婚旅行の時、ミネアポリスの湖畔の家で、美しい白鳥を見て過した時のことを思い出してくれ、ナギコは、決して忘れていないはずだ」

　迫るように云った。

「チャーリー、お願いだから、過ぎたことはもう口にしないで」

　梛子が云うと、チャーリーは落胆した様子だったが、気を取り直すように、

「OK、だが、帝国ホテルの口は、きめておくよ」

　梛子は、応えなかった。

「就職を世話したことで、あれこれ云うようなケチな俺じゃない、こんな田舎にくすぶって畑仕事などせず、昔のナギコのようにしゃきっとして仕事をしろよ」

「じゃ、お願いします」

「そう、その調子だ、決心したら一日も早い方がいい」

「ええ、でも東京行きの列車の切符一枚、手に入れるのも大へんな時勢なのよ」

「それは俺が、広島駅のRTO（鉄道輸送事務所）に頼んでおいてやるから、専用列車に乗ればよい、身の廻りの物だけ持って、出来るだけ早く来いよ、待っているよ」

てきぱきとことを運んだ。

「お母さんや妹さんには、もう会ったの？」

椰子が聞くと、

「いや、まだだ、これでも結構忙しいんでね」

曖昧《あいまい》に言葉を濁した。

「広島まで来て、肉親に会わないなんて――」

椰子に云われるまでもなく、母と妹という血の繋りに心が騒いでいたが、会いに行こうか、行くまいか、まだ気持が揺れているのだった。

「居所が解らないの？」

「いや、解っている、こっちの軍にいる友達に戸籍を調べて貰ったんだ」

「じゃあ、なおのこと、会いに行くべきよ」

「そうだな、行くとしようか」

チャーリーはやっと、心《き》を決めた。


呉の坂町まで来ると、案内を頼んだ駐在所の巡査に、

「サンキュー、ここから先はいいよ」

と云い、ラッキー・ストライク一箱を渡した。家までついて来て貰いたくなかったからだった。

浜沿いに走る線路を渡ると、段々畑になり、一丁ほど上ったところが、小田市次の家であった。

チャーリーにとって、口にするのさえ、虫酸《むしず》の走る男の名前であった。二人の子連れの母が生きて行くには再婚しかなかったとはいえ、あの貧相《ひんそう》な男と顔を合わせたくないという気持が、最後まで二の足を踏ませた。

田圃《たんぼ》の畦道《あぜみち》が狭くなり、そこでジープを停め、藁葺きの小さな家まで少し歩かねばならなかった。キャンディや缶詰を入れた袋をぶら下げ、大股に歩いていくと、畑を耕している女の姿が眼についた。モンペ姿に、日本手拭いをかぶり、手甲《てっこう》をかけて、せっせと働いているその陽に灼けた顔は、まぎれもなく、母であった。

思わず、声をかけようとしたが、素直に声をかけることが躊躇《ためら》われた。チャーリーは、他人を見るような眼で、母の姿を観察した。亡き父が、カリフォルニアのハンチントンビーチの胡椒畑で成功していた頃の母は、畑仕事などせず、フリルの一杯ついた洋服を着、いつも花をつけた帽子をかぶっていた。その母が、今は汚れた手拭いをかぶり、皺《しわ》になった顔で畑に這いつくばっている。これが憎みつつも、心の奥底にいつも思い描いていた母なのか、俺の母はもっと美しい人だったという哀しみが、突き上げて来た。

「お、お前、もしやチャーリーでは……」

畑の中から声がし、母は転がるように駈け寄って来た。

「待っていたよ、進駐軍の二世の姿を見る度に、お前じゃないかと思ってねぇ……」

あとは涙でものが云えず、チャーリーを力一杯、抱きしめた。チャーリーも次第に心が揺ぶられ、

「無事でよかったね、それであの人は？」

顔を合せたくない男の様子を聞いた。

「あいにく、今日は広島市へ出かけて留守なんだよ」

残念そうに云ったが、チャーリーは、ほっとした。家の中へ入るとまっさきに、

「万里子、マリーは、家にいるかい」

妹の名を呼ぶと、土間《どま》の向うの部屋の襖《ふすま》が半ば開き、そこに着物を着て、ぽつんと坐っている人影があった。チャーリーの瞼に残っている妹は、まだ四歳のあどけない人形のような幼児《おさなご》だったが、あれから数えると、今、二十二、三歳になっている。しかし目前《もくぜん》の女性のたたずまいは、二十二、三歳にしては暗く、ひそやか過ぎる。

「あの女性《ひと》は、誰？」

訝《いぶか》しげに聞くと、母の顔が歪《ゆが》んだ。

「じゃあ、あれが……」

チャーリーは、ただならぬ気配を感じた。

「マリー、兄さんだよ、どうしたんだい、アメリカから来た兄さんだよ」

急いで靴を脱ぎ、前に廻って、息を呑んだ。

殆んど光の射さない薄暗い部屋の中に坐っている妹は、顔を隠すように黒いベールのような布を垂らしている。

「マリー、お前、もしや、原爆に……」

と云うと、妹は、それまで耐えていた姿勢を崩すように頷いた。チャーリーは、もうそれ以上、言葉を継げなかった。若い身空で、薄暗い部屋の中に閉じ籠り、その上、顔を掩うために黒いベールまで垂らしているとあっては、相当、重度の火傷に違いない。命は助かったものの、女としての命を断たれてしまった妹の姿を前にして、チャーリーは、地獄に陥ちるような空怖しさを覚えた。

母は、チャーリーの傍へすり寄り、声をひそめて、八月六日、原爆投下の日、妹が軍衣縫製工場で被爆したことを話した。

二交替制の勤務で、その日、早番の勤務に就くために、その頃、十日市町にあった家を出、練兵場近くの縫製工場の門をくぐった途端、閃光を浴び、周囲の人々は殆んど即死したが、万里子は崩れた煉瓦塀《れんがべい》の下から這い出した。夢中で自分の家へ逃げ帰る途中、母と義父とに出会い、大八車に乗せられて、義父の親戚がいる呉の坂町まで運ばれたのだった。

母の話では、義父は、再婚後、六年目に行商をやめて、十日市町に呉服店を持ち、母との間にもうけた一人息子と、万里子とを分け隔てなく可愛がり、万里子が齢頃になると、縁談に奔走した。一人息子は出征し、万里子の配偶者になる齢の男は、殆んど徴兵されてしまっていたが、軍需工場に徴用されていた機械設計士との縁談をまとめ、衣料統制の折にもかかわらず、商売柄、人が羨むような婚礼の支度をし、八月末に挙式することになっていた。

駆けつけて来た婚約者は、万里子の顔から首筋にかけて、焼きごてをあてられたように赤く焼け爛《ただ》れ、肉が盛り上っ

た顔を見るなり、歯の根も合わぬほど震え上り、二度と訪ねて来ぬばかりか、破談を申し入れて来たのだった。その日から万里子は、嫁入り道具が並んでいる一室に閉じ籠り、顔から胸もとにかけて黒いベールのような布を垂らしてしまったのだった。

そこまで話し終え、母は泣き崩れたが、万里子は身じろぎ一つしなかった。鏡台や桐《きり》のタンス、緞子《どんす》の嫁入蒲団に囲まれた中で、顔を黒い布で掩った娘が、無言で端座している姿は、不気味であった。

「マリー、兄さんだ、チャーリーだ」

躙《にじ》り寄ったが、妹は無言だった。

「マリー、怒っているのか、ママとお前を置き去りにして、アメリカへ帰ったのは、俺なりに苦しんだ上でのことなんだ、許してくれ、そのかわり、これからはお前のために出来ることは、何でもしてやる」

身勝手を詫びた時、一陣の風が吹き込み、黒いベールがそよいだかと思うと、妹の顔の右半分が、露《あら》わになった。一面に焼け爛れ、眉の下の眼は半ば溶《と》けて閉じられている。それまで一言も口をきかなかった妹は、ベールをもと通りにし、

「兄さん、この仇《かたき》を討って下さい！」

はっきりした口調で、云った。チャーリーは、絶句した。アメリカに生れた妹は、アメリカ国籍を持っていたが、四歳から二十年間近く育った日本が祖国であり、原爆を投下したアメリカは、敵国であるのだった。そしてアメリカ市民であり、米軍将校の服を着ている自分に対して、この仇を討って！　と悲痛な叫びを発したのである。チャーリーは自ら振り切ったはずの肉親を前にして、慟哭をこらえきれなかった。

＊

十二月十日になると、第一生命ビルのGHQの正面に、はやばやとクリスマスの飾りつけがはじまった。

玄関の大円柱の前に、綿の雪を冠《かぶ》った大きなクリスマス・ツリーが据えられ、金銀の十字架、星、ベル、そして色とりどりの豆電球が華やかに点滅した。屋上にはイルミネーションが取りつけられ、夜になると、焼野が原の東京で、そこだけが燦然《さんぜん》と輝き、勝者のヘッドクォーターであることを、強く印象づけた。

賢治はG２（情報）で用件をすませた帰り際《ぎわ》、評判のクリスマス・ツリーをもう一度、振り仰いだ。アメリカ本国でもこれほどのツリーはそうめったに見られない。これでやっと長い戦争が終り、名実ともに平和な年が迎えられると、安らぎを覚えたが、往来の日本人は栄養失調の体に襤褸《ぼろ》をまとい、師走《しわす》の風にさらされている。

賢治は、複雑な思いで、丸の内のNYK（日本郵船）ビルのオフィスへ向った。東京駅、新橋、有楽町の国電のガー

ド下には、戦争孤児が裸足《はだし》で靴磨きをし、女は体を売っている。そしてまだ食糧は配給制で、外食券食堂の前には、空腹を抱えた人の列が延々と続いているというのに、進駐軍宿舎の食堂では、料理がまずいという不満ばかりで、残飯が闇市に流れ、ごった煮にして一杯五、六円で売られている。

オフィスへ帰り、戦略爆撃調査団のメンバーだけが出入りできる二階の特別室へ入ると、白人の少尉が、

「ムーラー中佐が、呼んでいたよ」

と告げた。その足で心理作戦部の中佐の部屋へ行くと、縁《ふち》なし眼鏡をきらりと光らせ、書類の山から一部を抜いて、ぽんと賢治の前へ置いた。それは賢治が、戦略爆撃調査団の一員として広島へ行き、被爆者とインタビューしてまとめたレポートであった。

「これが、どうしたのでしょうか」

賢治が聞くと、ムーラー中佐は殆んど表情を動かさず、ぱらぱらと頁をめくり、赤のアンダーラインをしたところを示し、

「ここが問題だ、もう一度、読み返して見ろ」

と云った。

『原子爆弾を受けた地区の住民の反応』恐怖四七%、自分の生命に対する心配一六%、驚嘆―原子爆弾の破壊力と科学力に対する驚き二六%、羨望―なぜ日本でこのような兵器を製造することが出来なかったか三%、憤怒―爆弾は残酷、非人道的、野蛮である一七%、原子爆弾を使用した故に米国及び米国人を憎悪する二%。以上が、数字にみる被爆者の応答である。米国及び米国人に対する憎悪が、われわれ調査団の予測した数値より遥かに低いのは、多くの日本人が、占領軍に対する恐怖、または追従《ついしょう》から、インタビューした米将兵に対し、率直な気持を表明しなかったことは明らかである。

さらにまた被爆者に対するインタビューが、米軍占領政策が成功し、降伏後二カ月経って行われたことであることも留意すべきである。例えば多くの応答者は、自分たちに食糧を供給してくれるであろう米軍に敵意を表明することは不穏当であるとの配慮からも回答している。

そして日本人の敵意が、曾て自分たちをこの悲惨な戦争に駆りたてた彼ら自身の政府に向けられている時期と、重なっていることも、見逃してはならない。したがって、先に記した被爆者の心理的影響の数値は、インタビューを行った時期、情況（恐怖、追従による歪曲《わいきょく》）によってもたらされた要素を充分に考慮して解釈しなければ、日本の国民感情を正確に把握《はあく》したものとは云えない。

「中佐、この部分のどこがいけないのですか」

賢治は、自分の書いたレポートを前にして聞き返した。

「三週間かけてインタビューし、分析した数値を出しながら、結論として否定的とも取れる意見をつけ加えているのは、どういうことだ」

「その数値の見方を付記したまでです」

「その付記を削除しろ」

「出来ません、削除することは、真実を失うことになります」

「数字が冷厳な真実だ、よけいな演説はいらない、削れ！上官の命令だ！」

ムーラー中佐は、強い口調で命じた。

「いかに上官の命令でも、原子爆弾投下という有史以来の出来事に対し、正確な調査結果は削れません」

賢治は起立したまま、一歩も譲らぬ意志を籠めて、云った。ムーラー中佐は、じっと賢治の顔に視線を据え、

「ケーン、君のずば抜けた日本語と洞察力は、ブリスベーンで、日本の大本営の命令書を読破して以来、上層部で評価され、近いうち中尉への昇進も考えられている、君の将来のためにも、この付記は消した方がいい」

やや懐柔するように云った。

「中佐、私は広島へ行き、単なる焼け跡以上の惨状を眼にして、自分の人生観さえ変りそうな衝撃を覚えました、今の私にとって、自分の将来より、真実を記述することの方が、大切なのです」

そう応えると、賢治は踵《きびす》を返し、部屋を出た。

やりきれない思いで廊下を曲りかけた時、小包郵便係の紅顔の二等兵が、手押し車を押して来るのと出会った。

「アモウ少尉にも、クリスマス・プレゼントが届いていますよ」

「そうかい、有難う」

自分の部屋へ帰って来ると、一同は今、配られたばかりの小包みを、歓声を上げながら開いている。

「おい、俺のところは、ママが編んでくれたマフラーと、キャメル三カートンだ」

「こちらは、リキュール入りチョコレートと、姉が焼いたクッキー、それにラッキー・ストライク二カートンだ、PXへ行けばいくらでも安く手に入るのに」

半ばがっかりしながらも、アメリカ本国の匂いを嗅《か》ぐように、クリスマス・カードに見入っている。

「ケーンの包みは、いやに大きくて、重そうだな、見せてくれよ」

賢治の包みに、視線が集まった。確かに大きく、重たい。急いで開くと、米五升と味噌、醬油缶に、クリスマス・カードが添えられ、家族の寄せ書きがあった。

日本は深刻な物資不足で、飢え死にする人もあると聞き、食糧ばかりを送る　父より。元気で早く帰って来

ておくれ　母より。メリー・クリスマス　アンド　ハ
ピー　ニュー　イヤー　エミーより

外電が伝える日本の飢餓状態を心配しているのが、手にとるように解った。それにしても、エミーは妻らしい言葉の一行も書き添えていない。アーサーとベティは、愛らしい字で、自分の名前を書き並べている。二人の子供の成長が眼にうかび、思わず微笑を誘われたが、妻の素っ気なさが気にかかった。

＊

ハリウッドのチャレンジ・ブールバードの一番端に開店してまだ間もない『アモウ・ランドリー』で、乙七《おとしち》は玉の汗を滴らせ、アイロンだこのある手で、アイロンがけに精を出していた。傍らでテルも小物のアイロンがけにいそしんでいる。まだ客がつかないアモウ・ランドリーも、クリスマスを前に、他店《よそ》では捌《さば》ききれない洗濯ものがどっと廻され、昼食を摂《と》る暇もない忙しさだった。

扉が開き、戦前からのお顧客《とくい》で、今は出資者であるスミスが、顔を覗《のぞ》かせた。

「これはスミスさん、ようこそ」

乙七はアイロンのスイッチを切って、迎えると、

「近くを通りかかったついでに、お客を紹介しておくよ、明日、この家へ行きなさい」

名前と住所を書いたメモを渡した。乙七さえ知っているビバリー・ヒルズに住む有名な喜劇俳優であった。

「こげな方ん洗濯もんを私らんところで、きちんと出くっか、どうか」

喜ぶ前に、律義な乙七は、心配した。中国人が経営していたランドリーを、スミスが居抜きで買い、乙七にレンタルする形をとっていたが、以前のような設備が整っていず、得心《とくしん》のゆく仕事が出来ない場合があった。

「アモウのそういう入念な仕事っぷりに、私は肩入れしているのだ、必要な設備や、上等の洗剤が使いたければ、そうしなさい、いい仕事をすれば、きっと客がつき、この店があんたのものになる日も早くなる」

乙七は頭を深く下げ、テルは、

「あんた様が、こげんしてご親切にして下さらなければ、私たちは、ツールレークん収容所から出て行くところもなく、いけんなっていましたか」

指先で涙を拭いながら云った。敬虔なクリスチャンであるスミスは、

「あなたたちの息子の一人は、四四二部隊の兵士としてヨーロッパ戦線で、ドイツ軍に包囲されたテキサス部隊を救出するために死んだ、もう一人の息子さんも太平洋戦線で闘い、今、日本で働いているのでしょう、そんな忠誠なアメリカ市民である日系人が、もとのリトル・トーキョーへ

戻れないのは、まだ多くのアメリカ人が人種的偏見を持っているからです、お気の毒で、悲しいことだと思いますが、頑張って下さい」

温かい眼ざしで励まし、帰って行った。

午後二時過ぎ、やっとアイロンの仕上げを終り、サンドイッチの昼食を手早くすませると、乙七は配達のためにたち上った。

「もうちっと休憩をせんと、体い毒ですよ」

「三年間、死んだも同然の収容所生活をして来たとじゃ、ゆっくいなどしておられん」

頑《かたく》なに応え、メキシコ人の少年に手伝わせて、仕上り品をワゴンカーに積んだ。

「パパ、気をつけて、何といっても齢だからね」

戦死した勇の年金で、ジュニア・カレッジに通っている春子が気遣った。

「心配なか、そいより、そこいある洗濯もんを早よ内へしまっおけ、また、どげないやがらせがあるかもしれん」

開店早々、ジャップお断りと扉に落書きされたり、ワゴンカーのガソリンに砂糖を入れられたり、いやがらせは今だにあとを絶たない。

乙七は、サンセット・ブールバードの裏通りにある中華料理屋の前で車を停《と》め、料理人の白いユニフォームや、テーブルクロス、ナプキンを抱えて入って行った。

「乙七さん、ご精が出ますね、有難う」

大野保が顔を出した。戦前はリトル・トーキョー随一の中華料理店、加州楼の主人で、ノウノウ組のツールレーク収容所を出たのも、乙七と同じ頃であったが、大野は強制収容所送りになる直前に解約した生命保険三千ドルを資本《もとで》に、この場所に、長男夫婦と共に中華料理店を開いたのだった。

「この間の味噌と醬油、日本の賢治さんに届きましたか」

「あん節は、分けて貰うて有難かった、きっと喜んでおることじゃろ」

「京都の師団にいるうちのジローに送ってやるついでに、声をかけただけのことで、ジローは、来年、除隊になりそうですが、賢治さんの方はどうです」

「この間ん手紙では、職務柄、除隊は無理じゃが、休暇がとれ次第、家族ん元気な様子を見に帰っと云うてましたが」

「じゃ、それまではやはり、エミーやお孫さんとは別々に？」

「どげんなることやら、配達があっので、こいで失礼……」

乙七は、嫁のエミーの話を避けるようにして、出て行った。

乙七一家がツールレーク収容所から出た時、畑中万作が迎えに来てくれ、その夜、エミーと孫のアーサー、ベティも一緒に食事をしたが、エミーの顔つきにただならぬものを感じた。飲みはじめると、少しずつ落着いて来たが、眼が据わって、はすっぱな言葉がぽんぽんと飛び出して来る。ボーディング・ハウスの手伝いをしていると、そんな水に染まるものなのかと思いながらも、乙七は、賢治と二人の孫のことを思うと、いつまでも自分たちに寄りつかない嫁と諦めてばかりもいられないと思った。

西ロサンゼルスのソーテルにある畑中万作の経営するボーディング・ハウスは、ますます繁昌し、近くのアパートをもう一軒買収する準備に取りかかっていた。

「パパっ！　お酒、どこへ隠したの」

事務所で、ほくほくの胸算用をしている万作の前に、突然、エミーが入って来た。髪は乱れ、痩せて荒《すさ》んだ顔に口紅だけを濃く塗っている。

「エミー、少しは子供たちのことを考えろ、アル中みたいだぞ」

「だからどうしたのよ、お酒頂戴、そしたら、ちゃんと母親らしくしてやるわ」

「何という口のきき方をするのや、なあ、子供たちのために、わしと一緒に医者へ行こう」

「医者へ行って、どうなるものでもないわよ、それより私、頭が狂いそう、パパ、お願い、お酒を返して！」

今度は哀願するように、父親に縋《すが》った。

「エミー、お前のベッドの下に隠してあった酒は、どこから手に入れたんや」

「――マ、ママからよ」

「嘘《うそ》つけ！　あの善人の乙七さん夫婦から、エミーはどこか体を悪うしているのではと、聞かれてからは、定代は、わしに内緒でお前に飲ませるのを、きっぱり止《や》めたはずや、誰がこっそり、お前に酒を渡すのか、云え！　メイドか、ボイラー焚《た》きか！」

万作は、エミーの両腕を押えつけた。

「く、くるしい！　少ししか飲んでないわ」

両手を振りほどいた。

「飲まんでも死にはせん、それより誰が、お前に酒を渡すのか、正直に云うてくれ、親としてこれ以上、お前のこんな姿を見ておれん」

「親、親と云わないでよ！　もとはといえば、パパが、私たちをここへ呼び寄せたから、こうなったんじゃないの」

万作は黙った。娘と孫可愛《かわい》さに、ソーテルへ呼び寄せたのは、確かに万作自身であった。だが、まだ治安が悪いから、女の一人歩きは絶対、するなと、固く禁じていたにもかかわらず、万作の留守中にメキシコ人の年寄りのメイドを連れて出かけ、白人の男に強姦されたことを、父親のせいにしているのだった。

そのことは母親の定代をも苦しめるだけであったから告げず、父親と娘だけの秘密にしているのだった。それだけに娘に対するいたましさが先にたち、せがまれると、五回に一度は、精神安定剤代りに、つい酒を与えていたが、エミーの症状はひどくなる一方であった。

「エミー、わしが悪かった、あの悪い夢は忘れろ、日本から賢治さんが帰って来るまでに、早くもとのお前に戻るんだ」

「ニッポン……ケンジ……」

エミーは、両耳を塞《ふさ》いで部屋を飛び出し、働き口のない宿泊者と遊んでいるアーサーとベティを突き退《の》けるようにして、自分の部屋へ駈け戻ると、ベッドにうつ伏した。夫が帰って来たら、縋りつきたいという気持と、こんな自分を見られたくないという思いが交錯し、顳顬《こめかみ》が灼けつくようにずきずきと痛んだ。息苦しくなる体を海老《えび》のようにまるめて呻《うめ》いていると、窓ガラスをコツコツと、ノックする音が聞えた。その方を見ると、レースのカーテンの隙間から、出入りの白人の電気修理工が、安酒のボトルをちらつかせている。

エミーは、がばりと起き上り、窓の鍵を開けて、手を出した。

「今日は、五ドルだぜ」

「今ないの、次に払うわ」

「それじゃ、払ってくれる方へ廻すよ」

「待って！　これでどう」

小粒のルビーのペンダントをはずしかけると、卑猥《ひわい》な笑いをうかべ、

「ペンダントより、お前さんのその胸の方がいいよ、まだまだセクシーだぜ」

手を触れようとした。エミーは、その手を払い、

「舐《な》めるんじゃないよ、パパに云いつけて、うちの修理の仕事はやらないし、酒だって、今日限りの取引だよ」

ルビーのペンダントと、酒を窓越しに交換した。

「そんなきいた風なことを云う奴に限って、あとで泣きついて来るものだよ、楽しみにしているぜ」

修理工はせせら笑って、姿を消した。エミーはボトルの栓を開けるなり、ごくごくと咽喉へ流し込んだ。酔いが廻るにつれ、さっき父に云われたニッポン、ケンジというエミーの心を突き刺すような恐しい言葉が、次第に遠退《とお》いて行った。

＊

チャーリー田宮は、帝国ホテルの二二五号室のウィロビー少将の部屋を出ると、ほっと一息ついた。

GHQの情報関係の統轄者《とうかつ》であるウィロビー少将は、第一生命ビルのオフィスだけでなく、帝国ホテルの二室続きの部屋を私設事務所にして、極秘の面会をしたり、用件をたすことがあったから、日本政府関係の緊急の用務の場合は、チャーリーも時々、ウィロビーの部屋まで出向くこと

があるのだった。

　ロビーを横切ろうとして、足をとめた。いつもは事務室の中で仕事をしている椰子がロビーに出て、国務省の役人らしいダークスーツの男に、何か説明している。にこやかに笑い、パンフレットを示して、てきぱきと話をすすめている椰子は、水を得た魚のように新鮮に映った。

　話し終るのを待ち、声をかけると、

「まあ、チャーリー、びっくりしたわ」

「びっくりするのはこちらの方だよ、何だかだと云ってたけど、すっかりホテルの仕事が板についてるじゃないか」

　チャーリーは、もとの美しさを取り戻した椰子を眩しげに見た。

「ホテルといっても、接客でなく、事務室の仕事だから、スムーズに行っているのよ、その点、あなたと花丸支配人に感謝しているわ」

「よせよ、感謝なんて水臭い云い方――君がそうして元気に働いているのを見てるだけで、救われるよ」

　チャーリーの胸には、広島の爆心地近くで被爆し、黒いベールで火傷した顔を掩《おお》っている妹の印象が、今もって尾を曳いているのだった。

「どうしたの、近ごろ沈んでいるようだけど」

「忙しすぎて、少し疲れているだけだよ」

　笑顔をつくって見せ、ホテルへ入って来る日本人の一団に眼を向けた。

「あの連中、日本の新聞記者だろう、連中がのこのこ、こんなところへ入って来るなんて、今日は何か特別のことでもあるのかい？」

「ええ、キーナン検事の記者会見があるの、このところ、東京裁判のウェッブ裁判長をはじめ、連合国の判事団、検察団がお着きになって、大へんな忙しさなの、皆さん、各国を代表しているという自負心をもった法曹家ばかりだから、ゼネラル・マネージャーも、花丸支配人もとても気を遣われているようだわ、この間も、イギリスの検事の方が、ウィロビー少将が二間続きの部屋を取っていることを知って、どこの国でも法官の方が軍人より上だと、おっしゃって、部屋割りで一悶着《ひともんちゃく》が起ったの」

「なるほど、ジョンブル野郎の云いそうなことだ、で、今日の会見には、キーナン首席検事の他に、そいつらも出るのかい」

「そこまでは知らないわ、チャーリー、悪いけど私、仕事があるの」

「いいよ、俺はちょっと記者会見を覗《のぞ》いてみることにしよう」

　チャーリーは、日本人記者団が入って行った一階の会見室へ足を向けた。

　部屋には、十五、六名の記者が顔を揃えており、マッカーサー元帥に仕える唯一人の二世の副官であるチャーリーを目ざとく見つけると、

「定刻を三十分過ぎているのに、誰も現われず、ほんとに会見してくれるかどうか、不安になって来ましたよ、何かご存知ないですか」

「さあ、知らないね、僕は通りすがりに覗いてみただけだ」

日本人記者の馴れ馴れしさを払い退《の》けるように素気《すげ》なく応えた時、少尉の衿章をつけた小柄な二世が急ぎ足でやって来る姿が見えた。その一、二メートル後方から、東京裁判の首席検事であるジョセフ・B・キーナンが、GHQの法務局長のカーペンター大佐と、CIE新聞課長のインボーデン少佐を従えて入って来た。

室内はさっと静粛になり、ものものしい気配に包まれた。来日以来、二度目の記者会見である。第一回目は昨年十二月六日、検事十九名をはじめ随員十数人を引き連れ、厚木飛行場へ到着したその翌日、簡単な談話を発表しただけだった。それだけにこの日は、裁判の目的、原則、方法について、具体的な内容がはじめて発表されるであろうと、記者たちは固唾《かたず》を呑んでいた。各社とも、英語堪能の者を出していたが、公式発表や記者会見の時には、米軍側から通訳が出ることになっていた。

通訳の任にあたる小柄な二世少尉が、緊張した表情で記者会見の開始を告げると、牡牛のようにがっちりした体軀《たいく》のキーナン検事は精悍《せいかん》な赫《あか》ら顔で記者団を見廻し、まず声明文を読み上げた。

「私は来日後、広島へ向う途中、爆撃を受けた多くの都市を見、その悲惨な有様に深い印象を受けた。この破壊こそは、故意に戦争を開始した指導者の国際的な罪科がもたらした結果にほかならない。われわれ連合国が行う裁判の目的は、征服者として、被征服者に制裁を加えるためのものではない。今後、起るかもしれぬ戦争の危険を防止するためのものである。法の原則はマッカーサー元帥が布告した極東国際軍事裁判所条令《チャーター》に基いて、公正に裁く。裁判官、検察官はすべてマッカーサー元帥から任命を受け、参加各国が共同して被告を起訴する方法を取る。おそらく、戦犯容疑者たちは、自衛のための戦いであったと主張するであろうが、われわれ検察団は、誰が戦争を挑発し、誰が戦争を仕掛けたかを明らかに証明し、厳重に処罰するであろう」

制裁にはあらずと云いながら、キーナン検事の顔には憎悪の感情がありありと滲《にじ》み出、厳しい裁判が予想された。

「声明文の内容に関して、質問がありますか」

二世の通訳官が云うと、最前列に坐っている一人が、たち上った。

「まず最初に重要な質問――、これは日本国民の気持を代表していると云っていいと思いますが、天皇陛下は戦犯容疑者のリストの中に含まれているのでしょうか」

一瞬、息詰まるような沈黙があった。キーナン検事は猪首《いくび》を仰向け、

「天皇の件について、言及することは当分、さし控えたい」

「当分と云いますと、現段階では言及されることはなくても、将来にはありうるということ――」

　畳み込みかけると、新聞課長のインボーデン少佐が、

「天皇に関する質問自体を記事にすることを禁じる」

　間髪を入れず、その場で報道禁止を申し渡した。GHQは日本の新聞に対して、プレス・コード（新聞規約）を敷いて、校正刷を事前検閲し、占領政策批判、連合軍部隊の動静に関する記事をすべてさし止めにしていた。したがってそのチーフのインボーデン少佐は、日本の新聞記者の間で、蛇蝎《だかつ》のように嫌われていた。

　またインボーデン奴《め》！　と思いながらも、プレス・コードに違反すれば紙面が白、あるいは発刊停止、勧告が重なれば新聞用紙の供給もストップされるから、引き下るほかはない。

「では、巣鴨《すがも》の戦犯についてお伺いします、A級戦犯として法の裁きを受けるのは、何人ぐらいとお考えですか」

　年配の記者が、キーナンに聞いた。

戦犯第一号として指名された元陸軍大将・東条英機《ひでき》の自決未遂事件以後、杉山陸相、関東軍司令官本庄大将、さらに天皇の側近であった近衛文麿公爵までも自決するに及んで、巣鴨拘置所に入れられている誰がA級戦犯に指名され、どのような形で裁かれるのか、ということが、国民の大きな関心事であった。

「それも答えられない、今、ここで云えることは二つだけだ、現在、逮捕し、予審を行っている中で、無実の証明がつけば、法廷開始前に釈放する、しかし戦犯容疑者と認めた場合は、今後も軍人、文官の別なく検挙するであろう」

　キーナンは赤い舌で唇を舐め、強く云い放った。百人以上の容疑者を拘置所に放り込み、この上、いったい誰を、どんな容疑で逮捕するというのだろう。記者団は来るべき裁判が、予想以上に厳しいものであることを実感した。

　三人目の記者が、たち上った。

「裁判の開廷時期について、当初の予想より遅れていますが、何か格別の事情でもあるのでしょうか」

「大いにある、裁判に臨むイギリス、オーストラリア、カナダ、フランス、オランダ、ニュージーランド等は判事、検事ともほぼ出揃ったが、ソビエトは今もって到着の予定さえ通知して来ないからである」

　ソビエトの遅延を、露《あら》わに詰《なじ》った。

「信頼すべき筋から聞くところによると、ソビエトは北海道分割を主張して、それを諸交渉の駈け引きにしているそうですが、裁判にも関係がありますか」

「ノーコメント」

　と云いながら、どこか肯定的ともとれるニュアンスが感じられた。微妙な成り行きに、さっきから落ち着かない法務局長のカーペンター大佐が、

「開廷日は、追って発表する」

と会見を打ち切りかけた。

「もう一つ、伺います、法廷の場所は、国会議事堂の他に、二、三、取沙汰されていますが、どこになるのでしょうか」

「市ヶ谷の元陸軍士官学校の大講堂だ、目下、法廷用に改装中である」

キーナン検事が、はっきり答えた。

「えっ、市ヶ谷の……それではまるで見せしめ……」

さっきの年配の記者の口から、思わず、言葉が洩《も》れた。

インボーデン少佐は、すかさず、

「見せしめとは何だ、取り消せ、でなければ即刻、しかるべき処置を講じる」

GHQ記者団からの追放、新聞用紙割当てカット——、年配記者は悲痛な顔で、不用意な発言を取り消した。他の記者も暫《しば》し、寂《せき》として声もなかった。

市ヶ谷の士官学校は、帝国陸軍を代表する英才を輩出し、戦争末期には陸軍省、大本営、参謀本部となった建物であった。焼け残った数ある建物の中で、よりにもよって日本の参謀本部であった建物の大講堂を法廷にし、東条大将以下の戦犯を引き据えるとは、勝者の嵩《かさ》にかかった制裁以外の何物でもない。

記者会見は、そろそろ終りに近づいていた。チャーリーは一足、先に部屋を出た。

——マリー、俺は仇など討てないよ、チャーリーは、黒いベールに顔を隠して、暗い田舎家に坐っている妹の姿を思いうかべ、心の中で呟《つぶや》いた。

賢治は、ムーラー中佐に呼ばれた。広島での米国戦略爆撃調査団の心理的影響に関するレポートの一部削除を命じられて以来のことだった。

中佐は、いきなり、

「ケーン、君は東京裁判には、興味があるかね」

と聞いた。突然の質問にすぐには返事ができなかったが、

「この途方もない太平洋戦争がどのような背景で起ったか、何が日本を戦争に駆りたてたのか、これから開かれる裁判を通して知ることが出来ればとは思っています」

と応えると、ムーラー中佐は、

「では、そのチャンスを君に与えよう、実は私は今の任務を解かれ、近々《ちかぢか》、裁判所に設けられる言語部の部長に任命される、ついては、君にその言語部のモニターとして、通訳のチェックをして貰《もら》いたい」

賢治は、モニターという意味を解しかねた。中佐は、賢治の疑問を予想したように、

「東京裁判は、ドイツのニュールンベルク裁判を上廻る〝世紀の裁判〟だが、最も頭の痛いのは、英語を解さない大半の被告のために、英語と日本語の二本建てで審理を進

行しなければならないことだ、通訳としては、英語堪能な外務省関係の日本人が派遣されるだろうが、どんなに英語力のある日本人でも、思想的なことや、意味の微妙な法律用語のニュアンスまで英語で正確に伝えることは、極めて難しい」

「確かに、それは大きな問題ですね」

「だから通訳の言葉が英語から日本語に、あるいは日本語から英語に正しく訳されて伝っているか否かをチェックし、間違っていれば、その場で訂正するチェックマンが必要だ、それがモニター（言語調整官）で、日米両語を、日常語として使いこなして来た君たち日系二世が、最適なのだ」

「しかし、私は日本の法律用語など知りませんし、戦犯といっても、A級の、一国を代表していた重要人物の発言を、通訳が正しく訳しているか、どうかをチェックするなど、とても私には自信がありません」

「そんなことはない、君たちは、今まで戦場で日本軍の捕虜を尋問し、重要文書を捕獲して翻訳し、日本軍の組織、指揮系統はもとより、軍事用語も熟知しているし、日本人独特の発想も会得している、法律用語については、専門家から、特別訓練を受ければやれるはずだ」

「そんな俄《にわ》か勉強では、とても間に合わないでしょう」

賢治は、なお法廷におけるモニターという職務の権限と内容が呑み込めなかった。

「そうシリアスに考え込む必要はない、被告を裁くのは、連合軍の裁判官であって、モニターは法廷の審理を公正に進行させるために、日英両語の言語調整を行う立場なんだ、それでもなおトラブルが起った時のためにジャッジを置き、ダブルチェックする」

「そうでしたか、では通訳、モニター、ジャッジは、それぞれ何人ぐらい予定されているのですか」

「これから考えるが、モニターについては、君をチーフにして四人ほど考えている、被告の発言や弁護士の主張がどれだけ正確な英語で伝達されるかによって、審理も左右されるから、モニターの仕事は重要だ、アメリカの正義のために――」

ムーラー中佐は、語気を強めるように云ったが、賢治は、アメリカの正義のためという言葉の前に、立ち止まった。

一体、正義とは何だろうか、戦争に勝った者と、敗けた者との間には、いかなる正義が存在するのだろう――。戦争の愚かさと悲惨さ、非人道性を、これから開かれる東京裁判を通して、ほんとうに世界に知らしむることが出来るのであろうか。賢治の瞼に、広島の惨状がうかんだ。原子爆弾で死の世界と化した光景を目にした時、敗戦日本のために、何かなすべきことがあると感じたのは、このことかもしれない――。賢治には、モニターの仕事が自分に運命づけられていたもののように思えた。

四章　モニター

市ヶ谷の元陸軍省講堂は、夜を日につぐ突貫工事で、極東国際軍事裁判所の法廷に改造され、三月末、国内外の記者団に公開された。

ドイツのニュールンベルクの法廷写真をもとに改装された二階の大講堂は、国際法廷らしく、見事に変貌していた。

春とはいえ、まだ底冷えがする法廷の中を、内外の記者たち三十数名は、カメラマンとともに、好奇の眼で見廻していたが、電気、通信工事はまだ終っておらず、太い電線の束があちこちにうねり、溶接の火花が散っている。

天羽賢治はこの日、音響テストのために、法廷へ来ていた。廷内が広いため、音響効果に、ことのほか気が配られ、床には外務省、国会議事堂などからひき剝がして来たカーペットが敷かれ、天井には特殊防音装置、窓にも分厚いカーテンが掛けられている。

改造を命じられたのは、旧陸軍士官学校を建設した鴻池《こうのいけ》組で、外壁を白ペンキで塗り、トイレットに洋式便器を入れ、破れた窓ガラスを入れ替えるなど、物資不足の中でのやりくりに苦労していたが、電気、通信関係にはアメリカ本国から多数の技術者が派遣され、広い法廷をかけめぐっている。

「イヤホーンの調子がどうもよくない、天羽中尉、もう一度、喋ってくれ」

IBM《アイビーエム》の技術者が、叫んだ。賢治は、中尉に昇進していた。

「OK、只今、マイクのテスト中、マイクのテスト中、西郷隆盛ここにあり」

賢治がマイクに向って英語、次いで日本語で云うと、判事席、被告席の端《はし》でレシーバーをかけ、調子を調べている技師たちは、それぞれ、ノウと首を振った。日本語を解さない判事や検察団、英語を解さない被告、日本人弁護人、日本人傍聴者たちのために、あらゆる席の肘《ひじ》にスイッチがつき、イヤホーンで通訳の訳す日米いずれかの言葉が聞ける仕組みになっているのだった。

「やはり駄目か、ワンス　モアー！」

IBMの技術者は首をひねり、再度、頼んだ。賢治は、記者たちの動きを眼で追いながら、「マイクのテスト中」を繰り返した。

記者たちは、被告席の近くまで行くと、ワン、ツー、スリーと被告席を数え出した。

「トゥエニー・スリー　トゥエニー・フォー　トゥエニー・ファイヴ、これで解《わか》った、A級戦犯は、トージョー以下二十五名だ！」

アメリカ人記者が、声を上げた。確かに被告席は二十五だった。そこに列《つら》なるのは、果して誰なのか。

「天羽中尉、もっと続けてくれ」

ＩＢＭの技術者の声に、賢治は我に帰り、

「ＯＫ、勝てば官軍、敗ければ賊軍、しかれど国際法は神聖なり、東京裁判も神聖なる裁きあるのみ」

知らず知らずのうちに、賢治の口調は熱を帯び、法廷内に伝った。

やがて、マイクのテストがすむと、一人の日本人記者が近づいて来た。

「もしや、天羽君じゃないか」

声の方を見ると、大東大学の同窓生、平井幸次であった。

「平井君！　奇遇だな、どうしてここへ？」

賢治は、驚きと懐しさで、平井の手を強く握った。

「僕は、毎朝新聞で、法廷担当になったばかりだ、さっき、君はマイクのテストで、国際法は神聖なり、東京裁判も神聖な法の下《もと》に裁かれねばならないと云っただろう、マッカーサー以下、進駐軍の顔色ばかりみて、びくついている日本にあって、そんなことを堂々と云うとは、君はなまじの日本人より、ずっと骨のある日本人だ」

平井は、感無量の面持《おもも》ちで云い、

「外務省の島木さんとは、もう会ったのかい」

駐独日本大使館の一等書記官だった島木文彌のことを、口にした。

「いや……」

戦時中、ワシントンの国防省へ呼ばれ、日独間の暗号電話で、島木の声を聞いて以来、たえず気になりながら、日本に来ても消息が解らなかったのだった。

「島木さんは、昨年の十二月、大島大使と同じ船で浦賀へ帰り着き、今、巣鴨《すがも》拘置所《こうち》に引っ張られている東郷茂徳《しげのりもと》元外相の副弁護人をしておられるよ」

「ほんとうか！　で、住いは、電話番号は？」

賢治は、喜びのあまり、小柄で痩せた平井の両肩を摑むように、聞いた。

「びっくりするじゃないか、そういうところは外人だな」

ずり下ったセルロイドの眼鏡をもとに戻して、ざら紙の薄い手帳を出し、

「電話番号は解らないが、住いは四谷《よつや》だ、君、メモ用紙を持ってないか」

紙不足をかこつように云った。賢治がメモ用紙を渡すと、平井は鉛筆を走らせ、

「ここは東郷外相の主任弁護人の西春彦氏の親戚筋の家だと聞いている、東郷グループは外務省出身者が手伝い、語学のハンディキャップは少いが、反面、軍人のように結束力の強い支援グループがないので、島木さんも何かと苦労されている、力になってあげてくれ給え」

「モニターという立場上、偏《かたよ》ったことは出来ないが、及ぶ限りのことはするつもりだ」

「是非、そうしてくれ、君のような二世がモニターをやる

とは心強い、大東大学の同窓生も、おいおい戦地から復員して来る、その時は一つ、盛大に同窓会を開くから、君も必ず来てくれよ」

「喜んで——」

賢治は、大きく頷いた。

その翌日、賢治は、島木文彌の寄寓先《きぐう》を訪ねた。

殆んど焼き払われている四谷で、奇蹟的に焼け残っている平屋《ひらや》の裏の空地には自給自足の野菜畑が作られている。ジープを乗りつけると、ひび割れた窓ガラス越しに、若い男の怪訝《けげん》そうな顔が覗いた。賢治はきちんとした日本語で、訪問の旨を告げた。

玄関に島木が現われた。十四年ぶりの再会だった。

「島木さあ、加治木の賢治ごわす」

思わず、鹿児島弁が口をついて出た。

「おう、おはんじゃったとか……」

島木は、予期せぬ出会いに言葉を跡切《とぎ》らせ、

「懐しかねえ、さあ、入らんか」

と中へ請じ入れた。焼け残った家を弁護士事務所に使っているから、応接間と座敷をぶっ通しにした部屋に、寄せ集めの机と椅子を置き、処狭しと書類が積み上げられ、二人の男が働いている。開廷を間近に控え、日系二世とはいえ、米軍の軍服を着ている賢治の来訪に、警戒の色をうかべた。

島木はその間を縫って、奥の一間へ賢治を案内した。壁に服やコートがぶら下り、部屋の隅には布団が折り畳まれたままという、殺風景な男世帯であった。

「島木さん、ようこそ、ご無事で——」

賢治は、再会の喜びを嚙みしめた。

「有難う、だが、去年の十二月に九年ぶりに日本へ帰って来たばかりで、まだよく日本の事情も呑み込めないで困っている」

「それで、奥さんや子供さんたちは?」

「運よく、日米開戦前に、日本へ帰しておいたから無事だが、東京の家を焼け出されたあと、加治木へ疎開したままで、今はご覧の通りの男世帯だよ」

四十二歳の島木は、元外交官らしく、洗練された身装《みなり》だが、よほど苦労したのか、鬢《びん》に齢に似あわぬ白いものが混っていた。

「それにしても帰国早々、東郷元外相の副弁護人をしておられると聞き、驚きました」

「本来、僕は大島大使にずっとお仕えして来たから、浦賀へ上陸と同時に、戦犯として逮捕された大使のお手伝いをすることにしていたところ、西先輩から、同県人の誼《よしみ》で東郷元外相のためにと云われたわけだ、西さんは、外相時代の東郷さんに、非常に可愛がられたことを恩義《おんぎ》として、主任弁護人を引き受けられたが、戦犯のご家族から弁護費用

が出るわけもなく、日本政府からの支給も受けられず、今、仕事を手伝って貰っている二人の事務員の給料、証拠集めの足代や書証を作る用紙代も大へんで、西さんは私財をはたかれ、なお足らぬ弁護費用の金策に奔走《ほんそう》されている、今日もそれで出かけておられるのだ」

「それこそ、鹿児島県人に、資金カンパを呼びかければ、集まるんじゃないですか」

「ところが、鹿児島の県民性として、軍人は尊ぶが、文官はあまり尊ばない、その上、東郷夫人が、外国人ということもあって、うまく行かなくてねえ」

島木は吐息をついた。賢治は、言語部に、モニター用として備えつけられている被告リストに載っている東郷茂徳の略歴を頭にうかべた。

東郷茂徳　外交官。太平洋戦争開戦と敗戦という決定的局面に、二度外相を勤めた。一九四一年十二月七日、外相としてアメリカ合衆国に宣戦布告の通知を行わず、開戦に至らしめた重要責任者の一人。

一八八二年鹿児島県生れ。一九〇八年東大独文科卒。学校教員や文部省研究員を勤めた後、外務省に入る。一九三七年駐ドイツ、三八年駐ソ連大使を歴任。日米開戦直前に外相として本国に召喚され、四二年大東亜省設置に反対して辞任。四五年四月鈴木貫太郎内閣の外相として返り咲いたが、敗戦に至る。四五年十二月、A級戦犯容疑者として逮捕。

家族は、ドイツ生れのエディータ夫人と令嬢がいる。

男尊女卑の気風が強く、男女の洗濯の盥《たらい》まで分ける鹿児島県人にとって、曾て枢軸《すうじく》国であったドイツ人の夫人といえども、毛唐《けとう》を妻にした柔弱な外交官という風にしか受け取らないだろうことは、賢治にも理解出来た。

粗末な薬缶《やかん》と出がらしの茶が入っている湯呑、指先が焼けるほど短かく喫った煙草の吸殻《すいがら》が入っている灰皿、どれ一つ見ても、窮乏状態がしのばれた。賢治は、手土産に持って来た煙草と缶詰の包みを渡すと、島木はすぐ煙草の封を切って、火を点けた。

「久しぶりだ、こんな美味《うま》い煙草を喫うのは、ワシントンで抑留されて以来だなあ」

「え？　ワシントンで抑留――」

フィリピンの戦場から日本へ進駐して来た賢治にとって、初めて耳にすることであった。

「われわれ、駐独日本大使館にいた者は、ベルリン陥落前に、ドイツ政府の指示を受け、大使をはじめ書記官、武官、一般職員と、民間会社の駐在員、学者、留学生などを含めた総勢百二十名と共に、ザルツブルクから百キロほど南のバドガシュタインへ退避した、そこはドイツの陸、空軍の野戦病院がある山間の温泉町で、ここでドイツ降伏の日までおり、降伏と同時に、われわれは連合軍の捕虜となった、そして大島大使をはじめとする書記官と大使館付き武官二十名のみが、米軍の飛行機でドーバー海峡沿いのフランスのルアーブルに移され、そこから船で米本土へ運ばれ、ワシントンのポトマック川に近い収容所に、敗戦まで抑留されていたんだ」

ワシントンという一語が、賢治の胸を鋭く抉《えぐ》った。

「島木さん、私は今日、恩人であるあなたに、お詫びに来たのです」

「恩人だなんて、大げさな――」

島木は、戸惑うような顔をした。

「いいえ、私が日本の教育を受けるために帰って来た時、アメリカ帰りの移民の子と白い眼で見られている中で、いつも私を庇《かば》い、励まして下さったのは、あなたでした、中学から大学へ進学する時も、二世の君は、東洋の学術文化を学ぶために、日本精神の昂揚を建学の精神とする大東大学へ行くべきだと、進学の指針を与え、その上、東京のお宅に下宿させて下さって……、それにもかかわらず、私は、あなたが敗色濃いドイツから、日本の外務省へかけた鹿児島弁の暗号電話を、ワシントンの国防省で解読したのです」

「何だって？　あの電話が、君に解読……」

「そうです、加治木さぁという地名を名乗る人の声が、恩になった人の声と解りつつ、解読してしまったのです」

「では、ドイツのうどさぁと、巨大なもののことを報せるあの内容も、米国側に筒ぬけだったのか――」

島木はさすがに呆然とした。

「僕は、あなたに、絶交を申し渡される覚悟で、お詫びに来ました」

賢治は、その時、自分が置かれたどうしようもない立場は弁明せず、頭を垂れた。数分間、重苦しい沈黙が続き、島木はやっと口を開けた。

「君たち日系二世ほど、今度の戦争で、苛酷な運命を強《し》いられた者はないだろう、両親、妻子を砂漠の中の強制収容所へ入れられ、そこから米軍へ駆り出されて行った君たちには、軍命令を選択する余地などあるはずも無かったろう、国家が戦う時、個人の意思など粟粒《あわつぶ》のようなものだ、仕方なかったことだ」

島木は、静かな声で云い、

「戦争は終ったんだ、賢治君、これからは平和になった国のために尽そうじゃないか、だが、ほんとうの平和は、この東京裁判を終え、平和条約を締結しなければやってこない」

「島木さん、僕はその東京裁判のモニターに任命されました」

「モニターって、それ、どういう役割なんだい」

日本人弁護団は、まだモニターの存在を知らなかった。

「被告や弁護人、検事の発言が正しく通訳され、審理が公正に行われるために、正確な通訳であるか、否かをチェックする言語調整官です」

「そうか、君のようにアメリカ合衆国に対して忠誠を尽し、なお且つ、日本の文化と精神を理解している人物にとって、応《ふさ》わしい仕事じゃないか」

「島木さんは、そう理解して下さいますか」

「当然じゃないか、またそうでなくては、君がモニターになる意味がないじゃないか」

島木は快活に応え、

「アメリカ側が、日本の戦犯容疑者に、わざわざ、アメリカ人の弁護人をつけるのは、どういうことなんだい」

と聞いた。

「それは英米法と、英語に慣れない日本人弁護人を補佐するためらしいです、米国の法務省が最初予定した十五人では不足で、被告全員につけるようにと、さらに要請し、開廷までには間に合わないかもしれませんが、全員にアメリカ人弁護人が付くはずです」

「長老の弁護士の中には、アメリカ人弁護人など、スパイかもしれないとか、程度の悪い、アメリカでの喰いつめ者しか来ないだろうという声もあるが、うちは早い段階で、ブレイクニーにきまってよかったよ」

ブレイクニーは、陸軍少佐の法務官で、マニラにおける法廷でも正義の裁きを唱えた人であることを、賢治は耳にしていた。

「郷土出身の東郷茂徳さんについては、お名前しか知らないので、機会があれば、お会いしたいですね」

「君のような日系二世の存在を知られたら、喜ばれるだろう、何しろ、検察団の中にいる二世には、ろくに日本語が喋《しゃべ》れないばかりか、取調べの態度まで、ひどいのがいるそうだからねぇ」

賢治は、戦勝国であることを嵩《かさ》に着た態度の二世がいることを知って、かねがね恥じていた。

「君、典子《のりこ》さんのことだけど」

賢治は、はっとした。それは日本で下宿していた時の初恋の女性の名前であり、賢治が大学の学業を半ばにしてアメリカへ帰った原因の一つでもあり、島木はその時、傷心の賢治を慰めてくれたのだった。

「まだ会ってませんが、彼女がどうかしたのですか」

「君がアメリカへ帰った後、幸い良縁にめぐまれて結婚したが、夫に戦死され、産れた児《こ》も麻疹《はしか》で死んでねぇ、あの人とはもう会わない方がいい」

「云われるまでもありませんが、彼女がどうか……」

「その方が、お互いのためにいい、それだけのことだよ」

島木は、素っ気ない口振りで云った。それがかえって気になったが、賢治はもう聞くまいと思った。

＊

ＮＹＫビル（日本郵船ビル）のＡＴＩＳで賢治たちは、オーストラリアのブリスベーン以来、保管していた日本軍の捕獲文書を整理していた。G2が日本サイドから見た『大東亜戦史』を元大本営の軍人たちに書かせるため、NYKに缶詰めにしていたが、ATISの二世にも協力が求められ、賢治は裁判準備が本格化するまでのアドバイザーとして参画していたのだった。

「ソ連の判事と検察団が、やって来るそうだよ」

ケネス阿川が飛び込んで来た。

「えっ、いつだ」

賢治たちは、山と積まれた捕獲文書から顔を上げ、異口同音に聞いた。

「今日だ、ザリヤノフ判事、ゴルンスキー検事ら五十名とも百名ともいわれる一行を乗せた巡洋艦が、東京港に間もなく、入港するそうだ」

飛行機でなく、ことさら巡洋艦で乗り込んで来るところが、アメリカに対するデモンストレーションのようで、不気味であった。

「ケーン、ソ連が到着すると、また新たに戦犯を要求するのじゃないだろうか」

裁判のモニターには適任と、賢治が内々、思っていたジョン小寺が云った。

「大いに考えられることだ、戦争終結の僅《わず》か半月前に参戦しただけで、北海道分割を主張する国だから、現在、リストアップされている戦犯たちを、そのまま、認めはしないだろうな」

「その場合、ソ連の血祭りにあげられるのは誰だろう」

「そりゃあ、第一に天皇さ」

ケネス阿川が云った。

「それは連合軍最高司令官のマッカーサー元帥《げんすい》が、許さないだろう、聞くところによれば、天皇がマッカーサーを公式訪問した後、元帥は、天皇に非常に好意を持ち、秘《ひそ》かに会っているということじゃないか」

「しかし、天皇戦犯説は、オーストラリアもいまだに強く主張しているのだから、一揉《ひとも》めすることは避けられないだろう」

それぞれの意見を云いながら、遅れている裁判の開廷が、ソ連の判事、検察団の到着によって、来週中にも開かれるかもしれないと噂しあった。

その夜、仕事から解放された賢治たちは、NYKビルの将校バーへ出かけた。満員で、どのテーブルも塞《ふさ》がり、カウンターも空《あ》いてない。

「なんてこった、今晩こそ、神経が昂《たかぶ》って飲まずにはいられないというのに！」

「ここだけがバーじゃない、俺が知っている有楽町の店へ行こう！」

米軍専用バー以外にも、あちこちを歩き廻って、穴場を見つけて来るのが得意のジョン小寺が云い出した。賢治は、「ジープの運転が面倒じゃないか、俺たちが飲酒運転で事故を起したら、白人連中のように大目《おおめ》に見て貰うわけにはいかんからな」

ＧＨＱの新聞課は、白人の将兵が飲酒運転で事故を起し、日本の新聞に取り上げられると、すぐ検閲で削ってしまうが、二世や黒人兵の場合はそうとも限らなかった。

「だが、外《ほか》でいいところがあれば行こうや、運転は僕に任せてくれ」

ケネス阿川は、好奇心に満ちた顔で引き受け、揃《そろ》って満員の将校バーから出かけようとした。その時、カウンターにいた顔見知りの対ソ公安課長の傍《かたわ》らに坐っている着物姿の女性に気付き、賢治の足が止まった。十四年前に、絶ち難い思いを絶ち、別れた初恋の人、三島典子《のりこ》だった。

ついこの間、島木文彌が、「典子さんには会わない方が、お互いのためにいい」と云ったのは、このようなことであったのか——。まだ学生であったとはいえ、当時、女学生の典子に、はじめて恋心を抱き、結婚したいとまで思った。その女性が、こんな姿になっていようとは——、賢治は、あまりのことに、呆然《ぼうぜん》とたち竦《すく》んだ。

白人の少佐にしなだれかかるように肩を寄せていた典子も、賢治に気付いたらしく、手にしていたカクテル・グラスを取り落した。

「酔ったのかね、ハニー」

典子の驚いた様子に、少佐は酔いの廻った顔を振り向け、

「なんだ、ケーンじゃないか」

機嫌《きげん》のいい笑顔を見せたが、二人の異様な視線に気付くと、

「おや、知り合いかい」

どちらにともなく、云った。

「いや、人違いでした、失礼——」

つとめて冷静に否定すると、典子は、

「三島典子です、お久しゅうございます」

深々とお辞儀《じぎ》をした。そこに曾ての良家の子女の厳格な躾《しつけ》が窺われ、僅かに昔日《せきじつ》の面影をとどめていたが、かぐわしいほど清楚《せいそ》であった美しさは消え失せ、アメリカ人好みの派手な化粧をし、同じ人とは思えぬ媚《こび》を、眼にも体にも漂わせている。

もはや人違いでは通せなかった。

「偶然ですね、貴女《あなた》とこういうところでお会いするとは……」

十四年ぶりの邂逅《かいこう》であったが、賢治はそれ以上、言葉が継《つ》げなかった。

「ケーン、一緒に飲もう」

少佐は強引に、賢治を隣りに坐らせ、マテーニを注文した。

「ケーンが、僕のハニーと知り合いだったとは驚いたよ、彼女とはもう深い仲なのに、ハズバンドがニューギニアで戦死したことと、ずっと前に母親を失ったこと以外は、何も話してくれないんだ、彼女って、昔はどんな女性《ひと》だった

んだい」

少佐は、すっかり典子にのめり込んでいるらしく、身を乗り出すように聞いた。

「よく知りませんよ、僕が日本の大学にいた頃《ころ》、友人を通して知り合った程度ですから」

マテーニのグラスを受け取りながら、曖昧《あいまい》に応えた。

「まあ、そうでしたかしら？」

典子は、カクテルをぐいと飲み、ふっふっと含み笑いを洩《も》らした。それは詰《なじ》っているとも、恨んでいるとも、つかぬ笑いであった。

賢治は、典子の父に、将来、結婚をしたいと申し入れた時、「移民の悴《せがれ》の分際《ぶんざい》で、恥を知り給え！」と面罵《めんば》された。

アメリカの白人社会で、ジャップと呼ばれ、父祖の国と慕《した》って来た日本で移民の二世のくせにと侮蔑《ぶべつ》されたことは、五体から血が噴き出るほどのショックであった。それが典子への恋情を断ち切らせたのみならず、日本人に対して絶望的になり、学業半ばにしてアメリカへ帰る決意に至ったのだった。

「少佐、せっかくですが、友人が待ってますから」

賢治はそれ以上いたたまれず、バーを出た。

エレベーターで階下へ降りると、夜間専用口へ向った。

「賢治さん、待って下さい」

うしろから典子の声が追って来たが、顔を合わすことも、言葉を交すことも避けたかった。廊下には幸い人影もなく、歩を早めると、典子は意外な早さで追いつき、賢治の前にたち塞《ふさ》がった。カクテルを飲んで走って来たせいか、濃い化粧の顔が妖《あや》しいほどの艶《つや》を帯び、崩れた襟もとから覗く首筋もほの紅く染っている。

「どうして私からお逃げになるの」

典子はアイシャドーをぼかした艶やかな眼で、開き直るように賢治を見上げた。

「別に逃げるつもりはない、仲間が待っているんだ、同僚たちと来たところ、満席だから、外へ飲みに行こうということになって……」

「そうでしたの、じゃあもう一度、上《あが》りましょう、私、こういう姿を見られてしまった以上、仕方がないと、恥をしのんであなたを追って来ましたのよ」

そうまで云われて、避けるわけにはいかなかった。

「じゃあ行こう、仲間には不義理して、啓介《けいすけ》君のことも聞きたいしね」

典子の兄、三島啓介は大東大学時代の親友で、消息だけは是非、知っておきたかった。

「さっきのパーセル少佐には、何も話してないということだが、彼の前で話してはいけないことがあれば、教えておいてくれ」

エレベーターの方へ戻りながら云うと、

「彼がいては邪魔ですわねぇ、ほかのバーへ連れて行って下さいません？　けど、米軍専用バーにしてね、日本人の詮索がましい視線にはうんざりなの」

蓮っ葉な云い方をしたが、その言葉の中に、同胞から非
難の眼を浴びせられている典子のありようが窺われた。

「軍関係のバーやクラブは、たいてい満員で、ここなんか
いい方だ」

賢治は、開いたエレベーターに先に乗った。

もとのバーへ戻ると、カウンターからパーセル少佐の姿
は消えていた。

「ふっふっ、きっとまた名緊急事態発生なんじゃない？ど
ういうお仕事かよく知らないけど、電話一本で、夜中でも
飛び出して行くのよ」

「公安課なら仕方ないさ、パーセル少佐って顔見知りでは
あるけど、いい人なのかい」

ウイスキーのダブルと、カクテルを注文した。

「そういう真面目な気の配り方は、昔とちっとも変ってら
っしゃらないのね。でも、今夜は昔話でもして、彼のこと
は、聞かないで……」

典子は、ふっと言葉に詰り、グラスが渡されると、ペパ
ーミントの香りがするカクテルをぐいと飲んだ。賢
治もストレートのスコッチを、苦しげに口にした。賢
周囲の喧噪、流行のジャズのレコードが、二人にとって
救いでもあるが、賢治は次第に息苦しくなった。

「兄のことですけど——」

典子が低い声で、云った。

「啓介君は、まだ戦地に抑留されているの？」

「はっきりした通知はないのですけど、関東軍国境警備隊
に配属されていたので、北満からシベリア送りになったの
じゃないでしょうか」

「シベリアか！ どこにいようと、無事であってくれれば
と祈るほかない」

賢治は、友の思わぬ消息に、愕然とした。

「パーセルの話では、ソ連の捕虜になった関東軍将兵は約
六十万だそうですけど、いまだに名簿も明示されないし、
零下何十度のシベリア大陸で森林伐採や鉄道建設の重労働
に使役されていると聞きます、今年ははじめての冬を越し、
十万近く死んだとか——、兄には胸の既往症もあるので、
とても生きてはいないのでは……」

典子は声をくぐもらせた。

「そりゃあ、彼は丈夫な方ではないが、将校だから、国際
法によって、重労働を拒むことが出来る、心配ないよ」
そうあってほしいという望みを籠めて、強く云ったが、
典子は無言だった。公安課の少佐と深い間柄にある以上、
まだ公にされていない元関東軍将兵の苛酷な抑留状況を、
知っているのかもしれない。

賢治は二杯目のダブルを注文しながら、ごく最近耳にし
たある情報を思いだした。ATISに属している二世の語
学兵の数人が、白人将校とともに秘かにハバロフスクへ飛
んでいるというのである。表向きは、国際赤十字社から調

査依頼があったため、抑留者の生死を確認に行くということだったが、アメリカの真の目的は、森林と雪に掩《おお》われて、航空写真では知ることができないシベリア大陸にどのような軍事施設や道路が建設されているか、また抑留されている日本将兵は、どの程度、赤化されているかを探《さぐ》ることにあった。長い戦争が終ったばかりだというのに、アメリカは早くも対ソ戦に備え、着々と情報を収集しているのだった。ソ連の徹底した赤化教育については、賢治もしばしば耳にしていた。それを考えると、三島啓介のことが少なからず、心配になる。リベラルな読書家の啓介は、宮内省事務官の特殊な職務にある父に見つからぬよう工夫《くふう》を凝《こ》らし、部屋《へや》に左翼関係の書籍を隠し持っていた。まさか日本赤化のリーダーとして、帰還して来ることはあるまいが、それでもいい、無事に帰って来てくれと、祈った。

「賢治さん、何を考え込んでいらっしゃるの、もっと飲みましょうよ」

典子が俄《にわ》かに嬌声《きょうせい》をあげると、周囲の酔った将校たちが、口笛を吹いた。

「もうよした方がいい、で、父上はどうされているの」

口にしたくない人のことを聞いた。

「父？　あなたは、本気で父のことを聞いていらっしゃるの」

とろりと酔い痴《し》れた眼に、嘲笑をにじませた。

「お変りないのかい？」

賢治は、重ねて聞いた。典子の父、三島誠之介は、宮内省事務官であったが、華族出身にあらずんば人にあらずの省内の気風に屈辱を舐めていたため、一人息子の啓介を軍人に育て、将官の誉《ほま》れを三島家にもたらせるのが夢らしかった。啓介の話では、五歳の時から剣道の朝稽古《げいこ》、真冬でも冷水を浴びるという鍛錬を受け、そのため元来、丈夫でなかった体を損い、心も父から離反してしまったというのだった。啓介から女学生だった典子を紹介された時、既に母親を亡くしていたが、躾《しつけ》が行き届き、つつましやかな立《たち》居振舞《いふるま》いと清楚《せいそ》な美貌《びぼう》は、たちまち賢治の心を捉《とら》え、結婚まで思い詰めたのだった。その典子が、こんな姿に変り果ててしまったのは、一体、何なのだろうか。

「あなたを移民の小倅《こせがれ》と蔑《さげす》み、あなたの結婚申入れに激怒した父は、今、私をこうして働かせていますのよ」

「なんだって！　そんな馬鹿な！」

賢治は、典子の言葉が信じられなかった。

「事実ですわ、兄に托《たく》した夢が砕《くだ》かれると、次は私というわけで、あなたがアメリカへ帰るとすぐ、軍人一族で陸士出のぱりぱりの少尉と結婚させましたわ、夫は間もなく南方へ出征し、その後、ニューギニアで戦死しました、あなたから無理矢理に引き離されて、結婚した相手ですし、結婚生活も短かかったせいか、夫婦の情愛らしいものは感じませんでしたけど、一粒種の子供を亡くしてからは、生きる張りを失いました、あの辛《つら》さは……」

結婚を他人《ひと》ごとのように話しながら、酔った女の顔が急に母親の顔になった。

「気の毒に、そうだったのか——」

「東京大空襲で本郷《ほんごう》のあの家が焼け、父もその一年前にある仕事上の不始末《ふしまつ》で宮内省を退職してしまっていましたので、暫《しばら》く千葉の親戚《しんせき》に身を寄せていました、でも、父のああいう性格が嫌われ、居づらくなって、知人のつてで、東京の借家住いをはじめたものの、家賃さえ滞り、とどのつまりはその知人の方が持って来た〝求むジャパニーズ・ウエイトレス〟の新聞広告で、外人接待用の料亭のお酌《しゃく》さんになったというわけですわ、でもそのジャパニーズ・ウェイトレスって、お解りになる？　公職追放や財閥《ざいばつ》解体にひっかかりそうな人が、それを逃れるために、米軍懐柔策として私たちを提供したってわけ」

白《しら》けきった口調で、吐き捨てた。

「しかし、それと、君の父上のこととは」

「賢治さんのような方には、父の下劣さが理解出来ないでしょう、父はパーセルが私に借りてくれた家にころがりこんできて、のうのうと白いご飯を食べて暮していますわ」

典子は叩《たた》きつけるように云い、むせび泣いた。賢治は慰める言葉もなく、典子を家へ送り届けるために、たち上らせた。

＊

四月二十九日、A級戦犯容疑者二十八名に起訴状が伝達された。国際検察団が五カ月にわたって調査、尋問して作成した起訴状には、マッカーサー元帥のサインがあったが、伝達されたのは、故意か偶然か、天皇誕生日の天長節であった。

賢治はその日、市ヶ谷の裁判所言語部のオフィスにいた。言語部は法廷があるメイン・ビルの一階南端の三室にわたっていた。言語部長、裁定官と、モニター四人の部屋は、正面玄関サイドの続き部屋で広い前庭に面し、日本人通訳、翻訳団二十五名の部屋は廊下を隔てたバックサイドにある。

午後、言語部長室から、分厚い起訴状が廻って来た。冒頭に原告である連合国十一カ国の国名が、

THE UNITED STATES OF AMERICA, THE REPUBLIC OF CHINA, THE UNITED KINGDOM OF GREAT BRITAIN, ……SOVIET SOCIALIST REPUBLICS, ……

と列《つら》なり、続いて、二十八被告の氏名がアルファベット順に、ローマ字で列記されている。

荒木貞夫、土肥原《どいはら》賢二、橋本欣五《きんご》郎《ろう》、畑俊六、平沼騏一《きいち》郎《ろう》……東郷茂徳《しげのり》、東条英機《ひでき》、梅津美治《よしじ》郎《ろう》、一人一人の名前

を順を追って読んで行きながら、賢治は、やはり……と思った。十三日夕刻、ソ連の判、検事一行四十六人が巡洋艦で到着して以来、ソ連独自のA級戦犯容疑者の尋問が開始され、ゴルンスキー検事が、キーナン検事に、被告の追加を申し出たことは間接的に聞いていた。マッカーサー元帥が既にサインしたという起訴状に変更はあり得ないと思っていたが、どのような交渉が米ソ間にあったのか、被告の人数は変わらないものの、内々に知らされていた名前が二人、入れ替っている。阿部信行元陸軍大将と真崎甚三郎元陸軍大将の名前が消え、代りに重光葵《しげみつまもる》元外相、梅津美治郎元陸軍大将の名前が加わっていたのだった。

賢治は起訴状の内容に眼を戻した。

INDICTMENT　（起訴状）

In the years hereinafter referred to in this Indictment the internal and foreign policies of Japan were dominated and directed by a criminal militaristic clique, and such policies were the cause of serious world troubles, aggressive war, and great damage to the interests of peace-loving peoples, as well as the interests of the Japanese people themselves.

本起訴状の言及する期間に於て、日本の政府の対内外政策は、犯罪的軍閥により支配され、且つ指導された、このような政策は重大なる世界的紛争、侵略戦争の原因であるとともに、平和愛好諸国の利益、日本国民自身の利益の大いなる毀損《きそん》の原因である。

というのが、冒頭の書出しで、以下、延々と続いたが、conspiracy（共同謀議）という箇所から賢治は、注意深く読み進んだ。

被告間における共同謀議は、他の侵略国即ちナチス・ドイツ並《ならび》に、ファシスト・イタリアの統治者の参加を得て約定せられたり。本謀議の主たる目的は、侵略国家に依《よ》る世界の他の部分の支配と搾取との獲得及び本目的の為め、本裁判所条例中に定義せられたる如き平和に対する罪、戦争犯罪並に人道に対する罪を犯し、又は犯すことを奨励するにありたり……

賢治は、啞然《あぜん》とした。訴因は第一から第五十五まで列挙され、各訴因に該当《がいとう》する被告名が書き記されている。

「全くクレージーだよ、一九三一年、つまり昭和六年の満洲事変にまでさかのぼって、罪状が糺明《きゅうめい》されるなんて！」

英文の起訴状を一頁ずつ、廻し読みしていた四人のモニターの中で、最もヤンキー的な気質で〝タフガイのジョン〟と呼ばれているジョン小寺がまっ先に声を上げた。

「ほんとだ、それにこんな風に細かく五十五項目もの訴因を設ければ、たいていの将官、文官、政治家もひっかかってしまうのに、一体、何を基準にして、この二十八名を被告として選んだのだろうか」

二十五歳で一番若くてハンサムなハリー宮原も、首をかしげた。

「しかし、いかにソ連といえども、天皇を戦犯にすることは出来なかったな、これで日本の弁護団も少しはほっとしただろう、彼らの打合わせで、いつも強調されるのは、いかなる犠牲を払っても天皇に累《るい》を及ぼさないこと、証人として出廷させられることもないよう一致協力することだからね」

日本の大学教育は受けているが、メキシコに近いサンディエゴに生まれ、名前も、口髭もメキシコ人風のホセ森が云った。

「たしかに天皇問題では、異議なさそうだが、もう一つの基本見解である〝国家弁護〟という点では、ちょっと問題があるらしい、自衛のための戦いであったと国家の立場を擁護する弁護が、個人弁護より優先するという点では、東条英機をはじめ陸軍の将官は異存はないが、もともと開戦に消極的であった海軍や文官の間では、不満がくすぶっているそうだ」

ジョン小寺が、弁護団から聞いて来たことを話していると、扉が開いた。

「ちょっと失礼――」

日本人通訳団のリーダーである田島が入って来た。通訳、翻訳者は日本の終戦連絡事務局から派遣された語学堪能な外務省の役人が中心になっている。

「起訴状は読まれましたか」

「ええ――」

田島は表情を押し殺した顔で頷いた。外交官の息子として、少年期、イギリスで教育を受けた田島は、礼儀正しく、英語の能力も抜群であった。

「実は開廷日の通訳の件で、ご相談があるのですが――」

モニターのチーフである賢治に向って云った。

「どういうことでしょうか」

「われわれ日本人通訳の任務は、法廷における日英両語の通訳をすべて行うことという規定になっているのですが、裁判長の開廷宣言と、検事の起訴状朗読の通訳は、何としても出来ません、モニターの皆さん方でやって下さいませんか」

田島は静かだが、芯《しん》のある語調で頼んだ。そう云われてみれば、日本人の心情として、同じ日本人を裁く開廷宣言や、起訴状を通訳するなど、なし得ないことに違いない。

「そうですね……」

賢治が頷きかけると、

「ケーン、それはおかしいよ、タジマの気持は解るけど、通訳の任務に私情は許されない、それに戦地から復員したサラリーマンが月五、六百円で生活しているのに、君たちは語学の特殊技能を買われて、月五千円のサラリーを貰っているんだよ、われわれはモニターで、タジマたちの通訳をチェックするのが任務だ、割りきって、仕事をして貰いたい」

ハリー宮原が、ドライに云った。田島は暫し無言だった。ホセ森も、

「この検察団の起訴状を日本語に翻訳したのは、IPS(国際検察団)所属の日本人で、あなたたちじゃない、にもかかわらず、法廷で表《おもて》だって朗読するのはいやな役目でしょう、だが、そんなことは、これから法廷が開かれる度に何回もあることだから、眼をつぶってやりなさいよ」

と云うと、田島は、

「はっきり云って、この裁判の裁判所所属の通訳は、少くとも私の年代では自ら買って出た者は一人もいない、ましてや、報酬の問題なんかではない、日本人として日本の国のために引き受けてくれと先輩諸氏に口説《くど》かれ、止むなく引き受けたのです、役目と云われれば一言もないですが、ここは武士の情《なさけ》と思って、せめて開廷の日だけでもモニターの方に代行して戴きたい」

激する感情を抑えるように、深々と頭を下げた。

武士の情――、賢治は胸をつかれた。

「いいでしょう、今から私が言語部長のムーラー中佐とかけ合ってみましょう、おい、われわれは、田島さんの頼みを引き受けてあげようじゃないか、第一回の開廷日だけならいいだろう」

説得するように云うと、日本の教育を一時期、受けたことのある二世ばかりであったから、それ以上、ノゥとは云わなかった。

「ところで日本語訳は、何部届いていますか」

「それが――」

田島は、何か事情があるらしく、眼で合図した。賢治はさり気なく、田島と一緒に廊下へ出た。

「天羽さん、起訴状の日本語訳は、まだ全部出来ていないのですよ、その上、誤訳が随分、あるのです」

「しかし、検察団翻訳部にはATISからの優秀な語学兵と、日本サイドでテストして採用した大学の教師をはじめ、いわゆる言葉屋といわれるスタッフが揃っているでしょう」

「しかし、何しろ起訴状は膨大なものですから分業になり、部分によって優劣が出て来ます、翻訳するものの内容、精神を摑んでいない者には、正しい訳が出来ないんじゃないでしょうか、特に起訴状のような特殊で高度な理解力を必要とする文章の場合は――」

「そうですね、それを考える時、正直いって、僕だって空怖しいが、今となっては、互いに、公正な審理のために全力投入するしかありませんよ」

賢治が協力を求めるように云うと、

「モニターの中に、あなたのような方がいることは、われわれにとって救いです、今回の身勝手を聞き入れて下さって感謝します」

田島は心なしか、眼を潤ませるように云った。賢治は、田島の心情に搏《う》たれ、ムーラー言語部長の部屋へ向った。

＊

淡い緑のベールのような葉桜《はざくら》がそよぎ、赤、白、ピンクの躑躅《つつじ》が満開の市ヶ谷台の坂道を上りきると、ペンキで白く塗り変えられた元陸軍省の建物が見え、松の木の前に、

INTERNATIONAL MILITARY TRIBUNAL FAR EAST
（極東国際軍事裁判所）

薄茶の板に、黒く書き記した大きな表示板がたっている。昭和二十一年五月三日、A級戦犯容疑者を裁く開廷日であった。

曾ては陸軍士官学校、戦時中は陸軍省の講堂だった大ホールは、国際裁判の法廷に見事に変貌している。東側に連合国十一カ国代表の裁判官席、書記席、西側に被告席、弁護人席が雛段状に向い合い、南側元演壇に検、弁両側助手と法廷職員席、その後方一段高い位置に来賓《らいひん》席、北側に新聞記者席、その上の中二階元観覧席に傍聴席が設けられている。

法廷で眼を惹くのは、裁判官席に掲揚された連合国の国旗であった。未着任のフィリピン、インドの国旗はないが、着席順に向って右から、ニュージーランド、フランス、ソ連、中国、オーストラリア、アメリカ、イギリス、カナダ、オランダの国旗が、それぞれの国威を競うように、鮮やかな色彩を放っている。

賢治は、ＩＢＭ技師と最後の音響テストをすませ、中央の星条旗を見上げた。星条旗に忠誠を誓って育ち、今、米陸軍中尉である自分は、日本の戦犯容疑者を裁く裁判で、モニターの任務を果して完《まっと》う出来るだろうか。起訴状に眼を通し、幾つかの疑問を持っている自分が、万一、モニターの仕事に迷いが生じた場合、どのように身を処すべきなのだろうか。賢治にとってこの法廷は、二つの祖国に間《はざま》するものであった。

いつの間に入って来たのか、ソ連の検察団とおぼしき二人のロシア人が、賢治を凝視していた。視線が合うと、さり気《げ》なくそらし、裁判官席や書記席のテーブルのあたりを、しきりにチェックしはじめた。何の目的かと訝《いぶか》しく思っていると、ＭＰが報せたらしく、アメリカ側検察団のメンバーが姿を現わし、

「何か、探しものでも？」

やんわりと追及し始めたが、ソ連側は英語を解せぬ振りをするばかりだった。米ソの冷戦はこの裁判にも持ち込ま

れて来るのだろうか。賢治はこの場にいることを咎められないうちにと、言語部へ踵《きびす》を返した。

午前十時半、法廷は強烈なライトに煌々《こうこう》と照らし出された。傍聴席、来賓席、報道記者席は、溢れんばかりの人で埋めつくされているが、その席は外人用、日本人用と画然と区別されている。

弁護団は、入廷していたが、開廷は何故か遅れている。賢治は防音用の分厚いカーペットが敷き詰められた法廷中央平場《フロアー》の言語部テーブルに向い、時々、腕時計に眼を遣《や》った。テーブルには言語部長のムーラー中佐、言語裁定官のホールデン大尉、モニターのハリー宮原、日本人通訳二名がぐるりと向い合っている。皆、理由の解らない遅延に落ちつかない様子であった。

十一時過ぎ、法廷執行官《マーシャル・オヴ・コート》ヴァンミューター陸軍大尉が、長身の姿を現わし、発言台にたつと、撮影用のライトが点《つ》き、さながらハリウッドの撮影所の様相を呈した。賢治は咽喉を潤《うるお》し、耳を澄ました。第一日目の今日、法廷で話される英語の日本語訳は賢治、日本語の英語訳はハリー宮原が担当を命じられていたのだった。

「May I have the attentions to spectators please」

「傍聴人の皆様に一寸《ちよつと》、ご注意申し上げます」

賢治は、自分にまで及んで来る熱いほどのライトに頰《ほお》を上気させ、マイクに向って、口を開いた。それが極東国際軍事裁判の法廷に、はじめて響《ひび》いた日本語であった。

ヴァンミューター執行官は、傍聴人に対する型通りの注意事項を説明し終ると、十一時十五分、ようやく国際検察団が入廷した。

先頭はキーナン首席検事で、肥満した体をモーニングに包み、猪首《いくび》の赫《あか》ら顔を報道陣に芝居気《しばいげ》たっぷりに向けて、平場《フロアー》南寄りの検察団テーブルに着席した。検察団が入廷すると、対するテーブルの清瀬一郎博士ら日本人弁護人の質素な身なりが一段と目だち、米人弁護人の人数が揃《そろ》っていないのも、心もとない。

やがて、被告席後方のドアが開き、憲兵隊長ケンワージー中佐に先導された被告たちが入廷した。先頭は小柄《こがら》ながら背筋の通った木戸幸一元《もと》内大臣、東条内閣の蔵相、賀屋《かや》興宣《おきのり》被告、元内閣書記官長、星野直樹《なおき》被告が続いた。一様に毅然《きぜん》とした態度だが、松葉杖《づえ》でこつこつと歩を進める重光葵《まもる》元外相、結核の悪化で顔面蒼白《そうはく》、MPに体を支《ささ》えられてようやく着席した松岡洋右《ようすけ》元外相の姿は痛ましい。

賢治の坐っている席から、被告席が斜め向いに見える。被告は前後二段、四、五人ずつ長方形テーブルに向っている。東条英機被告は、国民服に黒褐色《かつしよく》の眼鏡《めがね》をかけ、もはや肚《はら》を据《す》えた眼でまっすぐ前を見ており、東郷茂徳《しげのり》被告も〝霞ケ関《かすみせき》の紳士〟の名にふさわしいきちんとしたスーツ姿で端坐《たんざ》している。一人、異様なのは大川周明被告でパジャマのような姿で、眼をきょろつかせ、上衣《うわぎ》の裾《すそ》をまくり上げたり、下げたりしている。東洋哲学の一代の論客《ろんかく》とは思えぬ挙動に、賢治はわが眼を疑いつつ、さらに、二人の被告が欠けていることに気付いた。手もとの被告の氏名とつき合せると、木村兵太郎《へいたろう》、武藤章《あきら》の二被告の姿がない。開廷日までにビルマ、フィリピンから送られて来ると聞いていたが、未着なのだろうか。

「Raise!」

ヴァンミューター執行官が起立を命じた。

全員、起立すると、裁判官が、黒いガウンをまとって現われた。唯一人、軍服姿は、ソ連のザリヤノフ裁判官であった。

ヴァンミューター執行官が、開廷宣言を行うと、裁判官席中央のオーストラリア代表ウェッブ裁判長が、声明文を厳《おごそ》かに読みはじめた。

「Before assembling here today, the Members of the Tribunal signed a joint affirmation to administer justice according to law, without fear, favor or affection」

賢治はメモ用紙に鉛筆を走らせ、要点となる語句を筆記しながら、そこで手もとのスイッチを押した。ウェッブ裁判長の前のランプが赤く点《つ》き、賢治の通訳を待った。賢治は最後の "favor or affection" をどう訳したものか戸惑った。しかし逐語《ちくご》的に通訳して行くには、考えている暇などない。

「今日《きょう》、この法廷に集合するに先だち、私どもは、恐るるところなく、かつ、依怙贔屓《えこひいき》、あるいは愛情に支配されることなく、法に照らし公明正大なる判決を下すべしとの共同宣言に署名したのであります」

メモ用紙の語句を見つつ、日本語に訳した。ウェッブ裁判長は、通訳が終り、赤ランプが消えるのを待ちかねるように、声明文朗読を続けた。

「――今回の如き重大な刑事裁判は、実に世界史上にその比を見ない、被告の罪は平和に対する罪、戦時法規違反の罪、人道に対する罪、ならびにこれらの罪を犯す共同謀議である」

公正であるべき裁判長が、冒頭から検事のような弾劾《だんがい》口調できめつけた。賢治は逐語訳をしながら、十五分もたたぬうちに、汗ぐっしょりになった。

必死に通訳を続けるうち、賢治は遂に、言葉に詰った。到底、日本語として口に出来ない言葉が出て来たのだった。齢《とし》若い同僚のハリー宮原は心配そうな顔を向け、日本人通訳の田島は視線を伏せたが、ムーラー言語部長は、早くしろ！　と、眼で促した。顔と首筋から脂汗《あぶらあせ》が滴《したた》り落ちた。

賢治は、マイクに向い、眼を閉じるようにして、ウェッブ裁判長の言葉を和訳した。

「これらの被告が従来、有していた地位がいかに重要なものであったとしても、これがために彼らが最も貧しい一日本兵卒あるいは、一朝鮮人番兵などが受ける待遇よりもよい待遇を受けしめる理由とはならない」

被告一同が、どのように表情を変え、日本人弁護人、傍聴者たちがどのような反応を示したか、賢治にはそれを忖《そん》度《たく》している余裕などない。次の裁判長の言葉が追い駈《か》けて来るからだった。

　ウェッブ裁判長の声明文朗読が終ると、キーナン首席検事が、赫ら顔をライトに照り輝やかせ、

「Mr. President, I appear for the prosecution……」

　と、各国代表検事の紹介を始め、その後、裁判所書記以下の関係者の宣誓が行われ、午前十一時四十二分、休憩《きゅうけい》の木槌《きづち》が鳴った。

　傍聴席で、井本椰子は、イヤホーンを耳にかけ、賢治の日本語訳に耳を傾けていた。ずっしりと重味のある声であったが、緊張し過ぎているせいか、いつもより、やや上《うわ》ずっている。椰子は、花丸支配人に頼み込んで、判事・検察団が帝国ホテルへ戻って来る前に帰るという条件で、裁判を傍聴に行くことが許されたのだった。傍聴券は米軍軍属の分を一枚貰って、外人席の一隅に坐っていた。

　通路を隔てた日本人傍聴席は、殆《ほと》んどくたびれた服装の男性たちで埋められ、固唾《かたず》を呑《の》むような表情が並ぶ中で、母娘らしい三人のもの静かな美しさが眼についた。三人は、開廷した時から終始《しゅうし》、被告席の一点だけを見詰めている。その視線を追って行くと、背広姿で端然と坐っている一人の被告が、かすかな微笑を三人に送っていた。どうやら広田弘毅《こうき》元首相らしい。休憩時間になっても、母娘は席をたたず、人目を避けるように、ひっそりと肩を寄せて、坐っていた。

　午後二時四十分、再び開廷されると、バンコックに合流させられ、飛行機で到着したばかりという木村兵太郎元大将、武藤章元中将が加わり、二十八被告が全員揃った。

　キーナン首席検事は、直ちに起訴状の朗読を求め、ウェッブ裁判長の指示で、ヴァンミューター執行官が、起訴状の朗読を始めた。賢治は、同時通訳の形で日本語で読み上げた。

　咳《しわぶき》一つない静まりかえった法廷で、執行官の声とイヤホーンを流れて来る声だけが、流動している。午前中と比較すると、賢治の声は落ち着いていたが、ヴァンミューター執行官の朗読と合せるために、日本語訳の速度を早めたり、緩《ゆる》めたりして、苦心しているのが、椰子にも感じ取れた。

　不意に、賢治の通訳を遮《さえぎ》るように、日本人弁護団の高柳弁護人が、発言を求め、ハリー宮原が身構えた。

「起訴状に翻訳の誤りがあります、パースンズ・オン・ザ・ハイシーズは、『洋上漂流者』ではなく、『公海漂流者』であります」

　日本語訳の誤りを、ぴしりと指摘した。

　椰子は、賢治の誤訳が、公《おおやけ》の場で指摘されたことに、胸を衝《つ》かれた。ウェッブ裁判長は、抗議を無視して、朗読を

進めさせようとしたが、高柳弁護人は、容易にひき下らず、言語部に裁定を求めた。

法廷の視線が、言語部のテーブルに集った。四人のメンバーがマイクを切って、慌しく検討している様子が、傍聴席からも見える。特に賢治が、言語部長らに向って、喰《く》い下るように必死で何かを訴えている様子が窺《うかが》えた。

やがてムーラー言語部長が、発言を求めた。

「この起訴状の翻訳は、IPS（国際検察団）付き翻訳部が行った翻訳文を、モニターが読み上げております、当裁判所言語部は、このエラーを存じておりました」

賢治自身の誤訳ではなかったことが解ると、椰子はほっとし、それをはっきり法廷で明言し、法廷記録に留めることを、具申《ぐしん》し、説得したのは賢治だろうと思った。

起訴状朗読はさらに続き、賢治の声がやや張りを失いかけた時、被告席に騒《ざわ》めきが起った。その方を見ると、午前中から落ち着きがなく、パジャマのような上衣を脱ごうとしたり、両手を合掌《がっしょう》したりの妙な様子が目立っていた大川周明被告が、自分の下の段に坐っている東条英機被告の頭を、平手でぴしゃりと叩いたのだった。

突如とした奇行に、法廷中が戸惑い、やがて笑い声が上った。ケンワージー憲兵隊長が、大川周明の肩を抑《おさ》え、メモ用紙や鉛筆を与えて、なだめたが、再び異様な声を上げて、喚《わめ》いた。

ウェッブ裁判長は、起訴状朗読を中止させ、十五分間の休憩を宣した。その途端、連合国の記者たちが、記者席の柵《さく》を越えて、被告席に近付き、ケンワージー中佐に連れ去られようとしている大川周明に向って、一斉にシャッターをきった。

椰子の周《まわ》りにいるアメリカ人たちも、思いもかけぬ出来事をあれこれ詮索《せんさく》し、面白がった。

「あの気狂いの名前は、何ていうんです？」

椰子の隣席の白人少尉が、声をかけた。

「私は知りません」

心情的に、答えたくなかった。

「将官だったのか、それとも首相、大臣だったのか」

「あれは芝居か、ほんとうの気狂いか」

しつこく問いかけた。椰子は、賢治から、大東大学在学中、大川周明博士の講義を聴き、深い感銘を受けた、と聞いたことを思い出していた。

日本人傍聴席は、強いショックを受けて、鉛を呑んだように重く沈黙している。曾ては一国を代表する論客が、開廷第一日目、被告の座に列せられるや気が狂ったことに、複雑な思いでいるのだろう。

真向いの来賓席には、第八軍司令官のアイケルバーガー中将や、対日理事会のシーボルト議長の姿が見られ、帝国ホテルでのパーティには必らず顔を出す夫人たちの姿もあった。夫人たちは華やかに着飾り、大川周明の狂気の一幕をまるで喜劇を見たように笑い転げている。椰子は、憤りを覚えた。だが、時計を見ると、もう帰らねばならぬ時刻であった。

――ケーン、何事があっても挫《くじ》けず、最後までモニターの任務を完うして下さい、あなたでなければ出来ない仕事だわ。

椰子は、賢治に向って、声にならぬ言葉をかけ、そっと傍聴席をたった。

同じ傍聴席にチャーリー田宮がおり、椰子に合図したが、気付かず、外へ出た。

＊

フィリピンから米軍のリバティー（貨物船）で、天羽忠《ただし》は、約一万人の戦友とともに、名古屋埠頭《ふとう》へ上陸した。忠にとって昭和十六年、満洲へ出征して以来、五年ぶりの祖国であった。

引揚援護局の寮舎で、復員証明書や被服の支給を受けたり、DDTの白い粉をかけられたりして、三日間を過した後、それぞれの郷里に向った。

忠の乗った車両には、名古屋以西の出身者が多く、列車は復員専用列車さながら、互いに郷里のことを語り合っていたが、窓外の焼け跡のひどさは想像以上で、次第に言葉は少くなった。

さらに一駅ごとに乗って来る人たちの姿に、驚いた。フィリピンの捕虜収容所で、体力を回復した帰還兵より痩《や》せ衰えている者、恨めしげな視線を向ける者、そうかと思うと、まるまると肥り、両手に持てるだけの荷物を持ち、背中に大きなリュックサックを背負って窓から押し入り、いち早く席を陣取る輩《やから》もいる。〝闇屋《やみや》〟とは、このことかと向っ腹《むかっぱら》がたったが、負け戦《いくさ》をし、捕虜となって帰って来た負《お》い目で、見て見ぬ振をした。

大阪を過ぎると、闇屋の跋扈《ばっこ》はますます凄じく、忠たち復員兵を見ると、

「また、喰いぶちのないのが、ぎょうさん帰りおって」

聞えよがしに云うのもあれば、

「ま、そない云うな、この人らかて、いずれはわしらのお顧客《とくい》さんになるかもしれん」

とまぜっ返す者もいる。

敗けたとはいえ、これが、米軍の本土攻撃を阻止するために、食糧、弾薬尽きてもなお、ルソンの山々で死闘した自分たちに対する態度なのか、忠は怒りがこみあげてきたが、眼をつむって耐えた。

「じゃ、おれは一足、先に――」

西宮《にしのみや》、神戸と西へ向うにつれて、戦友たちは十人、二十人と降り、姫路では五十人近くが立ち上った。

「気をつけてな、落ち着いたら必ず連絡してくれよ」

「せっかく、生きて日本へ帰って来たんだ、死んだ戦友の分まで頑張ろうぜ」

「貴様もな、体を大事にしろよ」

互いに、別れを惜しんだ。

ガタンと列車が大きく軋《きし》み、再び動き出した。焼野が原が次第に田畑の風景に変り、西に向うにつれ、忠の胸に、国破れて山河ありの思いが深まった。それにしても、よく生きて還《かえ》ることが出来たものだ。カンルーバンの捕虜収容所で会った七十一連隊第二大隊の生残りの兵の話によれば、あの鬼頭軍曹にして、バギオの墓地で離れ離れになった後、連隊本部の防禦陣地へ撤退中、ゲリラの手におち、八つ裂きにされて死んだという。兄と相い会うことがなかったら、自分も同じように殺されたか、餓死したかもしれない。

だが兄の銃で捕虜になり、生き伸びた屈辱は、生涯忘れられない。忠は、郷里に向って、のろのろと走り続ける列車の中で、兄への怒りを募《つの》らせていた。

一昼夜半かかって、忠はようやく、西鹿児島駅から日豊《にっぽう》本線に乗り替え、加治木駅に着いた。

七十一連隊の半数は、まだマニラ郊外の捕虜収容所に収容され、ある者は現地人虐殺、婦女暴行などの容疑で軍事裁判にかけられ、中には全く人違いでありながら、現地人に指されたり、たまたま同じ姓名だったというだけで銃殺刑に処せられた者まである。それを思うと、足が重かった。

加治木駅に降りたのは、忠一人だけであった。薄暮《はくぼ》にまぎれて、近くの護国神社へ詣《もうで》たあと、リュックサックを背負い直して、叔母の家へ向った。

やがて懐しい石塀が見えてき、庭に生い茂った竹がさわさわと、そよいでいる。正面の男門から入ると、〝女西郷《おんなさいごう》どん〟と仇名されている眉の太い叔母が襷《たすき》がけでたっていた。驚くほど痩せていたが、懐しさで一杯で、

「叔母さん、只今、戻い申《も》した」

丁寧に帰還の挨拶をすると、

「おはんな、よう正門から入ってこれ申《も》したな」

喜んで迎えられるどころか、厳しい語調で云った。

「しかし……」

「一旦、入って来やったからにゃ出直せとは云申《ゆも》はん、じゃっどん、母家《おもや》へな入れ申《も》さん」

「どうしたのです？　せっかく五年ぶりに帰って来たというのに」

打って変った叔母の態度にわけが解らず、そう問うと、

「おはんのこちゃ、足を負傷して先に帰って来やった伊佐新吉どんから秘かに聞きもした、おはんな、アメリカん捕虜いなり、戦線から離脱したそうじゃな」

叔母は、顔を歪めて、詰問した。

「しかし、それには訳が――」

「弁解など、薩摩隼人《さつまはやと》のすることじゃあい申《も》さん、捕虜いなっ前に、なぜりっぱに死んでくれんじゃったとか、私《あたい》は、おはんをそげな情なか人間に育てた覚えは、あい申《も》さん！」

「叔母さん、今、訳を話すから、ともかく内へ入れて下さい、ルソンの戦いは、こうして生きて帰って来ただけでん

不思議なことなんじゃ」

「そげなことは皆の話で、充分、承知しちょっ、じゃっどん、五体満足で、ないごて捕虜いなり、こげん早よう帰って来れたとじゃ、私《あたい》はどん面さげて、戦死しなさった家の方々に顔を会わせられるとじゃ、聞けば、連隊長ん二木さんの家では、八十九歳の父上が、これだけの部下を死なせて、万一、息子が生きて戻って来たら、自決させるか、打ち首にするち云うていなさるそうじゃ」

忠は、今さらのように鹿児島の厳しい県民気質が身に滲《し》みた。

「私《あたい》も、当分、お前を家へ入れ申さん、たとえ身分は低うてん、西南の役までりっぱに武士として戦うた天羽家んご先祖様に申しわけがたちもさん」

叔母はそう云うなり、母家へ入り、ぴしゃりと戸を締めきった。忠はリュックサックを背負ったまま、母家の前にたち尽していたが、仕方なく納屋へ入り、茶の葉を干す莚《むしろ》の一枚を取って、ごろりと横になった。

暫くして、疲れが出て、うとうとしかけた時、納屋の戸がそっと開き、誰かが入って来る気配がした。伊佐新吉であった。

「新吉、おはん……」

「しっ、詳しかことはあとでゆっくい話すが、おいは例の足の傷がようならず、先い戻っ来たとじゃ、こや弁当じゃ、叔母さんも内心は、おはんに薩摩汁を食べさせ、温かか布団に寝かせたかとは山々じゃ、そん気持を察してやれ」

新吉は、まだぬくもりのある握り飯を渡した。新吉の心にうたれ、まっ白な握り飯を頰張《ほおば》った。

「あんねえ、忠どんの兄さんは今、東京におっど」

「なに、兄が東京に――」

「そうや、賢治さんは、昨日から始った東京裁判で、モニターとかいう役で活躍しているらしいとじゃ」

「モニター？　そりゃあ、一体、何のことじゃ」

「通訳のお目付け役のようなもんじゃ、通訳は日本人じゃで、米軍は日本人ばいいこと云わんよう、モニターいう目付けをつけとるんじゃろ」

「まさか、いくら何でも、兄がそんな……」

「ところが、そうよ、賢治どんの大東大学時代ん友達の新聞記者が、いけなつもいか加治木中学へ報せて来て、この辺《あた》いでは、おはんの叔母さんを除いて知らん者はなかぐらいじゃ」

忠は握り飯を取り落した。何たる卑怯者！　兄に対する憎悪で体中が灼けるようだった。

＊

五月六日、東京裁判は第三日目を迎え、天羽賢治は、モニター席に坐って、緊張していた。

戦争犯罪人として起訴された被告が、はじめて法廷で言葉を発し、罪状認否《アレインメント》を行う日であった。

例によって九カ国の裁判官が、国旗を背にして居並び、検事席にはキーナン首席検事の赫《あか》ら顔が目だっていた。

罪状認否に入ろうとした時、突然、くたびれた背広に、兵隊靴という清瀬一郎弁護人がたち上り、発言台の前に進んだ。

「裁判長、罪状認否の前に、その前提となる動議があります、それからまた、裁判官に対する忌避《きひ》の申立もございます」

「その忌避申立とは、何ですか」

ウェッブ裁判長は、訝《いぶか》しげに聞いた。

「裁判官各位に対する私の敬意に変わりはありませんが、この裁判をして、真に歴史的な使命を全うせしむるために、あえて申し立てるものであります」

丁重な言葉遣いではあるが、確固たる語調であった。

「では、簡単に述べて下さい」

「それではまず、ウェッブ裁判長閣下《かっか》に対する忌避《きひ》の理由を申し述べます」

突如とした清瀬弁護人の発言に、法廷は息を呑んだ。

「その一つは、正義と公正のために、サー・ウィリアム・フラット・ウェッブが、この裁判を行われることは適当ではないということです、第二は、昨年七月二十六日のポツダム宣言の趣旨を守ってこの裁判を行うのに、ウェッブ卿は適当な人ではないと考えます」

みるみるウェッブ裁判長の顔色が変ったが、声を抑え、

「詳細にその理由を申し立てられたい」

「今、申し述べます、第三はウェッブ卿が、ニューギニアにおける日本軍の不法行為を調査され、その報告書を既にオーストラリア政府に提出されている事実であります」

その途端、ウェッブ裁判長の顔に怒気が奔《はし》り、明るい照明の下で頬が痙攣《けいれん》した。

「私がニューギニアで行った報告に関しては、私が裁判長としてここに臨んでいることに関係があるとは思いません」

忌避《きひ》動議を退けかけた。キーナン首席検事が足早に、発言台に近づき、清瀬弁護人を押しのけようとしたが、清瀬弁護人は発言台にしがみついて離れなかった。

賢治の席から七メートルほどのところで、白髪小軀の清瀬弁護人が、国敗れたりといえども、法の正義のために、敢然と勝者にたち向うその姿は、胸を搏った。

キーナン検事は、力ずくで発言台のマイクを奪い取り、

「裁判所に対する反対があれば、書類によって提出すべきである」

昂《たかぶ》った声で清瀬発言を妨害した。だが、清瀬弁護人は怯《ひる》まず、マイクを奪い返し、裁判長忌避をなお唱えた。日本人嫌いを隠さぬウェッブ裁判長は、憤りを爆発させるように十五分の休憩を宣して、荒々しく席をたった。

その十五分の間に、判事室で忌避動議について形ばかり

の合議が行われたが、あっさり却下され、ウェッブ裁判長は元の席に着席すると、

「私は当裁判所の裁判官を受諾するにあたり、私自身の前歴については慎重に検討し、且つ信用すべきあらゆる法律家によって支持されていると確信する」

と宣し、予定通り罪状認否に入ることを告げた。そして時をおかず、被告席に鋭い眼ざしを向け、アルファベット順にまず、荒木貞夫の名前を呼んだ。アメリカ兵のページ(使丁)が荒木被告の前にマイクを置いた。

「Do you state guilty or not guilty? (あなたは有罪を申したてるか、無罪か)」

ウェッブ裁判長の問いに荒木陸軍大将は、八の字の口髭《くちひげ》をぴんと張り、

「起訴状を大観しましたが、一番最初に書いてある平和、戦争、人道に関しての罪状については、荒木七十年の生涯における自信に汚辱を与うるものであります、故に、承服することは出来ません」

腹の底から搾り出すような声で、七十年の生涯という言葉に力を籠めた。いかに敗れたりといえども、旧敵国から一方的に、平和、人道の罪に問われんとすることは承服出来ぬという断腸の思いが、傍聴する日本人の肺腑《はいふ》をえぐり、それを通訳する日本人通訳の声も、心なしかくぐもっていた。

「有罪、無罪のどちらかだけを答えて下さい」

ウェッブ裁判長が咎めると、

「承服することは出来ぬ、無罪である!」

と云った。キーナン首席検事が、裁判長の方を向き、

「無罪という以外の言葉は、全部記録からはぶくべきです」

語気を強めると、ウォーレン弁護人が、

「被告の権利を守るために、被告の云ったことは全部、通訳されるべきです」

と応酬した。ウェッブ裁判長は、不機嫌極まる顔つきで、罪状認否を続けた。

「土肥原賢二、あなたは有罪を申し立てますか、無罪を申し立てますか」

満洲のローレンスと称揚された土肥原陸軍大将は、悠揚迫らざる態度で、

「無罪を申し立てる」

ぶっきら棒に云った。賢治には、それぞれの答え方が、被告の人柄を物語るように思え、モニター席で眼と耳を研《と》ぎ澄ましていた。

橋本欣五郎陸軍大佐、畑俊六元帥、平沼騏一郎元首相が同じようにはっきりと、「無罪」と答え、その度にマイクロフォンの長いコードを持ったページが左右に走っている。広田弘毅元首相は、ウェッブ裁判長の問いに瞬時おいてから「無罪」と、空間を切るように端然として答えたのが、賢治の印象に残った。

続いて星野直樹《なおき》元書記官長、板垣征四郎陸軍大将、賀屋

興宣元蔵相、木戸幸一元内大臣、木村兵太郎元陸軍大将、小磯国昭《こいそくにあき》陸軍大将も、静かに区切るように「無罪」と答え、松井石根《いわね》陸軍大将も、病んだ体をMPに助けられるようにステッキをついてたち上り、

「I plead not guilty on all and every account（全訴因に対し、無罪を主張する）」

聞き取りにくいほど細い声であったが、外交官らしく英語で答えた。

さらに南次郎陸軍大将、武藤章陸軍中将、永野修身《おさみ》元帥、岡敬純《たかずみ》海軍中将、大島浩陸軍中将、佐藤賢了陸軍中将が、同じように無罪を主張し、重光葵元外相は、

「I plead not guilty（無罪を申し立てます）」

と答えた。嶋田繁太郎《しまだしげたろう》海軍大将、白鳥敏夫元駐イタリア大使、鈴木貞一元企画院総裁も、簡単に無罪と、主張した。賢治と同じ鹿児島県出身の東郷茂徳元外相は、心臓の持病のせいかやや窶《やつ》れた顔をしていたが、ぶすっとした声で、

「Not guilty（無罪）」

と申し立てた。そして東条英機の番になった。ひときわ、記録カメラの廻る音が高まったが、東条被告は胸をそらせ、向い合った裁判官席に眼を据え、

「起訴状の全部に対しまして、私は無罪を主張致します」

独特の抑揚のある語調で、一語、一語を嚙《か》みしめるように云った。最後の梅津美治郎陸軍大将も、軍人調の号令に似た声で無罪と云った。この間、僅か九分間で、精神異常で入院した大川周明を除いて、全被告の罪状認否は終った。

被告は一人残らず、臆するところなく、検察団の起訴状に対して、毅然として無罪を主張した。その姿は、スガモ・プリズンで、無教養な若い米兵に追いたてられながら、食事の列にならんだり、床掃除《ゆかそうじ》をさせられたりしている囚人とは別人であった。賢治は、しらずしらずのうちに安堵《あんど》していた。

ウェッブ裁判長は、五月十三日に管轄権問題を審議し、証拠調べを六月三日から行う旨を述べて、休廷を宣した。

*

鹿児島の加治木駅に降りたった賢治は、暫し茫然とたち尽した。

十五年ぶりの加治木は、戦禍の跡もまだ生々しく、薩摩の歴史を刻んだ古く静かな町のたたずまいは、失くなっていた。

僅かに昔のまま残っていたのは、小さな駅舎で、そこから真っ正面に桜島が望まれ、灰色の煙が千メートル以上の上空まで噴き上げ、その先は東風《こちかぜ》に流されている。

曾ては樹木や建物に遮られ、加治木港近くまで行かなければ望まれず、春夏秋冬、幾度か登ったこともある桜島が、この三月、三十二年ぶりに大爆発し、今なお、不気味な地鳴りを伴って、鳴動している。賢治の体に、熱い血潮がた

ぎって来た。日本へ進駐後、八カ月目にしてようやく父祖の地、薩摩へ帰ることができたのだ。

賢治は、昔の俤《おもかげ》をすくい取るように、駅前の道をゆっくりと歩いた。馴染みの本屋、武道用具店、加治木名物の酒《さか》蒸《む》し饅頭《まんじゅう》屋があったところは、ほぼ察しがついたが、同級生の本屋の和《かず》どんの家族は、無事だったろうか。行き交う人に聞こうとして賢治は、自分に向けられている眼に狼狽した。九州には、佐世保、長崎を中心に五、六万の米軍の海軍師団、海兵隊が進駐し、それほど目にたつこともあるまいと思っていたが、加治木の人々には、米軍の軍服はまだ強い敵意をもって見られているようだった。

不意に足もとに、小石がはじけた。振り向くと、丸刈りの中学一、二年の男子生徒が一団となり、賢治を睨みつけた。絣《かすり》の筒袖を着た者もいたが、学生服の生徒は、加治木中学のボタンをつけている。

「君ら、加中の生徒か」

「そうじゃ、文句があっとか」

「そんな云い方はよせ、僕は、君らの先輩なんだぞ」

「嘘じゃ、加中は、鹿児島で一、二を競う名門校じゃ、町が空襲で七割も焼けたちゅうとに、おはんのような米軍の服を着てのし歩っよな先輩などがおっはずがなか！」

母校の名を汚《けが》されたかのように、否定した。七〇パーセントの被害とは予想外のひどさだと心痛んだが、

「人をそう簡単に罵倒するものではないぞ、君らも男なら、先輩がどうして帰って来たか、理由《わけ》を聞く耳を持て！」

学校の放課後、『健児の舎』で先輩たちから受けた文武両道の鍛練を思い出しながら、近付きかけると、

「弁解無用じゃ、アメ公の日本人、早よ戻れ！」

口々に喚《わめ》き、走り去った。賢治は気持を取り直し、家へ向って急いだ。やがて、元島津藩の士族の屋敷が並ぶ仮屋《かりや》町へさしかかった。このあたりまで来ると、空襲の爪あとは少く、二瀬戸《ふたせど》石の門や塀の大きな屋敷が並んでいる。一《ひと》際《きわ》、大きな構えの前に来た。門の屋根まで茅葺《かやぶ》きにした〝仮屋門《かりやもん》〟を構えているのは、そうざらにはない。東郷茂徳元外相の副弁護人をしている島木文彌の本家であった。年輪《ねんりん》を重ねた樫や竹がのび放題で、雀《さえず》の囀りが森閑とした屋敷廻りから、聞えて来る。

仮屋のはずれが、叔母の家であった。

石の小さな門の中へ一歩、足を踏み入れた途端、動悸が高鳴った。中学へ通っていた時のように庭石に沿い、裏の方へ廻った。小さな二つの納屋は屋根が半ば崩れ、母屋の樋《とい》も赤錆びて、今にも折れそうになり、女手一つでこの家を守り通している叔母の苦労が窺えた。

賢治の傍に寄って来た鶏が、ぱっと羽ばたいた。

「誰様《だいさあ》な」

勝手の方からモンペ姿の叔母が現われた。〝女西郷どん〟の叔母であるのに、賢治の記憶から二回りほど体がしぼみ、めっきり老け込んでいた。

「叔母さん、賢治です、只今！」

「ないな！　賢治な」

叔母は、腰を抜かさんばかりに驚いた。

「そうですよ、お達者で何より」

叔母の手を取ると、

「ほんのこて賢治じゃ、賢治じゃ」

確めるように手をひっ掴んだ。

「もっと早く来たかったんじゃが」

「仕方がなか、おはんなアメリカへ戻いやった人じゃっで」

叔母はそう云い、賢治を座敷へ招じ入れた。

床の間を背に、賢治は、叔母の注いだ熱いお茶を啜《すす》りながら、日米開戦以後の一家のことを詳しく話した。

「そうじゃったとや、乙七さんもテルさんも元気でまた洗濯屋を始めやったか――で、おはんの嫁御《おかた》は？　子供が二人おっとかいうことじゃったね」

「まだアメリカに残しています、家族が呼び寄せられるようになったら、こちらへ呼び寄せ、叔母さんに会わせ、僕が小、中学時代を過したこの家も見せてやりたい」

と云うと、叔母は大きな眼を皺にして頷き、

「ところで、おはんな東京で何《ない》の仕事をしておいやっとね」

と聞いた。東京裁判のモニターと応えても解るまいと、言葉を探していると、

「兄貴、答えられんじゃろ」

突然、声がした。振り向くと、まだフィリピンに抑留されているとばかり思っていた忠が、髭面でのっそり縁側《えんがわ》にたっていた。

「おう、お前、いつ復員して来たんだ」

「ついこの間だ、兄貴とは、とことん、妙な出会いをするもんじゃな」

絡《から》むような云い方をした。

「無事でよかった、その後、足の工合はどうだ」

突ったったままの忠の足を見て聞くと、

「米軍のペニシリンのおかげで、跛《びっこ》にもならずにすんだ」

「そうか、それはよかった、ま、坐れよ」

ほっとして、座を勧めたが、忠はふんと、せせら笑った。

「兄に向って、その態度は何事じゃ」

叔母が咎《とが》めた時、潮騒のような地鳴りが轟き、家中の襖、障子がカタ、カタと鳴った。

「また爆発か、一層のこと、もう一度、大爆発して、何もかも溶岩と火山灰の下に埋もれたらいいんだ」

忠は、毒づくように云った。

「おはんな戦争で変いやしたな、男子《おとこんこ》たるもんが、四、五年の戦《いくさ》で、そげん変っとは情けなかこっじゃ」

気丈な叔母は、嘆息した。忠は敷居際《しきいぎわ》に胡座《あぐら》をかき、

「何も解らんで、ぐじぐじ云わんでほしい」

その口調で賢治は、忠がまだ叔母に、何も話していない

様子を悟った。

「叔母さん、これには深い事情がある、僕ら兄弟は、フィリピンで……」

賢治が説明しかけると、

「兄貴、あんなことは二度と思い出したくない、口にするな」

「一体、いけんしたとね」

ただならぬ気配を察し、叔母は双方を見た。

「心配せんでいい、おいはここにそう長う厄介《やっかい》にならんからな」

「それではお前、アメリカの父さんのもとへ帰ってくれるか」

賢治が身を乗り出すと、

「誰がアメリカへなど」

顔をそむけた。

「だが、いつかは帰らねばならんのだ、それなら一年でも早い方がいい、今なら在米二世と同じスタートラインで、再出発出来るぞ」

「おいは日本人じゃ、父さん、母さん、春子には会いたいが、アメリカへは帰らん、PWの捕虜服を着せられた時、心にそう誓うたとじゃ」

「忠――」

「かというて、鹿児島にも長うはおりとない、国のために死力を尽して戦い、捕虜の屈辱にも耐えて帰還したのに、世間の眼はどうじゃ、叔母さんさえも、捕虜になっておめおめと帰って来たと、家へも上げてくれなんだ、何故じゃ、おいが戦さに苦しゅうなって、アメリカの情にすがったとでも云うのか！　捕ったのがそれほど悪いことなら、俺を捕虜にした奴はどうなんじゃ！　まことしやかに両親の話などしても、心は白人のイヌになり下った奴が、なんで床の間の前に坐れるんじゃ！」

忠は吠えるように云った。

「俺を、白人のイヌと云うのか！」

「兄貴、知らんとでも思うてるのか、おいは、ラジオ放送で開廷を告げる英語のあと、日本語で、〝ここに極東国際軍事裁判を開廷します、全員起立〟というおはんの声を聴いておるぞ！」

「そうだったのか、聞いていたのか」

「おはんたちゃ、隠しごとをせんと、何《ない》の話をしちょっとか、はっきい云わんね」

叔母は、厳しい眼を二人に注いだ。

「兄貴は、東京裁判でアメリカ側について、日本の戦犯らを裁く検事の手先のようなことをしている」

悪意に満ちた云い方をした。

「まさか、賢治が、そげなことを……」

「違う、裁判を公正に進めるための――」

賢治が云いかけると、

「何ちゅう大それたこと……賢治、見損《みそこの》うた……」

叔母は一瞬、絶句し、

「二人とも、何ちゅう兄弟ね、私の躾《しつけ》は間違っておったとか、乙七、テルさんに申しわけがなか」

老いた体を、わななかせた。

「叔母さん、そうではない」

自分の仕事を解って貰おうとしたが、叔母はもはや受けつけず、賢治の体を突きのけた。忠はそれをにやにやして、見ているだけだった。

賢治は、叔母の衝撃の深さと、忠の変り果てた心に、打ちのめされた。

＊

梅雨《つゆ》があけきらず、蒸し暑い七月五日、東京裁判は、検察側立証の第一段階である〝満洲における軍事的侵略〟に進んでいた。開廷二カ月目にして、既に被告席には三つの空席があった。一つは大川周明、一つは老人性結核で死亡した松岡洋右《ようすけ》、一つは今日から入院した平沼騏一郎の席であった。

法廷に元陸軍少将田中隆吉証人が出廷することが告げられた。

賢治たちのモニターの席と目と鼻の先にある証言台に、肥満したスーツ姿の証人が、どすんと着席した。多くの日本人がまだ痩せさらばえている中で、その証人は栄養が満ち足り血色もよく、頭が禿げて大きいせいか、大入道のような迫力を備えている。

アメリカのサケット検事が発言台にたった。

「検察側としましては、宣誓口供書を使わず、直接口頭をもって質問したいと思います、あなたの名前を云って下さい」

証言台の元少将は、ぶっきら棒な語調で、田中隆吉と応え、マイクと赤ランプの横に置かれているコップの水を大きな手でぐうっと飲んだ。

「齢は、いくつですか」

「五十四歳」

「現在の職業は、何ですか」

「無職」

証人は、太いどすのきいた声で最少限の応答をして行く。

「あなたは、日本帝国陸軍に勤めたことがありますか」

「イエス」

元陸軍少将は、「然り」と云わず、英語で応えた。

「その期間をおっしゃって下さい」

「一九一四年から一九四二年まで」

「その間、軍隊で勤めた各種の仕事についてもう少し詳しく話して下さい」

今日の通訳は、あまり巧くない外務省出向者だった。賢治はボタンを押した。証人台の前のランプが赤く点いた。

「モニターより追加します、各種の仕事および地位、階級を述べて下さい」

と補足すると、田中証人は、経歴を棒読みするように述べはじめた。

「一九一四年十二月陸軍少尉に任官、一九二一年十一月陸軍大学校卒業、一九二二年十二月一日参謀本部勤務……一九三四年三月一日東京野戦重砲兵第一連隊連隊付、アメリカ流で云いますと副連隊長……一九四〇年十二月一日陸軍省兵務局長、一九四二年九月退職、終り」

十数項目にわたるその経歴からして、エリート中のエリート軍人だが、年号をすべて西暦で答え、〝アメリカ流で云いますと〟などと、説明を加えるのが妙だった。

「田中サン、あなたは陸軍勤務中に、軍の人事について調査したことがありますか」

「人事は調査しませんが、陸軍軍人の非違行為――犯罪行為については調査致しました」

「一九四〇年十二月一日、兵務局長になったと云われましたが、その調査と何か関係がありますか」

「兵務局長の主たる任務は、陸軍全体の軍紀・風紀を取締ることです」

「その局長として、それ以前の書類を保管し、また監督しましたか」

「イエス」

また「イエス」だった。

「一九二八年（昭和三年）六月四日、張作霖《ちょうさくりん》を殺したという証拠が法廷に出されていますが、誰が殺したのですか」

サケット検事は、その爆殺事件を〝満洲における軍事的侵略〟の緒《いとぐち》とみており、まさに刑事事件における検事の尋問だが、日本語訳は少しニュアンスが異っている。賢治はボタンを押した。

「モニターより訂正、張作霖とは誰ですか」

「一九二八年、奉天において死んだ支那の大元帥であります」

証人が応えると、サケット検事は続けた。

「日本陸軍、または政府によって、張作霖殺害事件が調査されたことを、あなたは知っていますか」

また、日本語訳のニュアンスが違う。

「モニターより訂正、公式あるいは正式に調査が行われたか、どうか、知っていますか」

賢治が正すと、証人はモニターの賢治の方を一瞥し、嘯《うそぶ》くように応えた。

「イエス、正式に調査が行われました」

「どういう工合にして、それを知りましたか」

「一九四二年、陸軍省が三宅坂《みやけざか》からこの市ヶ谷台に移った時に、書類を整理する必要があり、局長の非常持出分を調べたところ、五・一五事件、二・二六事件などの書類と一緒に綴ってあったのを読んだからです」

「いつ、その報告書が作られたか、知っていますか」

「私の記憶によれば、一九二八年八月」

「誰が直接、準備したのか、知っていますか」

「陸軍大臣の命により、当時の東京憲兵隊長峯少将であります」

「今、それがどこにあるか、知っていますか」

「焼失してなければ、陸軍省兵務局長の非常持出書類の中にある筈です」

検事は、時に田中サンとか、ジェネラル・タナカと半ばおだて上げるように呼んだ。それにしても証人は事実を語りながら、あまりに記憶が明確過ぎ、協力的であり過ぎる。

尋問が進むにつれ、検察側から日本政府に当時の重要書類を要求したが、紛失して提出できないと返答されたため、証人の記憶を辿って、再現したいという申請が出され、ウェッブ裁判長はそれを許可した。

田中証人は、肥満した体を揺さぶり、話しはじめた。

「張作霖の死は、当時の関東軍高級参謀河本大佐の計画によって実行されました、この事件は、当時の田中義一内閣の満洲問題の積極的解決の方針にしたがって、関東軍はその方針に呼応すべく、北京、天津地方から退却する奉天軍――張作霖の軍隊を武装解除する計画を持っていました、その目的は、満洲に日本がコントロールする王道楽土の地を作るという目的であったのです、しかるにこの計画は、田中内閣の方針が変り、禁止されました、しかし、河本大佐は、それを実行しようとしたのであります、そのため一九二八年六月三日、北京を出発した列車を南満鉄道と京奉鉄道の交叉点において爆破し、張作霖はその翌日、死亡しました」

証人は兵務局長の地位にあって知り得た軍の機密を、暴露するように喋《しゃべ》った。この調子でこの先、何を喋りまくるのか、東条被告をはじめ、各被告の間に狼狽の気配が漂ったが、弁護団は、意表をつかれてなす術《すべ》もなかった。

田中隆吉――、検事と馴れ合い、日本軍の内部を平然と暴露していくこの元陸軍少将田中隆吉とは、何者なんだ、賢治はモニターであることを忘れ、唖然として怪物のような証人を見た。


同じ頃、チャーリー田宮は、吉田茂総理の来訪を受けたマッカーサー元帥の通訳として、GHQ六階の元帥執務室に陪席していた。

ガラス窓を、本降りになった雨が叩いていたが、執務室にはほどよく冷房がきき、除湿もされている。

「では、憲法草案は、只今、ご報告した方向で、早急に手直し致します」

吉田総理は、小柄な体を渋いスーツに包み、手にした書類を内懐《うちぶところ》にしまった。吉田内閣は、幣原《しではら》内閣が僅か半年余で倒れた後を受け継いで誕生したのだった。

マッカーサー元帥は、ソファーに体をもたせかけ、パイプをくゆらせながら、チャーリーの通訳を聞いていたが、聞き終っても、これで会見を終わろうという表情は示さなかった。GHQが吉田内閣に課したことは、日本国憲法の制定と農地改革だが、マッカーサーはこの男ならやれそうだと、その力量を踏んでいるのか、幣原前総理を軽んじたような態度はとらなかった。

「そろそろ、お時間のようですが、元帥閣下に一つ、下世話《げせわ》ながら興味深いニュースをお知らせ致しましょう、今日の市ヶ谷の法廷に、検察側証人として、元陸軍少将が出廷しているのをご存知でしょうか」

吉田総理は、公式の会見が終ると、外交官出身にしてはあまり巧くない英語で直接、話した。

「まだ新聞を読んでいないのでね」

マッカーサーは、無関心を装っているだけだった。マニラにおける山下裁判、本間裁判進行中は、毎回、法廷記録を空輸させ、異常なほどの熱心さで読んでいたのを、チャーリーは知っている。

直《ちょく》の会話になり、通訳の必要はなかったが、東京裁判のニュースと聞いて、チャーリーは、耳をそばだてた。

「こちらへ伺う直前、傍聴に行った者から報告を受けたのですが、田中隆吉という元少将が、陸軍内部を告発する証言を次々と行い、被告席はむろん、法廷中がひっくり返る騒ぎだそうです」

吉田は、丸い顔をにこにこさせ、おだやかに話した。GHQで作成されている〝吉田ファイル〟には、親米派外交官、一九四五年四月に、近衛文麿の和平案上奏の際、積極的に行動した廉《かど》で、憲兵隊に逮捕され六月まで拘置されたと記されている。このことが、戦後、思いがけない箔《はく》づけになり、同じ外務省同期であった広田弘毅が、A級戦犯容疑者として被告の座に列なっているのと、対照的であった。

「その証人は、どんなことを証言しているのかね」

「例の張作霖爆殺事件の主謀者を、具体的に一人一人、名前をあげ、まるで自分自身がその場にいたように証言しているそうです、キーナン検事の秘密兵器というところですね」

「キーナン検事自身が、尋問しているのだろうか」

「いいえ、サケットというあまり聞き馴れない検事があたっているそうです」

「サケット？　ああ、彼は元FBIニューヨーク支部長だった男だ」

「え？　FBI……」

吉田は笑いを消した。チャーリーも内心、ぎくりとした。

「キーナン検事は、FBIもお使いなんですか、いやはや、なかなかのテクニシャンでいらっしゃる、では閣下、今日のところはこれで失礼致します」

吉田は、恭々《うやうや》しくマッカーサーと握手を交し、退出した。エレベーターのところで、

「君もなかなか、大へんだねぇ、私の家は大磯《おおいそ》で少し遠いけれど、土、日曜日には東京から帰っているから一度、遊

びに来給え」

チャーリーにも、如才なく、気を配った。

「有難うございます、ではここで失礼を――」

チャーリーは、これまでのおどおどした日本政府高官に対する時とは違って、丁寧に見送った。

副官室へ戻って来ると、すぐラジオのスイッチをひねった。ちょうど正午の時報が鳴り、ニュースが始り、やがて東京裁判の録音の一部が流れて来た。

――張作霖の死は、当時の関東軍高級参謀河本大佐の計画によって実行されたものであります――

証人の太い濁《だ》み声が伝って来た。今日はたしか、賢治がモニターする当番の日だった。日本陸軍の元ゼネラルが暴露証言をするなど、賢治には、想像もつかなかったことだろう。

まだ巣鴨拘置所にぶち込まれていないBC級戦犯容疑者の中には、金でGHQ高官に取り入り、逮捕を免れている者もいる。もっともらしい軍事裁判も、金次第で、逃れることが出来るのだ。ゼネラル・タナカなる人物のことは今まで知らなかったが、逮捕の代償にFBI捜査方式に協力しているのかもしれない。

チャーリーはもう一度、賢治の混乱しているだろう胸中を思い、にやりと笑った。

午後から雨足は、やや弱まったが、窓を締めきった法廷は、煌々《こうこう》たる照明と、昂奮した人々の人いきれで、むんむんとしていた。

賢治は、首筋にべったりと汗が滲むのを我慢し、サケット検事の尋問と田中証人の応答、その日米両語の通訳に注意を払っていた。

「田中サン、満洲事変に関する一九三一年九月十八日の証拠が提出されていますが、あなたはその事実と、そのいろいろな状況について知っていますか」

サケット検事は、またも田中サンと親しげな呼びかけで尋問しはじめた。

「イエス」

証人のイエスも、午前中と同様である。

「あなたは、満洲事変に関係している日本の首脳部個人個人を知っていますか」

賢治は、ランプを押した。

「モニターより訂正します、もし知っているなら、その人について話して下さい」

と云うと、田中隆吉は、またもや、ちらりと賢治の方を見、

「日本においてこの中心をなした者は、当時の参謀本部第二部長建川美次《たてかわよしつぐ》少将、その他はいわゆる桜会のメンバーであり、それは当時の橋本中佐、長《ちよう》勇《いさむ》大尉を中心とした動きであります、民間においては大川周明博士を中心とする

「一団であります」

と証言した。

「本計画の主謀者と目された者の中に、関東軍の将校がいましたか」

「関東軍において中心的に活躍した人は、当時の高級参謀板垣大佐ならびに高級参謀石原莞爾《かんじ》中佐であります」

張作霖爆死事件に次いで、一九三一年（昭和六年）九月十八日の満洲事変は、満洲侵略の口実をつくろうとする日本陸軍の陰謀であることを澱《よど》みなく、述べはじめた。

サケット検事は、巧妙にその全貌を聞き出し、

「あなたの云われた橋本を知っていますか」

「イエス、私の友人であります」

陸軍大学校で一緒であったこともつけ加えた。被告席の橋本欣五郎は、不快極まる表情で視線をそむけていた。

「彼は今日、この法廷に出ておりますか」

「イエス」

「どこに坐っているか、指でさし示して下さい」

サケット検事は、畳み込んだ。さすがの田中証人も、戸惑う様子を見せたが、

「あの左側であります」

太い指で、橋本被告を指した。法廷に異様な騒《ざわ》めきが起った。田中証人の顔がゆで蛸《だこ》のように真っ赤になり、内心、動揺しているのが、賢治にも感じ取られた。

サケット検事は、自分の演出効果が満点であったことに満足気に頷き、ひき続いて、

「あなたは、板垣被告を知っていますか」

「イエス、私の恩人であります」

ことさらに、恩人という言葉を口にしたが、賢治は、いやな予感がした。

「証人が、一番最初に彼に会ったのは、いつ頃ですか」

「陸軍士官学校に入学した時、私の中隊の区隊長をしておられたので、よく知っています」

「彼は今日、この法廷に現われていますか」

「イエス」

「どこに現われていますか、示して下さい」

サケット検事は、さっきと同じように促した。田中証人に、もはや躊躇《ためら》いはなかった。

「一番右の端におられます」

法廷の全視線が、田中証人から被告席の板垣陸軍大将へ移った。

賢治は、眼を掩《おお》いたくなった。検察側の尋問の仕方は、まるで強盗か、殺人犯を探し出すような下劣さであった。ギャングの逮捕にあたって、グループの中の有力人物を味方に引き入れ、その人物は逮捕しないことを条件に一味の内情を語らせ、一網打尽《だじん》に逮捕する方法をとるのが常套《じょうとう》手段と云うが、田中隆吉の証言も、そのパターンと同じである。いやしくも国際軍事裁判で、このような術《て》を用いるとは――、田中証人の尋問は明日も続行される予定だった。

＊

田中隆吉は、宏大な今井ハウスの庭に面した広縁に胡座《あぐら》をかき、樹々の間を渡って来る涼風を、浴衣の胸もとに入れていた。

代々木初台にある今井ハウスは、片倉製糸の今井五介《ごすけ》社長の邸宅で、国際検察団の証人宿舎として接収されていた。母屋《おもや》には、常時三、四人の検事と翻訳官二、三名が住まい、門にはMPが警備にあたって、身分証明書を持たない限り、入れない厳重さであった。したがって、屋敷の中にいる限り、身に危険はないはずだが、田中は市ヶ谷の法廷で、昨日、今日と二日続けて証人台にたってからは、落ち着かなくなった。新聞が〝国賊〟の〝裏切り者〟のと書きたて、一部旧軍人の間で「田中斬るべし！」という不穏な動きさえ起っていると聞いたからだった。

プレス・コードを楯《たて》に、田中サンの悪口は書かせないと、サケット検事は保証してくれたが、どういうわけか、大きな写真入りで非難中傷の記事が出ており、米軍の日刊紙『スターズ・アンド・ストライプス』（星条旗新聞）までが、〝モンスター・タナカ〟とくせ者扱いしている。

サケットの奴、まんまと嵌《は》めやがったな！　田中は舌打ちした。板垣、橋本両被告を満洲段階における侵略者であると証言する約束はしたが、まさか曾ての上司、同僚を、あいつだと、指さす約束まではしていなかった。出廷前に、打ち合せた想定問答には、なかったことである。満場の法廷で、突然、〝どこにいるか指さして下さい〟と云われ、強引にやらされたのだった。入廷して、証言台に坐った時には、被告席の橋本は懐しげな微笑さえもらしていただけに、自分が指さされた時は、頰が引き吊っていた。それを思うと、格別の恨みもないだけにあと味の悪さが尾を曳き、〝田中斬るべし〟という動きが気になった。おそらくキーナン首席検事と談合の上の演出だったのだろうが、それを考えると一層、忌々《いまいま》しかった。

「おーい、サケットからまだ電話がかかって来ないのか」

田中は、台所の方へ声かけた。

「そんなに催促されても、ゴルフへお出かけとかいうことですから、仕方ありませんよ」

女の宥《なだ》める声が、返って来た。

「ふん、ゴルフとは人を馬鹿にしている、じゃあ、キーナンの服部《はっとり》ハウスへかけ、カール山口を呼び出してくれ」

「山口さんもお出かけで、帰っておいでになり次第、こちらへ電話して戴くことになってますから、もう少し我慢なさいましよ」

と、夕食の支度にかかりきったまま、取り合ってくれない。あの才走った青二才のカール山口奴《め》が！　寝食を共にしてまでキーナン首席検事に仕え、なまなかの検事より取り入っているのが小癪《こしゃく》だった。二世面《づら》をしているが、れっきとした日本人で、上海に抑留されている時、CICに眼をつけられ、キーナンの私設秘書におさまり、皇室、軍関係の情報を秘かに集めているのだった。日本人で、検察団に全面協力しているという点では、大なり小なり、自分と似ている。

田中隆吉が検察団とかかわり始めたのは今年の二月だった。山中湖の別荘にひき籠っていた田中に明治生命ビルの国際検察団から出頭命令が来た。やむなく出向くと、質問に正直に応じなければ、巣鴨行きだと威嚇《いかく》され、その日から陸軍の制度、職務上の分掌《ぶんしよう》関係について、知る限りのことを話しはじめると、日本軍の組織などまるで知識のない検察団から重宝がられ、その後、身柄を芝白金《しばしろがね》の野村邸に保護されたのだった。

野村邸の隣りには、キーナン検事邸の服部ハウスがあり、間もなくキーナンと引合わされた。最初、会った時、尊大極まる態度でいやな奴だと思ったが、キーナンもまた、本来、戦犯にしてもよい元陸軍少将のくせに無礼な奴だと不快に思ったらしい。だが、日本独特の統帥権《とうすいけん》に関連して天皇問題を聞かれ、忌憚《きたん》のない意見を述べてから、キーナンは何かとものを聞くようになり、検察団に対する協力をはっきり求めたのだった。その要請はキーナンの筋書に従って証言せよというものであり、田中は田中で、自分の筋書を腹に含み、キーナンに利用されることも計算の上で、あえて協力を約束したのだった。そして開廷直前に、野村邸からこの今井ハウスに移ることになった。

「御前《ごぜん》、お食事のご用意が出来ました」

女が三つ指をついて、告げた。中佐時代、ひかした芸者上りの妾《めかけ》で、キーナンの計らいで、身の廻りの世話かたがた同居が許されているのだった。田中隆吉は、それほど検察側にとって、重要証人であった。

田中は、食卓についた。血の滴るようなビフテキ、パン、バター、野菜サラダ、フルーツ、コーヒーが並べられている。すべてアメリカから送られて来たものばかりだった。田中は、フォークを使い、食傷《しよくしよう》気味にビフテキを口にした。

「焼き加減が悪うございますか」

白い項《うなじ》をかしげ、すまなさそうに聞いた。

「いや、料理の仕方が下手《へた》ではない、実のところ、もう食いあきた」

「まあ、そんな贅沢《ぜいたく》なことをおっしゃって――、浮浪者の餓死は最近、少くなったようですが、食糧事情はちっともよくなっていないのですよ」

芸者上りに似ず、つつましやかに庶民の生活を口にした。

「解ったよ、それにしても遅いな」

ようやくステーキを平らげ、柱時計を見やった時、電話のベルが鳴った。田中はたって、自分で受話器を取った。

「誰だと？　カール？　ああ山口清か、そうだ、電話をしたのは、早急にキーナン首席検事とサケット検事に談判したいことがあるのだ、今度、法廷で俺を嵌《は》めるようなスタンド・プレーをしたら、こっちにも考えがあることを、せいぜい承知しておいて貰いたいものだ」

田中は、だみ声でどすをきかせ、電話をきった。取りすまして電話をかけて来たカール山口の狼狽ぶりは、笑止千万だった。不意に田中は、法廷にずっしり腹に響くような声で、確かな日本語を話す日系二世のモニターがいることを思い出した。米軍中尉の軍服を着ているその二世は、濃い眉と凜々《りり》しい眼ざしで射るように自分を見詰めていた。日本の士官にしてもおかしくないほどの面魂《つらだましい》をもった男だった。ああいう男が、時折、話し相手に来てくれれば、無聊《ぶりよう》もまぎれるだろうと、田中は勝手な想像をめぐらせた。

*

日曜日を挟んで、七月八日の月曜、田中隆吉は、三回目の証言台に立った。

今日も雨で、窓は締めきられ、煌々としたライトに照らされた法廷は、むし暑かった。二日間にわたって、サケット検事と見事な連携プレイを演じ、〝満洲における軍事的侵略〟を暴露した田中証人が、今日からの弁護側の反対尋問によって、どのように崩されるかが、満場の人々の関心事であった。

田中は、肥満した体を証言台からはみ出さんばかりの横《おう》柄《へい》な坐り方をし、法廷内を眺め廻す余裕綽々《よゆうしやくしやく》のポーズをとったが、賢治は、田中の瞳が落ち着きなく動くのを見逃さなかった。前日、田中が、法廷で曾ての同僚、上司を面と向って指さしたのを、巣鴨拘置所に帰った重光葵被告は、

　証人が被告の席を指さして
　　犯人は彼なりと言ふも浅まし

と詠んだと、賢治は伝え聞いたが、まさにその通りだった。

反対尋問は、橋本被告の弁護人から火蓋《ひぶた》が切られた。

「裁判長、私は橋本欣五郎の弁護人、林逸郎であります、証人はすこぶる英語にご堪能でありますが、私はそうではありませんから、間違いが起りませんように、然り、然らずの、日本語をもって答弁願いたいのであります、証人が大東亜戦争の最高潮に達した時期、陸軍をお辞めになったのは、深い事情があるのではありませんか」

冒頭から辛辣《しんらつ》な口調で迫った。林弁護人の第一声に、全被告、弁護団の憤りが籠《こ》められているようであった。

田中の奥眼が、ちらちらとせわしく動いたが、

「あります」

〝深い事情〟をあっさり認めた。

「どういう事情でありますか」

「以下詳しく述べましょう、私は野村大使が米国に派遣さ

れる時、その随員の岩畔《いわくろ》大佐に会いました、私は親英米論者でも、アメリカが怖いのでもない、アメリカの物量を恐れ、いかなる手段を講ずるも、アメリカとは妥協してくれと、懇々と願いました。私が最も心配したのは、この対英米戦争は非常な長期戦になる、長期戦において最も注意すべきは内地に対する爆撃である、いかに日本国民の精神力をもってするも、この戦いは必敗であると確信したのであります」

林弁護人の尋問をぬらりとかわし、対英米戦に対する自分の意見を述べた。ウェッブ裁判長は、

「弁護人は、このような答えを求めているのですか」

と口を挟《はさ》んだ。

「私は、もっと簡単に辞めた原因を聞かせて戴きたいという趣旨であります」

林弁護人が云うと、すかさず、サケット検事が発言台に歩み寄り、マイクを持った。

「この証人と陸軍とは、根本的に意見が衝突したのであります、その経緯を詳しく説明して貰うことは、本審理に役だつと思います」

と田中を擁護した。

「いや、私は辞めた直接の原因だけを答えて貰えばよろしいのであります」

林弁護人も、マイクを奪い返して云った。

「では、その質問に証人は答えて下さい」

ウェッブ裁判長が促した。田中は入道のような巨体を揺《ゆす》らせ、

「二つの理由があります、一つは陸海軍の確執、下僚の上司に対する虚偽の報告によって戦況の真相は一つも明らかにされない、さらに深刻なのは軍需物資、ことに食糧の不足、鉄、石炭の減産でありまして、日本の前途に深刻なる絶望感を抱《いだ》いて、私は不眠症になりました、故に九月二十一日、当時の陸軍大臣東条閣下に、閣下はこの戦争は必ず勝つと仰せられますが、私は絶望であります、したがって私の如き者が閣下の部下にありますことは、閣下の戦争指導を阻害するおそれがありますから、辞職致しますと申し出ました」

まるで今日《こんにち》の無惨な敗戦を、見通していたかのような憂国の弁を滔々《とうとう》と述べたてた。

「もう一つの理由は、当時、私は東条閣下に非常に恩顧を受け、情においてしのびませんでしたが、東条閣下の最後の一人まで戦うというご決心に対し、私はそれが不可能と信じまして、東郷外務大臣と連絡し、部下としてはまことにすまないことであるが、東条閣下辞職の政治運動をやったのであります、現役軍人の政治関与に反対していた私の良心としましては、軍人として大きな罪を犯したのであります、以上、陸軍を辞めた理由であります」

大見得《おおみえ》をきるように云った途端、中二階の傍聴席から、

「黙れ！　ぶった斬るぞ！」

殺気をはらんだ声がしたが、たちまちMPが連れ出した。

法廷が静まると、林弁護人は、

「証人は陸軍を辞められまして後に、脳神経病のため、国立国府台《こうのだい》病院に入院されたことがありますか」

突然、意外な質問をぶっつけた。田中は、冷水を浴びせられたように、言葉に詰ったが、

「あります」

ぶっきら棒に、応えた。

「それは、いつからいつまでの期間ですか」

「記憶ははっきりしませんが、昭和十七年十一月の十二日から十二月の二十二、三日までかと思います」

「証人は、阿片を吸われたことがありますか」

「もう一回、云って下さい」

答弁の時間稼ぎをするように云った。林弁護人が同じ質問を繰り返すと、

「支那《しな》で二、三回吸ったことがあります」

と認めた。林弁護人は、間髪を入れず、

「証人は橋本欣五郎とはじめて会ったのは昭和四年、即ち一九二九年だとおっしゃいましたが、橋本はその翌年までトルコに駐在し、日本におりませんでした、記憶違いではありませんか」

精神病院入りの過去、阿片を吸ったことを認めさせて、検察側尋問で答えた田中証言の信憑性《しんぴょう》を崩しはじめた。

やがて尋問は満洲事変と密接な関係がある青年将校グループ『桜会』に及んだ後、林弁護人の鉾先《ほこさき》は、再び田中証人個人の問題に向けられた。

「証人は、国際検察団の取調べを受けたことがありますか」

「あります」

田中は悪びれず、顎《あご》をしゃくるように応えた。

「その際、証人は、証人と関係ありとされている綏遠《すいえん》における日支紛争事件について、尋問を受けたことがありますか」

「三回にわたって、あります」

それがどうしたという風に、睨《にら》み返した。

「証人は、国際検察団の取調べを受けた際に、証人となることを選ぶか、被告となることを選ぶかという聞かれ方をされたことがありますか」

「そのような脅迫めいた言葉は、今日まで一回も受けたことはありません」

田中は、大きな声で力んだ。

「証人は、国際検察団でどういうことを協力しているのでありますか」

「私の経歴はご承知の通り、不肖なるにもかかわらず、上司の恩恵により、関東軍参謀、あるいは山西省の軍参謀長、羅南《らなん》の連隊長、兵務局長などを歴任しました、したがって、本法廷において取扱われる問題には、ほとんど全部、関係したのであります、裁判を公正にするために、調査の方法

を的確にするために、私はマッカーサー司令部の命令により、情報提供しているものでありまして、それは法律によるものであります」

田中は伝家の宝刀を抜くように、マッカーサー司令部を持ち出した。

「しからば、マッカーサー元帥の命令および法律によって、国際検察団に協力を始められたのは、いつ頃からでありますか」

田中は、今年二月十六日以降であることを述べると、

「国際検察団との協力については、これで充分、聞いたと思います」

ウェッブ裁判長が、打ち切るように云った。

「もう一点だけ伺いますが、その協力に対して、報酬をお受けになっているのでありますか」

林弁護人は、なおも食い下った。

「今日に至るまで、一厘《いちりん》の報酬も受けたことはありません、証人宿の規定により、毎日二十八円の支払いを受けるだけであります」

妾と今井ハウスで、特別の待遇を受けて住みながら、ぬけぬけと答弁した。

「私の尋問は、以上です」

林弁護人が反対尋問を打ち切ると、次に畑俊六《はたしゅんろく》元帥担当のラザラス弁護人、板垣征四郎の山田弁護人、土肥原賢二の太田弁護人、さらに南次郎の岡本弁護人らが、入れかわりたちかわり、発言台にたったが、これという決め手に欠け、ただ田中の人格にかかわる質問のみが繰り返された。検事にはあれほど明確に日時や場所を応えた田中は、弁護側の反対尋問には、「知らない」「記憶にない」を連発するだけであった。

閉廷時間が来た。ウェッブ裁判長は、

「弁護人に警告する、弁護人らは、日本軍の行動の結果、満洲に平和と秩序を確立した事を立証しようとしているが、これは被告の無罪を証明するものではない、彼等がこの事件に関係なかったか、関係するについては正当な理由があったかを証明するのでなければ意味がない」

不機嫌な顔で、弁護人の尋問の弱さを指摘し、閉廷を告げた。

確かに、期待はずれの反対尋問だった。

「君、名前は何という」

証言台を降り、賢治の横を通りかかった田中が、聞いた。

「天羽賢治ですが、何か？」

「天羽ね、ご苦労さん」

田中隆吉は馴れ馴れしい笑いをうかべ、ＭＰに取り囲まれて退廷した。

五章　ファミリー

父が病気？　宿舎のNYKビルに届いた私信の中から、賢治は真っ先にロサンゼルスの妹からのエア・メールを開封し、眉をくもらせた。出来れば、一度、帰ってほしいと記してある。東京裁判の法廷は冷房装置取り付け工事のため、明後日から一週間、休廷に入るが、一時帰国など不可能に近い。

「ケーン、レディが揃《そろ》って、将校クラブでお待ちかねだよ」

同室のジョージ安川が声をかけた。

「誰だい？」

「それは行ってみてのお楽しみだよ」

ジョージは、夜の外出用においてある新しい軍服に着替え、うきうきして云った。

誰とも約束はないが、市ヶ谷台の裁判所言語部で働いているタイピストや翻訳課の女性たちに日頃の苦労を犒《ねぎら》うため、食事に誘っていたから、彼女たちかもしれないと思い、クラブへ足を向けた。

賑《にぎわ》っているクラブで待っていたのは、思いがけず井本梛《なぎ》子《こ》と、この三月末、アメリカから軍属として日本へ来、CIE（民間情報教育局）で新聞検閲係をしている顔見知りの二世の女性たちだった。

「お揃いで、珍しいね」

賢治が四人に笑顔を向けると、

「今夜、山王《さんのう》ホテルで二世会のダンスパーティがあるのを知っているでしょ、ジョージたちにパートナーを頼まれて、ここで落ち合うことになったの、ケーンもいらっしゃいよ」

一番、若いキャシーが、云った。

「それは光栄だが、肝腎の男性陣は一人も来ていないのは、どういうことだい」

「今、ジョージはミーティングが長びいていると云うのだけど、いったいどんなミーティングなのやら、なにしろ、ここの宿舎の男性ときたら、私たちの宿舎を覗く専用の望遠鏡を取り付けたという話じゃない、ほんとうなの」

梛子と親友のナンシーが、聞いた。アメリカから進駐して来た女性の宿舎は、NYKビルと通り一本隔てた東京海上火災保険のビルであった。

「ああ、ほんとうだ、戦地で使っていた実に精巧な望遠鏡らしいよ」

賢治は苦笑して、認めた。

「やっぱり！　昨日の『スターズ・アンド・ストライプス』の投書欄に、四階右から七番目のルームの〝左胸にほくろのあるかわい子ちゃん、アイ　ラブ　ユー、アイ　ラ

ブ ユー〃って出てたでしょう、双眼鏡で覗き見されていることは以前から解っていたけど、下着姿まで見るなんてひどいわ」

キャシーが、口をとがらせた。

「僕に云われても——、そちらで自衛手段をとる以外ないだろうね」

「まあ、ケーンまでそんなことを！」

女性たちは、賑やかな笑い声をたてたが、梛子はそんな女友達と賢治のやり取りを、笑って聞いているだけだった。

やがてジョージ、ケネス、ジローたち、八人が頭にポマードを光らせ、コロンの匂いをぷんぷんさせて、現われた。

「なんだ、四人だけ？」

「あなた方、覗き魔だから、皆、警戒しているのよ、紳士として振舞うと約束するなら、ダンスに行きたい希望者はたくさんいるから、もっと集めてもいいけど」

「約束するよ、皆さんに信頼厚きケーンの名にかけて」

誰かが、調子よくうけ合った。

「よせよ、俺は、まだ用があるので、行けない」

「残念だなあ、じゃあ、皆でレディのお迎えに行こう」

一同は、女性たちを先頭におしたて、ばたばたと出て行き、梛子一人が残った。

「どうした、行かないのかい」

「ケーンと話す方がいいわ、時間がある？」

「いいとも、連中に用が残っていると云ったのは口実なんだから」

「そう、何か心配ごとがありそうね」

「うむ、どうして解る？」

「眼に翳《かげ》りがあるわ、加州新報時代からずっと見続けた顔ですもの、解るわよ」

いつも帝国ホテルでてきぱき働いている梛子と異り、やわらかいワンピースに華奢な体を包んだ梛子は、優美だった。

「実は、春子から父が病気だから一時帰国してほしいという手紙が来てね」

「まあ、病気、どこがいけないの？」

「そこのところを全く書いてないので、よけい心配なんだ、馬鹿な奴だ」

通りがかったボーイに、二人分のスコッチを頼んだ。

「彼女は、心配させまいと気を使っているのよ、ホテルで判事さんに聞いたんだけど、一週間休廷になるのでしょう」

「しかし往復のこと一つ考えても……」

「軍用機での往復を申請すれば？　休廷になるということは、お父さんがケーンを呼んでいるということかもしれないわ、何かの時に、後悔が残るようではいけないわ」

原爆で両親を相次いで失った梛子は、しみじみとした口調で云った。

「そうだな、頭から諦めていたけど、軍用機の利用を頼んでみよう」

「モニターとして、あなたはなくてはならない存在ですもの、きっとOKされるわ、もししぶるようなら、アメリカから野菜を空輸している輸送機のことを云うことね」

「野菜空輸？　なるほどね」

賢治は笑って、ウイスキーを飲んだ。日本で作った野菜は、日本人の食糧として取り上げないというのがGHQの名分だが、事実は人糞肥料による栽培を不衛生だと気味悪がり、カリフォルニアから連日、大量に空輸しているのだった。

「四年近く強制収容所に入れられていた父の見舞いと、レタスと、どっちが重いかと迫るわけだな、いいアドバイスを有難う」

賢治は久しぶりに気持がほぐれた。

「ところでヒロコは、元気かい」

ミネソタ大学の看護学科で勉強している椰子の妹のことを聞いた。

「ええ、一人で頑張ってやっと卒業し、志願がかなえば、こちらの米軍病院に配属になるそうだわ」

椰子は、ウイスキーでほんのり頰を染め、たった一人になった肉親を懐しむように、あれこれ話した。

九時になると、椰子をジープで神田のＹＷＣＡの宿舎へ送るため、席をたった。

八重洲《やえす》界隈《かいわい》は、まだＧＩ《ジーアイ》たちが、ぞろぞろ歩いており、ジープの数も多い。椰子は、そんなジープと人の流れを眺めていたが、ふと、

「私もアメリカへ帰ってみたい、さっきのナンシーたちの話でも、収容所から出た日系人はやっと新聞を読む気力を取り戻し、加州新報も読まれているって聞いて、無性《むしょう》に懐しくなったわ」

と云った。

「そうだな、松井社長をはじめ皆、どうしているだろう」

加州新報のことを話し合っているうちに、神田橋《かんだばし》近くに来た。

突然、後方から来た幌《ほろ》つきのトラックが猛スピードで迫り、追越して行った。

その無謀さからみて、どうやら闇屋のトラックらしい。賢治の脳裡に、弟の忠がうかんだ。郷里で会った時、忠は依然として心を開かず、アメリカへは帰らないが、加治木にもそう長くいるつもりはないと嘯《うそぶ》いた。その後、加治木中学の同窓生から、忠が上京したらしいと知らせてくれたが、いつまでたっても訪ねて来る気配もなく、この混沌とした東京のどこでどういう暮しをしているのか気がかりだった。

後方からまたトラックの気配がし、クラクションをけたたましく鳴らしながら驀進《ばくしん》してくる。急いでハンドルをきり、危うくよけたが、間近に電柱があり、慌てて急ブレーキを踏んだ。ジープはキィーッと軋《きし》み、つんのめりながら、

辛うじて直前で停まった。

「ひどい人たちね」

「全くだ、何ともなかったろうね」

「ええ、二台のトラックとも米軍のトラックなのに、日本人らしい人も乗っていたわ、闇屋じゃないかしら」

「多分、そうだろう」

賢治は、冷汗を拭うと、

「今夜は、父の心配さえなければ、椰子とダンスに行きたかったよ」

弟の心配ごとまでさらけ出しかねて、呟くと、意外な近さに椰子の香りがあり、顔があった。瞳が濡れ光り、吸い寄せられるような美しさだった。

賢治は、両手で柔かな椰子の頬《ほお》をはさみ、ひき寄せた。椰子の体が胸の中に倒れ、ためらうように触れ合った唇が、炎のように熱く重なった。

*

三日後、賢治は厚木飛行場から飛びたつ軍用機で、アメリカへ向っていた。横浜の第八軍将校が急に乗れなくなった席が、賢治に廻って来たのだった。言語部長のムーラー中佐は、東京裁判に重要なメンバーとして、格別の計らいをしてくれたのだった。

厚木からグアム島、ジョンストン島の各米軍基地で給油し、飛行機がロサンゼルスへ機首を向けたのは厚木を出発して二十時間近く経過した頃だった。

眼下の紺碧の海を眺めているうちに、いつの間にか椰子のことを考えていた。今まで椰子への思いを自制し得たのは、一つはチャーリーの存在であり、一つは自分が妻子を持つ身であるからだった。その状況は、何も変っていないにもかかわらず、あの夜、唇を重ねて抱擁してしまったのは、なぜだろう——。モニターという激務の疲れが、自制心を失わせたのか、あるいは父や弟への心配で冷えきった心を、妻以上に自分を理解してくれる椰子によって癒《い》やされたかったのか。

そのどちらでもあり、さらにそれ以上の何かがあった。おそらくそれは、椰子と同じ加州新報で働いていた時、偶然、出張先のサンフランシスコで出会い、霧に包まれたゴールデン・ブリッジを見詰めながら、互いの生いたちを語り、どちらからともなく唇を交した日以来の思いが、深まっているのかもしれない。

頭上で声がした。

「君は、市ヶ谷の法廷にいるモニターだろう」

背の高い白人将校が、たっていた。

東京裁判の被告、重光葵元外相を担当している米人弁護人のファーネスだった。

「どうして、あなたが？　アメリカへ帰られるのですか」

意外な出会いに、驚くと、ファーネスは、

「いや、ミスター・シゲミツの弁護の証拠書類を集めるために、彼がかつて大使を勤めたイギリスへ行くのが本来の目的だが、その前にニューヨークの法律事務所に用件があってね、モニターの君こそ、どうして、この飛行機に？」

パイプを取り出し、不思議そうに聞いた。事情を話すと、

「それは心配だね、君は、語学兵として太平洋戦線へ出ていたのかね」

「私の場合は、オーストラリアのブリスベーンのＧＨＱに長くいたので、戦場へ出たのは、フィリピンのルソン島だけです」

「ほう、ブリスベーンにいたのか、私も情報将校としてブリスベーンには数カ月いたが、その後ニューギニア、フィリピンで一年以上、過したよ」

温厚な顔に、親しみを籠めて云った。

「それで、陸軍法務官としてマニラの本間雅晴《まさはる》中将の裁判に携わられたわけですか、あのマニラ裁判にもモニターはいたのですか」

「モニターどころか、二世の通訳がまず過ぎ、日本軍の捕虜の中で英語が喋れるのを探したぐらいだよ、その点、君たちは非常によく勉強しているので感心したよ、この間のムタティス・ムタンディスは、法律の専門用語に出て来るラテン語だが、あそこまでどうして知っているんだね」

ファーネスの問いに、賢治は面映《おもは》ゆい思いがした。英語の中に突然、ラテン語が出て来、通訳は立往生したが、賢治は、法廷のモニターの机の上に備えつけの専門用語一覧表の中に、〔mu-ta-tis mu-tan-dis ＝ラテン語、必要な変更を加えて〕と記載があり、すぐ意訳出来たのだった。すると、五分ほどして、判事席から一枚のメモが廻って来た。「今の訳はすばらしい訳である」という走り書きのメモであった。どの国の判事が記してくれたのか知りたいと思い、閉廷後、メモを渡しに来た書記官に聞いてみたところ、それは云えないと断られたが、賢治の頭には、いつも裁判官席に着席する時、敬虔な合掌を欠かすことのないインドのパル判事の慈《いつく》しみのある顔がうかんだ。

それはたまたま、一覧表にピックアップされていたから、即座に通訳団に助け舟を出すことが出来たが、法廷ではその他、〔res ad-ju-di-ca-ta ＝既決事項〕という法律用語など、時折、難解なラテン語が飛び出して来、モニターである自分たちも意味が解らず、いつ恥をかくかもしれなかった。

「アメリカの法律家の中にも、まだまだ、ラテン語を使うと威厳が備わると考える古いセンスの者がいるから、閉口するよ、さてと、君はどこでおりるんだね」

「ロサンゼルスです、飛行機は、エドワード基地に着陸ですが」

「じゃあ、次だね、私はニューヨークまでだから、トピカ、ミネアポリス、ワシントンと、まだまだで、うんざりするよ、日本はまさにファー　イースト（極東）だ」

「ですが、東京裁判の被告と日本人弁護人のみならず、多

くの日本の人々は、アメリカ人でありながら、法の公正と正義のために、曾ての敵国の指導者である被告の弁護にたっている米人弁護人の姿に注目し、これによって、言語のハンディキャップと人種的偏見の壁を越えて、公正な裁判が行われるものと信じています、正義の裁《さば》きであらしめるために、どうか、ご健闘下さい」

賢治はそう云い、手をさしのべると、ファーネスは、強く握り返し、

「君のお父さんの病気が軽いものであることを心から祈る、そして君も早く法廷に帰って、よりよい裁判のために活躍してくれ給え」

と励まし、着陸態勢のアナウンスが流れると、自分の席へ戻って行った。

眼の下に懐しいカリフォルニアの長い海岸線が見え、整然とした家並み、青々と茂る椰子《やし》の街路樹が、三年ぶりに眼にしみた。

＊

賢治は、ハリウッド通りのはずれにある『AMOH《アモウ》 LAUNDRY《ランドリー》』の扉を押した。

病気で臥《ふせ》っているはずの父が、重いアイロンを水桶《みずおけ》にじゅっとつけ、アイロンだこの出来た手でワイシャツの仕上げをしている。

「父さん、只今、帰りました」

「おう、戻ったか、そうか」

眼を瞬かせて、一言、云った。たったそれだけの言葉だったが、万感の思いが籠《こ》められており、父らしい喜びの表現だった。二年の間に父の体はまた一回り小さくなり、背から腰、胸のあたりの肉がめっきり薄くなっていたが、自分の生活を再び背負い直した張りがあった。

「賢治じゃないね、待っちょったよ」

裏口から、母のテルが走り寄って来、

「兄さん！」

春子も、首にかじりついた。

「父さん、病気だというのに、そんなに仕事をしては駄目じゃないですか」

賢治が、止めると、

「いんや、病気じゃのうて、疲れじゃったんじゃ」

と云い、また仕事を続けようとした。春子は、

「うそ、二カ月前、外で洗剤の荷解《にほど》きをしている時、胸を押えて倒れ、それから二、三回、同じような発作を起しているのに、ドクターに診《み》て貰ってくれないの」

と嘆いた。母のテルも、

「収容所でん病気一つしたことがなかったこん主人《ひと》だから、倒れた時は、ほんのこて驚いて、近くんチャイニーズのドクターに往診も戴いたけど、それっきいで、口が酸《す》っぱくなっほど勧《すす》めてん、ちゃんと診《み》て貰いに行かじ、大したこ

とがなかの一点張いじゃっのよ、他の病気なら顔色や食欲でちっとは様子が解《わけ》っけど、心臓の病いばっかいは、今、一緒いご飯をたべていたと思ったら、突然、発作が起っので、私は心配で心配で……」

顔を曇らせた。

「父さん、皆を心配させないで、きちんと検査を受けて下さいよ、僕はたまたま法廷が休みになったので、特別な計らいで帰れたけど、度々は帰れませんからね」

と云うと、乙七はアイロンを動かしながら、

「裁判関係の仕事ちゅうとは、やっぱい日本語を生かした通訳か」

「そうです、ここではゆっくり話が出来ないから、一休みして聞いて下さい」

「うむ、こいを仕上げるまで、シャワーでん浴びて待っていてくれ、今日中《きょうじゅう》に配達させねばならん仕事じゃってね」

乙七は頑《がん》として、アイロンをかけ続けた。この頑《かたく》なで融《ゆう》通《ずう》のきかぬ性格を、俺も受け継いでいるのだろうかと、賢治は苦笑した。

その夜、ランドリーの二階の住いで、親子は久しぶりに食卓を囲んだ。

「うまいよ、まさにおふくろの味だ」

頭《かしら》付きの塩焼きの魚、赤飯、紅白のかまぼこ、のり巻きといった戦前の日系社会の祝膳《いわいぜん》が、品薄《しなうす》ながら食卓にのり、賢治は舌鼓《したつづみ》をうった。

「エミー、遅《おそ》かねぇ」

食事の時間を遅らせたにもかかわらず、妻は、まだ子供を連れて、駈けつけて来ない。

「途中で何《ない》かあったのかねぇ、昨日、畑中へ知らせた時、電話い出たとは万作さんじゃったけど、そりゃあ喜んで下さって、一家で来るようなことを云っておられたが」

テルも、賢治に給仕しながら、時間を気にしていた。

「ところで、忠んこっじゃが、どうしてんアメリカい戻って来んちゅうとか」

乙七は、気懸《きがか》りそうに聞いた。賢治が、叔母のもとへ帰り、そこでフィリピンから復員して来ていた弟の忠と会った話をすると、体を乗り出すように聞いていたが、忠のことが頭からはなれないのか、繰り返して聞いた。

「そのことなんですが、父さんの体の工合のことを考えて、まだ肝腎のことを話していなかったのです――、父さん、信じられないような話ですが、僕は戦場で忠と出会い、誤って、弟を撃ってしまったのです」

「ないよ、忠を撃った……」

乙七は箸《はし》を取り落し、テルと春子も、呆然と賢治を見た。賢治は一部始終を話し、今回、無理して帰国をしたのも、そのことを父に話し、許しを乞いたかったためであると、惻々《そくそく》として語った。

テルと春子は、顔を掩《おお》って泣いた。

「勇《いさむ》はヨーロッパ戦線で、白人のテキサス部隊救出のため

に死んだ、犠牲は勇一人でたくさんじゃと思ちょったが、忠と賢治までが、そげなこといなっしもうたとか」

乙七は、搾り出すように云った。

「父さん、許して下さい、僕が、誤って撃っていなければ、忠は、素直に父さんのもとへ帰って来ただろうに——」

賢治は、頭を垂れた。暫し、胸が抉《えぐ》られるような沈黙が続いた。

「誰《だい》が悪かとでもなか、こいがお前ら二世のむごか運命かもしれん、もうちっと歳月が過ぎれば、あいもきっと解る時が来っじゃろう、兄弟じゃっでなぁ」

父のその言葉で、賢治は、わずかに救われた。

エミーが子供たちを連れて来たのは、それからさらに小《こ》一時間ほどしてからで、畑中万作夫婦も一緒だった。

エミーは、賢治と顔を合わせるなり、

「ダーリン、淋しかったわ……」

夫の胸に顔を埋め、身悶《みもだ》えするように泣いた。四歳のアーサーは、

「ダディ、もうずっと家にいるんだね」

つぶらな瞳を向けて、膝の上にかきのぼった。

「また日本へ行かなくちゃならないが、お前の五歳のバースデイまでには呼ぶから、そうしたらいろんなところへ連れて行ってあげよう、日本はすばらしい国なんだよ」

「ほんと！　早く連れて行って！」

賢治は返事のかわりに、アーサーを抱きしめた。この子が産れたのは、強制立退《たちの》き先のサンタアニタの競馬場であることを思うと、いとおしさが募《つの》る。その点、下の娘のベティは、ミネアポリスのキャンプ・サベージの設備のいい病院で産れたが、揺り籠の中のベビーの時に別れていたから、父親という実感が伴わぬらしく、抱いてもにこりと笑うだけであった。

畑中万作は、賢治の一時帰国を喜び、

「賢治さんの語学力が買われて、日本の大将や大臣らの偉い人の裁判でご活躍やそうで、私らまで鼻高々《たかだか》ですわ」

褒《ほ》めちぎると、定代もフォックス眼鏡をかけた顔を綻《ほころ》ばせ、

「戦争中は心配しましたけど、これで私たち夫婦も安心しましたわ」

と云い、賢治にビールをついだ。

「早くエミーや子供たちを連れて行けるといいのですが、日本はまだまだ物資不足で、米軍の住宅建設も進まず、当分、家族を呼び寄せられない状態なんですよ」

と云うと、エミーは、

「いっそ、裁判の仕事などやめて、早く除隊して帰って来れないの」

不満げに云った。その無神経さに、

「そんなことは、出来ない」

びしっと窘《たしな》めるように云ったが、エミーには通じない。

「でも、キャンプ・サベージから戦線へ出た語学兵の人た

ちは、たくさん本国へ戻って、さっさと除隊し、収入のいい軍属として政府関係の機関で働くか、日本でつけたコネクションで、商売して儲《もう》けているそうよ、齢《とし》とってからの恩給が目当てならともかく、今ならうまい目が出来るのに、いつまでも軍人に甘んじているなど、要領の悪い連中なんだって」

「お前、酔っているのか」

賢治は、我慢ならず、詰問した。エミーは一瞬、顔色を変え、万作が慌《あわ》てて割って入った。

「酔うてるなど、めっそうもない、何かと至らん娘ですけど、主人が無事帰って来るまでお酒など飲む気がせんと、これでなかなか、殊勝《しゅしょう》なことを云うて、留守を守ってましたんでっせ」

そう云われれば、あれほど酒好きのエミーがはじめに乾杯した時以外、全く飲んでいなかった。

「エミーは、久々に賢治さんに会《お》うて、甘えてますんでしょう、今日のところはお疲れでしょうから、そろそろ失礼しましょう」

定代が、たち上りかけた。

「そやな、帰りがあまり遅うなると物騒やし、今晩のところはこれで——、賢治さん、よろしかったらリトル・トーキョーのうちのホテルに泊って下さい、内装を整えてオープンしたばかりですねん」

万作は、得意気に鼻をうごめかした。大半の日系人は今もってまだ帰れないリトル・トーキョーに、早々と元のホテルを復活させたのは、さすが商才に長《た》けた万作らしかった。

「お気持は有難いですが、今晩一晩ぐらい、父の傍《そば》にいてやります、エミー、子供たちも眠ってしまったことだし、お前もここに泊っていくだろう」

と云うと、エミーは眉を顰《しか》めた。

「お父さんとは、もう十分に話したでしょう、積る話は、私たちにもあるのよ」

「しかし、今晩中に父さんを説得し、僕が滞在中に、検査を受けてもらい、病名や治療のことをきちんとさせていきたいのだ」

「あなたって、いつも妻よりお父さんの方が大切なのね、私はここでは狭くて、窮屈だから、リトル・トーキョーのホテルの方へ引きあげますから、お話が終り次第、帰って来て下さいな」

切口上《きりこうじょう》に云い、ベティとアーサーを連れて、食卓のあと片付けもせず、たち去った。

万作一家が帰ってしまうと、俄かに静かになった。

「やれやれ」

エミーが一人、喚《わめ》いている間、眼をつむっていた乙七が吐息をつくと、春子はコップや皿を片付けながら、

「兄さん、エミーって、変だと思わない？」

あからさまな非難をこめて、云った。

「昔からああいう女だ」

「そりゃあそうだけど、妙に苛々して落ち着きないでしょう、それにまだ三十というのに、あの皮膚の色の悪さ！　化粧で隠しているつもりでも、すぐ解るわ、あの苛つきぶりといい、皮膚の色艶の悪さといい、少し異常よ」

「お前らしくもなく、悪口を並べたてるじゃないか、エミーが、一緒に住まないのを怒っているのかい」

「冗談じゃないわ、そんなのこっちから願い下げよ、それよりエミーには、よくない噂があるのよ」

耳打ちしようとした時、乙七がうっと呻《うめ》いたかと思うと、胸をかきむしるようにテーブルにつっ伏し、コップが床《ゆか》に落ちて、割れた。

「父さん！　どうしたんだ！」

賢治が駈け寄ると、

「発作よ、春子、あん錠剤を！」

テルが云い、春子は戸棚へ飛んで行き、白い錠剤を持って来た。賢治が背を撫《な》でようとしても、乙七は苦しげによけて、体を海老《えび》のように丸め、椅子の背に爪をたてた。春子が白い錠剤を血の気の失せた唇の中へ押し込むと、ようやく乙七は苦悶から解き放たれていく様子だが、額《ひたい》にべっとり脂汗をかき、肩で荒い息を吐き続けた。

発作がおさまると、賢治は、やはり忠とのことを告白したのが父にこたえたのかと思い、その夜は一晩中、父の傍《かたわ》らで過した。


狭心症——、それが郡立病院の循環器科の専門医が、乙七と付添いの賢治に告げた病名であった。半日がかりの諸検査の結果が出るのを待ってからでなければ正確な診断は下せないが、心電図は典型的な狭心症の針の動きを示しているから、ランドリーのような力仕事を一人で、きりもりして行くのは好ましくないと注意されたのだった。

乙七は、ドクターの前では無言だったが、十七階建ての大きな病院を出ると、もう少し蓄えが出来たら、メキシコ人か、中国人で、見込みのありそうな職人を雇い入れるから心配するなと話した。

父を店まで送り届けた後、賢治はリトル・トーキョーの畑中のホテルへ向った。待ちくたびれていたエミーと子供を連れて、小ぎれいなレストランで夕食を摂《と》り、夜は二年ぶりで妻と濃い交《まじわ》りをかわした。エミーは交ったあとも、汗ばんだ豊満な肢体《したい》を絡《から》め、枯れた植物が蘇生《そせい》するようになおも夫を求め、眠ろうとしない。

「外地では、いろんな女と遊んだんでしょう、太平洋戦線から帰った語学兵は、フィリピンの女は素晴しいと云ってたわ、あなたはどんな女《ひと》と一緒だったの」

「下らないことを云ってないで、もう寝《やす》もう」

賢治は、うとうととしながら遮《さえぎ》ると、

「じゃあ、日本ではどうなの、普通の家庭の女性たちが、白人というだけでのぼせて愛人になるって話じゃない、こちらにまで〝東京ワイフ〟とか〝オンリー〟って言葉が入って、奥さん方を怒らせているのよ」

夫の体を執拗にまさぐりながら、云った。

「新聞、雑誌が、おもしろおかしく書くだけだ、お休み」

背を向けようとすると、

「あなた、まだ駄目よ、ナギコはどうしているの、東京へ出て来ているのでしょう」

賢治の顔を覗き込むように、云った。賢治は朦朧《もうろう》とした眠気《ねむけ》からはっと醒《さ》めた。

「どうしたの、まさか、ナギコとつき合っているんじゃないでしょうね」

妻の勘というのか、甘ったるい声が突然、尖《とが》った。

「狭い二世の社会だから、時折、顔を合せるが、こっちでつき合っていたのと変りない」

「じゃ、チャーリーはどうしていて？　結婚したの」

「いや、チャーリーは、ナギコが忘れられないらしい、二人はまた一緒になるかもしれん」

「まあ、呆《あき》れた、人騒がせな人たちね」

エミーはそれを聞くと、安心したように賢治の首に腕をまきつけ、眠った。今までにないしどけなさだが、これは二年間の乾きからだろうか。昨夜、春子はエミーに悪い噂があると耳打ちしかけたが、それが何なのか、父の発作で聞きそびれたままになっている。単なる女同士の齟齬《そご》であれぱと思いつつ、エミーの腕を解き、毛布をかけた。

賢治は、エミーがアル中の治療で入院し、出て来てまだ間もないことを知らなかった。

翌日、天羽賢治は、リトル・トーキョーの中心街へ足を向けた。

戦前は西海岸最大の日本人街で、和食はもちろん、日本の雑貨や衣類などの店が軒を並べていた街であったが、まだ殆んど黒人やメキシコ人に不法占拠され、日系人の店は数えるほどしか復活していない。街全体が荒れ放題でうらぶれ、往年の日本人街の活気は失われていたが、ファースト・ストリートとサンペドロ・アベニューの交叉点にあるロサンゼルス西本願寺だけは既に勤行《ごんぎょう》を始め、砂漠の収容所から解放されて帰って来たものの、住むべき家のない人たちのために、寺院の一角を宿泊所に提供していた。

以前、父がランドリーを営んでいた場所には、中国人が入っていた。

賢治は、今さらのように、失われた日系人の財産、生活の基盤の計《はか》りしれなさを慮《おもんぱか》った。やっと収容所から解放されたとはいえ、日系人社会が以前のように立ち直るまでには、まだまだ険《けわ》しい苦難の道が続き、父のように、齢老いても無理を重ねなければならないだろう。

賢治はさらに、車で十分ほどのボイル・アベニューに向った。結婚後、エミーと二人だけで住んでいたところで、平屋建がたちならぶひっそりとした通りであった。

　その一軒の自分たちが住んでいた家の前に車を停めると、扉も窓も閉され、人の気配がない。ノックしても、応答がない。扉のノブを廻すと、こわれているのか、がちゃりと開き、中を覗くと、ソファー、家具調度はなく、カーペットもはぎとられた空き家であったが、賢治が愛用していた大きな石炭ストーヴだけは、ぽつんと残されていた。そのストーヴは、開戦七日目の深夜、チャーリーから、「足もとまで水が来た」と、FBIに眼をつけられたという意味の暗号電話がかかり、本棚にある日本語の歴史書、写真、地図など面倒の種になりそうなものを細かく裂いて、焼却したストーヴだった。

　そして裏庭には祖父から贈られた日本刀を埋めたのだった。賢治が県下の中学の剣道大会で優勝した日、祖父が、

「お前の父親は貧乏百姓の七男坊で何もやってやれんかったが、孫ん汝《わい》にこん刀をやる、こいは郷士《ごうし》じゃった天羽家に伝わる刀で、銘は『波平行安《なみのひらゆきやす》』、室町時代の作で、さしたる名刀ではなかが、海を往く際に縁起《えんぎ》がよかと水軍が好んで手にした刀じゃ、太平洋を渡って往く汝《わい》に応《ふさ》わしから、アメリカへ移民してん、由緒《ゆいしょ》正しい日本人であっことを忘れんためい持たせる」と云い、賢治に手渡したのだった。

　あれから五年近く経っている。いくら湿気がなく、雨の少ないカリフォルニアでも、おそらく錆びついているだろう。用意して来たスコップで掘ると、かつんと刀身にあたる感触があった。刃こぼれしないよう、あとは手で掘ると、油紙にくるんだ刀身が現われた。おそるおそる砂にまみれた油紙を剝がすと、刀身は一点の曇りもなく静かな小波《さざなみ》を思わせるような刃文が燻《いぶ》し銀《ぎん》のように光っている。

　賢治の胸にこみ上げて来るものがあった。この刀を土中に隠した時は、あたかも自分の中にある日本を土中に埋め、訣別《けつべつ》する感があった。徐々に刀が土中へ入り、刀身が埋った瞬間、自分と日本を繋いでいたものが、ぷつんと、切れる思いがした。今、その刀を掘り返し、手にした賢治は、父祖の国、日本との絆《きずな》をしっかり取り戻し、日本人としての血が湧きかえって来るのを覚えた。

　賢治は、そこから加州新報へ向った。社屋の前にたつと、暫したたずんだ。

　日米開戦によって発行停止となり、建物の扉や窓を閉ざし、その上から材木を打ちつけて、休刊の辞が掲《かか》げられた時、賢治はアリゾナの軍キャンプで辛酸を舐《な》めていたのだった。

　戦時中、荒されたのか、建物は相当に傷《いた》んでいた。しかし、一歩、中へ入ると、輪転機の音がし、インキの匂いが鼻をついた。

「おう！　天羽君、帰って来たか」

太い声がし、大柄な吉村益次郎《ますじろう》の姿が見えた。加州新報の休刊の辞を書いて、扉に貼《は》りつけた老記者である。

「吉村さんの書かれた休刊の辞、まだ覚えていますよ、お別れの日が来ました、このカリフォルニアの地から日系人の最後の一人まで無事、立退き完了するのを見届けた上で、という願いは切なるものがありますが、いつの日かの再刊を信じ、歴史の証言者としてお目にかかりたいと思います、その日が来るまで皆さん、さようなら、と書かれていましたね」

吉村は大きく頷いたが、左腕がだらりと垂れ、袖先を安全ピンで止め、手先が見えない。

「左手、どうされたんですか」

「うむ、ユタの収容所でトラックの運転係をしていて、でこぼこ道で事故を起してねぇ、まあ、ペンを握る右手でなくてよかったよ」

吉村が屈託なく笑うと、賢治と同年輩の二人の記者も寄って来た。

「こうしていち早く新聞を出せたのも、ナギコが、スペイン人の神父さんに頼んで、教会の地下へ邦字の活字を隠しておいてくれたからだ、日系社会は誰もが毎日の生活に追われて、まだ新聞を読むどころでなく、三千部ぐらいしか出ていない、それに広告を出してくれるところが、なかなかなくてね」

「で、松井社長もお元気で帰っておられるそうですね」

「うむ、おかげでな、だが、われわれと違って、日系社会の指導者ばかりを入れるインターメント・キャンプをたらい廻しにされて、ひどい目に会われたらしい、例の調子で多くを語られないが、自ら記事を書かれ、資金繰りにも奔走しておられる、今も、それで出かけているが、間もなく帰って来られるだろう、活版の林主任も元気だよ」

と、活版室を眼で指した。

ジーンズにポロシャツ姿の文選工や植字工、組版工が十人近く働いている。その中に、活版主任の林芳太郎の姿も見えた。胡麻塩《ごましお》頭に老眼鏡をかけ、組版台の前にたっているその顔は、二年前とあまり変らず、矍鑠《かくしゃく》たる面ざしであった。

「林さん、お久しぶりです」

と声をかけると、やや戸惑った様子で、

「いつ、戻いやったな」

林は、賢治が太平洋戦線へ赴《おもむ》くために、ツールレーク隔離収容所の両親に別れを告げに来た時、軍服姿の賢治を見て、裏切者！　と罵《ののし》ったことに、まだこだわっているようであった。

「親父の見舞かたがた、休暇をとって、昨日、帰って来たばかりですよ」

「乙七さんの様子はいけな工合《ぐあい》じゃっとな」

同じ鹿児島県出身の林は、乙七の身を按《あん》じていた。

「やっと病院へ連れて行って、検査を受けさせたから、あとは無理をせず、養生すればいいそうです、新聞の方、よくこんなに早かったですね」

「こいも梛子さんのおかげじゃが、あん人たちは、広島で無事じゃったとな」

「いえ、原爆に遭《あ》って、虎造さん夫婦は亡くなられ、梛子だけが奇蹟的に助かって、今、東京にいますよ」

「そうな――、酷《む》いねこっじゃな、そげな目い遭《お》うて、女独《ひと》いでいけな思いをしておいやっか……」

あとは涙っぽくなるのを避けるように林は、組版台の前を離れた。

賢治も組版台を離れて、隣接している印刷室へ入って行った。英文の輪転機一台、邦文の輪転機二台があり、邦文の輪転機からは刷り上ったばかりの紙面が続々と吐き出されていた。

賢治は、まだインクに濡れている一枚を手に取った。一面トップに、ヨーロッパ戦線で活躍した日系二世の四四二部隊の凱旋記事が、躍るような活字で大きく組まれている。

四四二部隊　輝く凱旋
栄誉ある大統領閲兵《えつぺい》を受く

〔ワシントン特電〕昨日、七月十五日、首都ワシントンは、ヨーロッパ戦線から凱旋した忠誠なる日系部隊の歓迎一色で塗りつぶされた。ヨーロッパ戦線で多くの輝やかしい勲功をたてた四四二部隊は、米国陸軍音楽隊の吹奏の中、コンスティテューション大通りをパレードし、ホワイトハウスの式場に入った。

式場にはトルーマン大統領をはじめ、パターソン陸軍長官、多数の上院下院の議員が参列し、トルーマン大統領は、ホワイトハウスの庭で雨にうたれながらも、厳粛なる面持で感謝をこめ、師団感状四三、軍団感状一三、勲功部隊楯《たて》二、大統領殊勲感状を授与し、次のような声明を発表した。

「諸君の行動は賞讃に価いする。いかに多くの言葉を費しても十分ではないほどの賞讃である。諸君は、世界の自由諸国のために戦った。私は、アメリカ合衆国が、諸君の成し遂げたことをどのように考えているかを、諸君に表明し得る特権を持った、そのことを何よりもの喜びとする。諸君は今からそれぞれの家族のもとへ帰って行く、諸君は敵と戦ったばかりではなく、あらゆる偏見とも戦った、そして君たちは勝ったのだ。諸君は将来も、米国の安寧と憲法の精神を尊重して、栄光ある米国建設のための正義の戦いに臨んでほしい……」


賢治は、パレードの大きな写真を喰い入るように見た。雨中、星条旗と四四二部隊旗を掲げて行進する特別パレードを、トルーマン大統領は、直立不動の姿勢で右手を胸にあて、陸軍長官をはじめ、多くの将官は挙手の礼をもって迎えている。二世兵士たちは小柄な体で、堂々と行進しているが、よく見ると、どの顔も勝利の喜びに湧《わ》くというより、複雑な思いを嚙みしめているような表情であった。おそらくそれは、あまりにも多くの戦友を失った哀しみであり、また砂漠の中の強制収容所に閉じ籠められている親弟《きょう》妹《だい》、妻子のために忠誠の血の証《あか》しをたてねばならなかった割りきれなさから来るものではなかろうか。弟の勇が生きていれば、この栄誉ある凱旋パレードに参加し、君たちは敵と戦っただけではなく、あらゆる偏見とも戦って勝ったという大統領の言葉を耳にすることが出来たのだ。そう思うと、胸が締めつけられた。

「天羽君――」

振り向くと、印刷室の入口に松井社長の姿があった。僅か五年間に、星霜幾十年を経たかの如く、白髪瘦身と変り、頰のこけた顔の中で、眼だけが優しく笑っていた。真珠湾攻撃の日の午後、突然、ＦＢＩに社内へ踏み込まれ、両腕を取られながら、「新聞を頼む」という一言だけを残して、終戦まで杳《よう》として消息が知れなかったのだった。賢治は、松井社長の方へ走り寄った。

「随分と、ご苦労されたそうですね」

気遣うように云うと、

「仕方がない、われわれ言論界、宗教団体、日本語学園長など、日系各種団体の長は、敵性外国人の指導者と見なされたのだから――、アメリカ国籍を持つ二世の君でも、"日系女性がＦＢＩに逮捕され、警察の留置所で縊《い》死《し》した"というたった十六行の記事を書いただけで、アリゾナ州の軍キャンプに収容されて、ひどい目に会わされたのだろう、その上、政府の都合で、陸軍情報部の日本語学校の教官にひっ張られ、はては太平洋戦線の語学兵と、君こそ、あらゆる意味で大へんだったと思うよ」

松井社長は、自分のことは口にせず、賢治の心中を思いやるように云った。

「マンザナール収容所にいた時も、ミネソタの日本語学校にいた時もずっと、社長の消息を知りたいと思い、努力したのですが、お役にたたず申しわけありません」

賢治は深々と頭を垂れた。松井は瘦せた頰に微笑をうかべて、首を振った。

「私の消息は、到底、解る筈《はず》がないよ、何しろ、ＦＢＩに逮捕されるなり、ろくすっぽ取調べも受けず、オレゴン州のミゾラ抑留所、零下十五度のところへ放り込まれ、三週間ほどたつと、今度はテキサス平原の炎熱四十五度のサンアントニオ、その次は、サンタフェ、ローズバークという調子だから、解りっこない、その間、妻と三人の娘は、コロラドのヒラリバー収容所へ入れられ、インタニー（抑留者）の妻子ということで、白い眼で見られたらしい、日本人というのは、いざとなると案外、卑怯な性格を持っているものだね、同じ鉄条網の中に入れられながら、軍キャンプに抑留されているインタニーの家族と親しくすると、当局に睨まれると思って、避けるらしい、家族からの手紙でそんな様子を知って、私は中立国のスペイン大使宛に、クリスタル市に、われわれインタニーのために、ファミリー・インターメント・キャンプ（家族用抑留所）を設けるように懇請《こんせい》し、やっと実現したのが、終戦の少し前だった、まあ、私だけなら我慢出来たが、妻子にえらく苦労をかけたことが、辛かったよ」

淡々とした口調で云い、

「今日のこの四四二部隊の凱旋パレードの記事、日系の家族たちは、どんな思いで読むか——、おそらく、涙なくしては読めないだろう、この四四二部隊や、君たち太平洋戦線で戦った二世たちの血の証しによって、われわれはようやく、人種的偏見と差別から解放されるようになったのだ、だが、法律的には、まだ一世に帰化権が与えられていないし、強制立退によって失った生活の基盤、住居、財産に対する損害補償も認められていない、またアメリカ国籍をもつ二世であるにもかかわらず、強制収容所へ入れられたのを憤り、両親と共にツールレーク隔離収容所へ入り、最後まで政府に反抗し、米国市民権を放棄してしまった在米二世たちがいる、当時の彼らの置かれた環境を理解してやって、米国市民権回復のキャンペーンもやらなければならない、そのためには、この老骨に鞭打って、まだまだ筆を取るつもりだ」

新聞人らしい闘魂を籠めている。

「今、おっしゃった一世の帰化権と戦時補償の問題、そして権利放棄した在米二世の市民権回復、この三つは、それこそ、今日の新聞で、トルーマン大統領が、『米国の安寧と憲法の精神を尊重して、栄光ある米国建設のための正義の戦いに臨んでほしい』と結んだ声明にそって、日系社会が一丸となってやりぬかねばならぬことでしょうね」

賢治の胸にも、記者魂が甦《よみがえ》って来た。

「時に、天羽君——、君は今、東京裁判のモニターをやっているそうだが、アメリカの新聞社は、ドイツのニュールンベルク裁判のニュースは扱っても、日本の東京裁判の記事は殆んど扱わない、だから、われわれ日系人には、曾ての日本の指導者たちが、一体、どのような罪名で戦犯に問われ、どんな裁きを受けているのかよく解らないのだ、これでは戦争中、日本人を先祖に持ったというだけで十一万七千人の老若男女、子供に至るまでが強制収容所へ入れられて耐えて来た意味がない、それで君に、是非、東京裁判の記事を送ってほしいのだ」

軍キャンプでの苛酷《かこく》な抑留生活に耐えて来た松井社長は、烈々とした語調で云ったが、賢治は応じられなかった。

「東京裁判の法廷関係者は、法廷記録に記載された事項以外は、自由に喋《しゃべ》ったり、書いたりすることは禁じられているのです」

「そうか、じゃあ、裁判終了後に、『モニターの見た東京裁判』を是非、執筆してくれ給え、今度の戦争を通じて、強制収容所、日本語学校教官、太平洋戦線の語学兵、東京裁判のモニターと、君ほど変転極まりない立場に置かれた二世は少ないだろう、それだけに君の体験は稀有《けう》な歴史の証言となり、それを書くことは君の使命だろう、頼んだよ」

賢治の両肩に、松井社長の手がのった。

＊

アメリカの戦勝記念日、日本では敗戦日の八月十五日、東京裁判は、支那《しな》段階に入って三週間余たち、「中国各地における日本軍の残虐行為及び阿片、麻薬問題」が、審理されていた。

一年前の敗戦日と同じく、真夏の太陽がぎらぎら照りつけていたが、冷房装置を取り付けた法廷はここちよく冷え、巣鴨拘置所の監房で暑熱にあえぎ、体力の弱っている戦犯たちも、法廷に列《つら》っている間は、幾分、元気を取り戻すようであった。

しかし、快適なエアコンディションにもかかわらず、陳述されている証言は、日本軍の身の毛もよだつような行為の数々《かずかず》であった。検察側は敗戦一年目のこの日に合わせるかのように南京事件を真っ正面から取りあげた。

昭和十二年七月、盧溝橋《ろこうきょう》事件を契機に勃発《ぼっぱつ》した支那事変のさなか、中華民国政府の首都・南京の陥落後、発生した〝南京大虐殺事件〟が、ナチのユダヤ人迫害と並んで、世界戦史上、稀《まれ》にみる残虐行為であることを立証するのが、検察側の意図であった。

まず、中国代表検事向哲濬《こうてつしゅん》の「南京事件」だけの異例の冒頭陳述が行われた。事前に日英両語に翻訳され、裁判所に提出されていたから、英語訳は、言語裁定官のホールデンが、日本語訳は賢治とハリー宮原が朗読した。

余ハ以下中国ニ於《お》ケル戦争ニ関シテノミ論ゼントス。提出セントスル証拠ハ一般人ニ対スル加害行為ガ(1)殺人及ビ虐殺　(2)拷問　(3)凌辱《りょうじょく》　(4)財産ノ掠奪及ビ不法破壊　ヲ含ムモノナル事ヲ明ラカニスベシ。

人道ニ対スル日本陸軍ノ是等《これら》犯罪行為ハ中国ノ凡《あら》ユル占領地域ニ於テ一九三七年乃至《ないし》一九四五年ノ全期ニ亙《わた》リ行ハレタルモノナリ。是等行為ノ顕著《けんちょ》ナル一事例ハ、一九三七年十二月十三日南京陥落後発生ヲ見タリ。即《すなわ》チ中国軍ガ凡《すべ》テノ抵抗ヲ停止シ南京市ガ全ク被告松井大将指揮下ノ日本軍ノ制禦《せいぎょ》下ニ置カレタル後、暴行ト犯罪ノ大狂乱ガ始マリ、之《こ》レガ弛《ゆる》ム事ナク四十余日ニ亙リ続行セラレタリ。

日本兵等《ら》ハ、彼等ヲ指揮スル将校及ビ東京ノ統帥《とうすい》首脳ノ完全ナル了知、及ビ同意ノ下《もと》ニ斯《か》カル残虐行為ニ依《よ》リ、中国民衆ノ凡ユル抗戦意識ヲ永久ニ滅却セント企図シタルモノナリ……

向検事の冒頭陳述が読み上げられた後、検察団はアメリカ人伝道師の証言を求めた。

尋問は、その容貌から〝ブルドッグ〟と仇名《あだな》されているアメリカのサットン検事だった。証言台にはアメリカ本国から召喚された六十近い牧師が坐った。

「あなたの姓名と経歴を述べて下さい」

「ジョン・ガレスピー・マギーです」

と云い、一八八八年ペンシルバニア州に生れ、エール大学卒業後、マサチューセッツ州のエピスコパル神学校に学んだことを述べた。

「あなたが支那に在住された期間はいつですか」

「一九一二年より一九四〇年まで、南京のアメリカ監督派教会の伝道師でした」

齢《とし》より老《ふ》けて見えるマギー証人は、温和な表情で応《こた》えた。

「あなたは一九三七年十二月から翌三八年二月頃まで南京におられましたか」

「おりました」

「南京陥落後、市内における中国軍隊、あるいは一般中国人民の抵抗はありましたか」

「私の知る限りでは、全然ありませんでした」

「それでは日本軍が南京を占領した後、一般人に対する態度はどうでしたか、どんな行動をとりましたか」

サットン検事は、核心に入った。マギー証人は神に祈るように眼を閉じたあと、話しはじめた。

「日本軍の暴行は、ほとんど信じることが出来ないほど、ひどいものでした。日本兵は、最初は個々に中国人を殺しましたが、その後、三十名、四十名と一団になって殺戮《さつりく》行為を組織的に行いました。暫《しばら》くすると、南京市内のいたるところに中国人の死骸《しがい》がごろごろと横たわるようになりました。これらの殺戮行為は、機関銃その他あらゆる方法で行われました。私の目撃した一例を申しますと、一人の婦人が、自分の夫が両手を縛《しば》られ、池の中へ放り込まれて、殺されるのを見ながら、助けることも出来ないというものでした」

話すうちに、マギー証人の声が震えた。しかし、その日本語通訳は大幅に間違っていた。賢治は、モニターのボタンを押した。

「訂正、日本兵に連行された中国人は、機関銃や小銃で殺されたという例がたくさんありまして、ある婦人が私に洩らしたところによれば、この婦人の夫を縄《なわ》で縛り上げ、池の中に放り込んで溺死《できし》するのを、その目前でやったということを聞きました」

証人自身が目撃したのと、伝聞《でんぶん》では、証言の信憑性《しんぴょう》が全く異る。賢治は証言の重要なポイントとなる言葉を訂正し、サットン検事がまた尋問を続けようとすると、今度は弁護団のテーブルからブルックス弁護人がたって来た。

「先程《さきほど》から見ていますと、証人は何か手にメモ、あるいはノートのようなものを持っているようであります、メモ類は、裁判所が読んでもよいと云われた場合のみ許されるものです」

と抗議した。ウェッブ裁判長は、

「証人は書きものを読んではいけません、それは裁判所が特に読んでもよいと許可した場合のみです」

と注意した。マギー証人は慌てることなく、

「これは私の妻に宛てて書いた日記のような手紙の束《たば》です、秩序よく陳述することが出来るように見ているのです」

と弁明したが、ウェッブ裁判長は見てはいけないと再度、警告した。

サットン検事の尋問が続行された。

「日本軍の信じ難い行動を、続けて話して下さい」

「十二月十四日のことです、私の雇っていた料理人は、十五歳の子供でありますが、その子が約百名の中国人とともに、南京の街の城壁の外に、約五十名ずつ二団になって連れて行かれたのであります、彼らは手を前で括《くく》られ、前方から日本兵に殺されはじめたのです、その子はちょうど、鉄道の外の穴の中に逃げ隠れたため助かり、拉致《らち》されてから約三十八時間後に逃げ帰って来ました、それによって連行された中国人たちがどういう運命に遭遇したかが解りました、日本軍は南京陥落後も、市民の中に便衣《べんい》隊がひそんでいて、いつ抗日ゲリラ活動をするかも知れないことを恐れ、男なら頭からゲリラと怪しみ、殺そうとしたらしいのです、その晩か、翌日の晩かよく記憶していませんが、中国人が二列縦隊で手を縛られ、連れて行かれるのを目撃しました、その数は数千に上ったと思われます」

賢治は、また、モニターのボタンを押した。

「訂正、その数は千、もしくは二千にのぼったであろうと、思われます」

数字の訳し間違いを正確になおした。マギー証人は続けた。

「私はその団体の中に中国の兵士を一人も見ませんでした、全部、便衣《べんい》（普段着）を着ておりました、その中の負傷者が逃げて帰って来たので、私の教会の病院に入れました、彼等が帰れた理由《わけ》は、すべて銃剣で突かれたのですが、死んだ真似をして伏せていたので、助かったのです。

その数日後、私は二人のロシヤ人と、同僚のミスター・フォスターの四人で、わが家のバルコニーから、中国人が一人、殺されるのを目撃しました、その状況を申しますと、中国人が私の家の前を歩いていて、日本の軍人に誰何《すいか》されたのです、中国人は非常に驚いて逃げようとしましたが、先が行き止まりになっていた、それを日本兵が追いかけ、発砲して殺し、何事もなかったように煙草《たばこ》を吹かしながら戻って行きました、それはあたかも野鴨《のがも》狩りでもしているような態度でした」

賢治は、〝野鴨狩りでもしているような〟という白人な

らではの表現に、誇張を感じながらも、勝利に酔った日本兵の正気の沙汰とも思えぬ行動に愕然とした。

マギー証人の証言は、さらに続いた。

「十二月二十一日のことであります、日本大使館の田中という副領事が、私に話したところによりますと、現在、来ているのは非常に悪い軍団だが、近々、良い軍団が来るから事態はよくなるだろうということでしたが、現実には改善されませんでした」

賢治は、ちらっと被告席を見上げた。この南京事件発生当時の支那方面軍最高司令官は松井石根《いわね》であり、外務大臣は広田弘毅《こうき》であったが、今、松井被告は結核治療のため入院中で、広田被告はいつものように、眼を閉じたままの姿勢だった。

「それでは日本軍の南京占領後、婦人及び子供に対する行為は、どんなものでしたか」

マギー証人は、肩を震わせ、すぐに言葉が出て来ない様子だった。

「……それは、信じられないほど、怖るべき状態でした……、強姦はいたるところで行われ、多数の婦人、子供が殺されたのです、もし婦人が拒絶したり、反抗する場合は、すぐ突き殺されました、ある日のこと、私は四時三十分頃、ある中国人の家に呼ばれました、それはその家で一人の日本兵が、そこの中国人の妻を強姦せんとしているという情報があったためです、その際、その女の夫は、自分の妻を家の後《うしろ》にあった日本兵の知らない戸口から逃がそうとしたのでした、その日本兵は、武器をもっていず、一旦、たち去り、再び来た時は武器を持ち、その夫を殺しました、その妻は、私を裏庭へ連れて行き、夫の死骸を見せました、さて、私が遭遇した強姦事件のことをお話しします、ある日のこと、同僚のフォスターと町を歩いていますと、一人の婦人が駈け寄って来て、どうか助けて下さいと懇願しました、その婦人の話によると、夕方の六時頃、拉致され、自動車に乗せられ、三マイル、もしくは四マイルの郊外に連れて行かれ、そこで日本兵に強姦されたということでした」

日本語訳には、日本兵は三名という数字がぬけていたが、賢治は訂正する気になれなかった。

「十二月二十日、私はある家へ呼ばれたのですが、そこでは十歳ぐらいの少女が強姦されたのであります、私はその少女を病院へ連れて行きました、そのあと、さらに他の一軒に呼ばれました、三人の日本兵が二階へ侵入しようとしていたので、追い出しましたが、ある部屋へ行くと、そこでは現に一人の日本兵が強姦しているところであったのです」

これでもか、これでもかと、繰り返し述べられる証言に賢治は、もうやめてくれ！　と叫びたい衝動に駈られたが、サットン検事はさらに続けさせた。

「私は事件調査のため、金陵大学の副校長のミス・ワトソンと一緒に安全地帯へ行って調査したのです、そこには一万三千人の婦人もしくは少女が集っていました、私が調査で南市にある一軒の家へ行きますと、そこに一人の年配の寡婦《かふ》が、十二歳の娘と七十七歳の母親と住んでいました、彼女らの話によると、その寡婦は日本兵によって連続強姦され、安全地帯へ逃げようとしたのですが、途中、離れ離れになってしまい、結局、寡婦の方は少くとも十七、八回、強姦され、その母親の老婆までが強姦されたということです、ある中国人牧師の七十八、九歳の老母も着物をまくり上げろと云われ、もう齢だからと拒むと、兵隊はその場で射殺したと聞きました、一月の終り頃、私は南市においてもいろいろな事件が起ったのを知りましたが、その中で新開路六番の家で起ったことをお話しします」

「それは何年の一月のことですか」

サットン検事は新開路六番の話を印象づける狙《ねら》いらしく、ことさらに聞き返した。

「翌一九三八年のことです、私を案内したのは、その家の母方の祖母でした、家には十三人の子供がいたのですが、八、九歳の少女と四歳の男の子だけが逃げ、あとは皆殺しにされました、もっとも四歳のその男の子も後で殺されるのですが、その時の模様を生き残った少女が、祖母に話したところでは、日本兵が入って来て、十四歳から十六歳までの女の子を裸にしようとし、庇《かば》おうとした父方の祖母がまず殺され、少女たちは強姦されたのです、私の案内役の老婦人の話では報せを受け、来てみると、少女たちは膣《ちつ》に竹の棒を入れられて、死んでいました、その棒を少女たちの膣から引きずり出していると、生き残った少女が、四歳の弟のことを話しました、その男の子は、女の着物を着ていたため股《もも》を竹で突き刺されたということです」

息を呑むように静まり返っていた傍聴席では、そこまで来ると、身震いし、耳を塞《ふさ》ぐ者もいた。

この狂気は、何に根ざすものか。数日前の法廷で、南京安全地帯委員会の白人委員長の証言によると、日本兵の強姦現場を日本の将校に見せたところ、その将校は兵にびんた一つ与えただけであったと云った。

軍律厳《きび》しいはずの日本軍で、将校さえ制禦することのできなかったこの狂態——、洋の東西を問わず、戦争は人間を狂人にするというが、このような暴虐、破廉恥《はれんち》、非道の極に群《むれ》をなして陥《お》ち込んで行くのは何によるものか——。昭和七年の上海《シャンハイ》事変以来、厳しい気候風土と食糧不足、波状的な侮日宣撫《ぶにちせんぶ》工作と執拗《しつよう》な便衣隊の襲撃に倦《う》み疲れた日本兵が、やっと勝利を得た解放感からそのような行為に走ったのか。それとも同じ東洋人でありながら、支那人をチャンコロと蔑《さげす》んだ日本人独特の人種的差別が根底にあるのか。

日本軍のこの陰湿極まりない残虐行為は、〝白髪三千丈〟式の中国人の表現志向からすれば、多分に誇張された告発であり、マギー証言も直接体験より、中国人からの伝聞による証言が多い。だが、それを割り引いてもなお且つ、日系二世である賢治が嘔吐しそうになるほどの証言を得たことは、検察側の尋問が成功したといえる。

午後四時、閉廷が告げられると、法廷内にほっと生き返るような吐息が洩れた。

それほど傍聴者たちは、一様にショックを受け、女性たちは青ざめて、出口に向った。

その傍聴者の中に天羽忠もいた。

忠は、法廷のモニター席にいる兄が、証言に残虐性が増して来るにつれ、声が上《うわ》ずり、イヤホーンをかけ直しながら、顔を歪ませるのを見て取っていた。

「ハロー　タダシ！」

不意に背後から、呼びかけられた。振り返ると、フィリピンのバギオで捕虜になった時、出会って以来のチャーリー田宮であった。すらりとした長身にぴんと折目のたったズボンと上衣《うわぎ》をつけている。それにひきかえ、忠は日本軍の埃《ほこり》っぽいカーキ色のズボン、黄ばんだ開襟シャツという、うらぶれた身なりであった。

「無事、帰って来たようだな、裁判の感想は、どうだ？」

「証言に相当の誇張があるとしても、気分の悪くなる話ですね、ああいったやりとりを毎日、くそ真面目《まじめ》にモニターしている奴《やつ》の気がしれないよ」

吐き捨てるように云った。チャーリーは薄笑いをうかべ、

「腹が減っているだろう、何か喰《く》いたいか、それとも飲みたい方かい」

露骨に聞いた。

「両方ですよ」

「よし、米軍の食堂へ連れて行って、たらふく飲み食いさせてやるよ」

チャーリーは、焼けつくような土埃りの道を、新橋の方へ向って、ジープを走らせた。

第一ホテルの前まで来ると、ジープを停めた。チャーリーはMPと一言、二言、言葉を交して、日本人立入りの許可を取った。

一歩、ホテルの中へ入ると、そこは別世界だった。冷房がよくきき、忠は吹き出していた汗がみるみる引く心地よさを覚えた。チャーリーに随《つ》いて、ロビーを横切り、奥の食堂へ入ると、テーブルには真っ白なテーブルクロスがかかり、ナプキンも置かれている。忠は一瞬、アメリカへ帰ったような錯覚を覚えた。そして父の乙七が毎日、沢山のテーブルクロスとナプキンの洗濯の注文を受けていたことを思い出した。

「米軍施設に入ったのははじめてなんだな、じゃ、ビールと血の滴《したた》るビーフステーキってところだな」

忠は頷いた。日本人の給仕がビールを運んで来ると、

「まずは再会の乾杯だ！」

チャーリーは、コップを片手にして一口飲んだが、忠は、体内の乾きをいやすようにぐうっとコップをあけ、息もつ

ずに二杯目を飲んだ。ビーフステーキが運ばれて来ると、むしゃぶりつくように分厚《ぶあつ》な肉切れを口に運んだ。

「よっぽど、食いはぐれてるんだな、どうして食糧難の東京へ出て来たんだ、鹿児島の田舎におれば、めしだけは腹一杯、喰えるんだろう」

「銀めしは腹一杯に喰えるし、藷《いも》も野菜もあって食べるのには困らないけど、あんな田舎で何もせずにじっとしておれないですよ」

「で、東京へ出て、何しているんだい」

「闇屋《やみや》、俺より先に復員していた戦友に誘われて、米や砂糖、旧日本軍の持っていた衣料などの闇商売をやっているんです、で、チャーリーは？」

「俺か、俺はマッカーサー元帥の副官だよ」

「ほんとですか？」

「こんなこと、冗談で云えるかい」

「ふうん……、じゃあ、二世の出世頭《がしら》というところですね」

「まあ、人はそう云ってるらしいな、人間、権力か、金か、どちらかが無ければ駄目だ、どうせ闇屋をやるなら、がっぽり儲《もう》けろ、それには日本人仲間の闇商売ではたかが知れてるだろう、君なら英語が喋れるから、進駐軍相手の商売ができるだろう」

ＰＸの商品や米軍の毛布、衣類、医療品を横流しする闇ルートがある話は、忠も聞き知っていた。

「進駐軍相手の仕事は、見つかったら最後、ＭＰに逮捕されてひどい目に会うから、よほどしっかりした相手と組まないと危《あぶな》いそうですよ」

「じゃあ、大丈夫なのを紹介してやろうか、俺の周《まわ》りの二世でも気のきいた奴らは、除隊出来る点数を取ると、さっさと軍属になり、アメリカへは帰らず、巧く儲けているさ、その中で羽振りのいいのを紹介してやるよ」

「そんないい儲け口知っているのなら、どうして、チャーリー自身がやらないんです？」

忠は、賢治に似た濃い眉を寄せて聞いた。

「正直なところ、俺だってさっさと軍籍を離れたいが、何しろ元帥の副官だから、そうそう勝手な真似は出来なくて、いささか困ってる次第さ」

「じゃあ、僕がチャーリーに紹介して貰った口でがっぽり儲けて、キックバックするかな」

「その意気でせいぜい、稼《かせ》ぐんだな、ケーンのように権力にも、金にも関心がないなんて、馬鹿な奴だよ」

忠に加勢するように云った。チャーリーの心のどこかに賢治を蹴《け》り落そうとする気持が動いていた。そしてふと思いついたように、

「ケーンが、この間、裁判が休廷した時期に、アメリカへ帰っていたこと、知っているかい、パパが病気とかで」

「えっ、パパが病気……」

ビーフステーキをぱくつき、闇商売の話にうつつをぬか

していた忠の表情が、変った。

「おや、何も知らなかったのかい」

「知らなかった、それで工合はどうなんです」

せき込むように聞いた。

「この俺が知っているはずがないじゃないか、それこそケーンに聞けよ」

「いやだ、あいつの顔を見るのも、口をきくのもご免だ、鹿児島へ叔母を訪ねて来た時も、ろくに話さなかった、だが、ああしてモニターをしているところを見ると、パパもたいしたことはなかったんだろうな」

忠は、両親に会いたい気持が俄《にわ》かに募《つの》り、真っ白い糊《のり》のきいたクロスの端《はし》を握りしめた。

＊

市ヶ谷の裁判所の言語部は、元満洲国皇帝、溥儀《ふぎ》氏の出廷を明日《あす》に控《ひか》えて、慌しい気配に包まれていた。

賢治は溥儀に関する履歴と、満洲事変勃発《ぼっぱつ》から満洲国建国に至るまでの経緯を頭に畳み込んだ。審理される事柄の内容と背景が解らないことには、通訳をチェックするモニターの役は勤まらない。

資料を読み終えると、『スターズ・アンド・ストライプス』紙に載っている皇帝溥儀に関する記事にも眼を通した。

〔八月八日〕

前満洲国皇帝が裁判で証言に立つ

昨日、連合軍最高司令部は、日支事変の初期、日本によって満洲国の傀儡《かいらい》皇帝とされていたヘンリー・プィ(溥儀)が、戦争犯罪を裁く法廷で証言を行うであろうという声明を出した。声明によればプィは、現在、ウラジオストックにおり、ソ連の監禁下にあるが、ソ連はこのたび、プィを東京に連れて来ることに同意した。東京にいる間はソ連大使館に留《とど》まり、常にその保護下におかれることとなろう。しかし、彼が証言する日は、まだ明らかにされていない。

〔八月十四日〕

キーナン検事、溥儀と会見

国際検察団のキーナン首席検事は、八月十二日、裁判所調査部長ロイ・モーガンとともに、ソ連代表部に近い宿舎で溥儀と会い、質問した。ソ連代表部の警備兵はトミーガンをかまえて警備にあたり、門の中へ入ると、ソビエトの軍人の代表団が出迎え、西洋式の建物の二階にある溥儀の大きな続き部屋に入った。

会見には溥儀と、ソビエト検察団のメンバーであり溥儀と一緒に来日したアレキサンダー・A・イワノフ大佐が同席し、約一時間半、会談した。会見の主題は明らかにされなかったが、裁判関係者の話によれば、溥儀が如何《いか》にして、いつ、証言するかについてだということである。

溥儀は、一九〇八年、二歳の時、清朝《しんちょう》の帝位に就《つ》いた。一九一二年、清朝が滅び、六歳で退位。一九一七年、清朝を復活し、帝位に就いたが、再び退位し、北京《ペキン》を追われた。一九三四年、満洲国皇帝に即位。一九四五年八月十七日、日本降伏と同時に皇帝を退位。

賢治は記事から眼を離した。生涯に三度帝位に就き、二度は内乱によって退位し、三度目は、日本の敗北によって帝位を失い、ソ連の手に捕われたのだった。

キーナン検事とならんでいる新聞の写真は、痩せぎすの顔に、平凡な黒縁《くろぶち》眼鏡をかけ、あまり形のよくない詰《つ》め衿《えり》の服を着ていた。

賢治の脳裡に、満洲国建国時のことが、甦《よみがえ》って来た。当時、大東大学に留学中だった賢治は、今は狂える被告として退廷しているが、その頃、東亜の論客《ろんかく》とうたわれた大川周明博士から、満洲建国こそ、大東亜共栄圏建設の第一歩であると、教えられたのだった。そして一九三四年三月一日、日本の新聞は、美々《びび》しい礼装をつけた溥儀皇帝の写真を大々的に載せ、日の丸の旗と五色の満洲国旗を掲げて、建国を祝った。

その満洲国皇帝が、今次大戦において、日本が侵略国であったことを証言するために、ソ連側証人として出廷する――。たとえ現在、ソ連軍に囚われの身とはいえ、曾て日本の天皇から皇弟として遇せられた人が、どのような心境をもって出廷するのだろうか。

同室のジョン小寺、ハリー宮原、ホセ森も口々に、

「三度帝位につき、三度その座を追われた皇帝は、まず世界を見廻しても、他に例がないだろうな、平凡な言葉だが、数奇な運命の人という一言に尽きるね」

「ともかく〝皇帝〟と名のつく人を見るのは初めてだ、この間の田中隆吉証人より珍しいじゃないか」

「これは満洲国建国前後の歴史的背景が頭に入っていないと、モニターできないぜ」

好奇心に満ちた口調で云い、いつになく積極的に、満洲事変勃発から建国に至る年表と満洲国政府の組織、高官名など、資料で解る限りを一覧表にして行った。

仕事を終え、廊下へ出た。他の連合軍のオフィスの窓は、灯《あか》りが消えていたが、ソ連の部屋にはまだ点《つ》いている。

「連中も、頑張っているな、いつも五時になれば、スクールバスの生徒のようにきちんと揃って全員、バスで宿舎へ帰って行くのに――」

ホセ森が、メキシコ人風の髭を撫でながらその方を窺い見た。実際、ソ連の裁判関係者は、朝の出勤も、夕方の退勤も、一団となってバスに乗って、往《ゆ》き帰りしている。昼

見られているとも知らず、ソ連の将校たちは、重要な任務でも果したように重々しい足どりで、階下に降りて行った。

食の時も、連合国の連中は、それぞれに好きなテーブルに陣取って、賑《にぎ》やかに喋りながら食事したが、ソ連だけは、食堂の一角のテーブルに、かたまって坐り、他の連合国の将兵と言葉を交すことを禁じられているのか、一言も口をきかない。

「全く妙な国民性だな、噂によると、ゴルンスキー検事が巡洋艦でやって来た時、北海道に駐留するため、千人近い将兵が乗って来たというのに、それだけの人数が、どこに潜《もぐ》ったのか、われわれの眼に触れない、裁判関係だけでもザリヤノフ判事やゴルンスキー検事一行が到着する前から、狸穴《まみあな》の大使館を中心に調査員が、百名とも二百名ともいると聞いていたのに、裁判所には判事、検事、書記、通訳、調査官などを含めて、せいぜい、四十名ぐらいしか、姿を見せない、連中はどうしてあんなに秘密主義なんだろう」

ジョン小寺が云った時、ソ連の部屋の灯りが消え、将校たちがぞろぞろと出て来、いつものように、自国特別誂《あつら》えの頑丈な鍵《かぎ》をかけてから、口の中のガムを一斉に吐き出した。

何事かとこっそり眺めていると、噛んで柔かくなったガムを扉のところどころに目貼りするようにせっせと貼りはじめた。どんな機密文書が入っているにしろ、特別製の鍵をかけた上、さらにガムで封印するとは、秘密主義を通り越して猜疑《さいぎ》心の塊《かたま》りであった。しかも、その封印用のガムが、アメリカ製ときているから、賢治たちは滑稽《こっけい》のあまり、吹き出しかけた。

六章　証　人

東京の山の手、飯倉《いいくら》には、戦火を免れた宏壮な洋館がいくつもある。戦前は華族の館《やかた》、各国大使館が連なる格式高い屋敷街であったが、今は目ぼしい邸宅はGHQに接収され、日本人は近付きにくくなっている。深い緑の樹々から湧きあがる蟬《せみ》しぐれは一夏前と変らないが、どこに誰が住み、その中で何が行われているのか、敗戦の国民には詮索することさえタブーであった。

炎暑の一日がはじまろうとしている朝、その飯倉・狸穴《まみあな》町にあるソ連大使館と、ソ連代表部の宿舎である裏手の元ロシア人豪商の洋館から、黒い乗用車が市ヶ谷の東京裁判の法廷へ向って出発し、少し離れた紀尾井《きおい》町の宿舎からも同車種の一台が滑り出した。

市ヶ谷に向う三台の車は別々のルートを取ったが、裁判所のゲートには、ぴたり同時刻に着き、米軍のMPのチェックを受けると、連なって坂道を上り、正面玄関の車寄せに停車した。三台のいずれかに、終戦の翌日、関東軍の手によって日本への脱出を図《はか》りながら、途中、奉天《ほうてん》の飛行場でソ連軍に捕縛され、シベリアに抑留されていた元満洲国皇帝溥儀《ふぎ》が乗っているのだった。

三台の車から、一斉に八、九人の情報部員とおぼしき将校が降り、目だたぬよう、玄関周辺に待機していたソ連検察団のスタッフと何事か素早く打ち合せると、先頭の車の後部席から両脇と背後をがっちり固められた中国人が降りて来た。溥儀であった。

連合国の報道陣は、予《あらかじ》め知らされていた時刻よりはるかに早いこのソ連からの証人の到着を知らず、昨日から続いている日本軍の〝南京《ナンキン》大虐殺〟のマギー証言に釘付けにされていた。おかげでカメラのフラッシュを浴びることもなく、正面ロビーを横切り、別棟に向って消えて行った。

途中、すれ違った職員はいたが、何事かと訝るだけで、気付いたのは、ちょうど言語部の部屋から出て来た天羽賢治だけだった。賢治は一昨日の米軍の新聞で、皇帝溥儀がウラジオストックから連れて来られ、〝ソ連大使館に近い〟宿舎で、キーナンと会見したという記事と写真を見、印象深く覚えていたのだった。

国際検察団の翻訳部で働いている同僚の話では、皇帝溥儀の尋問は一週間近くに及ぶため、控室として二二七号貴賓室が用意され、そこには金モールで枠《わく》どった〝皇帝の椅子〟と、記憶をよび起すための分厚い年鑑と辞書が数種類、備えつけられているという。賢治はたまたまモニターの非番の日だったので、傍聴席で証言を聴くことにした。

溥儀証人は、一見してソ連の俄か仕立てと思われる薄っぺらな紺サージのスーツを着、同色のネクタイを締め、キーナン首席検事の人定尋問に応えていた。四十歳にしてはやや老《ふ》け、服装のせいか貧相にも見えたが、禿げた広い額にかかる頭髪を払いつつ、白扇《はくせん》をゆったり使うあたりに、元皇帝の自意識が見て取れる。

「私は北京《ペキン》で生れ、名前は溥儀、本来の満洲国での名前は愛新覚羅《あいしんかくら》と申し、一九〇八年、二歳で清国《しんこく》第十二代の皇帝の地位に就《つ》きました」

溥儀証人の中国語は、中国語堪能な日本人通訳によって翻訳され、被告や、日本人傍聴席のイヤホーンに流れて行く。

満洲段階の日本軍侵略の立証者であるため、キーナン首席検事にやむなく主尋問の役を譲ったゴルンスキー、ローゼンブリットらソ連検事は、赤と金の肩章がけばけばしく目だつ軍服姿で検事のメインテーブルに並び、イヤホーンを耳にあてている。

二歳で皇帝になった証人は、六歳の時、清朝滅亡によって廃帝となり、中華民国政府から、王族としての尊称と年金を支給され、従来通り北京の紫禁城《しきんじょう》で過したことを語った後、

「一九二四年、内戦があり、馮玉祥《ひょうぎょくしょう》が当時の領袖《りょうしゅう》を倒し、わが王室の者に対しても、その日のうちに宮殿より出るよう迫りました」

十八歳で紫禁城を出るに至った経緯を説明した。

「あなたが日本公使館に移られたのは、何年のことですか」

水玉の蝶ネクタイを結んだキーナン検事の尋問は、核心に入っていった。キーナンは溥儀に対して、一貫して“you”あるいは“the witness”（証人）と呼び、格別、鄭重な言葉遣いを用いない。元皇帝を意識しているのは溥儀の方であった。ゆったりと扇子を使い、

「当時、私が何故、日本公使館へ逃れたかと申しますと、新聞紙上に不利にして危険な宣伝が行われたからです」

「その時、同行した人がいましたか」

「ジョンストンと、鄭孝胥《ていこうしょ》とが一緒でした」

「ジョンストンとは、どういう方ですか」

「私が皇帝の称号を保持し、紫禁城に住んでいた当時から、そう、十三歳からずっと私の英語の先生であったイギリス人です、ヘンリーという英語名をつけてくれたのも、このジョンストンです」

溥儀は誇らしげにつけ加えた。賢治は米軍の新聞がどうしてヘンリーと英語名で書くのか、それで解った。

「日本公使館にはどの位、滞在しましたか」

「半年ちょっとです、それから臨時政府の段祺瑞《だんきずい》執政の許可を得て、天津《てんしん》に移り、二十五歳まで住んでいました、その後、旅順《りょじゅん》へ行きました」

「旅順へ行ったのは、何か事情があったのですか」

「日本軍と中国軍との間に衝突が起り、日本が東三省《とうさんしょう》（奉

天、吉林《きつりん》、黒龍江《こくりゆうこう》）を占領したことと関係があります」

「満洲における戦争はいつ始まったのですか」

「一九三一年（昭和六年）九月十八日で、その当時、私は天津に住んでいましたが、いろいろと不思議なことが身辺に起りました」

「その不思議な事件について、話して下さい」

「奇怪な事件はいくつもありました、ある時、中国人の名で一籠《ひとかご》の果物が贈り届けられました、中には爆弾が入っておりました」

「その爆弾は誰が贈ってきたか、わかりますか」

「その時は解りませんでした」

「伝聞《でんぶん》ででも、聞きませんでしたか」

「側近から、土肥原《どいはら》という名を聞きました」

〝満洲のローレンス〟という名を轟かせていた当時の特務機関長の土肥原被告の名を憎しみを籠めて、口にした。

「ところで、あなたが旅順へ行くについては、誰が勧《すす》めたのですか」

「日本の奉天駐屯の香椎《かしい》軍司令官が来て、天津に留まることは危険だという理由で、強制的に連れて行かれました」

「旅順に着いてから、どうしましたか」

「約半年は何もありませんでしたが、その後、関東軍司令官本庄繁大将が、参謀の板垣征四郎氏を私のもとに遣わしました、板垣氏は、東三省における張学良将軍の政権が人民に対して悪かったため、いろいろな事件が続発し、また日本の既得権益に対しても悪影響を及ぼしたと申しました――」

発言をストップする赤いランプが点いているにもかかわらず、溥儀証人は当初のおっとりと取り繕《つくろ》った態度をかなぐり捨て、早口で喋り始めた。中国語の通訳は困惑し、中国語を全く解さない裁判官、検事、弁護人たちも騒めいた。

「首席検察官」

ウェッブ裁判長が、苛だった声で、キーナンを呼んだ。

「あなたの証人に注意して下さい、赤いランプがついた時は、直ちに黙るよう、注意して下さい、法廷の約束事を守らせるべきです」

「私も今、注意しようとしていたところであります」

キーナンは、溥儀証人に、ランプを無視して陳述しないように注意し、板垣被告の話に尋問を戻した。

「板垣大佐は、そのほかに重要なことをあなたに申し出ませんでしたか」

「申しました、それは軍閥を追払い、東三省における人民の幸福を図《はか》るために新しい政権を樹立し、満洲国人で清朝最後の皇帝であった私に、新政権の領袖になるよう希望しました」

「あなたはどう返事をしましたか」

「拒絶しました」

溥儀は、甲高《かんだか》い声で応えた。

「なぜ拒絶したのですか」

「板垣氏は、新政権樹立後、日系官吏を用いることを希望したからです、かかる日本の侵略を許せば、満洲国は傀儡《かいらい》政権になるのではないかと危惧したためです」

「申込みを拒絶してから、板垣の態度はどうでしたか」

「非常に不満な様子に見えました、その後、私の顧問である鄭孝胥と萬縄栻《ばんじようしよく》に対し、これは関東軍において決定した政策であるから、もし、拒絶すれば断乎たる手を打つであろうと厳格、且つ恐喝的に申しました」

「あなたは、あなたの顧問たちと板垣の要求について相談しましたか」

「しました、私のほんとうの気持は拒絶したかったのですが、何ら兵力を持っていないわれわれは、これに対抗することは出来ず、顧問らが口々に、私に生命の危険がある、殺されるから是非、応じるようにと勧め、やむを得ずに屈伏しました」

「満洲国となるべき国の大きさは、どのくらいかご存知ですか」

「人口は統計によりますと、三千万と思います」

「大きな国の国政を掌《つかさど》る経験をあなたは持っていましたか」

「幼い時に政権を中華民国に譲ってしまい、政治に関する経験は何もありません」

日本の関東軍が、傀儡皇帝をつくる経緯が、徐々に暴《あば》かれていった。

休憩中、被告たちは控室に戻り、一時《いっとき》の小さな自由を取り戻す。スガモ・プリズンの監房の中でもなく、公判廷の被告席でもなく、銘々《めいめい》、好きな場所に腰をおろして寛《くつろ》ぐことが出来る。

もちろん、MPがたって眼を光らせているが、マニラの山下裁判にたち合い、山下奉文の武人ぶりに搏たれたケンワージー憲兵隊長は、温かい気持で被告に接し、コカコーラを飲むことや喫煙を許した。病弱者や老齢で暑気あたりしている者には特に気をつかって、大丈夫かと直接声をかけて、力づけた。

夏用の軍装ズボンに開襟シャツを着た板垣大将は夏痩せした小柄《こがら》な体を怒らせ、

「生命に危険があるなどと、よくも云えたものだ、顧問の鄭孝胥らを使者にたてて、執政ではなく、皇帝でなければ受諾しないと云ったのは溥儀の方で、こっちこそ、一種の脅迫を受けたぐらいだ」

いまいましげに舌打ちした。

「まあ、そう怒るな、溥儀だって、元皇帝といっても現在、ソ連に抑留されている捕虜の身だから、それこそ、脅迫されて心ならずも、ああ云っているのだろう、ソ連に不利なことを云ったら消されてしまうからねぇ」

「それにしても、ひど過ぎる、内戦が絶えない中国に、満洲国を建国し、清朝末裔《まつえい》の皇帝をたてることによって民心を得、蔣介石《しょうかいせき》を抑えねばならん我々の弱味につけ込んで、どれだけ無理難題を吹っかけてきたことか、あれは普通の人間じゃないからな」

「どういうことだね、それ――」

「一言でいえば、ヒステリー性の偏執者だ、気が弱いくせに妙に残酷な性格で、満洲国皇室御用掛《がかり》として溥儀に仕えた吉岡中将など、真面目な文人肌の軍人だが、ほとほと手をやいていた」

元満洲国総務長官であった星野被告が、苦笑した。

「その肝腎の吉岡中将は、溥儀と一緒に飛行場でソ連軍に捕まり、シベリアに抑留されて消息不明だから、云いたい放題だ」

板垣被告が云うと、関東軍司令官であった梅津被告は、

「見そこなったの一語に尽きる――」

相手を蔑《さげす》み、自らを悔やむように云った。

キーナン検事の主尋問は、続行された。

溥儀証人は、満洲国の執政となっても、何らの権限、待遇も受けなかったこと、満洲侵略の実情調査に当った国際連盟代表のリットン卿と会見した際も、日本の将校が取り巻き、リットン卿の行くところには必ず日本の憲兵が保護という名目で随き従い、満洲の実情を話せなかったことを、話した。

「それで、あなたは一九三四年（昭和九年）満洲国の皇帝になられましたが、満洲国政府において、あなたは如何なる状態で立法権を行使されましたか」

尋問は、いよいよ本題に入った。

「法律上では、たしかに権限を有しておりましたが、事実上は、何らの権力もなかったのです、法律なるものは、全く空文に過ぎず、関東軍は私に何もさせなかったのです、私は満洲国の実情、特に機構について話したいと思います、皆さんのご理解を助ける意味で」

名のみの皇帝であったことを、一席ぶつつもりらしい。

「どうぞ、出来るだけ簡単におっしゃって下さい」

キーナン検事自身、簡単にと強調したが、ソ連のゴルンスキー検事たちは、監視するような露骨な視線を向けている。

溥儀は、滔々《とうとう》と喋りはじめた。

「満洲国政権において、最も権限の大きいのは日本人の総務長官です、その力はわが国務総理以上で、総ての勅令、国務院令なるものは、全部、この総務長官が会議の主席になり、関東軍参謀部第四課長が副主席となって決定されます……この会議において中国人は反対することは出来ず、もし反対すれば生命の危険がありました、こういう実例はたくさんありますが、私は今、この国際法廷に対し、その中の一つの例を申したいと思います」

予め出来上っているシナリオを読むように、淀みない演説口調であった。

「ある満洲国省長会議で、興安省の省長である凌陞《りょうしょう》という者が、日本人に対して多少の不満の意を表明したところ、間もなく、関東軍がこの凌陞を逮捕し、反満抗日という罪を科して、直ちに銃殺刑に処した、日本側の措置は一種の見せしめで、彼の親戚である姪までも殺されました、凌陞の妹が、私の息子と婚約していたのですが、この結婚も許されなかった、このようなことは、枚挙《まいきょ》にいとまありません、それから吉岡中将が、私の監視役として関東軍から派遣されてきました」

被告席の板垣、梅津両被告は、やはりという風に顔を見合せた。

「あなたが、皇帝になってから後、あなたの個人的行動に関して、自由がありましたか」

「自由という言葉は、この十数年来、私とは縁遠いものになっていました、皇帝としての自由は手にも口にも持っていませんでした、吉岡は、私が外国人と会見する時も、日本人と会う時も、傍にいて監視し、私の家族、親戚のリストを作り、それ以外は会見を許さず、私宛の手紙は日本人官吏によって全部、取り上げられた、また祖先の墓参りをしようとしても、梅津司令官は、吉岡に命じて、私の墓参を許可せず、代理の者に行かせました」

秘められていた宮廷生活を次々に陳述した後、キーナン検事が、夫人のことを聞くと、

「私の妻は、若くて二十三歳でありました、彼女は中国を愛し、国家を愛する人間でした、常に私に対して、今はやむを得ないから忍耐しましょう、将来、時が来たら、失った満洲の地を中国に取り戻しましょうと語っていました、しかしながら、私の妻は、日本人によって殺された」

満廷が息を呑んだ。

「あなたの夫人がどのような病気になり、どんな治療を受けたのか話して下さい」

「私の妻は、腸チフスにかかり、まずはじめは中国人の医者によって診察されましたが、後に吉岡中将が日本の医者を紹介しました、病状は相当、重かったのですが、死ぬほどではなかったのです、日本人の医者が診察した後、吉岡はその医者と約三時間ほど何か密談していました、そしてその翌朝に死んでしまったのです、本来なら一時間ごとに葡萄糖の注射をしなければならないのに、日本の医者が来てから、その翌朝に至るまで一、二回しか注射をしなかった、吉岡はその晩中、宮中に泊って、日本の憲兵や看護婦からの報告を聞いていたが、死んだと聞くや、すぐ引き揚げて行きました、そして妻が死んでから一カ月経《た》ってから、吉岡は私に是非、日本婦人と結婚しろと勧め、幾多の写真を見せました、私は表面上は拒絶できませんでしたが、婉《えん》曲《きょく》に吉岡に対し、結婚というものは愛に基くものであって、何人《なんぴと》たるを問わず、それが愛する者ならば、その人間と結婚すると答えました」

夫人の変死、その一カ月後に日本婦人との結婚の勧め

――、傍聴席の人々に強いショックを与えた。

だが、その夫人は皇后ではなく、溥儀が三十一歳の時、迎えた譚玉齢《たんぎょくれい》という妃で、大げさに愛を語り、悲しむほど睦じい仲ではなかった。溥儀には他にも妃がいたが、女性より同性の方に興味を持つ性癖であった。

そのことを今、この法廷で知っているのは、ソ連側検事と、もの云えぬ関東軍関係の被告たちだけであった。

＊

チャーリー田宮は、第一生命ビル六階のマッカーサー元帥副官室で、日本人から元帥宛に来た手紙を、英訳しながら、タイプを打っていた。

『東京、GHQ最高司令官マッカーサー元帥閣下』と書くだけで、どんな遠隔地からの郵便でも確実に届き、大半は翻訳専門のATISへ廻されるが、そのごく一部はチャーリーが訳し、高級副官のバーンズ大佐の手を経て、マッカーサーの執務机にのることになっていた。

タイプを仕上げ、コーヒーの紙コップに手を伸ばすと、

「ああ、面白くない」

中国系アメリカ人のロバート王《ワン》が、不機嫌に戻って来た。

「どうかしたのかい」

「バーンズ大佐に呼ばれて、明日から数日間、東京裁判の中国語通訳官として行って貰いたいと、云われたんだ」

「へえ、君が東京裁判の通訳に？　またどうしてなんだ」

「目下、ソ連が連れて来た溥儀証人の尋問は当分、続くらしく、中国語、英語の逐語通訳が出来るのが足りなくて、ヘルプしてくれという訳だ」

「それなら、君はうってつけだ、たまには別の職場で見聞を広めて来いよ」

副官グループの中で、ロバート王《ワン》は特に目だつ働きをしていなかった。

「僕が副官でいるのは、元帥に万が一の事態が発生した場合、どんな機種の飛行機でも操縦して元帥の日本脱出を助ける任務に当るためで、スピーキング・マシンのような通訳など、馬鹿らしくて出来るものか」

戦争初期、マッカーサーが、フィリピンのマニラからバターン半島、オーストラリアへと逃げのびた時、行をともにした〝バターン・ボーイズ〟の末席に連なる一員で、優秀なパイロットだったが、現在のマッカーサー元帥に、ロバート王《ワン》のパイロット技術がどの程度、役だつか疑問だった。

「通訳をそう見くびるなよ、しかも相手は元皇帝《もと》じゃないか」

「マンチューリアンの傀儡皇帝なんて、虫酸《むしず》が走るよ、あれが中国人だと思われたら迷惑千万だ」

ロバート王《ワン》は、誇りを傷つけられたように遮った。

賢治は、法廷職員に案内されて来た中国系三世のロバート王《ワン》と初対面の挨拶を交した。

「あなたのことは、チャーリーから聞いて知っていましたよ、裁判の通訳は初めてだから、困った時はよろしく」

「何しろ中国語の通訳が手薄で、ここ二日間、大へんだったが、君が来てくれて助かる」

賢治は、開廷前を幸いに、法廷通訳のこつを説明した。

やがて十一カ国の判事が入廷して来た。インド代表のパル判事は、静かに合掌《がっしょう》してから着席した。その敬虔《けいけん》な祈りは、出廷第一日目から欠かされたことがない。中華民国代表の梅汝敖《ばいじょごう》判事は、証人席に険しい一瞥をくれて着席した。

尋問は、今日もキーナン首席検事が自ら行なった。

「あなたは、満洲国と日本との関係について、梅津被告と話したことがありますか」

証言台の溥儀に聞いた。

「梅津関東軍司令官は、私に対して日満は一徳一心だと説き、八紘一宇《はっこういちう》なる神道精神に基《もと》づき、宗教的圧迫を加えました、日本は武力侵略を行なうと同時に、神道による宗教侵略をも行なったのです、そして梅津大将の命令で、吉岡中将は無理に私を日本へ連れて行き、天皇裕仁《ひろひと》氏に会見させました、天皇は剣《つるぎ》と玉と鏡の三種の神器を見せ、その後、剣と鏡を私に与えました、一九四〇年のことです」

「その鏡にどんな意味があると説明されましたか」

「日本の古代の神話によると、この鏡は、天照大神《あまてらすおおみかみ》を象徴するものであると教えられました、即ち鏡を以て——」

説明しかけると、日本弁護団長の鵜沢《うざわ》博士がたち上った。

「日本の神道については、学者、政府、政治家の間にも、いまだ意見の一致をみておりません、また日本政府は、神社を宗教として扱っていません、それで証人が聞かれたのは、神社の神道か、あるいは宗教の神道のことであるか、これは実に重要な問題であります、いやしくもこのような問題を、証言されるからには、間違いが起らぬように適格な責任者の名前を挙げて戴きたい」

異議を申し立てると、ウェッブ裁判長は、

「只今の異議は、本件の関連性についての問題ではなく、その真実に関する事柄である、したがって本件が真実でありや、否やという問題については後刻、弁護人側から証人乃至《ないし》は証拠を提出して反証することが出来ます」

異議を却下し、キーナン検事の尋問が続いた。

「あなたが持って帰った鏡は、どのような意味を持つか、あなたが理解された範囲で答えて下さい」

「天照大神は、この鏡を見ることは即ち、自分を見ることと同じであると云われたと、教えられました」

「あなた自身が、その宝物を満洲へ持ち帰ったのですか」

「そうです、このことは私の一生の中で、最大の恥辱だと思っています」

「満洲において神道を実践することに関して、あなたの帰国後、法律が改正されましたか」

「組織法第九条が変更され『神道』の項が挿入されました、即ち、日本の意図は宗教的侵略にあり、この満洲に対する凌辱は、全中国に対するものであり、ひいては全世界を凌辱せんとするものであります、私が日本から二つの宝物を持ち帰った時、私の家族は、全員、泣きました……」

満廷の涙を誘うようなゼスチュアをして、声をくぐもらせた。ロバート王《ワン》は通訳しながら、あまりにも誇りを失ったその大げさな身振りに口を歪めた。

「ところで日本人移民に対して、農耕地を割当てたということがありましたか」

「十年間に六百万人の日本人移民が入りました、彼らはごく僅かな金で中国人の土地を買い上げたり、時には金を払わず、荒れ果てた未開の地に中国人を追いやって、日本人移民がよい土地を占領した、あらゆる面において、日本人が第一位、朝鮮人がこれに次ぎ、満洲国人は最下位に置かれた」

溥儀は、拳《こぶし》で証人台を叩いた。キーナン検事はすかさず、

「罌粟《けし》の栽培及び阿片の分配について、誰が実権を握っていたのですか」

阿片問題に入ると、法廷は俄かに緊張の度を増した。

「阿片に関しては、すべて関東軍の手によって行われ、その実行機関の長は日本人の総務長官があたった、日本の目的は、中国の良い風俗を破壊し、中国人の健康を害し、日本に反抗する力を無くそうというのにありました」

「その日本側による阿片産業は、どのように統制され、経営されていましたか」

「日本側は、一面においては満洲国で阿片を用いることを禁じました、そうして他面においては罌粟の栽培を奨励しておりました、栽培する範囲は、熱河《ねっか》省ならびに興安《こうあん》西省から毎年、拡大して行き、遂には奉天、吉林省でも栽培されることになり、たしか総額二億元《げん》もの大金が、特別会計に計上されました、この二億元というのは、あらゆる支出を差し引いた額です、そうして阿片を吸う許可証が官庁において売られたのです、このことは満洲国人の健康を害し、日本に抵抗出来ないようにすると共に、他面においては日本自体が戦争による財政困難を切り抜けるために、阿片による売上金の大部分を東京に送って、政治的軍事的支出に用いたのであります」

溥儀は、裁判官席にいる中華民国代表の梅判事を意識していた。ソ連から中国へ送られ、〝漢奸《かんかん》〟として裁かれることを避けるように、日本軍の阿片による卑劣な経済侵略を暴露した。

「次にあなたは、日本の満洲における軍事的準備について知っていますか」

「日本軍の軍備は、極秘裏に行われたもので直接、私が見たわけではありませんが、私が見た地図によって判断すると、満洲北部ならびに東部にわたって鉄道敷設《ふせつ》が地図に記されていました、即ち日本軍は、ソ連に対して軍事行動を

起す準備を進めていたと考えられます」

溥儀証人は、日本の侵略戦争の第一歩が満洲であったことを立証するために、アメリカが、ソ連と交渉して出廷させた証人であるにもかかわらず、突如として日本の対ソ侵略準備について積極的に証言し出した。

「ソ連軍によって、満洲が侵略されるであろうと信じられるような原因を何か見たり、あるいはあなたにそれを信じさせるような原因を聞いたことがありましたか」

この日本語訳は、解りにくい訳であった。だが、重要な尋問であったから、賢治は、モニターのランプを点けた。

「訂正——、あなたは個人的に観察するか、あるいは聞くかによって、ソ連側が侵略行為に及ぶ気配を感じたことがありましたか」

「ソ連は、満洲国に対して、侵略企図が絶対にありませんでした、このことについては実例があり、それを証明することが出来ます、植田関東軍司令官の時、日本は張鼓峰《ちょうこほう》で、ソ連に対して挑発行為に出、ソ連の実力を試そうとしましたが、その結果は大敗を喫し、この事件はすぐ解決しました、もしソ連に侵略的意図、あるいは紛争を拡大しようという意図があるなら、その時、容易に行い得たのですが、ソ連はそうしませんでした」

ソ連の筋書通りの陳述を口にした。

「それでは一九三四年、あなたが満洲国皇帝になって以来、満洲国は独立国家であったのか、それとも他の国家の支配下にあったのですか、答えて下さい」

キーナン検事は、三日間にわたる主尋問を締めくくるように聞いた。

「およそ満洲国なるものは、国民、官吏、そして私も含めて全く自由がなく、日本の厳重な圧迫下にありました」

「検察側は、証人に対する質問を終了しました」

キーナン検事は尋問を打ちきった。

閉廷後、言語部で溥儀証言の日本語速記録をチェックし、帰り支度をして、駐車場へ向うと、

「天羽さんですね」

薄暮の中から、麻のスーツを着、パナマ帽に口髭を蓄えた男が近寄って来た。

「そうですが、あなたは？」

「カール山口といいます、キーナン首席検事の秘書をしています」

「ああ、あなたが——」

賢治は、かねて噂に聞いていた山口清こと、カール山口が突然、眼の前に現われたことに驚いた。口髭をはやしているが、年齢は賢治とさして変らないのも意外だった。

「ちょっとご一緒していただけませんか、螢でも賞《め》でながら、夏の一夕《いっせき》を過すのも乙なものですよ」

と云い、自分の車の方へ誘った。何かいわくありげだが、賢治はその誘いに興味をそそられた。

カール山口の車でゲートを出ると、西へ向った。

「モニターの仕事は、神経が疲れて大へんでしょう」

「いやあ、キーナン首席検事のお仕事こそ大へんでしょう」

「皆さん、私のことをいろいろ噂しておられるようですが、単なる雑用係でしてね、収入がいいからついたまでなんですよ」

巧みに話をそらせ、それ以上は立ち入らせないように、口を閉した。

二十分後、車は代々木初台《よよぎはつだい》の大きな屋敷に到着した。MPが警護していたが、フリーパスで邸内へ乗り入れ、前庭で降り、そこから芝生を横切り、純日本風の離れのような建物へ案内された。あたりは昏《く》れなずみ、暗紫色の夕雲の向うで遠雷が轟《とどろ》いていた。

「よう、来たね」

広縁に、浴衣がけの大入道のような男がたっていた。まさかと眼を疑ったが、それは元陸軍少将でありながら、検察側証人として出廷し、軍部を痛烈に批判した男、田中隆吉であった。

「仰せの通り、天羽さんをお連れしましたよ」

カール山口は、薄笑いをうかべて、紹介した。

「ご苦労、君はボスのキーナンの仕事があれば、行っていいよ」

「こりゃまた、現金《げんきん》ですね、では、麦茶でも戴いたら失礼します」

襟足が抜けるように白い小粋な女性が運んで来たグラスを手にして、笑った。

「私に何か格別のご用件でも――」

賢治は、緊張した咽喉を冷たい麦茶で湿してから、切り出した。田中隆吉はどかりと胡座《あぐら》をかき、

「モニターしている君を見て、二世にもなかなか骨っぽいのがいると感心したので、よもやま話でもしてみたいと思い、かねがね、山口に頼んでいたんだよ」

入道のような顔の中で、窪《くぼ》んだ眼がぴかりと光った。

「少将からご下命を受けてすぐ、連絡をつけたのですが、冷房取り付けで休廷になり、天羽さんはアメリカへ帰っていたのですよ」

「そうだったかな、天羽君、生れはどこだ」

「ロサンゼルスです」

「しかし、それだけ日本語が流暢だということは、日本にいたことがあるのだろう」

田中は、賢治の経歴を聞いた。かいつまんで話すうちに、賢治の緊張感も解けて来、それを見届けるようにカール山口は席をはずした。

さっきの粋な和服姿の女性が酒肴《しゅこう》の用意をし、双方に酌をして、退《さが》って行った。田中は盃をぐびりと干し、

「目下の皇帝溥儀の爆弾証言で、巣鴨《すがも》は、蜂の巣をつついたような騒ぎだというではないか、君は溥儀をどう見るか

ね」

鱧《はも》の洗いを、口の中へ放り込みながら、聞いた。

「理解に苦しむことばかりです、ほんとうに関東軍の傀儡で、自由がなかった、命の危険に曝《さら》されたと叫ぶなら、退位すればよかったではないかと思いますよ」

「ふわっ、はっはっはっ、君はやはり薩摩っぽだねぇ、だが中国人は、十八史略を読んでも解るように、一筋縄ではいかん血を持っている、ま、それはともかく、満洲の独立を計画し、その首班を決める時、溥儀を推したのは、ほかならぬ大川周明なんだよ」

「ほう、そうだったのですか――」

「内乱続きの満洲には、これという人物がなく、関東軍も頭を抱えていたが、結局、清朝最後の皇帝だった溥儀を担ぎ出すことにし、時の本庄司令官の意を受けて板垣参謀が出馬の交渉に当ったが、当初、溥儀の希望は清朝の復辟《ふくへき》で、両者の間には大きな隔りがあった、それを溥儀の側近たちがそれぞれ勝手な思惑《おもわく》を持って関東軍と脈を通じ、旅順《りよじゆん》へ移った頃《ころ》から、溥儀は関東軍の自家薬籠《じかやくろう》中のものになり、板垣の申し出を承知して、執政の地位についたという次第さ」

「しかし、溥儀氏はその翌々年、皇帝に即位しているじゃありませんか」

「さんざん、駄々をこねた上の名ばかりの即位さ、その数年後、わしは関東軍参謀から一時期、内蒙古の東条兵団の参謀に赴任したので、蒙古の徳王《とくおう》から溥儀についてはいろいろ聞いたよ、徳王も蒙古独立を志して関東軍と連絡のため、新京へ赴いた時、溥儀は、蒙古の独立もよい、しかし自分のようなロボットになるなと忠告したそうだ、徳王は、溥儀とは齢《とし》も近く、幼少の頃から親交があり、溥儀が馮《ひよう》玉祥《ぎよくしよう》のクーデターのために北京《ペキン》の紫禁城を逃れた時には、密かに多額の金を送って援助したという仲だ、ロボットになるなと云った溥儀の叫びは、真実の気持と解釈出来る」

田中は、ひやのコップ酒をぐいぐいあおり、

「その上、溥儀は帝室御用掛の吉岡中将らが嘆いていた男色のせいか、あるいは子種がないためか、皇后にも妃にも子供が生れなかったのが悲劇だ、関東軍は次期皇位継承者である一つ違いの弟の溥傑《ふけつ》を日本へ連れて行き、学習院、陸軍士官学校に学ばせた後、嵯峨《さが》侯爵の令嬢浩《ひろ》さんと結婚させた、日満の揺がぬ礎《いしずえ》を作るには、日満混血の男児を作ることだからねぇ、溥傑が浩妃殿下を伴って満洲へ帰って、溥儀と同じ宮殿に住むようになっても、浩さんの作った料理は、まず弟の溥傑が箸をつけてからでなければ、絶対、食べようとしなかったそうだ、溥儀は日満混血の男児が生れたら、第一番に自分が、次に弟が毒殺されるという妄想に取りつかれていたのだ、だから、鳥でも飼うようなつもりで養っていた若い妃の譚玉齢《たんぎよくれい》が急死した時も、吉岡が毒殺したと思い込み、この間のように妻は毒殺された、というようなことを云うのだ」

酒のせいばかりとも思えぬ話であった。賢治は〝皇帝溥儀〟という一人の男の人生に、そのようなどろどろしたドラマがあることをはじめて知った。

「日本の敗色が濃くなると、溥儀は発狂寸前の精神状態に陥り、吉岡中将の下で溥儀の御用掛をしていた某参謀の話では、関東軍は敗戦前に、自分の口を塞《ふさ》ぐために殺すか、あるいは中華民国政府が捕えに来ると怯え、食うことと寝ることを除けば、殴る、怒鳴る、占う、薬を飲む、怖れるの五つに尽きる毎日だったという、どうだ、天羽君、少しは解ったかい」

「むごい人生があるものですね」

ふうっと息を吐いた。

「そうか、君には解るか」

田中は、酔いの回った顔で云い、

「そうだ、今日、君にはここの螢を見せてあげるつもりだった、縁へ出て見給《みたま》え」

ふらつく足どりで、自ら縁へ出た。

「加代、今日は出とらんのか」

田中は台所の方へ向って、呼んだ。さきほどの女性が出て来、

「あの池の植込みのあたりに……」

しなやかな手で、指さした。植込みにぼんぼりを点《とも》したように、螢が群れていた。

田中も溥儀も、思えば日本の軍閥の波に呑まれ、ひととき はあの螢のように光彩を放った時もあるのだろうが、短い生命に終ったようである。

賢治は、青い光の渦《うず》に目を凝らしながら、明日からの弁護団の反対尋問に、溥儀がどのように対応するのかと考えた。

＊

溥儀証人に対する弁護団の反対尋問は、〝おのれ、溥儀！〟という意気込みで開始され、香港《ホンコン》の新聞まで〝溥儀は不義なり〟と叩いたが、溥儀は容易に崩れなかった。

反対尋問三日目は、梅津被告担当で、アメリカ人弁護人の中でも、第一級と評価の高いブレイクニー弁護人であった。

「戦後、あなたはどこにいらっしゃいましたか」

ブレイクニー弁護人は、悠然と白扇を構えている溥儀に聞いた。

「ソ連軍によって奉天飛行場からチタへ連れて行かれ、その後、ハバロフスクのポーリーというところに行きました、そこでは満洲国の部長級の中国人たちが一緒で、私は東京へ来るまでポーリーの別荘に住んでいました」

「しかし、あなたは抑留者ですね」

「抑留されていましたが、付近には川があり、その川へ散歩に行って、時折、水浴びもしました」

溥儀は、ことさらに囚《とらわ》れ人でない生活を強調した。

「東京へは、どういう方法で来ましたか」

「日本の戦犯を審理するその証人として来ました」

「そのことを聞いているのではありません、あなたはソ連兵の警護のもとに来ましたね」

「そうです」

溥儀は渋い顔で認めた。ソ連の厳重な拘禁下にある証人であることを法廷に印象づけてから、ブレイクニーは本題に入った。

「さて、梅津関東軍司令官のことを伺います、梅津大将はいつ頃、満洲にいましたか」

「そうした日付については、いい加減にお答え出来ませんから、メモを見てもよいという裁判長の許可を得て戴きたいのです」

溥儀は、検察側の主尋問の時、無断でメモを見て答え、裁判長から注意を受けていた。

「答弁すべき事柄が、その当時、既に書かれていたものなら許可しますが、その点はどうですか」

ウェッブ裁判長は、銀髪の頭を溥儀に向けた。

「私が満洲にいる時に、記したごく簡単なメモです」

その途端、ブレイクニー弁護人が発言した。

「異議を申し立てます、証人の持っているメモは検察側の主尋問の時、手にしていたのと同じもので、その時、証人はこのメモは出廷する二、三日前に作ったものだと答えました」

鋭い指摘であった。溥儀は一瞬、たじろいだが、

「このメモは、梅津司令官が満洲に到着した時からの行動を、元《もと》となるノートから日付順に抜萃したものです」

と居直った。ウェッブ裁判長は英語訳のイヤホーンを耳にしながら、隣席の中華民国の梅《ばい》判事と何事か、話し合った後、

「私の同僚の一人が只今、大へん有益な助言をしてくれました、証人の持っているメモを調べ、いつ作られたものか確かめようということです」

と云うと、溥儀は眼をきょろつかせて慌てた。

「いえ、当時、満洲で書いたメモは鉛筆書きだったため、不明確なところがあり、今、ここに持っているのはそれをインキで書き直したものなのです」

妙な云いわけをし、ノートの提出を拒んだ。ウェッブ裁判長の顔が俄かに紅らみ、短気で依怙地《えこじ》な性癖が頭を擡《もた》げた。

「インキで書き写したのはいつですか」

裁判長自らが、尋問した。ゴルンスキーをはじめとするソ連の検事たちは戸惑ったように囁《ささや》き合い、キーナン首席検事をまじえて、ひそひそ談合しはじめた。

証言台の溥儀は顔を硬《こわ》ばらせ、

「それは、私は……こちらで書き写したのです」

「ならば、その元のノートは、東京にあるはずですね」

「そ、そうです……」

「では、そのものを提出しなければなりません、満洲で作ったものであれば、法廷で見て答弁してよいのですから」

「ミスター・プレジデント！」

ゴルンスキーと打合せをしていたキーナン首席検事が、発言台にすっとんで来た。

「証人は、記憶間違いをしておるようです、証人はソ連抑留中のこの六月より宣誓口供書の作成をはじめましたが、作成に当っては手元にあった多数のメモをもとに、まず総括的なメモを作り、さらにノートにしたのであります、各年代に思いつくまま綴った心覚えのメモと、それを元にした総括的なメモ乃至ノートを、どの期間、どのように作成したかなど、証人はわれわれ法律家と違い、たいして意味があるものとは考えていないので、それをいちいち聞かれると、困惑するばかりです」

縷々《るる》説明したが、説明すればするほど、元々《もともと》、溥儀自身のメモなど存在せず、溥儀は、ソ連とアメリカの検察官の合作メモを丸暗記して答弁している気配が濃厚になって来た。

ウェッブ裁判長は、キーナン首席検事の説明を聞き終ると、

「満洲で鉛筆で書かれたメモが、なぜ提出されないのか、その理由を聞きたい」

執拗に迫った。さすがのキーナンも、それ以上は逆《さか》らえず、なるべく早く提出するよう努力すると、答えざるを得なかった。

翌日、ブレイクニー弁護人は、溥儀の英語の家庭教師であったジョンストンの回顧録『紫禁城の黄昏《たそがれ》』を引用して、溥儀自らが皇帝復辟を望んでいたことを立証する揺ぶりをかけたが、溥儀は、ジョンストンの回顧録など、金のために面白可笑《おか》しく書いたもので事実無根も甚しいと大見得《みえ》をきった。

その後、ウェッブ裁判長は、

「あなたは満洲国にいた時、鉛筆で書いたというノートを持っていますか」

昨日来のノートのことを持ち出した。溥儀は俄かに殊勝《しゅしょう》な態度に変り、

「昨日、私が申しました鉛筆で書いたものは、あれは誤りでありました、ここに遺憾の意を表します、なお鉛筆で書いたものはハバロフスクに置いて参りました」

と詫びた。案の定という気配が漂ったが、ウェッブ裁判長は、諒承しなかった。

「あなたは鉛筆が薄くなったので、東京に来てからペンで書き直したと云ったではありませんか」

「そうです、それは現在、東京にあります」

「東京で写しを作ったからには、東京に元の鉛筆書きの原稿を持って来ているはずです」

キーナン検事が昨日以上に慌てて、発言台に飛んで来ると、

「証人と私とのやり取りに立ち入らないで貰いたい」

ウェッブ裁判長は怒気を露《あら》わにし、溥儀に答えを促した。

「いや、それは、それはその……違うのです、私は全部で三つ持っているのです、一つは満洲で鉛筆で書いたもので、ハバロフスクに置いて参りました、只今ここに持っています分は、私がソ連の官憲になした陳述書から書き取ったものです」

溥儀はつかまえどころのない弁明をした。キーナンはたまりかねたように、

「私は次のことを提案します、問題になっている証人のノートを調べて戴きましょう、そうすれば証人自身のメモの原文に、公文書あるいは出版物に記載されていること、例えば米国独立記念日とか、太平洋憲章発布の日とか、ごく一般の公知の事実を書き加えただけのもので、何らかの目的のためにでっち上げたものではないことが、一目瞭然であるからです」

「あなたがどう云おうと、証人が昨日、云ったことをもみ消すことは出来ません、証人は法廷で、満洲においては鉛筆で原本を作り、その原本を東京でインキで書き写《うつ》したと云ったのであります、これはアメリカの独立記念日云々とは、全然、関係がないのであります！」

ウェッブ裁判長は、癇癪玉を破裂させた。裁判関係者は、溥儀が偽証したノートをめぐって、ウェッブ裁判長がなぜここまで依怙地《えこじ》になって、キーナンをきりきり舞いさせるのか、理解出来なかった。しかし、裁判の舞台裏では、天皇を訴追しようとするオーストラリアと、そうはさせじとするアメリカとの確執《かくしつ》が、日ごとに強まり、些細なことがもめごとを起す火種になっているのだった。

一　　＊

梛子《なぎこ》は、法廷が休みの土曜日の午後、支配人からの云いつけでインド代表のパル判事の部屋へ、京都、奈良の仏教美術の本を届けに行った。

連合国を代表する東京裁判の判事とはいえ、休廷になると、単身赴任のホテル暮しの味気なさから解放されたい一心で、避暑地の軽井沢、箱根へ飛ぶように出かけていく中で、パル判事だけは、土、日曜日もほとんど部屋に籠り、証拠書類の検討や書きものに没頭していることは、メイドたちから聞いていた。

三五八号室のドアをノックすると、長身のがっしりした体に、インド更紗《さらさ》のガウンを着、ノブにかけた手の先は、書きものをしていたのか、インキがしみついている。

「ご依頼になっていた仏教美術書を持って参りました、特にどのようなものにご関心がおありになるのか、私どもにはよく解りませんので、とりあえずすぐ入手出来る概括的

なものを揃えました、ご覧戴いて、こういう分野の本、あるいは資料とご指定下されば、私がお手伝させて戴きます」

抱えて来た英文の五冊をさし出すと、パル判事はもの静かな顔をかすかに綻《ほころ》ばせ、

「早速に有難う、これはあくまで個人の趣味なので、あなたも仕事の合い間に探してくれればいいです、時折、フロントでお見かけするが、日本語がよく出来るようですね」

「でも、仏教美術となりますと、何の知識もございませんので、十分、お役にたつか心もとないのですけれど、専門家の力を借り、ご希望にお応えしたいと思います」

「有難う」

白い歯をかすかに見せて頷き、ベッドと机と書籍、日用品ですっかり狭くなった部屋の一隅に、嬉しそうに積み上げた。

梛子はすがすがしい気持で、一階フロント奥の事務所へ戻ると、机の上にメッセージがあった。

ナギコへ　　　　　　　　　　チャーリーより
今夜、ヒロコ歓迎のスキヤキ・パーティを開く。メンバーは、僕たちとアモウ・ブラザーズ。至急、連絡されたし

妹が志願通り米陸軍病院の看護婦《ナース》として、日本へ赴任したのは、一昨日で、原爆で亡くなった両親のことや、ミネソタ大学の看護学科をスカラシップで卒業した広子の苦労などを、夜を徹して語り合ったのだった。その妹のために、賢治や忠も呼んでスキヤキ・パーティを開いてくれるチャーリーの気持は嬉《うれ》しかった。〝僕たち〟とことさらめいた云い方は厭だったが、妹は昔馴染に会えて喜ぶだろうし、上京していながら、賢治に寄りつかない忠が加われば、兄弟の齟齬《そご》も、ごく自然に溶けるのではないかという期待を抱いた。

チャーリーがセットした料理屋の二階で一同、久しぶりに顔を合わせたが、忠はいつまでたっても現われなかった。

「あれだけ云っておいたのに、怪《け》しからん」

チャーリーは、不機嫌に云った。

「ここが解らないんじゃないのか」

賢治が云うと、

「そんなことないよ、二週間前にも呼んでやったばかりなんだから」

「じゃ、そのうち来るでしょう、先にはじめましょう」

気まずくならないよう、梛子はスキヤキ鍋に脂をしき、糸ごんにゃく、長葱《ながねぎ》、牛肉を入れると、傍らから広子が酒、醬油、砂糖で味つけした。夏の盛りにスキヤキが出来るのは、この料理屋の主人がチャーリーの手づるでPXから米国製の冷房機を入手して取りつけているからだった。その

おれに、辟易《へきえき》するほどスキヤキを食べさせられていると、チャーリーは面白おかしく、広子に話し、座が賑った。

「もっと肉を入れろよ、ところでヒロコは、せっかく日本へ来ながら、なぜ東京でなく、広島の病院へ行きたがるんだ」

訝《いぶか》しげに聞いた。

「近い将来、広島に原爆患者のための医療センターが出来ると聞いたので、ナースとして働くならそこだと心に決めたの」

おとなしいが、芯《しん》の強さが窺えた。

「ABCC（放射能影響研究所）のことかい」

賢治が云うと、広子は頷き、

「さすがケーンは、戦略爆撃調査団の一員として仕事をしただけあって、詳しいのね、そのABCCは、目下、広島の日赤病院の一隅にあるという話だけど、医療活動をしているの」

「それがよく解らないんだ、僕らがレポートを提出して以後、一切の情報が伏せられている」

レポートの最後に記した意見が好ましくないと、削除を命ぜられたことを思い出しながら云うと、椰子は箸を置き、

「そういえばGHQは、こと原爆に関してはほんとうに神経質ね、チャーリー、このことは、目下の東京裁判と何か関りがあるの」

「いかに僕がマッカーサー元帥の副官であっても、そこまでのことは知らないし、知ろうとすること自体、危険だろうね、止そうよ」

原爆の話を遮り、座が白けた。

スキヤキ鍋が煮たっても、まだ忠は現われなかった。

「タダシ、もう来ないのね」

広子が心待ちしていたように、呟いた。

「必ず来るよ、堂々たる青年実業家ぶりを是非、見てやってくれ」

「青年実業家というのは、何度も聞いたけど、何の仕事なの」

椰子が、取り皿によそいわけながら聞いた。

「主に医薬品販売の仕事だ」

「オフィスはどこにあるんだ」

賢治が聞いた。

「新橋の焼け残った小さなビルとか云ってたな、知りたければケーン自身が、タダシに聞けばいいじゃないか」

チャーリーは冷淡に云い、肉と野菜を口の中へ入れた。

「親しくしていて、彼のオフィスを知らないなんておかしいわね」

「ヒロコまで嫌な云い方をするなよ、僕は下町の方はほんとによく知らないんだ」

「下町だって、東京でしょ」

椰子が、ぴしゃっと云った。

「なんだよ、せっかくのスキヤキ・パーティに、皆、妙に

絡むじゃないか、ヒロコの歓迎パーティを兼ねて、ケーンとタダシを仲直りさせてやろうと心づもりをしていたんだが割に合わんね、帰らせて貰《もら》うよ、勘定とチップは支払っておくがね」

本気で怒り、たち上りかけると、忠がぬうっと顔を出した。一見して上等のポーラのスーツを着、髪も七三に分けてポマードを光らせ、確かに青年実業家のいでたちだった。

忠は兄を一瞥しただけで、広子と握手し、

「何年ぶりだろう、ヒロコはイサムと同じ齢だから、今二十一かい、少女の頃しか知らないから、すっかり女らしくなって面喰うよ」

「それよりイサムが、ヨーロッパ戦線で死ぬなんて……」

「全くだ、僕がいたら絶対、行かせなかったのに」

瞬時、声を湿らせたが、

「僕は医薬品の方の仕事をしているから、ナースの君とは米軍病院で会うかもしれんね、今日はチャーリーに急ぎの相談事が出来て、残念だがすぐ出なければならないんだよ」

と云い、チャーリーに何事か耳打ちした。

「そんなこと、いちいち俺に相談しなくても、例のルートでかたをつけろよ」

「それが出来ないから、お願いしてるんですよ、頼みます」

何か狼狽している様子だった。

「仕方がない、今回限りだぞ」

チャーリーは不機嫌な顔になり、忠に拝み倒されるようにして出て行った。賢治は階段のところまで追って行き、

「忠、父さんは心臓を患っているんだぞ、怒ったり、すねたりするのもいい加減にしろ、フィリピンでのことは父さんに話して詫びて来た、俺を避けずに素直に話をしろよ」

まともな働き方をしているとは思えない弟を叱責《しっせき》すると、忠は二、三段下からくるりと振り向き、はじめて賢治の顔を見た。

「日本の軍隊へ入った僕には、もうアメリカ国籍はないんだ、兄さんが帰ってランドリーを手伝ってやればいいじゃないか、それが長男の勤めだろう、それともランドリーのような仕事は自分はせず、俺に押しつけようっていうのかい、虫がよすぎやしないか」

逆に喰ってかかり、とんとんと早足に階段を下り、チャーリーとともに姿を消した。

＊

溥儀《ふぎ》証人に対する反対尋問は五日目を迎えていた。証人台の溥儀は、不利なことには一切、「記憶にない」で押し通して、時々、薄ら笑いをうかべることもあったが、このところさすがに神経的に参っているらしく、めっきり顔色が悪く、当初の元皇帝の尊厳を保とうとしていたポーズに

も、変化が生じて来ている。

ブレイクニー弁護人はそんな証人の様子を観察しながら、尋問をはじめた。

「満洲国は、あなたが新京に到着する前に設立されましたか、それとも後ですか」

「私が新京到着後、満洲国臨時政府は成立しました」

「あなたが板垣氏と第一回の会見をする前に、あなたの顧問の誰かを使いに出したことがありますか」

「当時、私の顧問の羅振玉《らしんぎょく》、鄭孝胥《ていこうしょ》らは、常に日本人との往来があったが、個人的な言動まで知りません」

「あなたにお伺いしているのは、あなたが板垣氏と会見を行う前に、あなたの顧問を使いに出したのか、出さなかったのかという点です」

同じ質問を執拗に繰り返すと、溥儀もまた、同じ答弁を繰り返した。ウェッブ裁判長は、注意深く質疑を聞いていたが、ブレイクニーに向い、

「あなたは、証人の答えを無理に取ろうとしているようですね」

と口を挟んだ。

「私はどうしても答えを聞きたいのです、この件について私の立場を述べてよろしいでしょうか」

「述べて下さい」

ウェッブ裁判長は許可した。

「証人は一貫して、心ならずも帝位に即《つ》いたと証言し、彼の行為のすべては強制されたものであると云っています、しかし、もし強制されたものではないことを証明し、彼の証言を覆すことが出来れば、彼を証人として失格させることが出来ます、強制されたという証言を覆すには、彼自身が皇帝の地位を要請したことを立証する以外に、方法はないのであります」

満廷に、その通り！という気配が漂った。

「そういうことなら、質問を続けてよろしい」

検察側は阻止しかけたが、既にブレイクニー弁護人は発言台にたち、尋問を再開した。

「あなたは板垣大佐と会見される前に、あなたの顧問の羅振玉を板垣氏のもとに送って、あなたが皇帝として復辟《ふくへき》ないしは、執政になることに関し、その意を伝えたことがありますか」

「実に馬鹿げた話であります、その頃、皇帝など全く考えられないことでした、しかし、羅振玉がどういう考えを抱き、日本側に対してどんなことを云ったかは、知りません」

「羅振玉、鄭孝胥をはじめとするあなたの四人の顧問は、現在どこにいますか」

「彼らは皆、死んでしまいました」

四人の側近が全員死亡というのは異常であった。ブレイクニー弁護人は、

「板垣大佐が、あなたを最初に訪問したのは、実は羅振玉

の使いに答えるためであった、つまりあなたの方から希望した復辟問題を話し合うために、あなたのところへ出向いたのではありませんか、そしてその時、あなたは執政職には興味ないが、皇帝にはなる用意があると云われたのではないですか」

「ありません」

「それでは一九三一年（昭和六年）九月以降で、且つ、板垣会見の以前に、あなたは日本国の高官に対して書簡を出し、復辟を受諾する意思があることを伝えたことがありますか」

「そのようなことはありません」

　溥儀は、あくまで突っぱねた。その途端、ブレイクニーは右手に黄ばんだ大型半紙のようなものを振りかざした。

「これは証人自身が、当時の陸軍大臣であった南次郎被告に宛てた親書であります」

　と云い、証拠として提出した。ウェッブ裁判長に受理された書簡は、溥儀証人のもとへ廻された。

「それはあなたが書いた書簡ですね、あなたの清朝皇帝時代の名である宣統《せんとう》帝という印が捺《お》してあります」

　ブレイクニーが云った瞬間、溥儀は意味不明の奇声を発し、ばね仕掛けのように証人台からたち上った。

「お坐りなさい！」

　ウェッブ裁判長が大声で窘《たしな》めると、溥儀は唇をわななかせ、両手を合せ、合掌した。

「お願いです！　裁判長閣下、これは嘘《うそ》、嘘のみならず……」

　取り乱し、早口に喋りかけると、

「証人はこの手紙を書いたか、書かなかったか、はっきり答えなさい」

　裁判長は語気鋭く命じた。

「私が書いたのではありません！　彼らが偽造したのです、彼らこそ偽造の罪をおかしたのです！」

　衝撃のあまり、狂ったように叫ぶと、ブレイクニー弁護人は、

「証人に伺いますが、あなたは私に返答をする前に、その手紙をお読みになったのですか」

「もちろん、読みましたが、全くの偽造です」

「あなたの宣統帝の御璽《ぎょじ》を確認しますか」

「違います、私のではありません」

「それではこの手紙の内容を認めますか、概略、次のようなことが書かれています。

　今次満洲事変に対する国民政府の処置は妥当を欠き、支那《しな》と戦を開き民衆を苦しめているのは余の悲しむところである。茲《ここ》に皇室家庭教授・遠山猛雄《たけお》を日本に派遣し陸軍大臣南大将を慰問せしめ余の意中を伝える。

　我が朝（清朝）は政権を漢族に渡し、既に二十年を経たが民衆は塗炭《とたん》の苦しみにあり、わが朝の意図に反す

る。東亜の安定を強固ならしむるには日満提携し前途の障碍を解決せずんば禍根《かこん》を残し晏如《あんじょ》を得ず、この点に関し余は日夜心を砕きてあり、時局多端なる折柄《おりから》勤励を望む。

辛未《かのとひつじ》（昭和六年）九月一日

宣統御璽　　今上御筆　　鄭孝胥

いかがですか、あなたのお書きになった書簡に間違いないではありませんか、宣統帝の御璽が捺され、鄭孝胥の副署まで備っているではありませんか」

ブレイクニーが迫ると、溥儀は昂奮し震えながらも、

「いえ、違います、全くの偽造です……」

甲高《かんだか》い声で否定し、あとは何を聞いても知らぬ存ぜぬを繰り返すばかりだった。

「裁判長閣下、かくなる上は筆蹟鑑定を行い、溥儀証人の真筆であることを立証したいと思います」

「よろしい、筆蹟鑑定の申請を受理します」

ウェッブ裁判長が云うと、

「検察側からも、鑑定人を立てます、本人が書いたものでないという以上、偽造の立証をせざるを得ません」

キーナン首席検事も申請したが、迫力がない。

ブレイクニー弁護人の見事な反対尋問に引き続き、日本人弁護人の清瀬一郎博士が発言台にたった。

「あなたが第一回目に日本を訪問された時、詩をお作りになりました、裁判長閣下、ごく簡単な詩でありますから、証人に確かめてさしつかえありませんか」

「証人の現在の証言と不一致であることを現わしている字句ならよろしい」

裁判長が許可すると、清瀬弁護人は、

「あなたのお作りになった詩は、

海平似鏡　万里遠航（海は平かにして鏡に似たり　万里遠くを航す）

両邦携手　永固東方（両邦手を携えて　永く東方を固む）

古来、詩は本心から流れ出ずるものでありますが、これも本心の露われではないとおっしゃるのですか」

詰め寄ると、溥儀は一瞬、絶句したが、

「当時、日本の支配下にあり、その頃、詠《よ》んだ詩は、全く社交上の応対に過ぎず、それを私の心情が現われている詩などとは、お笑い草であります」

薄ら笑いをうかべて云いきったが、顔に脂汗《あぶらあせ》が吹き出し、両眼は空ろであった。

溥儀はこの法廷での証言が終れば、再びソ連へ連れ戻され、やがて中国の法廷で〝漢奸〟として裁かれることになり、この東京証言が深くかかわることは、容易に推察された。

六歳で清朝最後の廃帝となり、以後、流浪の人生であったとはいえ、一人の人間が生きのびるために〝心の祖国〟をも喪失した姿を目のあたりに見、賢治は暫し、モニターの職務を忘れていた。

*

天羽忠は、米軍憲兵司令部直轄のCID（犯罪捜査機関）に逮捕され、その後、身柄《みがら》を丸の内警察署へ移された。横浜の米陸軍病院の医薬品補給係の軍曹《サージャント》と組んで、荷揚げ中、沖仲仕《おきなかし》にペニシリンのケースを一箱、海に落させ、ダルマ船で晴海埠頭《はるみふとう》に揚げて、夜明け前に、国電新橋ガード下の忠の事務所へ運び入れようとしたところを、私服のCID捜査員に逮捕されたのだった。

直ちに日比谷《ひびや》交叉点角のビル内にあるCID本部へ連行され、軍曹と別々にされ、取調べを受けた。ペニシリンは日本の正規の末端価格で一本百円もする高貴薬だが、米軍供与のために量が少く、それで命が助かるならと、闇価格では十倍の千円にもなった。それだけに発覚すれば罪は重い。忠は動転したが、中味は何か知らず、運搬の手引きを頼まれただけだとシラを切り通した。事実、荷揚げ中、台湾人の沖仲仕を巻き込んだ大胆な抜き取りは、今度が始めてだった。

捜査官は以前から軍曹をマークしていたらしく「あのサプライ・サージャントは即刻、本国へ送還し、軍事裁判に処する、お前もいつまでも否認すると、米軍基地で強制労働に服役させるぞ！」と怒鳴りつけた。

忠は、同じように米兵と組んで経済事犯を犯した日本人十人と共に、丸の内警察署へ送られた。

丸の内署は、GHQのある第一生命ビルと道一本隔てたところにある。地下の留置場は狭く、薄汚ない。既に十数人が入れられている四坪ほどの柵《さく》の中にさらに十人も押し込められると、満員電車さながら、体がぶつかり、その度に罵声《ばせい》が飛んだ。よれよれの国民服やジャンパー姿、中にはりゅうとしたスーツ姿もあったが、留置場にぶち込まれて、はじめて犯罪行為を自覚して、震え上っている者もいる。

「天羽忠、出て来い！」

警棒を下げた警官が、大声で呼んだ。

のっそりと出て行くと、手錠をかけ、暗い廊下をひったてて、一階の畳敷きの刑事部屋へ入れられた。二畳ずつに仕切られ、和式机が置かれた前に、手錠のまま坐らされた。

二人の刑事が、正面と斜め前に坐っている。

「名前と住所は？」

「――」

「職業は何だ」

「――」

「いい加減にしろ！　CIDで喋ったことが、日本の警察

「二世といっても、貴様は日本軍に召集され、戦ったんだろう、戦地はどこだったんだ」

「フィリピンだ」

忠は、はじめて口を開いた。

「フィリピンのどこだ」

「米軍上陸地点のリンガエン湾で迎え撃ったものの、またたく間に押しきられ、バギオまで追い詰められた時、布団爆雷を抱いて敵の戦車隊に体当りするはずだったが、どういうわけか、戦車隊はくるりと反転してしまった、あの時、予定通り進んで来たら、とっくに死んでいた」

ぽつり、ぽつりと、忠が話すと、痩せた中年の刑事が、

「そうか、お前にもそういうことがあったのか、実は俺はニューギニアから帰って、五カ月だ、あのジャングルで飢え死にした戦友のことを思うと、こうして生きて帰って来たことすら、申しわけなくてな……」

ふうっと、吐息をついた。忠も口を固く結んだ。マラリアに苦しみ、飢餓《きが》にさいなまれ、ふらりと人肉を食べてでも生きのびようとしかけたあの生き地獄――。

「どうだ、戦場に散華《さんげ》した戦友に対して、申しわけないと思わんか」

情に絡めて、供述を促した。忠は吊《つ》り込まれそうになったが、

「俺は二世という、ただそれだけのことで、いつも猜疑の目で見られ、激戦になると、寝返りせぬかと、背中に銃をつけられ、いつ撃たれるか判らぬ状態で戦わされたんだ、そんな話せんのか！」

一喝されたが、忠は黙秘を続けた。

「お前、二世だそうだな、米軍の軍曹とはどこで知り合ったんだ」

「――」

「舐《な》めるんじゃない！」

突如、斜め向いの屈強な刑事が、忠の肩を鷲摑《わしづか》みにし、平手打ちしかかるのを、真向いの痩せた中年の刑事が、

「まあ、そう手荒なことはやめとけ、戦争が終って、民主主義、人権尊重の国に生れ変ったのだからな」

と制してから、

「CIDから廻《まわ》って来た調書によると、お前は横浜で陸揚げ中の荷の中から、ペニシリンの箱だけを狙《ねら》い、沖仲仕に海中へ落させたというじゃないか、それ以前には米軍から日本の国立病院へ割当てられるペニシリンの横流しをし、闇ルートで捌《さば》いていたという、だから、大儲けをしたんだろうが、毛布や砂糖などと違って、ことは人間の命にかかわるペニシリンだ、人の生き死にを左右する薬で儲けるとは、質《たち》が悪いとは思わないか？」

忠はぐっと、胸に来た。刑事に云われるまでもなく、自分自身、兄に大腿部を撃たれ、米軍の野戦病院で手術を受けた時、ペニシリンのおかげで、足を切断することも、跛《びっこ》になることも避けられたのである。

揺らいだ忠を、屈強な刑事が素早く見抜いた。

向けられたんだ、今さらそんな泣き落しの術《て》に乗らないぜ」

乾いた声で振り切り、

「確か隣りは、マッカーサー司令官がいるGHQだよな」

「それがどうした」

「そこの六階に元帥の副官のチャーリー田宮という二世がいる、彼に連絡して貰いたい」

「貴様とどういう関係なんだ」

屈強な刑事が、目を光らせた。

「親しい友人さ、俺が身柄を引き受けに来てほしいと、云っている、と伝えてくれればいいんだよ」

「ほう、大きな口を叩くじゃないか、お望みとあれば、連絡しよう、こっちもペニシリンの抜取り事件に、そのマッカーサー元帥の二世の副官とかが、どう関わっているのか、是非とも知っておきたいからね」

痩せた中年の刑事も、鋭い表情で云った。忠はしまったとほぞを噛んだが、今さら後へは引けない。

「どうした、今なら嘘でしたと、謝ればすむんだよ」

「嘘などつくものか、すぐかけてくれ」

忠は絶対、口外するなと戒められていたチャーリーの副官室の電話番号を告げた。

「チャーリー田宮というんだな、早速、おいで戴こう」

屈強な刑事は、部屋から出て行った。


「ハロー、こちら副官室、イエス、田宮中尉は私だ」

チャーリーは、おずおずと喋る下手な英語を見くびるように応答した。

「こちらは丸の内警察署です、確かにチャーリー田宮中尉でいらっしゃいますね」

「丸の内警察の誰で、用件は何だ」

チャーリーは、突慳貪《つっけんどん》に云った。

「失礼しました、私は副署長ですが、今、当署の経済事犯係の刑事が、CIDから廻されて来た被疑者の一人を尋問しておりましたところ、犯行を否認し、中尉の名前をあげ、身柄を引き取りに来てほしい、と申し出ました次第でして……」

天羽忠が、逮捕されたなと直感した。

「もしもし、被疑者は天羽忠という二世で、中尉とは昵懇《じっこん》の間柄とか――」

チャーリーは、顔から血が引くほど動揺した。

「アモウ・タダシ？　全く知らないね、なにしろマッカーサー元帥の副官に二世がいることが新聞に取り上げられて以来、時々、悪質な連中が、私の名をかたって、迷惑を受けている」

胸の動悸とは裏腹に、軽くあしらった。

「しかし、天羽は……」

「副署長、私の英語が聞き取れませんでしたか」

「いえ、おおよそは……」

「では、これで」

「ジャ……ジャスト　モーメント」

副署長は、必死にくらいついた。

「くどいですね、これ以上、失敬な言辞を弄すると、明後日、警視総監が元帥に新任の挨拶に来られるので、茶飲み話に申し添えておきますかな」

「いや、それはご勘弁を、署長はこの件をまだご承知ないので、私自身、もう一度、調べ直し……」

「そう、ではそのように」

チャーリーは、がちゃんと受話器をきると、すぐ市ヶ谷の裁判所の言語部にいる天羽賢治を呼び出した。

「おっ、チャーリー、君から電話とは珍しいね」

「ケーン、のんびりしている場合じゃないよ、タダシがCIDに検挙され、丸の内署で取調べられているんだ、副署長から電話がかかって来た」

「なに、弟が警察に？　何をしたんだ」

「どうせ米軍物資を横流しして、MPに捕まったんだろうが、俺の名前を出すとは何事だ、俺の地位、俺の職責を、何と心得ているのだ」

怒り心頭に発して、云い募《つの》った。

「チャーリー、丸の内署は、GHQの隣りだろう、僕もすぐ行くが、ともかく先に行ってやってくれ、兄として頼む」

「冗談云うな！　闇屋のタダシのために、のこのこ出向けば、俺自身まで痛くもない腹をCIDにさぐられ、迷惑千万だ、ともかく君がすぐ行って、問答無用で、身柄を引き出して来るんだ、間違っても事情聴取などに応じるんじゃないぞ」

高飛車《たかびしゃ》に云った。

「しかし……」

「しかしも、なにもない、この間、新宿警察の署長が民政局に楯ついて、馘《くび》になったばかりだから、タダシのことなど、東京裁判担当の陸軍中尉のIDカードを見せりゃあ、すぐ釈放さ、うまくやってくれないと、僕まで迷惑するんだからな」

迷惑という言葉を連発し、忠の身柄引受けを押しつけた。

賢治は、丸の内警察署で、弟がベルト、ネクタイ、財布などの所持品を返して貰い、身につけている間中、一言も言葉をかけずにいた。自分の弟でありながら、ほとほと情なかった。

「ここに署名、拇印《ぼいん》を捺《お》して」

若い警官が、むかむかした表情で云い、忠はふてくされたように署名し、朱肉をべったり指につけて捺した。

「寛大なご措置を、有難うございます」

賢治は、鄭重《ていちょう》な日本語で深々と礼をし、外に出た。

すぐ隣りのGHQの第一生命ビルはどの階も煌々《こうこう》と灯りがついている。

「僕は、チャーリーに来て貰うよう頼んだはずなんだがな」

忠ははじめて口をきいた。

「そんなことはどうでもいい、ペニシリンの闇で検挙されるなど、恥ずかしいと思わないか」

「だから、あんたの名前は出さなかったんだ、もともとペニシリンの仕事は、チャーリーの手づるで、米軍の軍曹に紹介され、それに見合ったリベートも、ちゃんと払っているのに、みんな薄情だ」

「馬鹿野郎！」

賢治は、忠の頰を激しく打った。忠はコンクリートの路上に、不様《ぶざま》に倒れ、道行く人は、賢治の米軍服を見て、かかわりあいにならないように避けて通り過ぎて行った。

忠はよろよろとたち上ると、泥をはたいて、歩き出した。

「待て、どこへ行くんだ」

「事務所にきまっている、どうせ家宅捜索が入って、滅茶滅茶にされてるだろうからな」

「云うことはそれだけか、情ない奴だ」

「また説教かい、だからあんたには来て貰いたくなかったんだ」

「そっちで話したくなくても、兄として、父の代りとして話しておかねばならん、これに懲《こ》りて、今後、破廉恥なことはやめ、まともに働くことを考えろ、東京で生きていく甲斐性がないなら、さっさと加治木へ帰れ！」

「なるほど、確かにあんたはご立派だよ、だが、あんたと俺とどう違うんだ、米軍の軍服を着ているか、いないか、それだけの違いじゃないか、グッド　バイ」

忠は、あんた呼ばわりで毒づくように云い、闇の中へ消えて行った。

忠の姿が見えなくなると、賢治はNYKビルの宿舎へ戻り、将校バーへ入った。

カウンターに肘《ひじ》をつき、独りバーボンを飲んだが、飲めば飲むほど妙に頭が冴《さ》え、酔えなかった。

チャーリーは、なぜ、弟の忠に米軍医薬品の横流しの手づるを紹介したのか。その上、事が露見すると、自分は何のかかわりもないのに迷惑だとしらをきり、弟ばかりか、賢治まで罵倒した——。賢治はまたハイボールを注文した。手錠をかけられ、腰縄をうたれた弟の惨めな姿が生々しく、瞼に残り、「あんたと俺とどこが違うのだ、米軍の軍服を着ているか、いないかだけの違いじゃないか」と毒づいた弟の言葉が、棘《とげ》のように胸に突き刺さっている。

賢治は、椰子に会いたいと思った。椰子は一週間前、YWCAの宿舎から駿河台アパートに移ったと報せて来たばかりで、所番地はうろ覚えであったが、二世の婦人部隊の宿舎である山の上ホテルの近くだということは記憶していた。

賢治は、夜の街にジープを走らせた。お茶の水駅前のポリスボックスで、駿河台アパートの場所を聞き、細い道に入ると、焼け残った一角に、戦前からのがっしりした二階建のアパートが見つかった。

管理人室で、椰子の部屋番号を聞き、扉をノックした。

「はい、どなた？」

名前を告げると、扉が開いた。

「まあ、ケーン」

突然の来訪に驚いた。

「――急に椰子と話したくなってね、いいかい」

「どうぞ、移ったばかりで散らかっているけど、食事まだだったら、何か用意するわ」

「有難う、もうすまして来たよ」

賢治は靴を脱いで上った。六帖、四帖半とキッチン、バス付きの簡素な部屋であったが、畳敷の感触が快かった。

部屋には本棚と洋服ダンス、食卓があり、殺風景なNYKビルの宿舎では味わえない生活感が漂っている。

「じゃあ、美味しい紅茶を入れるわね、昼間なら、ここから富士山が見え、眺めはいいのよ」

椰子は甲斐甲斐しく、ガスコンロに薬缶《やかん》をかけ、お茶の用意にかかり、賢治は、南側の窓際にたった。そこからは東京の暗い焼野が原が拡がり、ところどころ一塊《ひとかたまり》になった灯りが見え、徐々に復興しつつある東京の街の様子が望まれる。あの灯りの中のどこかに弟がいる。警察から釈放されたとはいえ、どこに住んでいるか、その住いさえ、告げなかった弟のことを思うと、胸が塞《ふさ》がった。

「ケーン、お茶が入ったわ、冷《さ》めないうちにどうぞ」

賢治は、我に返って振り向いた。

「どうしたの、突然、訪ねて来て、何も云わずに突ったっていて、今夜のケーンは変よ、何かあったのね」

大きな瞳がやわらかく光った。その瞳はいつも賢治を見守り、話さなくても、賢治の心の襞《ひだ》まで読み取る瞳だった。

「忠が、米軍物資の闇でCIDに捕まったんだ」

と云い、今夜あったことを話した。

「まあ、チャーリーったら、思いやりがないのね、彼ならCIDに顔がきくはずだから、黙って忠さんの身柄を貰い下げし、後でケーンに話すのが、男の友情じゃないかしら」

椰子は、チャーリーの不実をなじった。

「いや、弟を貰い下げに行くのは、兄弟として当然だが、フィリピンの戦場以来、どうしようもなくなった、あそこまで荒《すさ》んだ忠を見ると、投降させたことが悪かったのかと、ぐらついても来る……」

「ケーンらしくもないことを――、何といっても命が助かったのよ、忠さんだって、きっと解る時が来るはずよ」

椰子は、忠のことと、チャーリーのことで、二重に傷ついている賢治の胸中をいたわるように云い、紅茶を飲み終ると、

「ケーン、随分、疲れている様子ね、モニターの仕事って、

よほど厳しいのね」

「うむ、通訳の一言一句が、被告の量刑にかかわってくると思うと、おろそかに聞き逃せない。特に通訳の中には、厳しいテストをして採用したにもかかわらず、こういう軍事裁判には不向きな単なる言葉屋だけの者がいて、そういう通訳とペアになった時は、通訳とモニターの二役をすることになり、十五分で汗びっしょりになる」

「まあ、そんなプレッシャーが……、開廷第一日目の起訴状朗読の時、鵜沢《うざわ》博士が日本訳の誤訳を指摘され、私はそれが、検察団付翻訳部のミスとは知らなかったから、どきりとしたのよ、その後、ケーンがマイクのスイッチを切って、ムーラー言語部長と何か話し合い、言語部のミスでないことを表明したのでほっとしたわ」

賢治は、開廷の五月三日、椰子が傍聴に来ていたなど、はじめて聞く話だった。

「そうだったのか、第一日目から来てくれていたのか」

心が揺ぶられ、椰子の白い頸《うなじ》を引き寄せると、制しきれない荒々しさで口づけし、抱き締めた。椰子も堰《せき》を切るように、賢治の胸に体を投げかけた。

激しく燃えさかるような抱擁《ほうよう》であった。ロサンゼルス以来心の奥深くで消えることのなかった愛の歳月が一つに重なるように、二人は結ばれた。

愛撫《あいぶ》が止《や》み、抱擁を解《と》くと、

「すまない――」

賢治は、妻子ある身を詫びるように云った。

「いいのよ、いつかはこうなる時が来ると思っていたわ、それが自然なのよ、だからこれで、いいの」

まだ激しい愛撫のあとが尾を曳《ひ》いているように、椰子の瞳は潤《うる》みを帯び、賢治の広い胸の中で微笑《ほほえ》んだ。その微笑みは、日々、モニターの職務に神経を磨《す》り減らしている賢治にとっては、かけがえのない救いであった。

＊

椰子は、上京以来、はじめて広島へ帰った。

ホームに降りると、妹の広子と落ち合う呉《くれ》線の6番ホームへ渡った。チャーリーが開いてくれた歓迎スキヤキ・パーティから暫くして、広子は呉の米陸軍病院へ赴任していた。戦前、日本を訪れたことのない広子は、父母の墓に詣でたり、叔父たち親戚と会ったりしたいと思っても、日本語がよく喋れないため、椰子に休暇が取れたら、同行してほしいと云って来ていた。それが、思わぬ早い機会に実現することが出来たのだった。

去年、広島を出発した時と比べると、人の往《ゆ》き来がますます多く、出入りする列車は超満員で、車輛の連結部分、デッキにも大きなリュックや風呂敷包みを体にくくりつけた男たちが犇《ひし》めいている。椰子が乗って来た急行列車も、二等、三等車には洗面所までぎっしり人が詰まり、列車が停まる度に大混乱が起ったが、賢治のつてで〝進駐軍専用車〟と呼ばれる特別車輛の切符が入手出来、清潔なベッドで横になることが出来た。

椰子は大きなボストンバッグを足もとに置き、合コートに両手を入れて、山陽本線上りホームへ眼を向けた。原爆が投下されたあの日のことは二度と思い出すまい、と心に封じ込めてきたが、ホームに佇《たたず》む椰子の脳裡に、一コマ一コマが、くっきり浮かんで来る。

やがて呉からの列車が入って来た。まず担《かつ》ぎ屋のような人々がホームに飛び降り、広子が降りて来たのは、中程の進駐軍専用車からだった。一緒に来た将校たちと別れを告げ、椰子のところへ駈け寄って来た。

「あの車輛も、満員のようね」

「ええ、呉、広島間を往復する米兵は特に多いので、進駐軍の特権を振り廻すのはよくないけど、専用列車がなければ、私なんかどこへも動けないわ」

米軍のユニホームに似合わない気弱な笑いをうかべた。

二人は、両手にバッグを提げ、1番ホームの列車に乗り換えた。ローカル線のため、進駐軍用の車輛はついていず、満員列車にたった。窓の向うに、市街が見通せた。

「ここが原爆の落ちたヒロシマなのね」

駅前には、トタン屋根の闇市が賑っているが、その向うは依然として不気味な廃墟で、元産業振興会館の鉄骨だけが、人間の骸骨さながら、秋陽の中にたっている。

「あの時、広島にはもう一木一草も生えないだろうと云われたけど、ああして闇市がたち、人が生きることの希望を持ちはじめたのね、私もこうして生きている」

「姉さん——」

広子は、姉の手を握りしめた。二十分後には五日市駅に到着した。

叔父の家に着くと、広子は大歓迎を受けた。それは広子がはじめて会う日本の親戚のためにと、米軍物資を手一杯に持って来たせいでもあった。

「ほう、珍しいもんばっかりで、早速、虎造さん、せきさんの御仏前にお供えせにゃあ、おおきに、おおきに」

叔父は大げさに押し戴くように石鹼、タオル、缶詰めなどを受け取った。

「それにしても、女で少尉さんとはたいしたもんじゃなあ、井本の家で、軍隊で一番えろうなったのは松夫というて、広子には解らんやろが、又従兄弟《またいとこ》に当るのがおったが、それでも軍曹じゃった、女の将校さんとは、やっぱりアメリカじゃな」

頻りに感心した。叔母も、

「虎造さん、せきさんが生きてなさったら、どないにか喜ばれたことじゃろう、広子さんは、せきさんの若い頃と瓜《うり》二つじゃ、南無阿弥陀仏《なむあみだぶつ》、南無阿弥陀仏」

手を合せた。

「パパやママがいたのは、どこですか」

広子が、聞いた。

「ああ、向うの離れじゃったが、椰子さんが東京へ行きんさってからは、空家では何やし、三男夫婦が入っているのじゃ」

見られぬように、戸惑い気味に応《こた》えた。

「ヒロコ、父さんたちの墓へ詣《まい》りましょうよ」

椰子は、桶と柄杓《ひしゃく》、線香、蠟燭《ろうそく》を持って、畦道《あぜみち》へ出た。稲穂が稔《みの》り、ところどころに薄い煙がたっていた。

「ここがパパたちの生れたところよ、どんな気持？」

「ぴんとこないけど、ロサンゼルスで週末に日本語学校へ行かされていた頃、習った歌を思い出すわ、ラビットが走ったとかいう歌詞だったわ」

広子が、姉と話す時は、すべて英語だった。椰子は桶を持ち直し、

「ラビット？　ああ、あの歌のことね」

〽うさぎ追いし、彼《か》の山
　小鮒《こぶな》つりしかの川

『ふるさと』を口ずさんだ。広子はすぐハミングで合わせてき、

〽こころざしを果して
　いつの日にか帰らん

正確な日本語で歌った。

「まあ、三番まで覚えているの」

「ここだけよ、パパや、仲間うちのガーデナー（庭師）たちがよく歌っていたもの、リッチマンになって、いつか必ず故郷へ帰るんだって――、それがここだったのねぇ」

広子は、複雑な表情で云った。畦道を通り、小高い路をぐるりと曲ると、瀬戸内海が、木の間隠れに見え、その先に井本家代々の墓所があった。

二十基ほどの墓石がならび、一番端に虎造、せきの木の墓標がたっていた。

彼岸の折から、掃《は》き浄められた墓所には落葉がまばらに散っていたが、墓石の中でただ一つの木の墓標は侘しかった。

「これがパパたちのお墓……」

「ごめんなさいね、早く安らかに眠って貰えるようなお墓をたてたいのだけれど」

椰子は、墓標の周りの落葉を掃き、線香に火をつけ、合掌した。

広子は声を洩らし、すすり泣いた。椰子には父母と分ち合った日本での生活、原爆への憤りがあったが、広子には日本へ一緒に帰ることを拒み、一人、アメリカの大学に残って両親と生き別れになった悔《く》いがあった。

椰子は、広子の傍を離れ、先祖代々の墓、親戚の墓にも水をかけ、線香を手向《たむ》けた。一基ずつ、手を合わせながら、椰子はここが自分の郷里であり、自分の国であることを強く感じた。

涙を拭った広子に、墓碑銘の人々と自分たちの血縁を説明し終ると、

「姉さん、こちらへ来てショッキングなことを、いろいろ聞くの」

広子が云った。

「どういうこと？」

「合衆国は、原爆治療センターを作るのではなく、調査研究の機関を作るのですって、つまり治療ではなく、放射線の人体への影響を調査するのが目的なんですって、それじゃあ被爆者はモルモット代りじゃない」

広子のその言葉に、椰子は、どきりとした。

「誰がそんなことを」

「呉に一カ月いれば、少しぐらい解るわ、この間、日本のあるドクターが原爆病について研究論文を出したら、MPに連行され、論文はまだ返して貰えないんだって、入院したがらない患者は、米軍病院が迎えに行ってケロイドのカラー写真を撮りまくる、自宅で死亡した人も、どうして聞きつけるのか、通夜の弔問客がいなくなると、真夜中に米軍の車がすうっと来て、遺体を運び出して解剖し、終ったらきれいに縫合《ほうごう》し、翌日の葬式に間に合うように人目のつかない未明に返すそうよ、解剖させて貰ったお礼として金一封が支払われるということまで聞いたわ」

「まさか……」

椰子は、怒りで体が震えた。治療のために、研究調査は必要であろうが、被爆者をモルモット扱いしているとしたら許せない。いかに戦争とはいえ、原爆投下は人間が犯してはならない行為ではないか。それをドイツには投下せず、日本へ投下し、さらに人体への影響を、モルモット代りに調査しているとは、人種的偏見も甚しい。

椰子はもう一つの祖国、アメリカを憎悪した。

九月下旬の京都の山々は、緑がやや薄くなり、黄ばみはじめる前の秋らしい落ち着きを見せる。

賢治は、裁判所の仲間たちと土、日曜日を利用した京都観光のツアーに加わり、バスの窓から戦災を免れた古都の風景を眺めながら、今頃は広島から京都に向いつつある椰子のことを思っていた。

グループの一行は、裁判所の翻訳、速記、資料調査、警備関係など各部の将兵たちだった。修学院離宮、桂離宮をめぐると、ワンダフル！ ビューティフル！ を連発し、英語のガイドがついているのに、賢治を摑えて、回廊式の建築様式や庭園の造りについて質問した。

「ケーン、あんな部屋や廊下の冷暖房はどうしたのだろ

う」

「キッチンが見当らなかったが、食事はどこで作って、どんなワゴンで運ぶんだい」

およそ人工の美の極致を鑑賞する時、思いもつかない質問が次々に飛び出した。賢治は呆れかえると同時に、うんざりし、腕時計を見た。

間もなく正午だった。賢治は予めグループの一行に、午後からは別行動をとることを、断わってあった。

昼食をすませると、賢治はチャーターしておいたタクシーに乗って、京都駅へ向った。

午後一時四十分、列車が着くと、コートを小脇にした梛子が、ボストンバッグ一つの身軽な装いで降りて来た。

「ここだよ、疲れただろう」

両親の墓参で悲しみをあらたにしたであろう梛子の気持を思い、言葉少なに云った。梛子は強《し》いて明るい表情で、

「これでヒロコを連れて、両親の墓参りも、叔父の家への挨拶もすませて、ほっとしたわ」

気持に区切りをつけるように云い、

「ケーンと二人で、秋の京都を観られるなんて思いもかけないことだわ」

「じゃあ、少し宿で休んでから出かけることにしよう」

賢治は、京都で二人だけの夜を過せるように、グループの都ホテルとは別に、鴨川べりの日本旅館を予約しておいたのだった。

「有難う、でも、曇って来て、あやしい空模様だし、進駐軍専用車のおかげで疲れていないから、このまま出かけましょうよ、どこへ連れて行って下さるの？」

「秋の京都だから、どこも皆美しい、まず嵯峨野《さがの》の西芳寺《さいほうじ》、あの苔寺《こけでら》は一見の価値があると思うんだけど、どうだい」

「いいわ、戦前、日本へ来た時、京都見物もしたけれど、金閣寺、銀閣寺、清水、嵐山といったポピュラーな名所旧跡しか観ていないの」

「思案のし甲斐《がい》があったよ」

賢治は待たせてあるタクシーを、洛西《らくせい》の嵯峨野へ走らせた。

桂川《かつらがわ》を渡り、松尾大社の前を通り過ぎて、小高い山裾の道を辿った。杉と檜《ひのき》の老木が生い茂った木立が続き、ようやく西芳川のせせらぎに出ると、そこが西芳寺のある葉室《はむろ》の里であった。石橋を渡り、長い土塀に沿って西芳寺の門前に出ると、小雨がぱらつきはじめた。

「時雨《しぐれ》なのね――」

梛子は、車から降りたちながら云った。

「苔寺を訪れる時、雨に遭うとは、よくよく恵まれているそうだよ」

賢治は門前の茶店で、雨傘を借り、梛子にさしかけて山門をくぐった。雨模様のせいか、ここまで訪れる外人観光客はない。一歩、庭に足を踏み入れると、眼前に緑の茵《しとね》のような苔が敷き詰められ、樹木の肌も苔むして、人の心を

魅了し尽してしまう。長い歳月の積み重なりが産み出した繊細な自然の美しさに二人は見とれた。

モスグリーンの苔道を奥へ奥へと歩んで行くと、暫し時雨が止み、樹間から陽が射した。重なり合う杉苔やびろうど苔、ひめすぎ苔など、十数種類の苔の細い針のような葉先に露が宿って、息づいている。微細に見ると、苔の種類ごとに、濃緑《こみどり》や真珠色や紫がかった露が、まるで宝石の粉を葉先につけたようにきらめいている。

「苔が水を含むと、こんなに美しいものとは知らなかったわ、一粒、一粒、光る苔の露を見ていると、宝石より素晴しいのね」

椰子は吸い込まれるような眼ざしで見入った。賢治も、

「自然の地下水を吸い、長い歳月を経て苔むした生命力の美しさだ、こうした日本の自然の美は、アメリカ大陸には見られない——」

そう云い、腰を屈《かが》めた。湿気を帯びて蒸せるような青い苔の匂《にお》いが鼻を衝《つ》いた。賢治の脳裡に、セイジブラシしか生えない砂漠の中の強制収容所の砂嵐が横切《よぎ》った。椰子は、雨に濡れてみずみずしく膨《ふく》らんでいる苔を撫でるように、触れた。

不意に、鋭い鳥の啼き声がし、静寂を破った。

「鵯《ひよどり》の声のようだな」

賢治は、樹間を見上げた。三万坪の庭内には、多くの鳥が棲《す》んでいるようだった。

椰子を促し、高い傾斜になっている裏山への道を登って行った。雨に濡れた苔道に足を滑らせながら、やっと頂きに登ると、岩石《いわいし》の一群があった。緑の茵の裏山に突如として現われた石組みは、枯山水《かれさんすい》を模していた。

「椰子、この枯山水は、天地人の世界を凝縮したものだよ、教会の中でしか凝縮した世界を見ていない欧米の白人たちには、おそらく、この禅《ぜん》に近い最も日本的な凝縮の意味が解りにくいだろうね」

「この間、龍安寺《りょうあんじ》の石庭を見てきたというホテルのお客様と話したのだけれど、全く興味をそそられなかったというの、石の芸術なら、アメリカのグランドキャニオンの方が、はるかに変化があり、壮大で芸術的だと云われ、全然、話がかみ合わなかったわ」

「そうだろうね、日本人は限られたある空間、たとえば茶室などその代表的なものだが、極限の世界で優れた才能を発揮するからね、石で枯山水を型造り、天地人の世界を創造出来るのは日本人ぐらいだろう、中国人、韓国人は、石に向うと、きまって仏像を彫ってしまうからねぇ」

賢治と椰子の語らいは、尽きることがなかった。一つのものを見て、同じ次元で興味を持ち、理解し合えることは、平凡なように見えて、男女の間柄では稀《まれ》なことである。それだけに賢治は、椰子と話している時の心の憩《やす》らぎ、豊かさが得難いものに思えた。

また時雨《しぐれ》て来た。枯山水の岩山から、もとの道をひっ返

して来た時、椰子は足を停めた。

道から少しそれたところに水面が光っている。その方へ足を向けると、心字形の池で、透明に澄んだ水底に、緑の藻《も》が絡《から》まり合うようにゆらゆらと揺れている。そのくせ、水面は揺らがない。苔に縁取られた池の底で、人に知られず、絡まり合うように揺れている水藻は、封じられた人間の情念のようにも思えた。

その夜、賢治と椰子は、四条大橋に近い鴨川べりの日本旅館に泊った。

二階の座敷の窓には京風の四枚障子がはまり、障子の外側はゆかになり、その下を鴨川のせせらぎが流れている。枕行燈《まくらあんどん》に淡く照らし出された寝具は、艶めかしかった。

枕灯りを消すと、椰子は、賢治の厚い胸に抱かれた。昼間見た池の水底の藻のように互いに体を絡め合い、燃え尽してしまうような烈しさで愛撫し合った。

愛撫が終ってからも、体を解《と》かず、眼を閉じていた。密生した苔のむせかえるような生々《なまなま》しい匂いと、水底に封じられ、絡まり揺らぐ水藻のような情念が、いつまでも二人を結びつけていた。

＊

京都から帰った夜、椰子のアパートで過し、翌朝早くNYKビルに向っていた賢治《けんじ》は、丸の内でMPの検問に遭《あ》った。

六時になったばかりで、いつもなら赤煉瓦《れんが》の三菱《みつびし》ビル街はまだ朝靄《あさもや》に包まれているのにと、不審に思い、ジープを停めた。

「IDカードを見せろ」

若いMPが駆け寄って来た。身分証明書を示すと、

「所属部隊、もしくは機関は？」

重ねて職務尋問した。やむなく極東国際軍事裁判所のカードを提示すると、MPはさらに色めきたった。

「こんな早朝、どこへ行っていた」

「昨夜、友人の家で飲み過ぎ、車が運転出来ないので泊り、NYKの宿舎へ帰るところだ」

目と鼻の先のNYKビルを指すと、

「ちょっとこのまま待て」

パスさせてくれず、上官のところへ足早に報告に行った。

一体、何が起ったのか、MPは相当数いる。

つかつかと憲兵大尉が寄って来て、自ら賢治の身分証明書と裁判所通行カードをチェックした。

「裁判所での職務は？」

「言語部所属のモニターです」

「言語部長の名前を云ってみろ」

「ムーラー中佐」

と答えると、

「OK、行っていい」

「何か事件が発生したのですか」

「何もない、だが、東京裁判の関係者がこんな時間にこのあたりをうろうろしていると、どんな嫌疑《けんぎ》にひっかかるか知れんぞ、早く行け！」

尋常でない厳しさで命じた。

宿泊先を追及されずに放免になると、ものものしい警戒ぶりが一層、気になった。はじめの若いMPといい、今の憲兵大尉の様子といい、事件は裁判関係絡《がら》みの気がする。法廷では目下、日独伊三国同盟段階が始り、合衆国代表のタベナー検事が冒頭陳述を開始したところだが、それと何らかの関連があるのだろうか？　あるいは巣鴨《すがも》拘置所の被告の誰《だれ》かが……、賢治はNYKビルへ急いだ。

五階の自分の部屋《へや》へ直行せず、地下駐車場から一階へ上った。一階から四階まではG2（情報）のウィロビー少将が率いるATISのオフィスである。

一階には誰もいなかったが、二階へ上ると、十数名の白人や二世将校が寄り集まり、声をひそめて話している。その中には、マッカーサー元帥副官になって以来、ATISに来たこともないチャーリー田宮までがいた。

椰子のアパートからの朝帰りで、チャーリーに対して、忸怩《じくじ》たるものがあったが、緊迫した気配に、そんな感情はすぐふっ飛んだ。

「おい、何が起ったんだ」

賢治は、チャーリーに聞いた。

「どこへ行ってたんだ、探《さが》してたんだ」

「いや、ちょっと——、今、丸の内の三菱館のところを通りかかったら、MPがものものしい検問をしていたが、裁判関係で何か事件でも起ったのかい」

「よく解ったな、実はその三菱ビルの三号館で、東京裁判のソ連側証人としてハバロフスクから連れて来られた関東軍のゼネラルが死んだんだそうだ」

「えっ！　三菱三号館が、ソ連代表部の別館だとは、薄々、聞いていたが、関東軍のゼネラルが連行されていたなど、聞き初めだ、死んだのは誰なんだ」

「関東軍鉄道司令官の草場辰巳《くさばたつみ》という中将だ、何でも昨日《きのう》か一昨日《おととい》、他の二人の証人と飛行機で日本へ着き、三菱三号館に入れられていたが、草場中将は一人部屋にいたそうで、今朝早く、ソ連将校が部屋へ見廻りに行ったら、死んでいたというのだ」

「死因は？」

「青酸カリによる服毒自殺ということらしいが、真相はまだ解らない」

チャーリーが云うと、傍らから、ケネス阿川が、

「ソ連のシベリア抑留者の荷物検査、身体検査は厳重を極めているのに、ソ連側証人として日本へ連行されて来た証人が、東京に来るまで青酸カリを所持しているのが発見されなかったとは、どうも腑《ふ》に落ちないね、こういうことを防ぐために、奴らは、証人の服の折り返しから縫い目まで

調べ、身体検査ごとに素っ裸にして、口、鼻、耳、臍《へそ》、肛門、足の指の間と徹底的にチェックするのですよ、たとえ小さいカプセルに入れていたとしても、隠しおおせるはずがないのですがねぇ」

「すると、君は自殺じゃないというのかい」

チャーリーが、声をひそめた。

「あるいは毒殺されたのではないかという推論も可能です、この間、シベリアへ送り返された満洲段階の溥儀と異り、今度はソ連自身が、ソ連側の証人として連れて来ている日本の軍人です、シベリアでは強制的にソ連有利の口供書を取られたとしても、この焼け野原の祖国へ連れて来られ、気持が変ってソ連の操り人形になるのを拒んだとしたらどうなります？」

「うむ、傀儡《かいらい》皇帝の溥儀のあの怯え方を考えると、もしかして……、ケーンはどう思うかね」

チャーリーは、賢治を顧みた。

「考えられないことではないが、他の二人は無事なのか」

ケネス阿川に聞いた。

「その二人が誰なのかも、まだ摑めていない状態です、草場中将が一人部屋で、他の二人は合部屋《あいべや》だということなので、階級は中将以下、となると、関東軍司令官の山田大将や参謀総長の秦《はた》中将ではないわけです」

「中将以下の階級で、日本の対ソ戦を証言する証人というと、一体、誰だろう、陸軍省兵務局長だった田中隆吉少将のように、上官だった板垣《いたがき》、土肥原《どいはら》、梅津被告を指して、侵略戦争を命令したのは彼らだと、弾劾《だんがい》するつもりなんだろうか」

チャーリーはその方に興味をそそられるように云ったが、賢治はハバロフスクから敗戦の日本に連行されて来た草場という一人の中将の死が、いたましかった。

＊

十月一日、賢治たち裁判関係者にとって強い関心のあるニュースが入って来た。ドイツのニュールンベルク裁判の判決が、日本時間の午後六時半から放送される予定であった。

言語部の部屋でもラジオをセットし、在日米人向けのFEN放送をずっと流していたが、八時をすぎてもジャズが流れてくるばかりだった。

「遅いな、ナチの二十二名の被告に、どんな長ったらしい判決理由を申し渡しているんだろう」

一番若いハリー宮原が云うと、メキシコ風の髭を生やしているホセ森が、

「何といってもドイツの南部、ナチス発祥の地、ニュールンベルクから伝って来るニュースだから、そう早く極東の日本へ流れて来るはずがないじゃないか、ま、飲めよ」

ポケット・ウイスキーを放り投げた。ハリー宮原は器用

に小瓶を受け止め、
「今朝のニュースによると、ニュールンベルクの町では千名の米占領軍が警戒に当り、被告に接近しようとする不穏分子の監視に当っているらしいね、最後の面会に来た被告の妻子たちも判決前夜の十二時を期して、ニュールンベルク市から立ち去れという命令が出ているそうだ、だが、肝《かん》腎《じん》のヒットラー総統が、降伏直前に愛人のエバ・ブラウンと自殺してしまったのだから、いわば東京裁判における東条のような目玉がなくなっている、それなのにそんな厳しい判決が出るのだろうか」

ウイスキーをラッパ飲みにしながら、云った。

「その見当はつかないけど、被告たちは徹底的に無罪を主張しているんだな、ケーン、君は八月三十一日の最終弁論を聞いたかい」

四人のモニターの中で、最も陽気で弁もたつジョン小寺が、足をテーブルにおいて云った。

「ああ、『スターズ・アンド・ストライプス』で読み、日本の被告と随分、違うなと驚いたよ、戦犯第一号の空軍元帥ゲーリングは〝私は、戦争を望まなかった、交渉によって戦争を回避するべく私は全力を尽した〟と、堂々とぶちあげたというし、副総統でヒットラーと二人三脚を演じて来たヘスは、〝私は総統や国民に対して自らの義務を果たすことができて幸せだ〟と云いきり、さらに神は自分に無罪を云い渡すはずだと陳述したそうだ」

「それに外相のリッベントロップの弁もふるっていた、最終弁論で、『現在の米英対ソ連の関係は、自分が外相時代のドイツ対ソ連と同じジレンマに陥っているが、私よりうまく交渉していい状態に持っていくようお祈りする』などと、ぬけぬけと、スピーチしたのだから大したものだ、彼らはやはり国際政治の中で鍛え上げて来た強者《つわもの》だと感心したよ」

相槌《あいづち》を打った時、ハリー宮原が、

「はじまるぞ、静かに」

ラジオの音量を上げた。

「ニュールンベルク国際軍事裁判所は十月一日、被告二十二名のうち十二名に絞首刑、七名に終身刑乃至《ないし》禁錮十年の刑を宣し、三名を無罪としました。イギリス代表ローレンス裁判長が、各被告に下した判決は以下の通り。

ゲーリング元《もと》空相、絞首刑

ヒットラーについでナチス政権に最大の支配力を有し、ヒットラーを除けば侵略戦争の最大の原動力であったのは疑いの余地がない。

ヘス元副総統、終身刑

オーストリア、チェコスロバキアおよびポーランドに対しての侵略を犯した。当時精神異常は認められない。

リッベントロップ元外相、絞首刑

占領諸国および枢軸衛星諸国における活動により、戦争犯罪および人道に対する犯罪について責任を有する。

カイテル元幕僚長、絞首刑
上官の命令に従ったというが、酌量《しやくりよう》の余地はない。意識的かつ残忍、恐るべくして且《か》つ大規模な犯罪を犯している。

カルテンブルンナー元ナチ保安隊長、絞首刑
オーストリアにおける親衛隊総指揮者としてナチの陰謀に活発な役割を果した、強制収容所の実情を十分、承知し、且《か》つ俘虜《ふりよ》処刑の命令を下した」

続いて、ナチ哲学者、元ポーランド総督、元外人労働監察官らが、絞首刑の判決を受けたことが告げられた。

ニュースが終ると、賢治は、ニュールンベルク裁判の判決を報《しら》せてほしいと頼まれている郷土の先輩であり、駐独日本大使館員であった島木文彌に連絡するために、席をたった。


島木が起居している四谷の事務所を訪れると、待ち構えていたように、

「どうだった、判決は？　日本のラジオニュースはまだなんだ」

と聞いた。賢治が量刑と内容を記したメモを見せると、

「そうか、十二人も絞首刑……、予想していたより絞首刑が多い——」

ショックを受けたように黙り込んだ。


「ニュールンベルク裁判は、共同謀議《コンスピラシー》による侵略戦争を強く指弾しながら、結果的には個人別に戦争犯罪を裁きましたね、この判決は、東京裁判にどんな影響を与えるのでしょうか」

賢治が聞くと、島木はようやく口を開いた。

「侵略と共同謀議では死刑にならないのだろう、個人責任の論点をみていくと、ゲーリング、リッベントロップをはじめ、皆、何らかの形で残虐行為にかかわった者が、絞首刑を科せられている、副総統のヘスが助かったのは、早期にイギリスへ逃げて、ユダヤ人虐殺、俘虜虐待にかかわっていないから、終身刑ですんだんだろう」

「そうすると、東京裁判の被告たちは、残虐行為で処刑されることは、あまりないと考えられますね」

賢治がやや眉を開くように云うと、

「いや、そう簡単に安心出来ないな、ニュールンベルク裁判の判例は、何かと日本の裁判に影響を及ぼすだろうから、日本の被告たちを何でもかでも残虐行為の責任者に結びつけて、やっつける懸念もある、この間の南京《ナンキン》虐殺をはじめ、シンガポール、マレーに於ける俘虜虐待の検察側のやり方を見ていると、次から次に現地から証人を喚問して、いかに日本軍は残虐行為を行ったかを世界に示し、出先の責任者のみならず、その時の司令官、参謀長、外務大臣あたりにまで、その責任を負わせようとしているようにも取れる——、それにしても、ドイツがユダヤ人に対して、あんな

大規模な殺人を行っていたとは——」

島木は顔を曇らせた。

「じゃあ、島木さんたちが、ドイツにいらした時は、ナチのユダヤ人虐殺のことはご存知なかったのですか」

「ちらほら、噂には聞いていたが、何しろゲシュタポ（国家秘密警察）の力が強大だから、日本大使館も実態については、知らなかった、だから、われわれがドイツで捕えられ、アメリカへ送られて抑留中、このユダヤ人大虐殺の話を聞かされても、連合国側の宣伝だろうと、思っていたほどだ」

曾ての同盟国が、国際法上、最も厳しく禁じられている罪を犯したことを惜しむように云った。賢治は、絞首刑宣告第一号のヘルマン・ゲーリングのことを聞いた。

「ヒットラー総統の下に何人かの元帥がいるのに、特にゲーリングにだけ〝国家元帥〟という肩書がついているのは、どういう意味なんです」

「ゲーリングは、ナチスドイツの事実上のナンバー・ツーで、ドイツの陸海空三軍を世界一の軍隊に作りあげたという自負《じふ》がある、その上、名門の出ということもあって、極めて誇り高く、自己顕示欲の強い人だった、〝国家元帥〟という称号を自ら作り、軍服も黄金の肩章と、ダイヤ付鉄十字章を飾った特別の軍服を作らせていた、その彼が一度だけ、カリンハレーの別荘に、われわれを招いてくれたことがあったよ、日本が真珠湾攻撃をやり、マレー沖でイギリスのプリンス・オブ・ウェールズ号を撃沈した時、自分で絶対、電話をかけないゲーリングがその時だけ、日本大使館付海軍武官に、勝利を祝いたいからすぐ来てくれと電話して来た、突然のことなので、たまたま居合わせた私が通訳として、野田中将、横川武官らに随行し、ベルリンの北東、七、八キロのカリンハレーに車を飛ばした、一山がその別荘で、鹿狩《しかが》りが出来、地下には二トン爆弾に耐え得る幕僚会議室が設けられていたよ、われわれは、フランスから持ち帰ったという名画の掲《かか》った広い部屋へ通され、ゲーリングから握手されたが、こちらの骨が折れそうなほどの力で、ぐうっと握られ、驚いたよ、葡萄酒で乾杯をするなり、日本海軍があれだけやれるのは、何か魚雷の新兵器があるはずだ、教えろと、切り出した、野田中将らが口を揃えて、特別の新兵器はないと否定しても、そんなことはないはずだと喰い下り、やむなくパールハーバーの時は、湾の水深の関係から、特殊な安定装置をつけて、深く潜《もぐ》らず、早く調整深度に達するようにしただけのことですと、応《こた》えると、ゲーリング曰《いわ》く、私は世界一の空軍を作ったが、今の話を聞き、たった一つ失敗した、飛行機からの魚雷攻撃は難しいから爆弾でやる方針に変えたのは間違いだ、今からでも日本の魚雷技術を学びたいから、同盟国の誼《よし》みで送ってほしい、と申し入れたのを覚えているよ」

「それで、日本から魚雷を送ったのですか」

「早速、七、八十本送ったらしいね、今にして思えば、このゲーリングや、リッベントロップ外相にかかっては、日本の松岡外相も、大島大使も巧く躍らされて、日独軍事同盟を結んだとしか云えないね、先日来、日独伊段階の検察側の立証で、連合軍が入手したドイツ外務省の秘密外交文書や、日本の門外不出の枢密院及び外務省の公文書、記録が法廷に提示され、一等書記官であった私も知らなかった日独秘密外交の実相が明らかにされた、特に昭和十六年十一月、日米交渉が暗礁《あんしょう》に乗り上げた時、日米開戦の暁《あかつき》には、ドイツも即時、これに参加すると説いて日本に開戦を促したということに至っては、全く背筋が寒くなった――、このドイツ以上に手強いのがソ連だ、東京裁判もいよいよ、ソ連段階の審理を迎えようとしているが、怖しい気がするよ」

既に、ソ連から証人として連行されて来た三人の日本の軍人のうち、一人の中将が自決とも、謀殺ともしれぬ死に方をしていたが、賢治は職務上、それを口にすることは出来なかった。

＊

十月八日、東京裁判はソ連段階の審理を迎えた。既に国際検察団から、ソ連側証人に予定されていた草場中将の自殺が公表されていたから、法廷にはいつもと異なる一種不気味な気配が漂っていた。

天羽賢治らモニターは、この日から、来賓席の上段に設けられた一段と高いガラス張りの部屋《ブース》に、言語部長、言語裁定官、通訳とともに入ることになった。法廷中央の平場《フロアー》と異り、雑音が入らず、神経も散らず、法廷の情況がガラス窓を通して俯瞰《ふかん》出来る。

午前九時三十分、ヴァンミューター執行官が開廷を告げると、ソ連のゴルンスキー検事はこの日を期していたように、いかめしい軍服姿で発言台にたち、冒頭陳述を開始した。

「ソ連に対する日本の侵略を立証するためには、起訴状に包含されている期間以前の歴史的事実をも述べなければ、被告たちの罪科を正しく理解し、判断することは不可能であります。

一九〇四年（明治三十七年）日露戦争開戦にあたり、日本は旅順《りょじゅん》に不意打ちを行った。それは日本の伝統的戦法であり、同じことは一九四一年（昭和十六年）十二月の真珠湾攻撃においても繰返されている。また日本は一九一八年（大正七年）のシベリア出兵当時、偽政権をシベリアに樹立せんとして、セミョノフ将軍を担《かつ》いでいるが、これも直接、侵略を胡麻化す日本の伝統的政策で、同じことは今回の満洲国傀儡政権にも行われていた。これらによって証明される如く、満洲事変、日支事変及び太平洋戦争は、日本の軍国主義者によって計画された一連の侵略戦争であって、張《ちょう》鼓峰《こほう》、ノモンハン両事件、関東軍特別演習等のソ連に対する侵略も、その一環をなすものである。日本のソ連に対する侵略は、次の四段階に分たれる。
第一期は一九二八年（昭和三年）から一九三一年（昭和六年）の満洲占領まで。
第二期は一九三一年（昭和六年）から一九三六年（昭和十一年）の防共協定締結まで。
第三期は一九三六年（昭和十一年）から一九三九年（昭和十四年）の欧州戦争勃発まで。
第四期は欧州戦争勃発より日本降伏に至る最後の期間に至るまでである」

と区分し、英文六十五頁、日本文七十頁におよぶ膨大な陳述を延々、二時間にわたって朗読した。現実の日ソ紛争は、ノモンハン事件と、張鼓峰事件の二つであるにもかかわらず、遥か明治三十七年の日露戦争、大正七年のシベリア出兵にまでさかのぼり、ソ連独特のこじつけと厚かましい論法で述べたてた。陳述というより一貫して、ソ連の正義をぶつプロパガンダの類いであった。

弁護団からアメリカ人弁護人のローガンがたち上り、猛然たる勢いで発言した。

「只今の長文の冒頭陳述は、次の五つの理由により削除していただきたい、一、起訴状が包含するのは昭和三年から昭和二十年までであり、それ以前の事件は、起訴状の範囲外である、二、蒙古人民共和国はソ連領でないから、対ソ侵略ではない、三、事実を立証せず、議論的、宣伝的かつ煽情的である、四、冒頭陳述というより最終論告めいている、五、太平洋戦争終結直前、ソ連は日本から頼まれた仲介の労を何故とらなかったか、日ソ中立条約を侵して日本に攻撃を加えたことの弁明ばかり述べたてている、連合国の中で、少なくともソ連だけは日本の侵略を裁くことは出来ない、日ソ中立条約締結中にもかかわらず、一九四五年二月、ルーズベルト大統領、チャーチル首相、スターリン元帥三巨頭によるヤルタ会談において、日本降伏後、樺太、北海道の分割案を提案したソ連の行為は、侵略行為以外の何ものでもないからである」

と論じた。

続いてスミス弁護人もたち上り、

「冒頭陳述において明らかな誤謬《ごびゅう》を二、三指摘します、例えば三十頁の第二節において、広田氏が防共協定締結当時の総理大臣であると同時に、外務大臣であったと述べているが、広田氏は当時、総理大臣の職のみで兼任していない、三十五頁終りの張鼓峰事件について侵略戦争としているが、これは一九三八年七月二十五日にその場で起った一つの紛争である、三十七頁において広田氏がその当時の外務大臣であったというが、広田氏は一九三八年五月以降、政府と何ら関係なかったのである」

冒頭陳述の杜撰《ずさん》さを衝《つ》き、それらの削除動議を出した。

ウェッブ裁判長は、動議を受理し、

「ゴルンスキー検事、審理を続けて下さい」

中断している審理の続行を命じた。

「私の職務は、日本の指導者たちが、冒頭陳述に記載された全期間を通じて、規模広大なる対ソ侵略計画を抱懐せることの証拠を本法廷に提出することであります」

ゴルンスキーはそこで、ソ連及び満洲北部拡大図を法廷の壁面に掲示する許可を求めた。

「許可します、灯りを消して下さい」

ウェッブ裁判長が応えると、法廷内の灯りが消え、映画館のように暗くなり、法廷のスクリーンに、ソ連及び満洲北部の拡大図が写し出された。

「検察側が指摘しようとする地理上の地点は、すべて英語および日本語の大文字で書かれています、その他の町村は、本件に関係ありません」

と前おきし、一九二二年（大正十一年）以来の日本の対ソ侵略計画を地図によって延々と説き出した。ソ連流の長《ちょう》広舌《こうぜつ》にうんざりする気配が漂い、ロシア語を英語と日本語に訳す通訳の声だけが、休みなく続いていた。

その三日後の法廷に、ソ連検察団は、日本の対ソ侵略を裏付ける証拠物件を持ち出した。

発言台にたったのは、イワノフ検事であった。

「われわれは駐ソ日本大使館武官、笠原幸雄元陸軍中佐の宣誓口供書《こうきょうしょ》と、証拠書類の写真複写を提出します、この書類の日付は一九三一年（昭和六年）、タイトルは『広田大使、原田少将面談の件』となっています」

「いつもの条件により受理します」

ウェッブ裁判長が受理すると、イワノフ検事は、手にした写真複写を振りかざし、

「笠原幸雄の口供書及び、写真複写の記録を朗読します。

余ニ提示セラレタル『広田大使、原田少将面談ノ件』トイフ日本文書ノ写真写《うつ》シハ、十五年前、即チ一九三一年原田少将ガ、モスコー滞在中、広田大使ト談話セルコトノ概要ヲ記述シタ書類ノ写シデアル。コノ記録ハ余ガ原田少将ノ依頼ニヨリ、自筆ヲ以テ記述シタモノデアル。ソノ記録ノ内容ハ左ノ如シ。

次ノ件、特ニ参謀総長ニ伝達セラレ度。

日本トシテハ「ソ」国ニ対シ戦争スルヤ否ヤハ別トシテ、何時ニテモ戦争スル覚悟ヲ以テ対「ソ」強硬政策ヲ採ル必要アルベシ。而シテ主目的ハ共産主義防衛トイフヨリモ、ムシロ極東西伯利亜《シベリア》ノ占領ニアリ」

その途端、スミス弁護人が、発言台に駈け寄った。

「広田被告の弁護人として、この宣誓口供書の提出者が召喚されるまで、この口供書は裁判所の記録から削除して戴きたい」

「只今の点について、検察側に云い分がありますか」

ウェッブ裁判長が云うと、ゴルンスキー検事がたち上った。

「検察官としましては、この証人をここに召喚する必要はないと考えます、なぜならばこの宣誓口供書の目的はこの確認のためのみの口供書であります、この証人をここに召喚することはこの文書に含まれた内容が正しいか、どうかと聞くだけで、時間の空費になるだけです」

証人喚問の応酬が続き、弁護団側も慌しく打合せに入ったが、被告席の広田弘毅がいつも閉じている眼を瞬時、鋭く見開いたのに、誰も気付かなかった。

広田被告の脳裡には、昭和六年、原田陸軍少将がヨーロッパ視察の途中、モスクワにたち寄り、その時、会談した一コマがあった。会談の模様は武官の笠原中佐がメモし、二通作成した。一通は原田少将に渡し、一通は武官室金庫に納めた旨の報告を聞いたが、イワノフ検事が提出したのは、その金庫から秘かに取り出し、写真撮影されたものに違いない。後日、判明したことであるが、大使館の現地雇いの運転手、メイドに至るまで、すべてソ連のスパイであった。

発言台に、再びイワノフ検事がたち、さらに日本の侵略を証明する口供書を提出した。

「われわれは特に、一九四〇年（昭和十五年）における日本の対ソ侵略計画を陸軍中将、富永恭次の発言によって証明することにします、富永証言は極《きわ》めて重要な内容であります、富永は当時、参謀本部第一部、即ち作戦部の長であり、次の如き作戦計画を立案したのであります、私は彼の口供書の中から以下の部分を抜粋します。

問　一九四〇年度（昭和十五年）ノ対ソ攻撃ノ作戦ヲ立案シマシタカ

答　参謀本部第一部長ノ資格ニ於テ、対ソ攻撃計画ヲ立案シマシタ、コノ計画ハソ連ト沿海州トヲ分断スルタメニ主攻撃目標ヲ「ハンカ」湖地区ヨリ「ハバロフスク」方面ニ指向シタ。コレニ充当スル兵力ハ、十二箇歩兵師団ヲ主力トシ、補助兵力トシテ二箇砲兵旅団、二箇戦車連隊、二箇騎兵旅団、五箇爆撃飛行連隊ヲ以テシタ

問　貴官ハ誰ニコノ計画ヲ報告シマシタカ

答　参謀総長閑院宮《カンインノミヤ》殿下ニ報告シマシタ

問　ソノ他、誰ニ計画ヲ報告シマシタカ

答　私自身コノ計画ヲ閑院宮殿下御同席ノモト天皇陛下ニ上奏イタシマシタ

問　天皇（裕仁）ハ計画ヲ可決シマシタカ

答　数日後コノ計画ハ天皇陛下ニヨッテ御裁可セラレマシタ」

その瞬間、満廷は息を呑《の》み、イヤホーンから日本語訳を聞いていた賢治も驚いた。

富永恭次中将――、それは賢治にとって忘れ難い名前であった。一九四五年（昭和二十年）一月、マニラにいた第

四航空軍司令官・富永中将は、フィリピンの戦局危しと見るや、台湾に下って航空軍の建て直しを図るという口実のもとに、飛行機でマニラを脱出してしまったのだった。置き去りにされ、米軍の捕虜になった日本兵の口から、その事実を聞くなり、賢治は義憤を覚え『ここに逃亡将官あり！　第四航空軍司令官・富永中将は、いち早く戦線離脱、軍機で台湾へ逃亡した、部下を見捨てた軍司令官のために闘う愚行をやめ、生命を全うして祖国へ帰ろう！』というビラを作ったのを明確に覚えている。その同じ人物が、どのような経緯でソ連軍の手に捕まったのか知らないが、逃亡出来なくなると、今度は『関特演は天皇の御裁可なり』とソ連に阿《おもね》る証言をするとは――。その無節操ぶりに、賢治は呆れかえった。イワノフ検事は、

「富永はかかる重要な証言をしましたが、病気のために出廷することが出来ません、ここに彼が病気であることを証明する書類を提出します」

医師の診断書を提出した。米人弁護人のブルーエットは、直ちに発言台にたった。

「裁判長閣下！　もしこの口供書を証拠として受理されるのならば、弁護側に反対訊問《じんもん》する機会を与えるために、この証人をいかなる方法を以てしても、この裁判所に出廷させるように命じて戴きたい」

頭からソ連側の診断書を信じなかった。ウェッブ裁判長は、『天皇裁可』の有無をめぐる重要証人とあって、昂《たかぶ》りを帯びた顔で、

「富永は現在、病気ということですが、よくなり次第、召喚すべきであります」

と命じると、ブルーエット弁護人は、すかさず、

「それがいつ頃、可能か、この法廷で明らかにして貰いたい」

と畳みこんだ。ゴルンスキー検事が飛んで来た。

「それは出来ません、富永は今、モスクワにいます、われわれも何とかして、彼自身をここに連れて来たいと希望し、モスクワの政府に対して、彼を日本へ送るように依頼したのですが、その返事として、今、提出した医師の診断書が送られて来たのであります」

早口《はやぐち》のロシア語で遮った。

自殺した草場中将とともに、ハバロフスクから連行された二人の軍人の氏名が、はじめて明らかにされた。一人は関東軍参謀副長、松村知勝少将、一人は元大本営参謀、終戦時、関東軍参謀の瀬島龍三中佐であった。

法廷にたった松村少将は、被告席の上官に丁寧に黙礼した後、淡々とした口調で尋問に応え、開廷以来、最年少の三十四歳の瀬島中佐は憔悴《しょうすい》しきった顔で、年度毎《ごと》の対ソ作戦、日ソ兵力について述べた。

ソ連側に有利な証言をすれば、曾ての上官が罪に問われ、上官に有利な証言をすれば、自分及びソ連抑留中の同胞の

不為になる——。人間の精神の極限情況の中で、二人の軍人はぎりぎりの証言をし、ソ連にとってはさしたる成果が上らぬ結果となった。彼らは、祖国の土を踏みながら、妻子と会うことも許されず、再びシベリアへ連れ去られて行った。

賢治の胸に、囚われの身でありながらも節《せつ》を通した二人の軍人の姿が、富永中将の卑怯な口供書と対照的に、深く心に残った。

*

NYKの宿舎の小テーブルで、賢治は、ロサンゼルスの父宛に、月に一度の手紙を書き、くれぐれも心臓に無理のないよう、母さん、春子にもよろしくと結んで、五十ドルの郵便為替《がわせ》を同封した。心臓発作を起した父が、その後も老いた体で力仕事のランドリーを続けていることは、遠く隔っている賢治には気懸りで、給料のいい軍属になって生活費を援助するからと申し出ても、乙七は「自分の志を曲げずに生きよ」と頑として受けつけようとしない。爾来《じらい》、賢治は手紙の中に四、五十ドルを同封して、送り続けていた。

部屋は大きな事務室を改装したもので、五名の同室者は三名に減ったが、彼らも親密になった女性たちと過すことが多くなって、週の半分しか帰って来ず、広い部屋は味気ないなりにも静かだった。

手紙を書き終えてベッドにもぐり込み、スタンドの灯りを消すと、ドアが開き、無遠慮な靴音が近付いて来た。

「ケーン、寝ているのかい」

チャーリーだった。チャーリーの宿舎は、山王ホテルだった。

「何だい、今時分」

「ニュールンベルク裁判の被告第一号のゲーリングが、刑執行前に自殺したぞ」

興奮した声で云った。

「そのことなら、市ヶ谷で聞いたよ」

「なんだ、知ってたのか」

チャーリーは、拍子《ひょうし》抜けしたように云い、あいているベッドに長々と寝そべった。

ニュールンベルク裁判の処刑は、十月十六日午前一時、ニュールンベルク体育館に二台の絞首台をしつらえて執行されたが、ゲーリング空相だけは、その二時間半前に独房で青酸加里《せいさんかり》自殺を遂げたのだった。

「この間のソ連側証人の草場中将といい、今度のゲーリングといい、こう続くと、裁判の仕事に携っているのが辛くなるよ」

賢治が云うと、チャーリーはなま欠伸《あくび》をし、

「ま、そう深く考えるなよ、関東軍のゼネラルの死はいまだに謎だけど、ゲーリングの場合は判決後、軍人らしく銃

殺刑にしてほしいと申し出ていたのがかなえられず、絞《しば》首にされるのを恥辱として、覚悟の死を遂げたのだろう、死後、発見された手紙によると、入所した時から三つのカプセル入り青酸加里を持っていたんだそうだ、一つは検査の際、わざと見つけられるように服の中に入れ、思惑通り没収され、残った一つは、服を脱ぐ時はコートスタンドの下に、着衣の時は長靴の中に隠し、さらに別の一つはシェービングクリームの瓶の中に入れていたという、だけど死刑囚は二十四時間、監視体制下におかれ、常時、MPに独房の覗《のぞ》き穴から監視されていたから、まず死ねないというのに、どうしてやったんだろう」

「僕が今日、市ヶ谷で検事から聞いた話では、ゲーリングは便器からベッドへ戻った途端、苦しみ出した、覗き穴からだと便器に腰かけた時、腰のあたりが死角になるらしく、ゲーリングはそこを狙っていて、便器の蓋に隠していたカプセルを呑み、ベッドで嚙みくだいたということだ」

賢治はこの間、島木文彌から聞いたゲーリングの異常なほど誇り高い男の顔が苦悶に歪むのを想像し、ぞっとして眼を閉じた。

「UPのスミスという記者が書いた〝死刑執行二十三時間前のゲーリング〟という記事を読んだかい」

「いや」

「読んでみろよ」

チャーリーは、丸めた新聞を投げて寄こした。

ゲーリングは鉄のベッドに力なく腰かけ、監房の白壁によりかかって迫り来る死の運命を忘れようと『渡鳥《わたりどり》とともにアフリカへ』という鳥類学の本に読み耽《ふ》けろうと努めていた。飛行家ゲーリングは、翼《つばさ》ありせば鳥の如《ごと》く飛びたち、不名誉な死出の旅に送ろうとしている新国際法の上から逃れ去りたいと思っているに違いない。ゲーリングの表情は殉教者のそれではなく、極悪罪人に見られる粗暴且つ狂気じみた容貌である。眼の周りには暗い皺が刻み込まれ、法廷ではいつも梳《くしけず》られていた頭髪は、両手でかきむしったかの如くバラバラに乱れていた……

賢治はそれ以上、読む気がしなかった。チャーリーは返された新聞をぽいと屑箱に捨て、

「ゲーリングの自殺で一番、ショックを受けているのは、さしずめ東条英機だろうな、彼だってひょっとして青酸加里を隠し持っているかもしれん」

「まさか」

「と僕も思うが、市ヶ谷の裁判は、ソ連段階が終ると、次は日米段階で、太平洋戦争の責任がいよいよ本格的に追及される、そうなれば、ハイライトは何といっても東条だ、彼が自殺しないという保証はどこにもないよ」

そうしたセンセーショナルな事件の発生を期待するよう

な口ぶりで云った。

「よせよ、仮にも人間の命の問題だ」

賢治は、チャーリーの言葉を遮った。

＊

ゲーリングの自殺後、巣鴨拘置所のA級戦犯に対する監視は俄かに厳しくなり、監房の部屋替えや所持品検査、身体検査が不意打ちで行われるようになった。

それでも、法廷が休みになる土、日曜には従来通り、遊歩時間が与えられ、被告たちは、じめじめした陰気な独房から出、秋の陽ざしの中で日光浴を楽しんだ。

あどけなき小供の所作《しょさ》にゲーリング
　顔をそむけて男泣き入る

重光元外相が、ゲーリング自殺の新聞記事を読み、一首詠《よ》んだ。その記事によれば、判決後、家族との最後の面会で、二度目の結婚でもうけた六歳の娘が、習いたての算数を父親の前で得意気にしてみせ、パパと十回以上会えるわねと、もみじのような小さな掌をひらいてみせた時、さしものゲーリングも泣いたという。しかし巣鴨の被告たちが、眼にし得る新聞記事はそれが限度で、十一名の戦犯が処刑後、首に綱《ロープ》を巻きつけられた姿を写真撮影されたことや、ミュンヘンの火葬場へ運ばれて焼かれ、その灰はコンヴェンツ川にまき散らされたということまでは、知らされていない。

論客《ろんかく》にして、風雅の道にも深い重光を中心に、それぞれ個性の強い被告たちが集まり、一しきり談論風発した後、

「おや、今日も、東条大将は部屋に籠って書きものかね」

一人が、ふと気付いたように云った。

「いや、さっきまで巻煙草のホルダーをくわえ、下駄をからころ鳴らして、歩いていたよ、寺小僧《てらこぞう》とは誰がつけた仇名《あだな》かしらんが、実に云い得て妙だ」

「だが今日の彼は、誰の差入れか、えらく立派な陣羽織を着ていたぞ」

からかい口調で、また一人が応じた。重光は、

「ま、そう冷やかすな、敗戦後の日本は東条を極悪人扱いしてこと足れりという風潮があるが、あまりに浅薄だ、私自身、彼には戦前、不快な思いをさせられたことが一度ならずあるが、巣鴨へ入ってからの彼は覚悟が出来たと思う、虚心に話をしてみると、頭はきれるし、ものごとの要点を摑む理解力と決断力は大したものだ、惜しいかな、彼には広い度量と世界的知識が欠如していた、もし彼がこの二つを兼ね備えていたら、ここまでの破局はなかっただろうね」

東京湾上の戦艦ミズーリ号上で、マッカーサー元帥と相《あい》対し、降伏調印に臨んだ重光元外相は淡々とした口調で語るよう

った。

一方、東条英機は遊歩時間の切り上げをMPに申し出て、独房に戻っていた。

東条は洗面台に板をおき、水洗便所に蓋をして、机と椅子にした。市ヶ谷の法廷へ出廷している間に時折、部屋替えが行われたため、口供書用《こうきょうしょ》にこつこつ書きためていたメモが散逸し、再び一から整理し直さなければならなかった。

口供書用のメモは、まだ日米開戦までに至っていないが、その作成にあたっては、三本の骨子《こっし》をたてていた。

一、大東亜戦争は自衛のための戦争であった。
二、天皇陛下には戦争責任はない。
三、大東亜戦争は東洋民族解放のための戦争であった。

清瀬弁護人にも、ブルーエット弁護人にも、自分の個人弁護よりこの三点に基いて国家弁護の方針を貫いて貰いたい旨、依頼している。

——人は自分のことをメモ魔と嘲笑し、この期《ご》に及んでなお恋々として裁判にしがみついているのかと蔑《さげす》む同輩もいる。陸軍大将、総理大臣と位人臣《くらいじんしん》を極めた頃なら、生来《せいらい》の短気も手伝い、顔を朱奔《しゅばし》らせて一喝しただろうが、今は、自分が助かるための口供書ではないと心に期すものがあるから、馬耳東風《ばじとうふう》と受け流せる。法廷にあっても、巣鴨にあっても、人は寄りつかず、疎外されているが、孤独感はない。あの日以来、自分ははっきり変っていた。

あの日——、敗戦直後の昭和二十年九月十一日、戦犯容疑者としての呼出しがあることはかねて知らされていたから、自分は世田谷《せたがや》・用賀《ようが》の自宅の応接間兼書斎で待っていた。子供たちは九州の妻の実家へ帰していたが、妻は草刈り女の装《なり》で庭の木陰にひそみ、最期まで見届けるといってきかなかった。

夕方近く押しよせて来たのは、GHQから直接、派遣された憲兵隊と連合国の新聞記者たちであった。それは呼出しではなく、俘虜《ふりよ》として逮捕に来た様子であった。俘虜の扱いを受ける場合は、拳銃自決をする覚悟で、かねて家の向いの医師に心臓の位置を墨で印《しるし》をして貰い、失敗しない心配りをしていた。

身辺を警護してくれていた元警官が、MPの応対に出たが、玄関横の書斎から、そのやりとりはつつぬけだった。やはり、逮捕に来たのだった。自分は憲兵隊少佐に、玄関から最も遠い書斎机の横の窓へ廻らせ、飛び込んで来られぬよう、上のガラス窓だけ細目に開け、用向きを申し述べさせた。「自分はゼネラル・トージョーをヨコハマへ連行するよう命じられている、すぐ身の廻りの支度をするように」と云った。もはやこれまでと、自決した女婿のピストルを心臓に当てた。顳顬《こめかみ》や頸動《けいどう》脈に当てなかったのは、顔面が著しく損傷され、死体確認の際、替玉の疑惑が持たれ、軍部に迷惑をかけることを慮《おもんぱか》ってのことだった。

銃声と同時にMPが扉を蹴破って入って来た。「シッカリ、シテ下サイ」というたどたどしい日本語が耳もとで聞え、薄れ行く意識の中で眼を開《あ》けると、米軍の二世だった。「死なせてくれ」と叫んだが、すぐ向いの医師が呼ばれた。医師は自分の心中を慮り、積極的な治療を施さなかったが、いつの間にか米軍医がかけつけて来、血漿《けつしよう》の注射をし、傷口にも直接、血漿を塗り、担架に乗せられた。フラッシュがいくつも光ったようだが、あとは覚えていない。気がついた時は、横浜の第九八エバキュエーション・ホスピタルの手術室で輸血を受けていた。四時間で四度目の輸血だと知らされた。

最新の米軍医療により、生き返らされたことは、とりかえしのつかぬ生涯の恥辱であった。大量の輸血の際、自分と同じB型の血液を提供したという軍曹は、「なぜトージョーに血液を提供したのか」という新聞記者のインタビューに対して「彼を生かし、われわれが太平洋の戦場で受けた苦しみを味わわせ、絞首台へ送りたかったからさ」と答えたことを後《あと》で知った。

生きて虜囚の辱《はずかしめ》を受けず、死して罪禍《ざいか》の汚名を残すことなかれ、という戦陣訓は自分が公布したものであった。それを自らが破ることは理由の如何《いかん》を問わず、もの笑いの種である。しかし生き還ってしまった今となっては、弁明せず、天皇と国体を護るために、裁判に臨むほか道はないと、心に決めていた。

「なに、巣鴨の東条が供述書の作成に打ち込んでいる？　自分がおっぱじめた戦争を、どう云い抜けようってんだ」

田中隆吉は、代々木初台の今井ハウスの庭を歩きながら、大声で笑った。野太い声が邸内に響き、本館にいる検察団の若い将校が窓から顔を覗かせた。田中隆吉に招かれている賢治は、やや当惑した体《てい》で、

「しかし、太平洋戦争は自衛のための戦いであったというのは、一人、東条被告だけの主張ではなく、弁護団の大方針ではありませんか」

「それはかまわん、そうしないことには、天子《てんし》さまに累《るい》が及ぶからな」

田中隆吉は懐手《ふところで》していた手をおもむろに出し、池のそばまで行くと、ぱんぱんと叩いた。少し濁った池から、見事な緋鯉《ひごい》が五、六尾《び》、浮き上って来た。

「おーい、餌《えさ》、餌」

離れ座敷に向って云うと、田中の傍に仕えている妾がすっと縁側に現われ、素足に下駄をつっかけて餌箱をさし出した。ぬけるように白い頸《うなじ》に後れ髪《おくれげ》がほつれ、衿もとが着くずれし、つい先刻《さつき》まで褥《しとね》にいたような艶《なまめ》かしさが漂っている。

田中は妾の手から餌箱を受け取ると、池の中に勢よく餌を撒いた。水面にびしゃっ、びしゃっと飛沫《ひまつ》が飛び、緋鯉の群れが餌に喰いついた。

「ふっふっふっ、この屋敷を一歩、出れば、人間様は飢餓地獄をさまよっているというのに、お前らは鯉に生れて来たおかげでよかったな」

人を喰ったような云い方で、餌を撒き、

「ところでさっきの東条だが、日米開戦の申し開きをどう書いているのだ、聞くところによると、天羽君は、日本の弁護団とも気脈を通じ、巣鴨の動静に詳しいそうじゃないか」

よく光る奥眼《おくめ》で賢治を見すえた。

「気脈を通じているなどとんでもない、たまたま私の郷里の先輩が、同じ鹿児島県出身の東郷元外相の副弁護人をしているので、つい巣鴨の被告の様子に無関心でいられないだけです、時折、審理にさしつかえのない程度の話を聞くだけのことですよ」

有体《ありてい》に云い、

「日米段階に入ると、検察側は当然、東条被告にターゲットを搾《しぼ》って攻撃するでしょうね」

逆に、キーナン首席検事の懐刀《ふところがたな》的な存在になっている田中隆吉に聞いた。

「そんなこと知らんよ、だが、日本を無謀な太平洋戦争に突入させたのは、誰が何と云おうと、東条ならびに側近の武藤章《あきら》、佐藤賢了《けんりよう》ら政治軍人の名誉心と野望から起ったことだ、東条は、元来、権力欲と名誉心の強い男で、その上、満洲で憲兵司令官をやって憲兵の味を覚え、憲兵の力で政治をやる悪い癖を身につけた、実際、東条政策の批判者は、渡辺銕蔵《てつぞう》、吉田茂をはじめ、片っぱしから憲兵隊へひっぱられ、牢屋へぶち込まれた、近衛公爵にして、和平のためルーズベルト大統領との会談を画策したかどで一時、危かったそうで、大川周明は、東条内閣は憲兵を以《もつ》て興り、憲兵を以て亡びたと罵ったが、まさに至言だよ」

「じゃあ、どうして途中で、内閣を投げ出したのですか」

「簡単だよ、天子さまの信任を失ったからさ」

一言のもとに云ったが、賢治には解《げ》しかねた。

「首相であり、陸軍大臣である東条大将が、陸下の信任を失う場合があるのですか」

「あいつは昭和十八年春の議会で『私は総理大臣として陛下から国政をお預りしている』と、不遜極《ふそんきわ》まる言葉を吐き、オープンカーにふんぞりかえって、東京市内を巡視し、『陛下の身替《みがわり》として国民の前にこの姿を見せるのだ』と豪語した、ああなっては〝和製ヒットラー〟以外の何ものでもない、暗殺されるまで石にかじりついても政権を手放さない権力の権化《ごんげ》だな、だが、サイパン玉砕のあたりから、戦局に疑問を持った若槻《わかつき》、近衛、平沼、岡田の四重臣が東条内閣の更迭《こうてつ》をはかり、木戸内大臣にその意向を伝えた、木戸が東条に重臣の意向を伝達すると、東条は『重臣の意見のみで進退を決するわけにはいかない、陛下の御意向を承りたい』と頑張ったので、木戸が東条を連れて陛下に拝謁し、『御上《おかみ》におかせられても重臣の意見に御同意のように拝察致します』と述べたところ、陛下が点頭《てんとう》せられた、ことここに及んで、さすがの東条も、総辞職を決意したという次第さ」

まるでその場に居合せたような克明さで語った。

「しかし、その頃、田中さんは陸軍を退役され、山中湖の方へ引き籠《こも》っておられたではありませんか」

「そうだ、今の話はみな大川周明から聞いたんだ、あいつは気狂いを装って、まんまと被告席からずらかったんだと俺は見ている、何しろあいつと俺とは、共鳴共感するところが多く、東条のようなちまちました出世主義の塊《かたま》りみたいな奴は、虫唾《むしず》が走るほど好かんのだ、東条が信奉し、真似ていたヒットラーですら、降伏と同時に、総統官邸で自殺している、それを、生きて虜囚の辱を受けずという戦陣訓を公布した当の本人が、MPが逮捕に行くまで生きていたとは何事だ、その上、心臓の上を弾がかすめただけの自決未遂など、噴飯《ふんぱん》ものだ」

と罵り三昧《ざんまい》の後、

「君は日系二世として、これまで日米の間《はざま》にあって口に云えぬ苦しみを体験して来ただろうが、これから日米段階の審理に入ると、君の父祖《ふそ》の国日本と、母なる国アメリカ合衆国の思いもかけぬ正体を知ることになるだろう、今日は大味《おおあじ》のアメリカン・ビーフじゃなく、松阪の肉を届けさせているから、大いに食べて、英気を養っておいてくれ給え」

田中隆吉は一転して、呵々《かか》大笑した。

七章　パール・ハーバー I

ロサンゼルスは、もう長い間、雨が降らず、大地はからからに乾き、カリフォルニア椰子《やし》の葉もだらりと垂れている。

天羽《あもう》乙七《おとしち》はアイロンがけの力仕事を終えると、アイロン台の前を離れ、汗みどろのランニングシャツを脱いだ。年老い、あばら骨が浮き出た胸が、はあはあと波打ち、苦しげだった。

「旦那《だんな》サン、水」

二十歳《はたち》前《まえ》の童顔の中国人従業員が、コップの水をさし出した。前ぶれもなく辞めてしまったメキシコ人の下働きの後に雇い入れたボブ孫《スン》で、洗濯やアイロンがけはまだ任せられないが、利潑《りはつ》な上に、労をいとわずこまめにたち働いてくれた。

乙七が一気に飲み干すと、

「旦那サンの息子サン、偉い人ネ」

童顔を綻《ほころ》ばせた。カタコトながら日本語が話せるのも、乙七には助かった。

「息子の賢治んことを、急にまた、ないごてや」

「新聞に出ていたネ、春子サンから聞いたョ」

「え、賢治が新聞にか？」

「ハイ、トーキョー裁判で大活躍ネ」

「そうや、仕上った洗濯もんな急ぎの品じゃっで、配達い行って来てくれんか」

「ハイ、すぐ届けて来ます」

敏捷な動作で伝票と仕上り品を照合し、出かけて行った。

「よう働いてくれて、助かりますねえ」

洗剤の缶を運んで来たテルが、嬉《うれ》しそうに云った。

「陰日向《かげひなた》なしで働くとが、見込《みこ》んがあっとよ、ところで賢治んこつが新聞に出ちょったそうじゃが」

「はい、気がつっませんでした、すぐ新聞を取っ来ます」

テルは汚れた手を拭くのももどかしげに、乙七に洗いたてのランニングシャツを着せ、加州新報を持って来た。

乙七は老眼鏡をかけ、洗剤で荒れたテルの指先が示す記事を見た。

〝東京裁判、いよいよ日米段階へ、元本《もと》社記者、法廷で活躍〟という見出しのすぐ横に、賢治の顔写真が二段の大きさで出ている。

「こやまた、まこて晴れがましかこっじゃね」

乙七は頰が緩みそうになるのを抑え、記事を読んだ。

「――東京裁判で最大の障碍《しょうがい》となっているのは言葉の問題である。法廷には日米両語に堪能な通訳が十二、三人任命されているが、〝以心伝心〟〝腹芸〟をもって潔《いさぎよ》しとする日本人特有の民族性故に、含蓄《がんちく》のある短い日本語を英語訳する場合は、ことのほか大きな困難が伴い、正確でない英語訳が裁判官の心証形成に影響を与えてしまう場合がある、また、言語上のトラブルが審理の進行をしばしば妨げている。その舞台裏で重要な役割を果しているのが日系二世のモニターで、中でも本紙で健筆をふるっていた天羽賢治記者の活躍は目ざましく、連合国の裁判官、検事のみならず、被告弁護人からも日米の橋渡し役として頼もしがられている……」

乙七は記事を読み終ると、

「りっぱなことをしちょっらしかが、その分、ずんばい苦《なん》労《ぎ》をしとっとじゃろうね」

息子の心情を慮《おもんぱか》って、ぽつりと洩《も》らした。

「ハロー、誰もいないの」

表の方から声がし、コツコツとハイヒールの音を響かせ、エミーが顔を覗かせた。

「まあ、珍しかこと、よう来やしたねえ」

テルが迎えた。仕立おろしの大柄な花模様のドレスに、同色の帽子を合わせ、二児の母親とは思えぬ派手さを振りまいている。

「ご無沙汰しています、お二人ともお元気そうで何よりですわ」

無愛想《ぶあいそう》な舅《しゅうと》の乙七の方を、ちらりと見て云った。

「有難う、畑中んご両親も変いはなかね?」

「ええ、戦地帰りが多いこういう時期だからホテルもフル回転で、パパもママも目が廻《まわ》りそうな忙しさに、音《ね》を上げてるわ、私もリトル・トーキョーのホテルのフロントを手伝っていて、今日もその途中なんだけど」

「そいなら、アーサーやベティは?」

「ソーテルのパパの家に子守りを雇って貰ってるから大丈夫、それより今日、こちらへ寄ったのは、私たち家族も軍の船で、日本へ行けそうなので、お知らせしておこうと思って」

「まあ、やっと行けるとね、賢治が喜んでしょうね」

テルはわがことのように喜んだが、乙七は相変らず、むっつりおし黙ったままだった。エミーは、そんな舅に面白くない顔をし、わざとヒールをコーンと床に響かせ、

「日本へ行っても、裁判はあと一年もかからないようだから、子供たちを連れて太平洋を往復するのは大へんだけど、ただで日本へ行けるからこの際、サイトシーイングを兼ねて行ってみようと思って——、除隊して日本から帰って来たばかりの人に聞いたんだけど、将校の場合は、その家族も日本国中どこへ行くにもただ《ヽヽ》のチケットでファースト・クラス並の進駐軍専用列車が使えるんですって——」

胸を弾ませるように喋《しゃべ》った。乙七は、自分がエンジョイすることばかり考えて、長い単身生活に耐えている夫への思いやりや、仕事の厳しさなど一顧だにしないエミーが日本へ行っては、賢治の足手まといになるのではないかと懸念した。だが、エミーは自分の喋りたいことだけ喋ると、

「それはそうと、ケーンからぱったり便りが来なくなったけど、どうしたのかしら、こちらへはいかが？」

はじめて妻らしい顔付きで聞いた。

「ついこん前も、父さん無理しないようにちゅうて、五十ドルを同封した手紙が届いたばっかいですよ」

テルが云うと、

「まあ、五十ドル、それ、何のことですの」

父親似で金銭に敏感なエミーは、眼を光らせた。

「お父さんが心臓の発作を起してから、いろいろ気を遣ってくれて、少しでん手助け出来る従業員を雇い入れてくれてちゅうて、サラリーの一部を援助してくれておっとですよ、おかげで中国人の若け人が入ってくれて、注文も多くなったから、心配せんでほしかと、エミーからも伝えておいて下さいよ」

「いやだわ、ケーンったら、私に隠して送金していたなんて」

エミーは腹だたしげに云った。テルは慌てて口を噤《つぐ》んだが、時既に遅しで、

「商売に必要なお金なら、うちのパパに申し込んで戴けないかしら、軍人の給料って案外安くて、子供二人を育てていると余裕もないの、やりくりに苦労しているんですよ」

厭味たっぷりに云い、コーヒーも断ってさっとたち上った。

「エミー、賢治のことが新聞に載《の》ってますよ」

テルがさっきの加州新報を見せようとして、呼びとめた。

「とっくに読みましたよ、やっとジャップの卑怯なパール・ハーバー・アタックが裁かれるそうね、楽しみだわ」

乙七に一喝される前に、じゃ、おじゃまさまと、『アモウ・ランドリー』を出て行った。

*

市ヶ谷の裁判所には、色とりどりの菊の花が薫《かお》っていた。十一月一日、東京裁判は、最大のやま場である日米交渉の段階に入った。

法廷は満席となり、来賓席には第八軍司令官アイケルバーガー中将夫妻、対日理事会アメリカ代表のシーボルト議長、ソ連代表デレビャンコ中将など、錚々《そうそう》たるVIPが居並んでいるのも見ものだった。

天羽賢治は、来賓席のすぐ上のガラス張りの部屋《ブース》から、チャーリー田宮がマッカーサー元帥夫人に付き添い、恭《うやうや》しく案内して来たのを認めたが、下級副官まで坐れる席の余裕はないのか、それきり来賓席には見当らない。

被告席の東条被告は、いつものようにメモ用紙を用意し、黒縁の丸眼鏡をかけた刈りたての坊主頭を静かに前に向けており、東郷被告はめっきり白髪の増えた窶《やつ》れた顔で腕組みし、木戸被告は鷹のような鋭い眼で法廷を見渡していた。

広田被告は傍聴席の一隅にひっそり坐っている美しい二人

の愛娘《まなむすめ》に慈み深い眼ざしを向けているようだった。〝最愛の妻、静子殿〟と記して憚らなかった夫人は、開廷間もない五月十八日、「パパを少しでも楽にしてあげられるから」との言葉を残し、自殺していた。

「ミスター・チーフ・プロセキューター」

ウェッブ裁判長が、キーナン首席検事を呼び、日米段階の幕を切っておとした。百戦錬磨のキーナンは待ち構えていたように、水玉の蝶ネクタイ姿で発言台に進んだ。

「検察側は、いよいよ米英対日本の関係に到達したのであります、この段階の担当首席検事は私ですが、通例の冒頭陳述は合衆国ヒギンズ検事、証拠提出はヒギンズ検事およびノーラン、フィーリー検事によって行われます、さらに英国代表のコミンズ・カー検事も参加することになっております」

満を持《じ》して臨んだ検察団の意気込みのほどをデモンストレーションするように各検事の名前を並べたてた後、ヒギンズ検事が、分厚《ぶあつ》い陳述書を抱えて発言台にたった。

「日本は満洲の武力支配を達成して経済資源を独占し、米英に対して門戸を閉鎖した。一方、戦闘は上海《シャンハイ》に拡大し、米国人の生命、財産に対する最初の危害はこの地域ではじまった。

一九三八年（昭和十三年）十一月三日、日本は大胆にも東亜新秩序建設を宣言した、ついで厖大《ぼうだい》な兵力の仏印派遣となり、シンガポール、比島占領についてドイツとの密計が行われた。同時に日本の発意により、米国との交渉が進められた。交渉の当初、一九四一年（昭和十六年）四月十六日、ハル国務長官は日米間の関係を、

一、すべての国家個々の領土保全および主権の尊重。

二、他国家の内政に対する不干渉原則の支持。

三、通商上の機会均等を含む平等原則の支持。

四、平和手段により変改され得るが如き現状を除き、太平洋における現状維持の不攪乱《こうらん》。

の四原則の枠内に限定して交渉すべきことを声明した。にもかかわらず、日本はドイツのソ連攻撃を背景に、米英との戦争も辞せずと決定。第三次近衛内閣の総辞職の後、木戸内大臣は後継者の選択につき重臣会議を召集し、広田の積極的支持を得て東条英機を奏上した。

東条が首相として日本政府を指導するに伴い、成行きは急速に戦争に傾斜し、十一月五日、御前会議で日本は合衆国、英国、オランダに対する戦闘行為を開始することに決定、攻撃仮定日を十二月八日、Y日とする連合艦隊機密命令が発せられた。その後、X日が実際に攻撃をする日とされた。

〝山本計画〟として知られる真珠湾攻撃の計画は、一九四一年の春、既に組立てられていた。それは同年夏期の海軍演習の際に予行された。日本航空機は真珠湾における山稜と同様の地形の上を低空飛行することを練習した。同じように、水深の浅い真珠湾の水中使用に適合した浅深度魚雷

が完成され、同演習の際、使用された。

十一月十日、全連合艦隊艦船に対し、十一月二十日までに戦闘準備を完了し、千島列島ヒトカップ湾に集結すべしという命令が発せられた。十一月二十六日午前六時、日本機動部隊は命令を実行すべく、東に、その後、南に向って進んだ。

それにもかかわらず、一九四一年春以来、開始された日米交渉はずっと継続された。交渉は明らかに日本の攻撃計画を隠蔽《いんぺい》する幕として用いられたのである――」

ヒギンズ冒陳は、検察団翻訳部の日本語を通訳が朗読していた。賢治はイヤホーンから流れる冒陳を聞きながら、加州新報時代に書いた記事のことを思い出した。

昭和十五年頃から日米間は険悪になり、日本が支那から撤退しなければ戦争になるのではないかという懸念《けねん》が出はじめた。いずれは日本へ帰るときめていた一世、二世たちは新聞記事だけではもの足りず、直接、新聞社を訪れ、あれこれ問合せかたがた、帰国の時期を相談に来たが、翌十六年はじめ、穏健派の野村吉三郎《きちさぶろう》元海軍大将が日米交渉の特命全権大使として着任し、険悪な事態は平和の方向へ向うものと思われた。

あれは二月六日の朝であった。野村大使は太平洋航路の豪華客船『鎌倉丸』でサンフランシスコに到着した。直接、ワシントン入りせず、ハワイ経由で西海岸に着いたのは、在留邦人の不安を慮《おもんぱか》ってのことであった。

『鎌倉丸』がゴールデン・ブリッジ近くの沖に停泊すると、ロサンゼルスから取材に駈けつけた賢治は、地元の邦字新聞の記者たちとランチで『鎌倉丸』に乗りつけた。

野村大使は記者団に対し、自分の使命は日米両国の対立が武力行為に及ばないよう話合いで解決することで、そのために日本は支那に対する方針を再考するとともに、三国同盟を自然消滅させる用意のあることを語った。

ホテルへ入ると、大使はアメリカの厳しい反日世論を緩和するため、報道陣のみを集めて領事館主催のディナー・パーティを開こうとしたが、アメリカの記者たちは誰一人、出席しようとせず、慌てた領事館が邦字新聞に泣きつき、邦字新聞クラブ主催のパーティに切りかえて、体裁をとり繕《つくろ》った。

思えばあの時、もはや戦争の歯車は止まるところを知らず、全力を傾けて平和決着すると語った野村大使のスピーチは、アメリカにとって欺瞞《ぎまん》外交の第一声としか響かなかったのであろうか。

ヒギンズ検事の舌鋒《ぜつぽう》は、さらに鋭さを増した。

「十一月二十日、野村大使を援助すべく派遣された来栖《くるす》大使は、ハル国務長官に別の提案を呈出した。それは合衆国外交政策の放棄および日本の数々の征服、侵略行動を認めさせようとするが如き極端なものであった。

十二月六日夕刻、ルーズベルト大統領は日本天皇に対し、事態の悲劇的推移を避けることを願った自らの懇請《こんせい》を電報で送った。
午後九時、直ちに天皇に届けられたなら歴史の流れも変ったであろうその大統領親電は、大至急と印され、通常なら一時間後、即ち東京時間の十二月七日正午には、グルー駐日大使の手に渡るはずであった。しかしその日、グルー大使の手に渡るまでに十時間半の貴重な時間が過ぎ去っていた」

法廷はざわめいた。大統領直々、平和を願って打った親電は、十時間半の謎《なぞ》の空白のため、宙に迷い、平和は粉砕されたというのである。

賢治は濃い眉をくもらせた。当時、ルーズベルト大統領が天皇宛に親電を送ったことは、ワシントン発の通信やラジオ放送で大々的に流され、賢治たちは固唾《かたず》を呑んで日本側の回答を待った。そのため、その日は家に帰らず、松井社長や梛子たちも新聞社で徹夜し、戦争が回避されることをひたすら願った。二つの祖国を持つ者同士の祈るような気持が、今、まざまざと思い返される。

大統領の親電は、なぜ遅れたのか。満廷がその一点に心を寄せた。ヒギンズ検事は、それは後日の証拠段階で明らかにすると云い、一編のドラマのような型破りの冒頭陳述を終了した。

井本梛子は、久々に傍聴席に坐ることが出来た。日本人傍聴席の中で、黒のドットのスーツを着こなした梛子の洗練された姿は、一際《ひときわ》、目だった。

梛子のところから、賢治のいるブースは、ちょうど真向いの位置にある。距離が遠すぎ、その顔まではしかと解らないが、通訳やモニターが四、五人並んでいる中央に、イヤホーンをかけて坐り、法廷に飛び交う日英両語に一語の誤訳もないよう神経を集中している様子が窺《うかが》える。梛子は、日に日に疲労の度を増していく賢治に、心を痛めていた。

法廷では、発言台にノーラン検事が進み出た。

「ここに証人として白尾千城《たてき》氏を召喚します、同人の宣誓口供書は、グルー大使に配達する大統領親電がなぜ遅配したか、その事情を明らかにするものであります」

意味深長《しんちょう》な口ぶりで云い、証人を呼んだ。落ちつかないもの腰で背広姿の日本人が現われ、証人台に坐った。

「あなたの名前は？」

「白尾千城《たてき》です」

「職業は何ですか」

「逓信《ていしん》省の逓信事務官を勤めております」

「白尾サン、これは昭和二十一年八月十八日付の書類ですが、あなたの宣誓口供書ですか」

「そうです」

「ここに白尾千城の宣誓口供書を証拠として提出し、朗読します」

　ウェッブ裁判長は、検事の朗読を許可した。

「一九四一年（昭和十六年）十一月二十九日、参謀本部通信部に勤務していた陸軍中佐・戸村盛雄が電話をして来、警戒のため外国電報はすべて五時間配達を遅らせることになった旨を告げました、私は直ちに中央郵便局に電話をかけて、発送電報も到着電報も皆、五時間差し止めにするよう命じました、この命令は日本政府の電報と、多分、独伊両国政府に関する電報を除く他の一切の電報に適用されました。

　十二月六日、電信遅滞に関して、戸村中佐から、将来においては一日交互に、配達を五時間と十時間延ばすように指示されました。

　十二月七日、午後四時から六時までの間に、私はアメリカ合衆国大統領より天皇陛下へ送られた電報の内容を知りました、私は誰がこれを教えてくれたか、はっきり思い出せませんが、その日の午後の電話でこのことを教えてくれたのは戸村中佐であったと思います、彼は今後、電報は全部十五時間遅らせるようにと云って来ましたので、その旨、自分の配下に命令しました。

　この頃、外務省並びに参謀本部及び軍令部は、少くとも一日に一回、午前中に、使いを私のところへ寄こし、自分たちにとって役にたつような暗号電報の写しを持って行くのがきまりでした、十二月七日は非常に興奮した気配があり、一日中使いの者が出たり入ったりしていましたので、どの使いが大統領の電報を持って行ったかということは解りません、しかし前にも申しましたように参謀本部の戸村中佐が、電報の内容を話してくれましたが、その時間は多分、午後四時、遅くとも六時前ということは確かです。

　十二月八日、私のところへ午前四時三十分頃、逓信省電報局外国電信課長の中山氏から電話がかかってきました、中山氏は私の直接の上司であります、彼は外国との通信をすべて止めるようにとの命令を出しました、そしてこの日の正午、逓信大臣は省内職員に、宣戦の御詔《しょう》勅《ちょく》を奉読しました」

　開戦を主張する陸軍の強硬派が、大統領の親電を握りつぶそうと画策した様子がはっきりと窺《うかが》えた。

　次いでフィーリー検事がたち上った。

「これらの事実と平行して、日本陸海軍の攻撃を隠蔽する手段として、日米交渉が行われていたという事実を立証するため、ここに十一月二十八日、来栖《くるす》大使と日本外務省の山本アメリカ局長との間に電話で取り交された会話を証拠として提出します」

　ウェッブ裁判長は、興味津々《しんしん》の表情で受理した。

「これは一九四一年七月一日から十二月八日までに傍受したワシントンの駐米日本大使館と日本政府との間の外交電話の抜萃《ばっすい》であります、重要な外交用語ならびに個人名には隠語が用いられていますが、国務省はすべて解読しております」

ワシントン発東京宛、太平洋横断電話

来栖「モシモシ、コチラハ来栖デス」

山本「ハイ、モシモシ、結婚問題ハ今日ハ、ドンナ工《グ》合《アイ》デシタカ（今日の交渉はどんな工合でしたか）」

来栖「梅子サン（ハル長官）ガ昨日云ッタコトト余リ違イアリマセンデシタ、一時ハ結婚問題ハマトマッタ様ニ見エタ程《ホド》デシタ（一時は協定することが出来たように見えました）、詳細ハ電報デ伝エマシタガ」

山本「オウ、ソウデスカ、イツ頃デスカ」

来栖「七時頃デシタ、貴方《アナタ》ノ模様ハドウデスカ、子供ガ生レソウデスカ（危機が到来している様に見えますか）」

山本「ソウデス、子供ガ生レルノハサシ迫ッテイル様デス（危機は確かに切迫している様です）」

来栖「ソレハ確カデスカ、男ノ子カ、女ノ子ダロウカ」

山本「強ク丈夫ナ男ノ子ガ生レソウデス、今日ノ君子サン（ルーズベルト大統領）トノ話ニツイテ何カ声明ヲ発シマシタカ」

来栖「イイエ」

山本「結婚問題、ツマリ結婚式ニツイテノ話ハ打チ切ラナイデ下サイネ（交渉は打ち切らないで下さい）」

来栖「マア、出来ルダケヤリマショウ、シカシ、手ブラデハ……」

山本「トニカク……山ヲ売ルコトハ出来マセン（譲歩することは出来ません）、ドウカ最善ノ努力ヲ続ケテ下サイ」

来栖「エエ、出来ルダケヤリマス、野村サンモ最善ヲ尽シテオラレマス、サヨウナラ」

太平洋をそのような隠語電話が飛びかっていたのも、はじめて知ることであった。法廷は息を呑んだ。

夜、十時を過ぎていたが、賢治は法廷から、駿河台の椰子のアパートを訪れた。

「遅くなった、明日《あす》の法廷の資料読みをやっていて、疲れてしまったよ」

「今日、久しぶりに傍聴に行ったわ」

「気がつかなかった、いつ頃からいたんだい？」

「午後、パル判事に頼まれていた仏教美術関係の本を、神田の古本屋へ買いに行き、そのついでに傍聴に行ったの、シャワー浴びる？」

「うむ、そうしよう」

狭いながらも、バスルームにはシャワーの設備があった。肩のこった体に、熱いシャワーは快かった。まだ汗の吹きだす体で出て来ると、椰子がガウンを渡してくれた。

週の半ば近くを過すことが家庭のような気がしてきた。

「何か飲む？」

「冷たいジュースがあったら、ジンを割って飲みたいな」

椰子は手早く用意をととのえ、テーブルに運んだ。

「へえぇ、ゴードンのジンか、リトル・トーキョーのセカンド・ストリートの角の食料品店を思い出すな、あそこのおやじさんは、ジンはゴードンに限ると、ほかの銘柄を置かないので、こぼす客がいたよ」

「あのおじさん、頑固なユダヤ人だったわね」

「うむ、椰子も飲めよ」

二人は、冷たいジン入りのジュースを飲んだ。

「私、今日の法廷で、日米交渉当初から日本側の電報電信の大半が、ワシントンで傍受され、解読されていたと知って愕然としたわ、ケーンは知っていたの」

「いや、まさかあれほどとは――」

「日米段階は、私たち二世にとって最も意味深い段階なんだけど、知らないことがあまりにも多過ぎるわね」

「そうだなあ、僕は、ミネアポリスの日本語学校の教官をしていた時、国防省に呼ばれ、日独間の外交電話の解読を命じられたことがある」

当時、駐独日本大使館と、東京の外務省との間に交された鹿児島弁の隠語《いんご》電話のことを、はじめて話した。

「まあ、そんなことがあったの、ちっとも知らなかったわ」

椰子は驚くように眼を凝らした。その隠語電話は原子爆弾を研究していたユダヤ人科学者が、ドイツを脱出しロンドン経由でアメリカへ向ったことを報せる内容だったが、被爆者の椰子には詳しく話せなかった。

「裁判を傍聴しながら、加州新報時代のことをしきりに思い出したわ、ルーズベルト大統領の親電が大々的に報道された時、私たち、日本側がどういう回答を出すか、心配で徹夜でニュースを待ったわね」

「僕も椰子と同じことを思い出していた、あの年の八月に太平洋航路が途絶えてしまうと、いつ戦争が始まるかと在留邦人は不安で一杯の毎日だった、そこに、『龍田丸《たつたまる》』が横浜を出港し、十二月半ばにロサンゼルスに入港するという情報が入ったものだから、引揚げ希望者たちが、全米からロサンゼルスに集って来たね」

「ええ、荷物の制限が厳しくて、ピアノや冷蔵庫を売り払って乗船を待つ人がいたわねえ、あれは三井物産だったかしら、社員と家族用に旅客機を一機、チャーターしてニューヨークからロサンゼルスへ飛ばすという噂があって、さすが財閥《ざいばつ》会社だという声が上ったわね」

「それでも僕らは、日系人のために、新聞記事には〝戦争〟という文字をタブーにした、今から考えると、あれが良かったことか悪かったことか……」

「そうね、はっきり事態を知らせるのが邦字新聞の任務だという考え方がある一方で、いたずらに刺激してパニックを起し、米国内での日系人の立場を悪いものにしてはいけないという意見もあって、あの頃は毎日、論争がたたかわされていたわね、ケーンも悩んでいたのを知ってるわ」

　椰子は、賢治の心を汲みとるように云った。

「こちらへおいで」

　賢治は、手をさしのべた。椰子はグラスを持ったまま、賢治の傍《そば》に寄り添った。

「こうしていると、毎日の重苦しい疲れがいやされる、モニターは、通訳のチェック・マンだが、安心して通訳を任せられるのは十人中、三人いるかいないか、といったありさまだから、質の悪い通訳の時は、神経を尖《とが》らせ、実質的にはモニターと通訳の一人二役をこなさなくてはならない、同僚のモニターはストレスが溜《たま》り、このところめっきり酒量が上っているけど、僕だけ酒びたりにならずにおれるのは、椰子がいてくれるからだよ」

「そんなふうに云われると嬉しいけど、毎日、そんなに根をつめないで……、ケーンが酒びたりになったらと想像するだけで、身震いしそうよ」

「いまも云ったろう？　僕は大丈夫だ」

　賢治は、椰子の心配を吸い取るように唇《くちびる》を捺《お》した。

　ジンが二人の肌《はだ》を熱くし、いつも以上に強く求め合うように灯《あか》りを消した。

　翌朝、体を寄せ合ったベッドで、賢治はラジオをひねり、AFRS（アメリカン・フォーシズ・ラジオ・サービス）に周波数を合わせた。七時にその日一番のニュースが入って来るからだった。

　時報とともに、アナウンサーがニュースを読みはじめた。

米英軍事同盟条約調印を前に、トルーマン大統領が、アイゼンハワー元帥と最終的会談をしたこと、東西ベルリンの緊張が日増しに高まる中、昨日は東西ベルリンの境界を十人が越えられず、東ベルリン駐留のソ連兵によって射殺されたことなどが大きなニュースで、ほかには大したこともなさそうであった。スイッチを切ろうとすると、在日米軍の家族を運ぶヴィクトリー号の出港スケジュールが決ったというニュースが耳にとび込んで来た。第一便出港は来年二月末からの予定であるという。賢治は、ぱちっとラジオを切った。

「ケーン、その船でエミーたちは来るの」

　眠っているとばかり思っていた椰子が、くるりと賢治の方を向いた。

「――」

「私、暫《しばら》くの間、エミーのことを忘れていたわ、夢中だったのね」

　それ以上は、感情を見せまいと、枕《まくら》に顔を埋めた。返す言葉もなく抱きしめると、熱い涙が賢治の胸を濡《ぬ》らし、椰子とは別れられないという思いが、一層深まった。

＊

日米段階の審理は、十八日目を迎えていた。

「ミスター・プレジデント！」

いつにも増して精悍《せいかん》な、キーナンの声が、響いた。

「検察側は、次の証人として現国務長官顧問であるバランタイン氏を喚問します、バランタイン氏は、極東における国際関係、特に米国、日本、中国に関する専門家として卓越した資格を有しております、氏の証言を宣誓口供書という予め作成された陳述書の形で提出致しますが、それは、氏自身および国務省の氏の同僚の結論を含むものであり、証拠書類によって証明されます」

自信満々の口調で云い、バランタイン証人の入廷を促した。

バランタインは、いかにも官僚風の地味なダーク・スーツで証人台に坐《すわ》り、口供書を読み上げた。口供書を自ら朗読することは、東京裁判ではじめて採用された形式だった。

「私は一九〇九年（明治四十二年）六月、合衆国政府の外務部に入り、爾来《じらい》、今日に至るまで外交および領事の諸地位につき、また国務省に勤務しました、最初の赴任先は、外務部入部の一九〇九年、東京アメリカ大使館、以後、中国広東《カントン》駐在総領事、奉天総領事を経て、一九三六年（昭和十一年）一等書記官として東京の大使館へ戻《もど》り、さらに翌年から一九四五年（昭和二十年）九月二十日まで国務省極東事務局に勤務しました。

ここに証言します事柄は、主として私の個人的知識の範囲内のことであり、そうでない部分は国務省の記録によるものであります、外務部勤務の全期間中、私は極東事務を取扱い、特に日米交渉推移の跡を辿って来ました、一九三一年（昭和六年）まで日米関係は概して友好的でしたが、日本の満洲占拠によってこの関係は損われていきました」

ハル国務長官の下で、日米交渉の重要なスタッフの一人として実務を担当したバランタインは、慇懃《いんぎん》無礼な語調で日本を非難した。

「一九四一年（昭和十六年）六月二十二日、ドイツはソ連を攻撃し、七月になると、南印度支那に向けて日本軍の大移動が行われるという情報が入りました、日本のこの行動は、フィリピンにまでおよぶといわれ、西太平洋方面の英領、蘭領地域に脅威を与え、且つ重要な通商航路を脅やかすことになったのであります。

国務省当局では、直ちに日本大使に注意を喚起したのでありますが、日本は大いなる兵力を南印度支那に移動せしめたのであります。

この行動によって情勢は戦争勃発の危険を最大限に孕《はら》み、ここに合衆国は自衛のための決定的行動をとることを余儀なくされたのであります、七月二十六日、ルーズベルト大統領は行政権を発動し、合衆国における中国汪《おう》政権および日本の資産を凍結し、その結果、中国汪政権および日本の利益を包括する一切の金融および輸出入貿易に関する取引は政府の統制下におかれ、次いで、英、蘭も同一の挙に出たのであります、これにより日米間の通商は事実上、途絶えたのであります。

　その後、八月二十八日、ルーズベルト大統領は日本の近衛首相から、太平洋全区域に関する日米間の重要問題を討議する巨頭会談の成立を促《うなが》す『メッセージ』を受け取ったのであります」

　バランタインがそう供述すると、キーナン首席検事が直ちにその証拠を提出した。一九四一年（昭和十六年）八月二十七日付であったが、その五十日後に、近衛内閣は総辞職して、東条英機が首相になり、日米交渉は大きく変転したのだった。

　バランタインは、コップの水で咽喉を潤し、証言を続けた。

「十一月五日、東条大将を首相とする日本政府は、本交渉において野村大使を助けるため、さらに来栖《くるす》三郎氏をワシントンに派遣することを決定、十一月二十日、野村、来栖両氏は、ハル国務長官に対して通常の判断を超えた〝極端な提議〟を手交したのであります」

　それをうけて、キーナン首席検事が書証を提出し、すぐに朗読した。

　その内容は、日本は南部仏領印度支那に駐屯する兵を北部へ移駐する用意がある、而《しか》して日米両国は通商関係を資産凍結前の状態に戻し、相互に協力するとともに、アメリカは石油の対日供給をなすべし、というものであった。

　日本側の〝極端な提議書〟なるものが読み上げられると、バランタインはさらに声を大にした。

「かかる提議を前にし、ルーズベルト大統領は、十二月六日、日本国天皇に対し、現下の情勢における〝悲劇の可能性〟を避けるために、大統領親電を駐日アメリカ大使、グルー氏経由で打電したのであります、そのメッセージは秘密の符号ではなく、灰色の符号によって打電したので、日本側は容易に解読し得たはずです」

　大統領親電が証拠として提出され、ヒギンズ検事が朗読した。

「日本国天皇陛下宛
陛下に対し余が国務に関し親書を呈するは、両国にとり特に重大なる場合においてのみなるが、現に醸成せられつつある深刻な非常事態に鑑《かんが》み、ここに一書を呈する次第なり。

日米両国民および全人類をして、両国間の長年にわたる平和を喪失せしめんとするが如き事態が、現に太平洋地域に発生しつつあり、右情勢は悲劇の可能性を孕むものなり。

最近、数週間、日本陸海軍部隊は夥《おびただ》しく南部仏領印度支那に増強せられたること明白なり。今や比島、東印度の数百の島嶼《とうしょ》、馬来《マレー》および泰《タイ》国の住民は、日本軍がこのいずれかに対し攻撃を企図していると猜疑《さいぎ》しつつあるは蓋《けだ》し当然なり。

斯《かか》る事態の継続は到底、考えられざるところなり。余が前述した諸国民は恒久的にダイナマイトの樽《たる》の上に坐し得るものに非ず、余が陛下に書を致すは、この明確なる危局に際し、陛下におかれても余と同様に暗雲を一掃する方法を考慮せられんことを希望するためなり。余は陛下とともに日米両大国国民のみならず、隣接諸国の住民のため、両国民間の伝統的友誼《ゆうぎ》を回復し、世界におけるこの上の死滅を防止する神聖な責務を有することを確信するものなり

フランクリン・D・ルーズベルト」

バランタイン証言は、いよいよ真珠湾攻撃の十二月七日の局面に入った。

「十二月七日、日曜日正午頃、ハル国務長官は、日本大使館からの電話による要求に応じて、午後一時野村大使および来栖氏と会見する約束をしました、午後一時を過ぎて間もなく、大使と来栖氏は、約束を午後一時四十五分まで延ばしてほしいと電話して来、両氏は午後二時五分、国務省へ到着、午後二時二十分長官と会見しました、日本大使は午後一時に文書を手交するよう本国政府から訓令を受けたのでありますが、電報翻訳困難のため、遅延した旨を申し述べました、次いで大使は長官に文書を手交しました」

その写しを書証として提出し、ヒギンズ検事が読み上げた。七項目にわたる長文のものであった。バランタインは続けた。

「日本のメッセージは理由を付した宣戦布告でもなく、最後通牒でもありませんでした、それは外交関係断絶の意思宣言ですらなかったのです、日本のメッセージの主張は事実に反しています、日本の政策は中華民国に完全な軍事的経済的根拠地を設置することでした、国務長官は日本の文書を読み『私は過去九カ月にわたる貴方との総ての会談において、虚偽の言は一語も発したことがなかったのです、このことは記録によって証明されます、私の全公職五十年間に、私はこれ以上劣悪な虚偽と歪曲に満ちた文書を見たことはありません』と申したのです。日本大使および来栖氏は何も云わず、別れを告げてたち去ったのです。

この会見は後に判明したように、日本軍が真珠湾を無警告で攻撃してから一時間後、マレーに日本軍が上陸してから二時間後、上海国際居留地の境界を越えてから四時間も後に行われたものでありますが、野村および来栖氏は、これらの事実には言及しなかったのであります」

バランタインの証言は終った。日本の外交の卑劣さと欺《ぎ》瞞《まん》が、法廷で赤裸々にされ、侮蔑と憎悪の視線が被告席に

集中した。

＊

次の日曜日、横浜の山手町の丘にある教会で、賢治と椰子の共通の友人であるナンシー山田の結婚式が挙《あ》げられていた。

WAC《ワック》（婦人部隊）で日本へ来、CIE（民間情報教育局）の新聞検閲課で働いているナンシーは、家族がいない異郷での結婚式だから、できるだけ賑《にぎ》やかにしてほしいと頼み、花婿《はなむこ》は同じ課の米軍少尉であったので、多くの友人が集っていた。

ナンシーは、アメリカの両親から送られて来たウェディング・ドレスの裾《すそ》をひき、司祭の前に跪《ひざまず》いた。誓いの言葉を交し、指輪の交換をすると、よほど感激したのか、大粒の涙を光らせ、花婿の腕に手をからませた。

三十人ほどの参列者が二人のために祝福の讃美歌《さんびか》を唄《うた》ったあと、教会の扉《とびら》が開かれた。外へ出た新郎新婦の頭上に、一斉《いっせい》に米《ライス》が花吹雪《ふぶき》のように撒《ま》かれた。

「コングラチュレーション！」

花婿と同じ米軍の若い将校たちは、まだ披露《ひろう》パーティがはじまっていないのに、シャンペンを花婿の軍服の上にふりかけた。

「おい、よせよ！　花嫁のドレスもよごれるじゃないか」

ナンシーの夫になったばかりの少尉が、新妻《にいづま》をかばうと、

「ハズバンド面《づら》は早すぎる、初夜はまだだぜ」

その声にどっと爆笑が上《あが》り、カメラのシャッターをきる音がし、ここだけが敗戦の日本から切り離されたように眩《まぶ》しいほど倖《しあわ》せで、華《はな》やかな光景であった。

椰子はふと、チャーリーに求愛され、マンザナール強制収容所を出て、ミネアポリスの由緒《ゆいしょ》ある荘厳《そうごん》な教会で結婚式を挙げた時のことを思い出した。収容所にいる両親と妹は出席出来なかったが、チャーリーの友人知己《ちき》が出席し、チャーリーから贈られた純白のレースのウェディング・ドレスを着てバージンロードを歩み、ステンドグラスが燦《きらめ》く祭壇の前で、生涯《しょうがい》を誓い合った。それは戦時下の日系二世としては恵まれた結婚式だった。そして新婚旅行は、チャーリーが富裕な穀物《こくもつ》商から借りたミネトンカ湖畔《こはん》の別荘で、暖炉に薪《たきぎ》を燃やしながら、雪の湖面をわたる鴨《かも》や水鳥を眺《なが》めて過ごした。あの時、自分はほんとうにチャーリーを愛して、求婚に応じたのだろうか。それとも有刺《ゆうし》鉄線に囲まれ、望楼《ぼうろう》から監視される中で、来る日も来る日も砂塵《さじん》に吹きつけられるマンザナール強制収容所を出たい一心から、結婚したのだろうか――。あの異常な情況に置かれた時の気持は、正直、今もって明確に答えられない。頭に浮かぶ当時の思い出は、セピア色に色褪《あ》せた写真のように輝きを失っていた。

「椰子、どうしたんだい、急に黙り込んで」

賢治は、振り向いた。

「花嫁姿って、いつ見ても美しいわね、ヒロコもやがて、と思っていたの」

「そうだね、その時は皆で盛大に祝おう」

毎日、戦犯の法廷に臨んでいる賢治は、祝福されている人の表情や風景に、久しく接する機会がなかったから、心が明るんだ。

式後の披露パーティがお開きになると、賢治と椰子は、山手町の高台の方に登って行った。なだらかな広い斜面に外人墓地があった。

白い十字架の墓標や、館《やかた》を型どったような装飾的な墓もあり、墓地というより異国情緒が漂う高台であった。その北側に立つと、横浜港が一望のもとに見渡され、星条旗はためく軍艦の向うに太平洋が拡《ひろが》っている。

眼下にはメリケン波止場の埠《ふ》頭《とう》が見えた。何隻《せき》もの船が横づけになっていたが、その中の大きな一隻が、どこへ向けて出航するのか、ゆっくりと埠頭を離れて行く。

賢治と椰子は、斜面になった芝生《しばふ》に腰を下《おろ》して、黙って海を眺めていた。何も話さなくても、思いは同じだった。二人の心を重くしているのは、年が明けて、東京代々木《よよぎ》に建設中の米軍将校家族用のハイツが出来上れば、この太平洋を渡って、賢治の妻のエミーが子供をつれてやって来ることだった。

「あなたには、打ち込める仕事があっていいわね、私はアメリカへ帰ろうかしら——」

不意に、椰子が云った。その唐突《とうとつ》さに、賢治は驚いた。

「日本にいても、この頃は、連合国の高官や夫人たちの観光ガイドやショッピングのお伴《とも》のような仕事ばかり、それなら、いっそのこと、ロサンゼルスへ帰って、もう一度、加州新報の仕事をしてみたいと思うの」

「本気かい？」

「ええ、本気よ、どうして」

と応えながら、椰子は、自分の心の中に賢治の気持を試《ため》す女心が皆無《かいむ》とは云いきれないのを感じていた。賢治は、真っ正面から椰子の顔を捉《とら》えた。今、アメリカへ帰ると云ったばかりの椰子であるのに、その瞳《ひとみ》は、言葉とは裏腹《うらはら》に離れ難い思いを籠《こ》めて、潤《うる》んでいる。賢治は思わず、帰らないでくれ、将来、出来ることなら一緒になりたいのだと、口をついて出そうになる言葉を呑み込んだ。父の病気を案じ、帰米した時、エミーは相変らず、齢老《としお》いた両親の面倒を見てくれず、妻としても何かしっくりゆかぬものを感じたが、アーサーとベティの幼い子供は可愛いかった。

そんな曖昧《あいまい》な情況のままで、椰子を引き留めることは出来ない。さりとて、ここで自分の本心をさらけ出し、なまじ口に出してしまえば、もはや、賢治を支えている理性も、二人の仲も、家庭もめちゃめちゃになってしまいそうであった。賢治は乱れ、激して来る思いを抑《おさ》えた。

「そうか……、椰子がどうしてもアメリカへ帰りたいというのなら、君が失ったアメリカ市民権の回復手続きには、できる限りの努力をするよ」

「それで、ケーンはいいの？」

「いいも、悪いも、僕は君さえ倖《しあわ》せになれれば、それでいいのだ――」

「倖せ？　あなたと別れて、私の倖せなどあるかしら」

「じゃあ、どうしてアメリカへ帰るなんて、云い出すんだい」

「このままではどうしようもないじゃないの、エミーが日本へ来れば、あなたのことだから、彼女と私との間にたって、ひどく悩み、苦しむに違いないわ、それが今から手にとるように解《わか》るの、だから辛《つら》いけど、私が黙ってアメリカへ帰れば……」

「椰子――」

と云うなり、賢治は、ほっそりとした椰子の肩を抱き、激しく唇《くちびる》を重ねた。重ねながら、今さらのように別れ難い二人の本心を確かめ合ってしまった。

*

市ヶ谷の法廷では、国務長官顧問のバランタイン証人に対する弁護側の反対尋問が始まっていた。

この日、発言台にたったのは、弁護団のエース、ブレイクニー弁護人だった。

「あなたは、一九四一年（昭和十六年）国務省のスタッフとして日米交渉に参加されましたか」

「殆んどの交渉に、出席しました」

バランタイン証人は、落ち着き払って証人台に坐っていた。

「その交渉中に行われた提案、ならびに反対提案などの文章の起草にも携わりましたか」

「数人の一人として協力しました、国務長官の三人の極東担当顧問のうち、私が一番若輩《じゃくはい》の下級者でした」

慎重に煙幕《えんまく》を張った。

「他の二名の名前を云って下さい」

「一人は政治顧問のホーンベック氏、もう一人は極東事務局長のハミルトン氏です」

「一九四一年四月九日に、交渉のもととなる提案が最初になされましたね、これは誰の発意によるものでしたか」

「私は存じません、私の推定であります」

賢治は、モニターのボタンを押した。

「訂正、私は知りません、推定でしか知らないからです」

通訳は外務省嘱託の日本国籍のカナダ二世で、日本語にやや難があったが、今日は体調を崩しているのか、特になってない。ブレイクニーは続けた。

「それではこういう工合に聞きましょう、この問題を最初に討議した日米双方の人は、誰ですか」

「私の推定では、日本側の私人は井川忠雄氏、それから岩《いわ》畔《くろ》陸軍大佐、アメリカ側はメリノールミッションのドラウト神父、ウォルシュ僧正です」

「郵政長官のウォルカーも、その一人でしたか」

「私の知っている範囲では、彼は提案起草に関係していませんが、双方の仲介者として動いたように思います」

「ウォルシュ僧正とドラウト神父は、一九四一年または一九四〇年初めに日本を訪問していますね」

違うじゃないかと、賢治はまた訂正した。

「訂正――、一九四〇年の終りあるいは一九四一年の初め頃に、日本を訪問したことがあるのではありませんか」

バランタイン証人は、イエスと認めた。

政府間で正式に日米交渉が開始される以前の一九四〇年(昭和十五年)十一月二十五日、密命を帯びた二人の神父が横浜に着いた。日本側も民間レベルという線で、大蔵省出身のアメリカ通で、カトリック教徒の井川忠雄なる人物と岩畔陸軍大佐が動いていた。

「二人の神父は日本に滞在中、近衛首相をはじめ、他の高官と話したことを、帰国後、あなたに告げましたか」

「彼らは多くの日本の高官と個人的に会談したことを云いましたが、名前は記憶しておりません、一人だけ印象に残っているのは松岡洋右氏であります」

「二人の神父が持ち帰った提案は、実際にはどういう風にして国務長官、大統領に提示されたのですか」

「私の記憶に誤りがなければ、この提案は先ほど申しました郵政長官のウォルカーによって、国務長官の手もとに渡ったと思われます」

「この提案なるものが国務省の手に入ってから、ハル長官と野村大使との間で交渉が開始されたのですね」

ブレイクニーは一歩、踏み込んだ。

「その件は四月十四日、同十六日の外交関係の記録に示されている通りです」

波瀾にみちた日米交渉のそもそもの当初は、軍部や右翼の眼につきにくい神父の来日で、秘かにはじまっていたことを、バランタイン証人は認めた。

「さて、証人、あなたの宣誓口供書に戻ります、そこであなたは提案の比較に言及していますが、それは……」

「訂正――」

賢治はもはや聞いていられない思いで、モニターのボタンを押した。

「あなたは宣誓口供書において、日本側の出した提案と、それに対するアメリカ側の回答を比較しています、日本側は五月十二日付、アメリカ側は六月二十一日付であります、この双方提案につき、あなたは重大な相違点を三点、挙げておられます、第一は両国のヨーロッパ戦争に対する態度、つまり三国同盟問題と密接にかかわる事柄であります」

もたついている通訳に代って、賢治が訳した。

「その通りです」

バランタイン証人は、大きく頷《うなず》いた。

「第二は日支間のことで、日支事変解決の問題、第三は両国間の太平洋における経済活動問題、特に中国における無差別通商機会均等の問題です」

「第二点はその通りです」

「では、これから相違点を一つずつ討議しましょう、第一の三国同盟ならびにヨーロッパ戦争に対する問題でありますが、アメリカ側からこの問題をみれば、いずれはヨーロッパ大戦に介入することは必然で……」

通訳はまた口詰《くちづま》った。ブレイクニー弁護人の反対尋問をメモした紙と首っぴきで、日本語訳を進めようとするが、言語障害を起したように、しどろもどろになり、日本語がうまく出て来ない。裁判長席からウェッブが苛だった顔を向けた。賢治はまた訂正ボタンを押し、その先の通訳もした。

「つまりアメリカは、ヨーロッパ戦争に参加するに当り、それが自衛のための行動であることを日本に納得させる必要がありました、そして、もしそういう事態が生じても、日本が三国同盟に拘束されて行動に移ることがないよう、アメリカは要求しました、そうですね、バランタイン証人」

ブレイクニー弁護人の尋問に対し、バランタイン証人が慎重な答弁をはじめると、通訳は顔面蒼白《そうはく》、脂汗《あぶらあせ》を吹き出して、逐語訳をした。

「我々の問題は、太平洋全地域にわたる平和に関する協定を目的としていたわけで、しかし一つの可能性として、つまり……日本は三国同盟の解釈で、わが方を攻撃したならば……戦争は太平洋方面にも拡ってくる可能性があったので、我々はどんな観念をもって……」

ミスを重ねまいと、焦《あせ》れば焦るほど混乱するらしく、もはや支離滅裂の状態に陥っている。この通訳は、日本語自体の稚拙さもさることながら、証言内容の歴史的背景を全く理解していない。賢治は、モニターのランプを押した。

「只今のところを訂正します、つまり、もし米国がヨーロッパ戦争に参加した場合、日本が三国同盟の義務を負って直ちに軍事行動に移るようなことになれば、太平洋において戦争が起り得る可能性があったのです、当時、われわれの最大の関心事は、太平洋に平和を維持することでした、したがって日本に対し、われわれがヨーロッパ戦争に参加するのは、自国の自衛のためであるという立場をはっきり納得させたかったのであります」

と、バランタイン証人の言葉を正確に訳した。

「その自衛という解釈に問題があったのではないですか、日本側の野村、来栖《くるす》両大使は、アメリカ側でいうところの自衛の定義はあまりに広範囲に過ぎ、受諾することは出来ないと、ハル国務長官とあなたに、何度も云われたのではないですか」

ブレイクニー弁護人は、アメリカがヨーロッパ戦争に参加することは自衛であり、日本の太平洋地域における行為

は侵略であると、頭からきめてかかっているアメリカの身勝手なご都合主義を鋭く衝《つ》いた。そしてさらに、

「われわれ即ちアメリカは、日本に対してこう云った、ヨーロッパ戦争への参加が自衛のためであると解釈出来ないのなら、仕方がないと――」

と云った途端、

「異議あり！」

キーナン首席検事が赫《あか》ら顔を真《ま》っ赤《か》にして、発言台に飛び出して来た。

「弁護人は、我々《ウイ》即ちアメリカンと云いましたが、我々《ウイ》とは一体、誰を指しているのか、弁護人は、日本の被告の弁護人でありますぞ」

それでもお前はアメリカ人かと、ブレイクニー弁護人の合衆国への忠誠心を疑わんばかりの語気で迫った。法廷内にただならぬ騒《ざわ》めきがたった。賢治は、自らに問いかけられたように緊張し、ブレイクニーを見詰めると、彼は眉一つ動かさず、

「ウイとは、もちろんアメリカンである、私は生れてから今日《こんにち》までずっと米国人であり、今でも米国人として話をしているつもりであります、そしてアメリカ人弁護人として、アメリカの正義に重大な疑問を呈しているのであります」

堂々と反駁《はんばく》した。キーナン検事がアメリカ人の愛国心に訴えて、強引に〝アメリカの正義〟を押し通そうとしたのに対し、ブレイクニーは、弁護人としての義務と使命感に基き、アメリカの偽りの正義を衝《つ》く立場を譲らなかった。その不屈の弁護士魂は、法廷の心ある人々の胸を搏《う》った。

しかし、ガラス張りのブースの中では、意外なことが起っていた。

通訳が眼を吊り上げ、体を硬直させたかと思うと、がばっと顔を伏せた。賢治は愕然としてスイッチをきり、

「どうしたんだ、しっかりしろ」

「駄目です、私はもう……これ……これ以上、通訳できない、一つの言葉を逃したら頭にかっと血がのぼって、次の言葉が聞えて来ず、あとは何を云っているのか、全然、意味がつかめない……」

まるで酸素のきれた水槽で金魚があっぷあっぷしているように、ガラス張りのブースの中で口を大きく開けて喘ぎはじめた。言語裁定官のホールデン大尉は狼狽するばかりだったが、ムーラー言語部長は端《はし》の席からすっ飛んで来た。

「ケーン、すぐ通訳を替えろ！」

「まだ午後の部の通訳は出て来ていません」

と応えると、通訳は虚ろな眼で、

「私はもう何も出来ない……このガラス箱から今すぐ……出して下さい、出してくれ！」

錯乱状態でもがいている。通訳を必要とする日本人弁護団と被告たちは、気遣わしげにブースを見上げた。

「ケーン、この先は君が、通訳をやれ」

「しかし」

通訳をやれば、モニターとしてのチェックが疎《おろそ》かになる。

「しかしも、何もない、これ以上の混乱は避けねばならない、ブースの中のトラブルをウェッブ裁判長にも勘づかれてはまずい」

ムーラー言語部長は、自分の失点を怖れるように云った。

「解りました、やりましょう」

賢治は頷いた。錯乱状態の通訳は、ＩＢＭの技術者に口を封じられるようにして連れ出された。


午後四時閉廷——、賢治はガラス張りのブースから出て、ほっとした。大きく息を吸い、一階の言語部へ戻る階段にさしかかると、数時間前、ブースの中で錯乱状態に陥り、担ぎ出されたカナダ生れの二世の通訳が、放心した様子で手摺《てす》りにもたれていた。

「気分はどうだ、もう落ち着いたかい」

「天羽さん、さっきはすみませんでした、医務室で鎮静剤を貰い、すっかりよくなりました」

「そりゃあよかった、一時はびっくりしたよ」

「お恥ずかしい限りです、今日はモニターが天羽さんだったからこそ、僕がダウンした後の通訳まで代行して戴けたのだと感謝しています」

心から礼を述べたが、元気がない。

「今日はゆっくり休むことだね、それと通訳の担当日には、その日、問題になりそうなことについて、前日の法廷速記録や、提出された書証に予め眼を通して、歴史的背景も下調べしておくべきだ」

今後のためにアドバイスすると、

「私はクビを云《い》い渡されました」

消え入るような声で、うなだれた。賢治はとっさに返答出来なかった。

「お願いです、天羽さんから白人のボスに頼んで下さい、私は戦争がはじまる三年前に、カナダから日本へ帰って来て、国籍は日本ですが、正直なところ、こんな難しい国際軍事法廷の通訳が勤まるほど日本語はうまくないし、日本の歴史にも詳しくありません、しかし、一生懸命勉強して、迷惑はかけません、やっと得たいい職を失うと、一家が生活に困ります、どうかチーフ・モニターの天羽さんから取りなして下さい」

哀願した。階段を上り下りする人たちの視線に賢治は困惑し、取りあえず、言語部へ連れていくと、

「なんだ、まだいたのか」

白人少尉が怒鳴りつけた。

「今、話を聞いたんだが、彼は通訳の仕事に慣れていないために、今日のようなミスをしたと思う、これからは日本の歴史の勉強をし、予習も充分、やると確約しているので、もう一度、チャンスを与えてみてはどうだろう」

取りなすと、ムーラー言語部長が入って来、

「今日、あれだけ迷惑をかけられて、庇《かば》うつもりかね」

「叱うわけじゃありませんが、通訳は、極度に神経の消耗する仕事です、一フレーズ聞き逃がせば、それがひっかかって、次から次へと発せられる言葉がうまく訳せない、これは厳しい交渉や会議の通訳をやった者でしか解らない、恐しいほど精神的重圧感のある仕事なんです、モニターであるわれわれだって、いつ彼のような症状に陥らないとも限らない」

賢治が云うと、

「まさかケーンぐらい出来れば、そんなことが起るはずはないよ」

一笑に付した。東洋通を任じるムーラーは、軍で日本語教育を受けたといっているが、所詮は日常会話程度であった。ホールデンに至っては、言語裁定官という肩書がお笑い草で、今日の法廷でも賢治が通訳を肩代わりしている間、発言者に赤ランプで区切りを指示する役割を受け持っていたが、賢治の通訳がどこで終るか解らず、「……でありました」という日本訳が来る度に、まだ続きがあるにもかかわらず、やみくもに赤ランプをつけ、賢治を辟易《へきえき》させたのだった。白人なるが故の〝上司〟と、下手《へた》な通訳の間に挟まれて、賢治たちモニターこそいい面《つら》の皮であった。

「ともかくクビだ、今日のような失敗が、わが言語部に二度とあってはならない」

ムーラー部長は、冷然と云い切った。

「僕も賛成だね」

同じモニターのジョン小寺が口を挾んだ。

「彼は能力不足の上に酒が過ぎるよ、二日酔いで通訳出来ると思ったら大甘《おおあま》だ」

「私は好きこのんで飲んでいるのではありません、どっちかといえば飲めなかったのが、酒でも飲まなければ、緊張の連続で頭が狂いそうになるのです、明日もまたミスしたらと思うと、不眠症になり、酒の力を借りて眠ることを覚えたのです」

カナダ生れの二世は、悲痛な告白をした。

「そうか、では君はこの仕事を辞めた方がいい」

賢治は、きっぱり断を下した。意外な成り行きにカナダ生れの二世は、泣き出さんばかりに、

「どうしてです、天羽さんなら理解して下さると思ったのに」

おろおろと取りすがった。

「君は小心で真面目すぎる、酒の力を借りなければ、眠れないほど不安な仕事を続けていたら、君の将来が駄目になってしまう、この際、別の仕事を見つけることだ」

賢治は心を鬼にして云った。

しかし、神経が張り詰める裁判が長びけば、自分の身にも、同じようなことが起るかもしれない。椰子はそんなに根をつめないでと心配し、大丈夫だと応えたものの、やがてロサンゼルスからエミーが来、私生活でのトラブルが加われば、どうなることだろう。

自分もこのカナダ生れの二世のようにガラス張りのブースで錯乱状態になるのではないかという危惧をはじめて抱き、賢治は背筋に冷たいものを覚えた。

（以下、下巻）

二《ふた》つの祖国《そこく》(中)

昭和五十八年八月二十日　発行
昭和五十八年九月三十日　四刷

定価　一二〇〇円

著者　山《やま》崎《さき》豊《とよ》子《こ》
発行者　佐藤亮一
発行所　株式会社新潮社
〒一六二　東京都新宿区矢来町七一
電話(業務部)〇三―二六六―五一一一
(編集部)〇三―二六六―五四一一
振替　東京四―八〇八番
印刷　大日本印刷株式会社
製本　加藤製本株式会社

乱丁・落丁本は，御面倒ですが小社通信係宛御送付下さい。送料小社負担にてお取替えいたします。

ISBN4-10-322811-3 C0093